オールカラー

新版

# 排泄ケア ガイドブック

一般社団法人 日本創傷・オストミー・失禁管理学会 編

照林社

# 序

　『排泄ケアガイドブック』は、日本創傷・オストミー・失禁管理学会が、皮膚・排泄ケア認定看護師教育用のテキスト、ならびに「排尿自立指導料」を申請するために必要となる研修時のテキストとして2017年に作成いたしました。それから4年の月日が経ち、この領域は大きな進歩を遂げました。当初入院中に限られていた排尿自立指導料は、外来も含まれるようになりました。この排尿に関しての取り組みが進むなか、排便に関するケアも注目されるようになりました。従来、われわれの領域では、下痢による皮膚障害をターゲットにしておりましたが、超高齢者が急増するなか、便秘などに苦しむ対象者も増え、新しい課題に取り組む必要性が出てきました。

　そこで当学会では、排尿・排便双方の自立を目指す取り組みに焦点化することを目指し、『新版 排泄ケアガイドブック』を発刊いたしました。特に排尿・排便に関する病態の理解を深めるとともに、エコーによる便貯留の新しいアセスメント方法を導入しました。そして排尿・排便ともに、新しい治療方法に関する知見も含めました。

## コロナ禍における排泄ケア

　コロナ禍は、われわれに何をもたらしたでしょうか。この1年半近く、COVID-19による医療への甚大な被害は語りつくせないでしょう。われわれ看護師の仕事は、直接的に対象者に触れる療養支援を主とします。特に排泄ケア時は、非常に近距離で会話し、皮膚に触れ、排泄物を管理するといった、感染源からの曝露を最も受けやすい状況となっています。訪問看護においても、排泄ケアが必要となる高齢者や小児へのケアへの直接的介入は、クリティカルな状況です。つまり、今後は触れることを減らすアセスメントやケアの方法も必要となってくるでしょう。エコーによるアセスメントや、経肛門的洗腸療法による自己管理など、直接的に接触する機会を減らす新しいケア技術にも今後は着目していくことが必要でしょう。

　このように、遠隔でのアセスメントやセルフケアといった遠隔看護（リモートナーシング）の導入も意識しつつ編集しました。

## 疾病や障害があっても、自立し、尊厳をもって人生を全うできるよう支援する

　排泄ケアの基本はもちろん変わりません。しかし、人々の「健康」についての社会の要請や価値観は変わります。排泄ケアは、疾病や障害があっても自立した生活を送り、尊厳をもって人生を全うできるよう支援することにほかなりません。排泄行動は、それ自体が生命に直接影響することは少ないですが、自ら排泄をコントロールできなくなることは生活の質を大きく損なうだけでなく、個人の尊厳までも脅かすこととなります。そのため、排泄障害によって日々の生活が脅かされることがないよう支援することが求められます。2017年に排尿自立指導料が保険収載されて以降、多医療分野の専門能力を要するチーム医療が奏効し、下部尿路の局所的な問題ではなく運動機能や認知機能など、患者の排泄習慣や価値観等、社会・文化的要因を含めた多職種連携が進められています。排便の自立も、今後は同様にチーム医療を推進していくことが、当学会の方針です。

＊

　本書は、このような社会的背景から、看護師とともに排泄にかかわるすべての医療者が排泄障害だけでなく、障害をもつ患者の経験を全人的にとらえてケアに役立てられることを目指して編集しました。排泄ケアの学際的な取り組みが進み、さらに排泄ケアが進化し発展していく際に、本書がその一助となれば幸いです。

　末筆になりましたが、本書編集にあたっては、執筆いただいた日本創傷・オストミー・失禁管理学会の理事、学術教育委員会委員（失禁担当委員会）、評議員の皆様、ならびに老年泌尿器科学会の皆様には、衷心より感謝申し上げます。

2021年12月吉日

日本創傷・オストミー・失禁管理学会
前理事長　田中秀子
元理事長　真田弘美

## 執筆者一覧

**編集**
一般社団法人 日本創傷・オストミー・失禁管理学会

**編著**

| | |
|---|---|
| 本間之夫 | 日本赤十字社医療センター 院長 |
| 真田弘美 | 東京大学大学院医学系研究科 健康科学・看護学専攻 老年看護学/創傷看護学分野 教授 |
| 田中秀子 | 淑徳大学 看護栄養学部 看護学科 教授 |
| 溝上祐子 | 公益社団法人日本看護協会 看護研修学校 認定看護師教育課程 課程長 |
| 谷口珠実 | 山梨大学大学院総合研究部医学域 健康・生活支援看護学講座 教授 |
| 吉田美香子 | 東北大学大学院医学系研究科 保健学専攻 家族支援看護学講座 ウィメンズヘルス・周産期看護学分野 准教授 |

**執筆（掲載順）**

| | |
|---|---|
| 山名哲郎 | 独立行政法人地域医療機能推進機構 東京山手メディカルセンター 副院長/大腸肛門病センター長 |
| 鈴木康之 | 東京都リハビリテーション病院 副院長、泌尿器科 部長 |
| 関戸哲利 | 東邦大学医療センター大橋病院 泌尿器科 教授 |
| 前田耕太郎 | 藤田医科大学病院国際医療センター 教授、名誉センター長 |
| 小出欣和 | 藤田医科大学病院 総合消化器外科 准教授 |
| 勝野秀稔 | 藤田医科大学 岡崎医療センター 消化器外科 准教授 |
| 西澤祐吏 | 国立がん研究センター東病院 大腸外科・クオリティマネジメント室長 |
| 津畑亜紀子 | 横浜未来ヘルスケアシステム 奥沢病院 看護部長 |
| 正源寺美穂 | 金沢大学医薬保健研究域保健学系 高齢者・リハビリテーション看護学分野 助教 |
| 田中純子 | 山梨大学大学院総合研究部医学域 健康・生活支援看護学講座/大学院 排泄看護学 非常勤講師 |
| 鎌田直子 | 兵庫県立こども病院 看護部、皮膚・排泄ケア認定看護師 |
| 鈴木基文 | 東京都立墨東病院 泌尿器科 部長 |
| 宮嵜英世 | 国立国際医療研究センター病院 泌尿器科 診療科長、第一泌尿器科 医長 |
| 山西友典 | 獨協医科大学 排泄機能センター 診療部長 |
| 積美保子 | 独立行政法人地域医療機能推進機構 東京山手メディカルセンター 看護部 副看護師長、皮膚・排泄ケア認定看護師 |
| 松本　勝 | 石川県立看護大学 成人・老年看護学講座 成人看護学 准教授 |
| 廣部誠一 | 東京都立小児総合医療センター 院長 |
| 高橋知子 | 亀田総合病院 消化器外科 部長 |
| 小倉美輪 | 亀田総合病院 看護部、皮膚・排泄ケア特定認定看護師 |
| 渡辺光子 | 日本医科大学千葉北総病院 看護管理室 看護師長、皮膚・排泄ケア特定認定看護師 |
| 樋口ミキ | 公益社団法人日本看護協会 看護研修学校 認定看護師教育課程 皮膚・排泄ケア学科 主任教員、皮膚・排泄ケア特定認定看護師 |
| 渡邊千登世 | 神奈川県立保健福祉大学 保健福祉学部 看護学科 看護管理学 准教授 |
| 丹波光子 | 杏林大学医学部付属病院 看護部 師長、皮膚・排泄ケア特定認定看護師 |
| 嘉村康邦 | 昭和大学医学部 泌尿器科学講座 教授、昭和大学横浜市北部病院 女性骨盤底センター センター長 |
| 浅沼　宏 | 慶應義塾大学医学部 泌尿器科学教室 准教授 |
| 大家基嗣 | 慶應義塾大学医学部 泌尿器科学教室 教授 |

# 排泄ケアガイドブック
## CONTENTS

序 ......................................................... 真田弘美、田中秀子　i
総論　排泄ケアの基本的姿勢 ....................... 真田弘美、田中秀子　viii

## Part 1　排泄の基礎

### 1. 排泄障害の疫学・QOL

1) 排尿障害の疫学・QOL ................................................... 本間之夫　2
2) 排便障害の疫学・QOL ................................................... 山名哲郎　4

### 2. 排泄の病態・生理、症状

1) 排尿機能障害
　　排尿機能障害の病態・生理 ............................................. 鈴木康之　7
　　排尿機能障害の症状（下部尿路症状：LUTS） ........................... 鈴木康之　14
　　排尿機能障害（下部尿路機能障害）がみられる疾患
　　・神経因性下部尿路機能障害（NLUTD）（神経因性膀胱） ............... 関戸哲利　18
　　・過活動膀胱 ........................................................ 関戸哲利　31
　　・骨盤臓器脱 ........................................................ 関戸哲利　40
　　・間質性膀胱炎・膀胱痛症候群 ........................................ 関戸哲利　48
　　・夜間頻尿 .......................................................... 関戸哲利　54
　　・認知症患者における下部尿路機能障害 ................................ 関戸哲利　60

2) 排便機能障害
　　排便機能障害の病態・生理 ................... 前田耕太郎、小出欣和、勝野秀稔　68
　　排便機能障害の症状 .................................................. 山名哲郎　73
　　排便機能障害と疾患 .................................................. 西澤祐吏　76
　　排便機能障害：便秘がみられる疾患 .................................... 西澤祐吏　78
　　排便機能障害：下痢がみられる疾患 .................................... 西澤祐吏　84
　　排便機能障害：便失禁がみられる疾患 .................................. 西澤祐吏　87

---

**本書の注意点**

　本書で紹介している治療とケアの実際は、編著者の臨床例をもとに展開しています。実践により得られた方法を普遍化すべく万全を尽くしておりますが、万一、本書の記載内容によって不測の事故等が起こった場合、編著者・出版社はその責を負いかねますことをご了承ください。
　本書に記載しております薬剤・機器等の使用にあたっては、個々の添付文書や取り扱い説明書を参照し、適応や使用法等については常にご確認ください。

# Part 2 排尿機能障害へのアプローチ

## 1. アセスメントとそのポイント

### 1) 問診の仕方と注意点
- 問診の進め方：目的・環境・内容 ……………………………… 谷口珠実　96
- 排尿日誌のつけ方と指導法 ……………………………………… 谷口珠実　102
- 質問票 …………………………………………………………… 谷口珠実　106

### 2) ヘルスアセスメント
- ナースが行うヘルスアセスメント ……………………………… 谷口珠実　115
- 排尿動作評価 …………………………………………………… 吉田美香子　121
- 認知機能評価 …………………………………………………… 津畑亜紀子　126

### 3) 排尿機能検査 ………………………………………………… 鈴木康之　132

## 2. 治療・ケア

### 1) 排尿自立支援
- トイレ環境の工夫、排泄用具の工夫、排尿動作支援、排尿誘導 …… 吉田美香子　148

### 2) 看護の実際
- 行動療法：生活指導、膀胱訓練、排尿誘導 …………………… 谷口珠実　156
- 骨盤底筋訓練 …………………………………………………… 谷口珠実　161

### 3) カテーテル管理
- 留置カテーテル管理 …………………………………………… 正源寺美穂　168
- 留置カテーテルの抜去支援 …………………………………… 正源寺美穂　176
- 間欠自己導尿 …………………………………………………… 田中純子　185
- 小児の間欠自己導尿 …………………………………………… 鎌田直子　191

### 4) 薬物療法 ……………………………………… 鈴木基文、本間之夫　197

### 5) 手術療法 ……………………………………… 宮嵜英世、本間之夫　205

### 6) 電気・磁気刺激療法 ………………………………………… 山西友典　209

## 3. 排尿自立へのアプローチ

### 1) 排尿自立支援加算・外来排尿自立指導料の概要 ……………… 吉田美香子　214

### 2) 排尿自立支援・指導への取り組みの実際 ……………………… 吉田美香子　221

---

装丁：小口翔平（tobufune）　写真：T-STUDIO／アフロ
本文イラストレーション：今崎和広、山口絵美（asterisk-agency）　本文DTP：明昌堂

# Part 3　排便機能障害へのアプローチ

## 1. アセスメントとそのポイント

### 1）問診の仕方と注意点
- 問診の進め方 ………………………………………………… 積美保子　228
- 排便チャートのつけ方と指導法 …………………………… 積美保子　240
- 質問票 ………………………………………………………… 積美保子　243

### 2）ヘルスアセスメント
- ナースが行うヘルスアセスメント ………………………… 積美保子　244
- エコーを用いた便貯留のアセスメント …………………… 松本　勝　250

### 3）排便機能検査
- 肛門内圧検査、肛門管エコー検査、排便造影検査、
  大腸・小腸通過時間検査 ………………………………… 山名哲郎　257

## 2. 治療・ケア

### 1）排便コントロール
- 下痢のコントロール ………………………………………… 津畑亜紀子　263
- 便秘のコントロール ………………………………………… 津畑亜紀子　266
- 高齢者（臥床状態）におけるコントロール ……………… 津畑亜紀子　270
- 経腸栄養患者におけるコントロール ……………………… 津畑亜紀子　273

### 2）行動療法
- 骨盤底筋訓練・バイオフィードバック …………………… 積美保子　277
- 排便行動指導 ………………………………………………… 積美保子　284
- 臭いへの対応 ………………………………………………… 積美保子　286

### 3）強制排便法 ………………………………………… 溝上祐子、廣部誠一　288

### 4）経肛門的洗腸療法
- 経肛門的洗腸療法の治療 …………………………………… 高橋知子　297
- 経肛門的洗腸療法のケア …………………………………… 小倉美輪　300

### 5）薬物療法 ………………………………………………………… 山名哲郎　309

### 6）手術療法 ………………………………………………………… 山名哲郎　312

## 3. 便失禁ケア用品の特徴と使い方 ……………………………… 渡辺光子　316

## Part 4 スキンケア（IAD：失禁関連皮膚炎のケア）

1. IAD（失禁関連皮膚炎）とIADのアセスメント ……………………………… 322
2. 排尿機能障害のスキンケア …………………………………… 樋口ミキ 329
3. 排便機能障害のスキンケア …………………………………… 渡辺光子 340

## Part 5 障害受容とセクシュアリティ

1. 排泄障害受容とQOL ………………………………………… 渡邊千登世 352
2. 排泄障害におけるセクシュアリティ ………………………… 渡邊千登世 357

## Part 6 事例でみる排泄管理

1. 中枢機能障害 ……………………………………… 丹波光子、谷口珠実 364
2. 子宮頸がん術後の神経因性膀胱 ………………… 丹波光子、谷口珠実 367
3. 前立腺全摘出後の尿失禁 ………………………… 丹波光子、谷口珠実 371
4. 骨折に伴う機能障害性尿失禁 …………………… 丹波光子、谷口珠実 374
5. 萎縮性膀胱による頻尿 …………………………… 丹波光子、谷口珠実 377
6. 妊娠期・産後（腹圧性尿失禁） ……………………………… 吉田美香子 379
7. 骨盤臓器脱 …………………………………………………… 嘉村康邦 382
8. 小児の先天性疾患：直腸肛門奇形 …………………………… 廣部誠一 385
9. 二分脊椎 ……………………………………………… 浅沼 宏、大家基嗣 389
10. 認知症 ………………………………………………………… 津畑亜紀子 397

## Part 7 コンチネンス外来

1. 尿失禁専門外来 ………………………………………………… 谷口珠実 400
2. 排便障害専門外来 ……………………………………………… 積美保子 405

索引 ……………………………………………………………………………… 412

総論

# 排泄ケアの基本的姿勢

真田弘美、田中秀子

## 排泄とは

　排泄とは、物質代謝の結果生じた不要物や有害物などの老廃物を体の外に出すことであり、主に尿と便の排出を指す。排泄は人が生きていくには欠かせない行為であり、マズローは人の個体や種の生存を維持するために生物が本来もっている生理的欲求の1つととらえた[1]。

　しかし、排泄は単に生理学的に体にとって不要なものを排出する行為ではなく、心理学的・社会的・文化的な広がりを持っており、排泄行為は、安全、社会的、尊厳や自己実現など高次の欲求にも大きな影響を与える。

## 自我境界としての排泄

　人は、自分の体とそれ以外に境界線を引いている。つまり、自分のものと他のものとを常に区別して生きている。排泄で言うならば、尿が膀胱に充満していても、便が大腸に溜まっていても、それを汚物としてはとらえていない。しかし、いったん膀胱や直腸から出てしまうと、それはすでに自分のものではなく、すぐにでも片づけなければならない不潔なものとして取り扱う。それは便・尿に限らず、髪の毛、爪、垢も体から離れた瞬間に、ゴミとして認識する。特に、便は腐敗臭が強く、自らもその臭いには嫌悪感を抱く。しかし、これは正常な心理状態であり、自我境界を明確にすることで、自分の身から出たものを不必要なものとして取り扱うことができる[2]。認知症を患う人が便を異食したり、タンスにしまったりする行動は自我境界をつくり替えできなくなることであり、汚い、不潔な便という意識はきわめて合理的な人としての割り切りである（心理的）。

## 排泄の自律性

　公衆衛生の歴史からもわかるように、人が集団で生活していくうえでの基本は、生活環境を清潔に保ち感染症などの疾病を予防することで、生命を延長し、身体的・精神的機能の増進を図ることである。生活環境を汚染する最たる原因が排泄物であることから、社会が発展するとともに、排泄物は汚物との認識が強くなった。そのため、人にとっての排泄は、①排泄物を溜め、②体外へ排出し、③排泄後に肛門や会陰部を清潔にする行為のほかに、④人が生活する空間とは離れたところで排泄し、排泄物をすみやかに処理するまでを含むようになり、これらが自らできる場合を「排泄の自立」として人は認識している。そのため、多くの人間は、幼少期に親からトイレトレーニングを

受け、自分でしたいときに適切な場所で排泄するという自律性を獲得することで社会生活ができるようになる（社会的意味）。

## 排泄障害という経験

現代の社会的・文化的な文脈の中で、排泄はだれの目も気にせず人の世話にならずに自ら全うしたい行為である。それが運動機能や認知機能の障害により脅かされた状況に身を置いたとき、人はどのような経験をするのであろうか。

運動機能や認知機能が加齢に伴い低下した高齢者にとって、排泄障害とは「一度獲得した排泄の自律性を喪失する経験」である。また、生まれながらに運動機能や認知機能に障害がある人では、トイレで排泄できず誰かの介助が必要なことは、一人の人間として自律性が維持されないような感覚を持つかもしれない。このような排泄を介助されることに対する恥の感覚や、失禁等の排泄の失敗の経験は、恥辱（Stigma）や自己嫌悪をもたらし、アイデンティティが揺らぐことになる。

## 排泄ケアが目指すもの：ソーシャルコンチネンス

何らかの理由で排泄が自力でできない場合、その原因である下部尿路機能や排尿動作に関連する運動機能や認知機能を治療することは重要な視点ではあるが、治せるものばかりではない。障害があるなかで、成長・発達の過程で獲得した排泄習慣に従い、できる限り自分なりの排泄方法に近づけるか、排泄障害がありながらも社会的に自律した生活が送れるようにするか、が重要となってくる。これを「ソーシャルコンチネンス」と呼ぶ。ソーシャルコンチネンスは、ウェルネスの概念[3]に基づいている。世界保健機関（WHO）が定義しているように、健康とは「単に病気でない、虚弱でないというのみならず、身体的、精神的、霊的、社会的に完全に良好な状態（well-being）」であり[4]、人は、疾患や障害がある状況でもより高いレベルの生活機能に向けた絶え間ない自己変容のプロセスを通じてより良好な状態になることができる。

排泄においても、残された能力で最大限自律した、より良好な排泄ができるように支援を行っていく。

## 排泄ケアの基本的姿勢

これまで述べてきたように、排泄障害による経験は、社会・文化的に適切に行われなかった場合、大きな苦痛となり、人の尊厳を揺るがしかねない。そのため、排泄ケアを提供する側は、以下の1.〜3.の配慮をしながら慎重に扱うべきである。

### 1. 羞恥心への配慮

排泄物を汚物とみなす社会的価値観により、人は排泄習慣を獲得する過程で排泄に関する「羞恥心」を抱くようになる。この排泄への羞恥心はとても複雑で、排泄姿や排泄時に露出される性器・排泄器官への恥ずかしさのほかに、排泄時の音や、排泄物の臭い、排泄物も羞恥心の対象となることを念頭に置いておかなければならない。

このように、排泄はきわめて個人的で羞恥的な行為であることから、一番に目指すべきことは、残された能力において、誰からも見られることなく個人的に安心して排泄できる環境を作ることである。しかし、どうしても排泄を誰かに介助してもらわなければいけない状況もある。そのようなきわめて恥ずかしい状況において、介助者の何気ない態度でさらに傷ついてしまわないように、高いプロフェッショナル意識を持って介助する必要がある。

### 2. 安全への配慮

そのように、排泄は羞恥的で誰にも干渉されずにしたい行為だからといって、残された機能以上の能力が必要な排泄環境となることは、別の問題を引き起こしてしまう。例えば、運動機能以上に

遠いトイレでの排泄を続けていると、漏らさないようにと焦るあまり、転倒・転落などの事故が起きてしまうことある。または、逆に間に合わなくて失禁してしまうこともある。そのため、残った能力において安全な排泄環境や介助方法を選択することが求められる。

## 3．習慣・価値観への配慮

排泄習慣はきわめて個人的な習慣であり、生育環境や時代背景などにより、個人ごとに大きく異なってくる。ソーシャルコンチネンスでは、排泄方法にはかかわらず自分で排泄動作ができ社会生活を送れることを目指す。そのため、残された能力での新たな排泄方法は、個人にとってこれまでの排泄への価値観と大きく異なる場合も多く、人によっては新たな排尿方法を受け入れがたいこともある。そのような場合においても、医療者は個人の葛藤を受け止め、寄り添い、徐々に現実を受け入れながら新たな排泄方法を確立していけるように支援する必要がある。

引用文献
1. Abraham Harold Maslow. A Theory of Human Motivation. Psychological Review, 1943；50：370-396.
2. 青木典子：自我境界(ego boundary)．臨牀看護 2000；26(14)：2271.
3. KarenM. Stolte著，小西恵美子，太田勝正訳：健康増進のためのウェルネス看護診断．南江堂，東京，1997.
4. 世界保健機関憲章(世界保健機関)
http://www.who.int/governance/eb/who_constitution_en.pdf

# Part 1

# 排泄の基礎

# 排尿障害の疫学・QOL

本間之夫

## 排尿障害とは

　ここでいう排尿障害とは、尿の排出（排尿）の障害だけでなく、尿の貯留（蓄尿）の障害も含み、その疫学調査では下部尿路症状（lower urinary tract symptom：LUTS[注]）を対象とするのが一般的である。**LUTSは、国際禁制学会（International Continence Society：ICS）の分類によれば、蓄尿症状、排尿症状、排尿後症状、疼痛症状に分けられる。**蓄尿症状は、昼間や夜間の頻尿、尿意切迫感（尿がしたくなるとがまんができない）、腹圧性尿失禁（咳やいきみなど腹圧の上昇時にみられる失禁）と切迫性尿失禁（尿意切迫感を伴う失禁）、およびその両者がみられる混合性尿失禁などに分けられる。排尿症状とは排尿時にみられる症状という意味で、排尿開始の遅れ、排尿時の腹圧、尿勢の低下、排尿時間の延長などが含まれる。排尿後症状には、排尿後の尿の滴下と残尿感がある。疼痛症状としては、膀胱や尿道の痛みなどがある。

## 排尿障害の疫学

　一般に、成人の半数かそれ以上にLUTSがみられ、その頻度は年齢とともに上昇し、男女とも夜間頻尿が最も高い[1,2]。

　日本におけるLUTSに関する疫学的研究としては、日本排尿機能学会が行った全国の大規模横断的研究が代表的である[3]。この研究は、全国75地点から40歳以上の男女を含む一般世帯を無作為に選び、10,096名を抽出して郵送によるアンケートを実施したものである。

　LUTSの頻度・重症度、QOL（生活の質）への影響度、受診行動について質問し、最終的に4,570名の回答結果が解析された。回答者の平均年齢は60.6歳（40〜100歳）、男性の割合は46.0％であった。昼間の頻尿（8回以上、11回以上）はそれぞれ50.1％、11.3％でみられ、夜間頻尿（1回以上、3回以上）は69.2％、13.5％にみられた（表1）。その他の症状（週1回以上、1日1回以上）の頻度は、尿意切迫感がそれぞれ14.0％、8.0％、切迫性尿失禁が8.9％、5.3％、腹圧性尿失禁が

---

注：LUTSは"ラッツ"と発音され、日常臨床で多用される医学用語である。

　排尿には、「A：尿の排泄全般に関する」の意味と「B：尿の排出に関する」の意味があり、ときに混乱する。本書では、排尿障害の排尿はAの意味で、排尿症状の排尿はBの意味で使用したので確認願いたい。なお、日本排尿機能学会標準用語集では、学術的な正確性を期して、Aの意味の排尿障害には下部尿路障害、Bの意味の排尿障害には尿排出障害を、Aの意味の排尿症状には下部尿路症状、Bの意味の排尿症状には排尿［時］症状（尿排出［時］症状）をあてている。

8.0％、3.9％、尿勢低下が27.0％、19.8％、残尿感が17.8％、12.0％、膀胱痛が2.2％、1.0％、おむつの使用が4.4％、3.5％と報告されている。

表2に、男女別にこれらの頻度をまとめた。症状の頻度には性差が存在し、**男性では排尿症状が多く、女性には尿失禁が多い**。過活動膀胱については、その条件を1日8回以上の頻尿かつ週1回以上起こる尿意切迫感とすると、頻度は12.4％であった。そのうち切迫性尿失禁がないものが6.0％、あるものが6.4％であった。

## 排尿障害のQOL

QOLに関する質問に関しては、何らかのLUTSで生活に影響があった者は14.7％であった。その影響は、心の健康（10.2％）、活力（10.1％）、身体的活動（7.1％）、家事・仕事（5.9％）、社会活動（4.0％）などにみられた。最も問題になるLUTSとしては、夜間頻尿（38.2％）が圧倒的に多く、次いで昼間の頻尿（19.3％）、腹圧性尿失禁（14.5％）、尿意切迫感（10.4％）、切迫性尿失禁（9.8％）、尿勢低下（6.6％）の順であった。QOLに影響がある人の割合は、症状の頻度と同様に年齢とともに上昇していた。QOLに影響のある症状は、男性では夜間頻尿が最も多く、女性では夜間頻尿と腹圧性尿失禁がほぼ同等であった。一方、生活に影響があると考えている者のなかで、実際に排尿の問題で医療機関を受診している者は18.0％にすぎず、男性（27.4％）に比べて女性（9.0％）で低かった。

**LUTSの危険因子としては生活習慣病、もしくは生活習慣病と関連のある因子（肥満、飲酒、喫煙、運動不足など）との関係が指摘されている。**

引用文献
1. 男性下部尿路症状診療ガイドライン作成委員会編：男性下部尿路症状診療ガイドライン．ブラックウェルパブリッシング，東京，2008．
2. 日本排尿機能学会女性下部尿路症状診療ガイドライン作成委員会編：女性下部尿路症状診療ガイドライン．リッチヒルメディカル，東京，2013．
3. 本間之夫，柿崎秀宏，後藤百万，他：排尿に関する疫学的研究．日本排尿機能学会誌 2003；14（2）：266-277．

### 表1 排尿回数とその頻度（％）

|  | 男性 | 女性 | 全体 |
|---|---|---|---|
| 昼間8回以上 | 51.7 | 48.7 | 50.1 |
| 昼間11回以上 | 12.5 | 10.2 | 11.3 |
| 夜間1回以上 | 71.7 | 66.9 | 69.2 |
| 夜間3回以上 | 16.7 | 10.6 | 13.5 |

本間之夫，柿崎秀宏，後藤百万，他：排尿に関する疫学的研究．日本排尿機能学会誌 2003；14（2）：271．より改変

### 表2 症状別の頻度（％）

| 症状＼頻度 | 週1回以上 | | | 1日1回以上 | | |
|---|---|---|---|---|---|---|
|  | 男性 | 女性 | 全体 | 男性 | 女性 | 全体 |
| 尿意切迫感 | 15.8 | 12.5 | 14.0 | 8.7 | 7.4 | 8.0 |
| 切迫性尿失禁 | 7.3 | 10.0 | 8.9 | 4.5 | 5.7 | 5.3 |
| 腹圧性尿失禁 | 3.0 | 12.6 | 8.0 | 1.6 | 6.1 | 3.9 |
| 尿勢低下 | 37.0 | 18.1 | 27.0 | 27.9 | 12.5 | 19.8 |
| 残尿感 | 26.3 | 10.3 | 17.8 | 18.0 | 6.6 | 12.0 |
| 膀胱痛 | 2.4 | 2.1 | 2.2 | 1.1 | 0.9 | 1.0 |
| おむつの使用 | 2.1 | 6.5 | 4.4 | 1.6 | 5.2 | 3.5 |

本間之夫，柿崎秀宏，後藤百万，他：排尿に関する疫学的研究．日本排尿機能学会誌 2003；14（2）：271．より改変

[ 排泄障害の疫学・QOL ]

# 排便障害の疫学・QOL

山名哲郎

## 便秘

便秘は、若年者から高齢者までどの年齢層でもみられる排便障害の症状である。わが国における便秘の疫学としては厚生労働省の国民生活基礎調査があり、2016年の調査では、便秘の有症者率は男性2.5％、女性4.6％で男性よりも女性に多いことが報告されている（図1）。年齢的な特徴として、女性は10歳代の思春期から便秘になる人が多く、男性は50歳代までは比較的少ないが、60歳代以降は男女ともに右肩上がりで増加する。海外からの便秘の疫学的報告では、米国の有症率はおよそ15％と報告され日本よりもやや高率であるが、男女差や年齢に伴う増加傾向は日本と同様である[1-3]。

慢性便秘は日常生活のQOLに大きな影響を及ぼす。健康関連のQOLを評価できるSF-36もしくはSF-12を用いた調査では、慢性便秘症患者のQOLは健常者と比較して全体的健康感、社会生活機能、心の健康などでQOLの低下を認めている[4,5]。慢性便秘症に特化したQOLを評価するスコアとしては、Patient Assessment of Constipation Quality of Life questionnaire（PAC-QOL）が存在し[6]、日本語版の信頼性および妥当性の評価もなされているので、わが国における慢性便秘のQOLの臨床研究に利用することができる[7]。

## 便失禁

わが国における便失禁の疫学的調査の報告は少ないが、65歳以上の男女1,405名を対象にした訪問面接調査における便失禁の有症率は、月に1回未満の発症も含めると、男性8.7％、女性6.6％であった[8]。米国ウィスコンシン州の地域在住の成人6,959名を対象にした電話調査において、ガス失禁を含む便失禁の有症率は2.2％であり、女性、身体抑制、全身状態不良の人に多かった[9]。米国の1万人以上を対象とした大規模郵送アンケート調査では、40歳以上の「1か月に数回発生する便失禁」の有症率は3.0％であった[10]。オランダにおける地域住民ベースの5,748名を対象にした郵送アンケート調査で、60歳以上の便失禁の有症率は9％[11]、台湾における女性1,253名を対象にした訪問調査では、便失禁の有症率は2.8％、ガス失禁の有症率は8.6％と報告されている[12]。

便失禁は、日常生活のQOLに大きな影響を及ぼす排便障害の症状である。**健康に関するQOLスケールを用いた調査では、便失禁患者のQOLは健常者よりも低い傾向がみられる。**便失禁に特化したQOLを評価するツールとしては、29個の質問が4項目のサブスケールからなるFecal Incontinence Quality of Life Scale（FIQL）が国際的によく使用されており[13]、妥当性が検証された日本語版も利用可能である[14,15]。

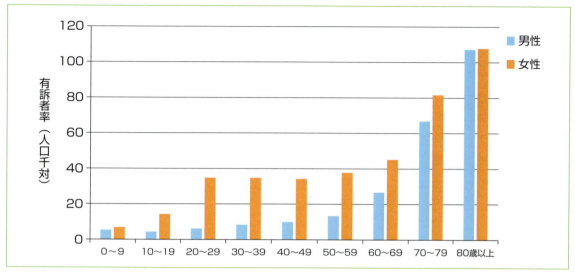

図1 日本における便秘の有症率（2016年厚生労働省国民生活基礎調査より作図）

## 下痢

慢性下痢症の疫学的報告は少なく、その有症率は明らかではないが、米国の疫学的報告から推定される有症率は約5％である[16]。また、急性下痢症の疫学的報告も少ないが、1人あたりの1年間の急性下痢症の発症回数は0.32〜1.3回と報告されている[17,18]。

## 術後の排便障害

直腸がんに対する直腸低位前方切除術後にみられる頻回排便や便失禁は、低位前方切除後症候群（low anterior resection syndrome：LARS）と呼ばれ、その発症率は報告により差があるが、25〜50％と高率である。LARSのそれぞれの症状の発症率は、便失禁が6〜87％、便意促迫が5〜87％、頻回排便が8〜75％である。

LARSの症状を評価するスコアとしては、ガスのコントロール、液状便失禁、排便回数、便意促迫などを質問するLARS Score[19]が臨床研究に用いられている。また、LARS患者のQOLを評価するツールとしては、EORTC Colorectal Can-cer-Specific Quality of Life Questionnaire（EORTC QLQ-CR38）が開発されており[20]、妥当性の検証された日本語版EORTC QLQ-CR38も利用可能である[21]。

引用文献
1. Higgins PD, Johanson JF. Epidemiology of constipation in North America：a systematic review. Am J Gastroenterol 2004；99（4）：750-759.
2. Roque MV, Bouras EP. Epidemiology and management of chronic constipation in elderly patients. Clin Interv Aging 2015；10：919-930.
3. Choung RS, Locke GR, Schleck CD, et al. Cumulative incidence of chronic constipation：a population-based study 1988-2003. Aliment Pharmacol Ther 2007；26（11-12）：1521-1528.
4. Belsey J, Greenfield S, Candy D, et al. Systematic review：impact of constipation on quality of life in adults and children. Aliment Pharmacol Ther 2010；31（9）：938-949.
5. Wald A, Scarpignato C, Kamm MA, et al. The burden of constipation on quality of life：results of a multinational survey. Aliment Pharmacol Ther 2007；26（2）：227-236.
6. Marquis P, De La Loge C, Dubois D, et al. Development and validation of the Patient Assessment of Constipation Quality of Life questionnaire. Scand J Gastroenterol 2005；40（5）：540-551.
7. Nomura H, Agatsuma T, Mimura T. Validity and reliability of the Japanese version of the Patient Assessment of Constipation Quality of Life questionnaire. J Gastroenterol 2014；49（4）：667-673.
8. Nakanishi N, Tatara K, Naramura H, et al. Urinary and fecal incontinence in a community-residing older population in Japan. J Am Geriatr Soc 1997；45（2）：215-219.
9. Nelson R, Norton N, Cautley E, et al. Community-based prevalence of anal incontinence. JAMA 1995；274（7）：559-561.
10. Perry S, Shaw C, McGrother C, et al. Prevalence of faecal incontinence in adults aged 40 years or more living in the community. Gut 2002；50（4）：480-484.
11. Teunissen TA, van den Bosch WJ, van den Hoogen HJ, et al. Prevalence of urinary, fecal and double incontinence in the elderly living at home. Int Urogynecol J Pelvic Floor Dysfunct 2004；15（1）：10-13.
12. Chen GD, Hu SW, Chen YC, et al. Prevalence and correlations of anal incontinence and constipation in Taiwanese women. Neurourol Urodyn 2003；22（7）：664-669.
13. Rockwood TH, Church JM, Fleshman JW, et al. Fecal Incontinence Quality of Life Scale：quality of life instrument for

patients with fecal incontinence. Dis Colon Rectum 2000 ; 43 (1) : 9-16.
14. Ogata H, Mimura T, Hanazaki K. Validation study of the Japanese version of the Faecal Incontinence Quality of Life Scale. Colorectal Dis 2012 ; 14 (2) : 194-199.
15. Tsunoda A, Yamada K, Kano N, et al. Translation and validation of the Japanese version of the fecal incontinence quality of life scale. Surg Today 2013 ; 43 (10) : 1103-1108.
16. Talley NJ, O'Keefe EA, Zinsmeister AR, et al. Prevalence of gastrointestinal symptoms in the elderly : a population-based study. Gastroenterology 1992 ; 102 (3) : 895-901.
17. Imhoff B, Morse D, Shiferaw B, et al. Burden of self-reported acute diarrheal illness in FoodNet surveillance areas, 1998-1999. Clin Infect Dis 2004 ; 38 (Suppl 3) : S219-226.
18. Majowicz SE, Doré K, Flint JA, et al. Magnitude and distribution of acute, self-reported gastrointestinal illness in a Canadian community. Epidemiol Infect 2004 ; 132 (4) : 607-617.
19. Emmertsen KJ, Laurberg S. Low anterior resection syndrome score : development and validation of a symptom-based scoring system for bowel dysfunction after low anterior resection for rectal cancer. Ann Surg 2012 ; 255 (5) : 922-928.
20. Sprangers MA, te Velde A, Aaronson NK. The construction and testing of the EORTC colorectal cancer-specific quality of life questionnaire module (QLQ-CR 38). European Organization for Research and Treatment of Cancer Study Group on Quality of Life. Eur J Cancer 1999 ; 35 (2) : 238-247.
21. Tsunoda A, Yasuda N, Nakao K, et al. Validation of the Japanese version of EORTC QLQ-CR 38. Qual Life Res 2008 ; 17 (2) : 317-322.

[ 排泄の病態・生理、症状 ]

排尿機能障害

# 排尿機能障害の病態・生理

鈴木康之

## 下部尿路（膀胱と尿道）の働き

腎で産生されつづける尿を一時的に溜め（蓄尿：交感神経）、必要時に排出（排尿：副交感神経）する機能が下部尿路の唯一の働きである。単純にも思える2つの機能であるが、蓄尿時には「漏らさず十分量を蓄尿」する必要があり、排尿時には「すみやかに全部の尿を排出」できなくてはならない。そして、両者は自律神経支配も含めてまったく正反対で、蓄尿時には膀胱が弛緩して尿道が収縮し、排尿時には膀胱が収縮して尿道が弛緩する。この相反する機能を滞りなく発揮するためには緻密な神経・筋構築が的確に働く必要があり、そのためには神経伝達物質、受容体の制御が確実に遂行される必要がある。つまり、多くの複雑な機能が、微妙かつ正確に働いて、はじめて正常な排尿機能を発揮できるのである。よって、各種疾患のみならず、加齢でも容易に排尿機能は障害され、臨床的に頻尿や尿意切迫をはじめとする排尿障害が容易に起きるのである（図1～2、表1）。

また両者が正反対ということは、蓄尿障害治療が尿排出機能を障害するリスクを秘めている。つまり過活動膀胱治療などで使用される薬剤が尿排出機能障害を招く可能性があり、そしてその逆もまた真である。

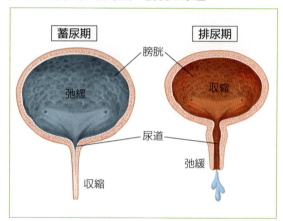

図1　蓄尿期、排尿期の膀胱と尿道

## 骨盤底筋と尿道括約筋の関係

尿道は、横紋筋の外尿道括約筋と平滑筋で構成され、骨盤底筋群で取り囲まれている。外尿道括約筋はゆっくりと収縮する筋線維（typeⅠ：slow twitch fiber）が主で、長時間の持続的な筋緊張に関係する。一方で、骨盤底筋には早く収縮する筋線維（typeⅡ：fast twitch fiber）も含み、伸展受容器をもち、突然の内圧上昇に対応している。咳や体動時には急激な内圧上昇をきたすため、腹圧性尿失禁防止に骨盤底筋群が重要な役割を果たしていることが理解できる。

図2 排尿中枢と神経支配

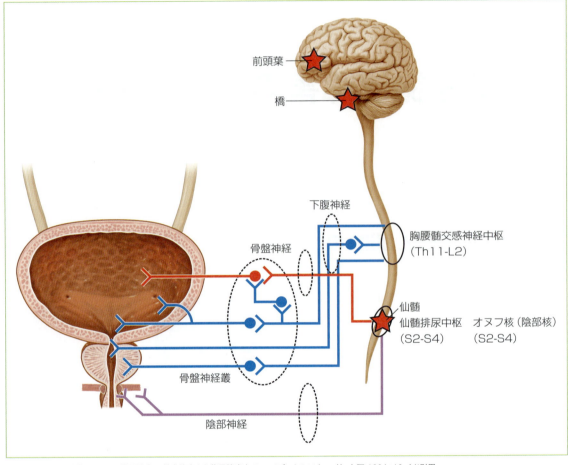

白岩康夫,山口脩監修:目で見る排尿障害―排出障害から蓄尿障害まで―. メディカルレビュー社, 大阪, 1994:10. より引用

表1 下部尿路機能の比較

|  | 詳細 | 目的 | 自律神経 | 神経伝達物質 | 受容体 |
|---|---|---|---|---|---|
| 蓄尿 | 漏らさず十分量を溜める | QOL維持 | 交感神経 | ノルアドレナリン | $α_1$受容体、$β_3$受容体 |
| 尿排出 | すみやかに全部の尿を排出する | 生命維持（腎機能保護、尿路感染予防） | 副交感神経 | アセチルコリン | ムスカリン受容体（$M_2$、$M_3$） |

## 下部尿路の加齢と男女差
（図3、表2）

　尿道長の性差は明らかで、長い男性尿道は蓄尿に優れ、逆に、短い女性尿道は尿排出に優れる。さらに、男性は加齢による前立腺疾患などにより尿路閉塞が進行しやすい。それに対し、女性尿道は加齢、閉経で後部を支える腟・子宮などのエストロゲン感受性臓器が萎縮し尿道は開大傾向となる。この下部尿路の解剖学的性差は、加齢でより顕著となる。

### 図3 尿道の長さの男女差

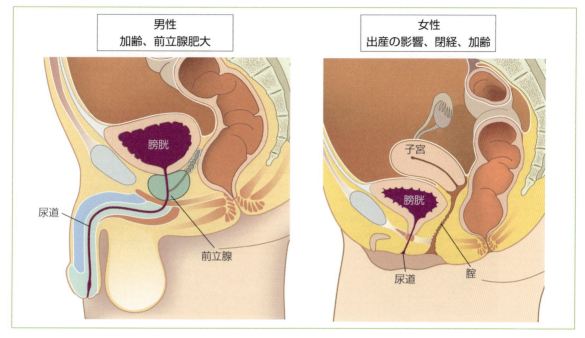

### 表2 蓄尿障害と尿排出障害

|  | 性別 | 臨床症状 | 悪化すると |
|---|---|---|---|
| 尿排出障害 | 男性に多い | 頻尿、排尿困難 | 腎機能や生命維持の危機 |
| 蓄尿障害 | 女性に多い | 頻尿、尿失禁 | 人間の尊厳の危機 |

## 膀胱排尿筋と尿道括約筋

　膀胱は、尿管口の高さより上方は膀胱体部、下方は底部と呼ばれ、平滑筋（排尿筋）で形成されている。平滑筋は束となり、らせん状に走り、断面では互いに交差して網目を形成し内縦走・中輪状・外縦走の3層構造となる。膀胱体部の排尿筋は、膀胱頸部・内尿道口から尿道に達する部分になると内縦走筋層の一部のみで、前外縦走筋層は排尿筋ループとして膀胱頸部の前方の一部を覆うだけとなり、後外縦走筋は三角部筋の下方を走り三角部の尖部に達して終わる。

## 神経支配（図2）

### 1. 知覚神経（求心性神経）

　下部尿路の知覚刺激は、骨盤神経と下腹神経を経て仙髄と胸腰髄の後根神経節から脊髄に至る。また、尿道の知覚刺激の一部は陰部神経経由で仙髄後根神経節に入る。一次求心性線維の多くは脊髄に至った後、二次線維に投射するが、一部は脊髄後索を上行し延髄の薄束核に投射する。膀胱の知覚（求心性）線維は、膀胱の伸展情報や侵害受容体、冷温受容体からの情報を中枢に伝達する。正常の排尿反射は、膀胱から骨盤神経を経て仙髄に至る知覚線維で太い有髄のAδ線維が主に関与している。一方、膀胱の伸展刺激よりも侵害刺

図4 膀胱知覚

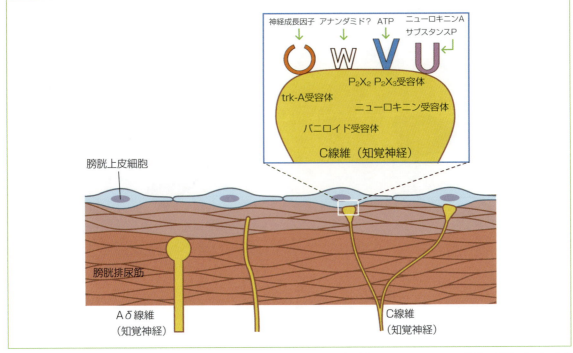

正常の膀胱知覚ではAδ線維が主であるが、加齢や病的状態ではC線維がより強く働くといわれている。C線維の表面にはATPやサブスタンスPなどさまざまな物質に対する受容体が多数あり各種の物質に対して反応する。これが膀胱の異常知覚に大きく関与していると考えられている。

Ouslander JG：Management of overactive bladder. N Engl J Med 2004；350(8)：786-799. より引用

激や冷温刺激に反応する無髄の細いC線維は、健常尿路では活動頻度は低い。しかし、加齢や病的状態では膀胱知覚により強く関連するようになり、過活動膀胱や病的知覚の発生に深くかかわっていると理解されている（図4）。

## 2．運動神経（遠心性神経）

下部尿路は、自律神経（交感神経と副交感神経）ならびに体性神経（陰部神経）による2重（3重）支配を受けている（図2）。自律神経は、節前ニューロンと節後ニューロンから構成されている。下部尿路に投射する交感神経の節前線維は胸腰髄（Th11-L2）側角の中間外側核にはじまり、大動脈前面に存在する上下腹神経叢で節後線維となり下腹神経となるが、一部は節前線維のまま下腹神経を通り、骨盤神経節で節後線維となる（短交感系）。

交感神経節後線維は排尿筋、膀胱頸部、近位尿道に分布する。副交感神経節前線維は仙髄（S2-S4）側角にある中間外側核からはじまり、骨盤神経を経て骨盤神経節に至り、そこで短い節後線維となった後にコリン作動性神経として膀胱と尿道に分布する。体性神経の遠心路は仙髄（S2-S4）前角のオヌフ核から出て陰部神経となり、外尿道括約筋と骨盤底筋群に分布する。

## 自律神経とその受容体

膀胱・尿道の働きのみならず、薬物療法の原理や副作用を理解するには、受容体とその作用を理解することが重要である。**特に主要な伝達物質であるアセチルコリン、ノルアドレナリンの神経伝達機構（図5）が重要である。**そのほかに、非アド

レナリン性非コリン性の神経機構も存在する。

交感神経線維からは神経伝達物質としてノルアドレナリンが放出され、主として$α_1$受容体を介して膀胱底部や尿道平滑筋の収縮をもたらし、また主として$β_3$受容体を介して膀胱の弛緩[注]をもたらす（図5）。よって、交感神経刺激により蓄尿が促進される。

副交感神経線維からアセチルコリンが放出され、膀胱のムスカリン受容体（$M_2$、$M_3$）興奮を介して排尿筋収縮が起こる。これが副交感神経刺激による尿排出である。また、逆にムスカリン受容体遮断で蓄尿機能促進が可能であるため、蓄尿機能促進薬として抗コリン薬が多用され、プロピベリン塩酸塩（バップフォー®）、オキシブチニン塩酸塩（ポラキス®、ネオキシ®テープ）、コハク酸ソリフェナシン（ベシケア®）、酒石酸トルテロジン（デトルシトール®）、イミダフェナシン（ウリトス®、ステーブラ®）、フェソテロジンフマル酸塩（トビエース®）などが臨床応用されている。

その他、副交感神経線維からはアセチルコリン以外に一酸化窒素（nitric oxide：NO）、アデノシン三リン酸（adenosine triphosphate：ATP）、血管作動性腸管ペプチド（vasoactive intestinal polypeptide：VIP）、ニューロペプチドY（NPY）などの神経伝達物質が放出されていることが知られている。特に一酸化窒素は、尿道平滑筋弛緩に重要な役割をもつと考えられている[*1]。最近、膀胱の知覚神経（求心性）にはサブスタンスP、ニューロカイニンA、カルシトニン遺伝子関連ペプチド（calcitonin gene-related peptide：CGRP）のほかにも多数の物質が関与していることが知られるようになった（図4）。また、膀胱の拡張・伸

図5　下部尿路の自律神経受容体分布

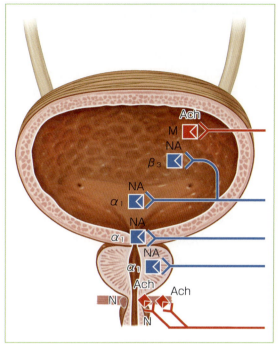

M：ムスカリン様アセチルコリン受容体（膀胱排尿筋に分布）、$β_3$：アドレナリン性$β_3$受容体（膀胱排尿筋に分布）、$α_1$：アドレナリン性$α_1$受容体（膀胱頸部、尿道に分布）、N：ニコチン様アセチルコリン受容体、赤：コリン作動性ニューロン、青：アドレナリン作動性ニューロン。
$β_3$受容体刺激により筋は拡張。その他の受容体刺激は収縮。

白岩康夫、山口脩監修：目で見る排尿障害―排出障害から蓄尿障害まで―．メディカルレビュー社、大阪、1994：11．より引用

展で尿路上皮から分泌されるATPは、プリン受容体（$P_2X_3$）を介して膀胱からの求心性神経を調節している。脳や脊髄のなかでは、グルタミン酸が抑制物質として作用していると考えられている。

体性神経である陰部神経は、アセチルコリンが放出され、ニコチン受容体を刺激し横紋筋の収縮を起こす。

---

注：$β_3$アドレナリン受容体刺激薬はミラベグロン（ベタニス®）とビベグロン（ベオーバ®）が臨床応用されている。また、前立腺平滑筋は交感神経刺激により$α_1$受容体を介して収縮する。ヒト前立腺に存在する$α_1$受容体の主要なサブタイプは$α_{1A}$である。この$α_1$受容体を遮断する薬剤は、前立腺肥大症治療の第一選択薬[*1]になっているばかりでなく、神経因性膀胱合併時の尿排出障害[*2]にも応用されている。

＊1：タムスロシン塩酸塩（ハルナール®）、シロドシン（ユリーフ®）、ナフトピジル（フリバス®）などが多用されている。また、別の作用機序をもつホスホジエステラーゼ-5（PDE 5）阻害薬であるタダラフィル（ザルティア®）も前立腺肥大症の排尿障害に対する有用性が認められ、両薬剤が第一選択となっている。

＊2：女性ではウラピジル（エブランチル®）が用いられる。

## 中枢神経と下部尿路の関係

膀胱と尿道で構成される下部尿路が正常に活動するためには、脳や脊髄の的確な支配が不可欠である。また、中枢神経系のすべての部位が排尿機能に何らかの関連をもつといわれ、広義には中枢神経全体が排尿中枢という解釈もできる。

一般に、骨盤神経と陰部神経の起始核のある仙髄部位が仙髄排尿中枢と呼ばれ、その上位には最も重要な脳幹部橋排尿中枢がある（図2）。さらに、排尿を随意的に調節する中枢が大脳皮質の前頭葉にある。この大脳皮質と橋部排尿中枢の連絡線維の構築や障害も、夜尿症や頻尿に関与している（図6）。

また、大脳基底核や小脳も排尿機能に重要な役割を果たしている。特に、大脳基底核は蓄尿に重要な中枢と考えられており、臨床的にも大脳基底核が障害されるパーキンソン病などで、排尿筋過活動による頻尿・尿失禁が高頻度に認められている。

## 加齢・メタボリック症候群と排尿機能障害

加齢とともに、脳・脊髄（中枢神経系）は萎縮するため、高齢になればなるほど排尿機能障害合併率は高くなる。そして、この中枢神経系の老化・障害をより早めるものがメタボリック症候群などの合併症である。つまり、高血糖、脂質異常症、高血圧は明らかに排尿機能障害をより早期に発症させる重要因子と認識されている。これは、内臓

### 図6 成長に伴う排尿機能の発達

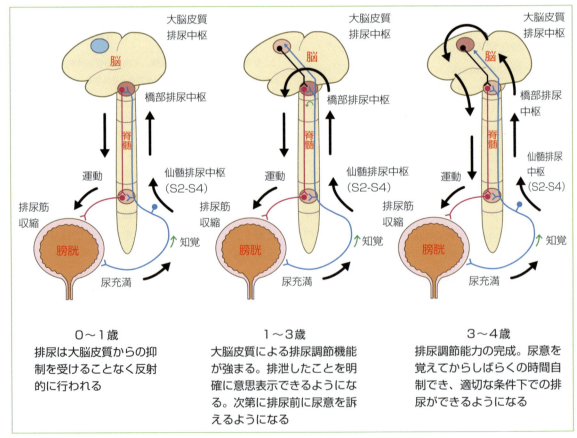

小川秋實編：わかりやすい頻尿・尿失禁の診かた．メディカルトリビューン，東京，1988：56．より引用

脂肪蓄積にはじまり、脂質異常、耐糖能異常、高血圧などより動脈硬化をきたすことが主因とされている(図7)。動脈硬化は、血管の内腔を狭くすることにより血流障害をきたし、末梢の臓器の機能障害をきたすのである。

図7 メタボリックシンドローム、インスリン抵抗性、炎症と動脈硬化

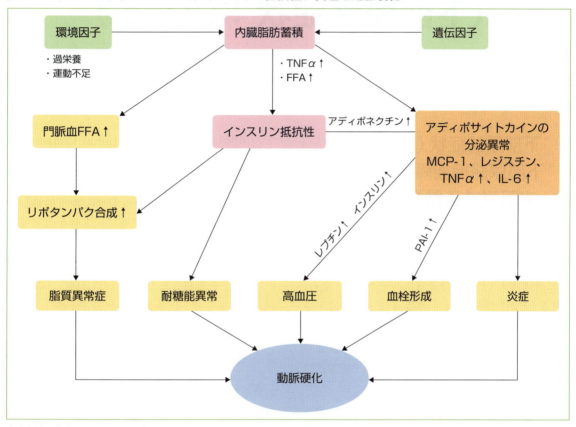

内臓脂肪が蓄積すると炎症を誘発するアディポサイトカインの分泌異常によって血管炎症が誘導される。さらに、インスリン抵抗性を背景として危険因子が集積し、粥状動脈硬化の進展から、心血管イベント誘導の原因となる。

柏木厚典：メタボリックシンドローム Over View. 山田信博監修, 日本医師会生涯教育シリーズ メタボリックシンドロームUp to date. 日本医師会, 東京, 2007: S9. より引用

[ 排泄の病態・生理、症状 ]

排尿機能障害

# 排尿機能障害の症状<br>（下部尿路症状：LUTS）

鈴木康之

## ["下部尿路症状（LUTS）"と"下部尿路機能障害（LUTD）を示唆する徴候"の違い]

下部尿路症状（lower urinary tract symptoms：LUTS）[注]は、排尿障害の症状である頻尿、尿意切迫、失禁、排尿困難などのすべてを含む概念で、主に患者本人（ときに介護者、パートナー）から、「困る」とか「つらい」というように主観的に示されるもので、受診の動機となる主訴もこれにあたる。一般に、**LUTSは患者本人が治療を希望する根源である一方で定性的で、これのみで確定診断を下すことはできない。**

下部尿路機能障害（lower urinary tract dysfunction：LUTD）を示唆する徴候とは、医療者の観察所見で症状を確認、または定量化するものである。例えば、咳をしたときに尿が漏れるのを観察するのはその徴候である。症状の確認や定量化の手段としては、排尿日誌、パッドテスト、妥当性が確認された症状やQOLの問診票などがある。

## [国際禁制学会（ICS）の分類]

下部尿路機能に関する用語はさまざまで、統一されているとはいいがたい。そのため、基準とし て、国際禁制学会（International Continence Society：ICS）が2002年に用語基準を定めている（Abrams P, et al：Neurourol Urodynam 2002；21（2）：167-178）。発表からすでに20年経過しているが、現時点でも国際標準で、大幅な改定はないため、この用語基準に基づき分類を紹介する（用語基準の詳細については、日本排尿機能学会発行の用語集[1]を参照されたい）。**LUTSは、①蓄尿症状、②排尿症状、③排尿後症状の3種類に大別される**[1,2]。

### 1．蓄尿症状

蓄尿症状は、尿を溜めている蓄尿時の症状によって以下のものがある。

- ①**昼間頻尿**：日中の排尿回数が多すぎるという患者の愁訴で、いわゆる頻尿のことである。
- ②**夜間頻尿**：夜間の排尿の回数が多いという愁訴であるが、ICSでは、排尿のために1回以上起きなければならないものと定めている。ただし、夜間頻尿を2回以上や3回以上とする基準もある。
- ③**尿意切迫感**：急に起こる、抑えられないような強い尿意で、がまんすることが困難であり、過活動膀胱の基本症状となっている。
- ④**尿失禁**："尿が不随意に漏れるという愁訴"と定義されている。また、ICSは尿失禁を以下のように分類している。

注：LUTSは"ラッツ"と発音され、日常臨床で多用される。

- **腹圧性尿失禁**：労作時または運動時、もしくはくしゃみ、または咳の際に、不随意に尿が漏れるという愁訴。
- **切迫性尿失禁**：尿意切迫感と同時または尿意切迫感の直後に、不随意に尿が漏れるという愁訴。
- **混合性尿失禁**：尿意切迫感だけでなく、運動・労作・くしゃみ・咳にも関連して、不随意に尿が漏れるという愁訴。
- **遺尿**：不随意に尿が出ることを意味する。睡眠中の場合には夜間遺尿という。よって夜間遺尿は、睡眠中に尿が出るという愁訴と定義される。
- **持続性尿失禁**：持続的に尿が漏れるという愁訴。
- **その他の尿失禁**：特有の状況で起こるもの、たとえば性交中の尿失禁や、笑ったときに起こる尿失禁（哄笑失禁）など。

## 2．排尿症状

排尿症状とは、尿を出している排尿時にみられる症状で、以下のものがある。

- **尿勢低下**：尿の勢いが弱いという愁訴であり、通常は以前の状態、あるいは他人との比較による。
- **尿線分割、尿線散乱**：尿線が割れたり散乱することでしばしば主訴となる。
- **尿線途絶**：尿線が排尿中に1回以上途切れるという愁訴。
- **排尿遅延**：排尿開始が困難で、排尿準備ができてから排尿開始までに時間がかかるという愁訴。
- **腹圧排尿**：排尿の開始、尿線の維持または改善のために力を要するという愁訴。
- **終末滴下**：排尿の終了が延長し、尿が滴下する程度まで尿流が低下するという愁訴。

## 3．排尿後症状

排尿後症状とは、排尿直後にみられる症状で、以下のものがある。

- **残尿感**：排尿後に完全に膀胱が空になっていない感じがするという愁訴。
- **排尿後尿滴下**：排尿直後に不随意的に尿が出てくるという愁訴。この場合の直後とは、男性では便器から離れた後、女性では立ち上がった後

のことを意味する。

## 4．その他

**性交に伴う症状**として性交痛、腟乾燥および尿失禁が記載されている。また、痛みとして**生殖器痛・下部尿路痛**などがある。特に**膀胱痛症候群**として間質性膀胱炎などの疾患を考慮している。

# 一般的な尿失禁分類

LUTSに関してはICSの分類を使用すべきとされるが、尿失禁については、日本で使用される溢流性や機能性を含んだ以下の分類が理解しやすいだけでなく、臨床的有用性も高いため、ここに紹介する。

## 1．腹圧性尿失禁
（尿道機能障害による失禁）

咳やくしゃみなどの急激な腹圧の上昇に伴い失禁を起こす病態を指す。腹圧性尿失禁は、尿道が膀胱尿を蓄尿する機能、つまり閉塞機能（抵抗）が低下したために、腹圧時の膀胱内圧の上昇が尿道閉塞圧を上回り尿が漏れるものであり、尿道機能の低下による失禁と理解されている。腹圧性尿失禁の病態には、尿道過可動（urethral hypermobility）と内因性括約筋不全（intrinsic sphincter deficiency：ISD）の2つが挙げられている。尿道過可動は骨盤内臓器を支える骨盤底筋群がゆるみ（骨盤底弛緩）、膀胱頸部が下垂し腹圧の尿道への伝搬が阻害されることが主な病態といわれている。ISDは、膀胱頸部・近位尿道が安静時でも開大し、軽度の膀胱内圧上昇により尿失禁が起こるものである。実際の臨床例では、2つの病態が混在していると考えられる。

そのほか、前立腺がんの根治的前立腺摘除術の爆発的な増大により、術後の腹圧性尿失禁が臨床的に注目されるようになった。これは、手術で不可避の尿道括約筋の損傷や機能障害を招くためと考えられている。

## 2．切迫性尿失禁
（膀胱機能障害による失禁）

急激な尿意（尿意切迫感）とともに失禁を起こす病態を指す。過活動膀胱（overactive bladder：OAB）は、いわゆるウエットタイプのOAB（OABwet）である。この失禁時には、排尿筋の自発的な収縮（detrusor overactivity：DO、排尿筋過活動）が起こっていると予想されている（実際の証明は困難）。

正常排尿筋は、蓄尿時に膀胱容量の増加に適切に反応し、弛緩して膀胱内圧を低圧に維持できる。これに対し、脳卒中などの脳血管疾患やパーキンソン病、多発性硬化症などの中枢神経疾患では、膀胱容量の増加刺激に過剰に反応し、排尿筋過活動（収縮）が起き切迫性尿失禁となることがある。また、同様の病態は、前立腺肥大症や尿路感染症などの下部尿路疾患のみならず、加齢でも起こる可能性がある。さらに、切迫性尿失禁があり尿流動態検査で排尿筋過活動が同定されても、原因となる疾患を特定できない場合もある。

## 3．混合性尿失禁

**腹圧性尿失禁と切迫性尿失禁が混在したものを混合性尿失禁という**。前述のとおり、腹圧性尿失禁も切迫性尿失禁も厳密に診断・区別できるものではない。さらに、**高齢女性では両方の病態をもっている可能性が高い**。よって、上記診断名は、診断法や根拠により流動的になる可能性がある。また、腹圧により誘発される排尿筋過活動が特異な病態として知られている。

## 4．溢流性尿失禁

溢流性尿失禁（overflow incontinence）には、慢性尿閉（chronic retention of urine）の別名がある。ICSでは、定義困難であるため溢流性尿失禁という用語の使用を推奨していない。にもかかわらず、どの専門書にも登場する理由は、「生命維持に脅威となる尿失禁」という重要な意味を含むためである。一般に尿失禁は、「生活の質を悪化させるだけで命にはかかわらない」とされるが、溢流性だけは例外である。これは、**放置されると腎不全や尿路感染症により死に至る病態である**。

溢流性尿失禁がほかの尿失禁と決定的に違うのは、基本の病態が尿排出障害であり、膀胱内に「大量の残尿」が存在することである。大量の残尿があふれて少しずつ漏れているのである。残尿測定検査が重要といわれるのは、この死に至る溢流性尿失禁を鑑別するためにほかならない。

溢流性尿失禁の原因は、主に下部尿路閉塞性疾患と神経疾患による排尿筋収縮不全である。前者には、前立腺肥大症、前立腺がん、尿道狭窄があり、後者には糖尿病、脳卒中、椎間板ヘルニア、脊椎管狭窄症、脊髄腫瘍、直腸がんや子宮がん術後などがある。また、加齢も重要な原因となってきている。

溢流性尿失禁では、体を動かす圧により少量の尿失禁がみられるため、腹圧性尿失禁と誤診されることがある。**男性、糖尿病、脊髄疾患、骨盤内悪性腫瘍術後で体動による失禁を認める場合には溢流性尿失禁を疑い、残尿測定を必ず行わなければならない。また、溢流性尿失禁と診断されたら、緊急に水腎症や腎不全の有無を確認しなければならない**。

## 5．機能性尿失禁

機能性尿失禁とは、認知機能、上下肢機能、視力などの障害（排尿機能以外の障害）が失禁の主原因である病態をいう。機能性尿失禁患者の「下部尿路機能は正常」であるとの記載も散見されるが、実際の機能性尿失禁患者のほとんどが、超高齢者で下部尿路機能も高度に障害されているのが現実である。

機能性尿失禁も溢流性と同様に定義困難であるが、高齢者の失禁を評価する際にこの要素を無視すると、病態判定にならないばかりか治療効果は不良となる。尿禁制を保つには、下部尿路のみならず全身の機能がある程度以上なければならない。また、そのどれかがある程度以上障害されると、それが原因となり尿失禁を発症する。例えば、

下肢機能障害で移動機能が低下すると、最大尿意に達するまでにトイレに到達できずに失禁する病態がある。元気な高齢者でも機能性の要素が少なからず関与していることを忘れてはならない。

臨床における**高齢者の尿失禁の病態診断では、第一に残尿測定で溢流性尿失禁を除外し、次に機能性の要素を判定してから切迫性か腹圧性かの判断を行うべきとされている**。高齢者の尿失禁では、個人差はあるが機能性の要素と無関係の尿失禁はまれである。

前述のとおりに、トイレ位置の認識、視力、移動能力（下肢機能）、上肢機能、排尿姿勢の維持能力などは、適切な排尿遂行に不可欠な要素である。この障害されている機能を判定し補助することが失禁治療の有効な手法となる。具体的には、トイレ明示、手すり設置、トイレ改造、着衣の工夫、各種のリハビリテーションを含む訓練などが挙げられる。夜間の失禁では睡眠障害にも配慮する必要があるばかりでなく、個人的背景なども重要な要素となる。

引用文献
1. 日本排尿機能学会用語委員会編：日本排尿機能学会標準用語集 第1版. 中外医学社, 東京, 2020.
2. 本間之夫, 西沢理, 山口脩：下部尿路機能に関する用語基準：国際禁制学会標準化部会報告. 日本排尿機能学会誌 2003；14（2）：278-289.

# 排泄の病態・生理、症状

## 排尿機能障害（下部尿路機能障害）

### 排尿機能障害（下部尿路機能障害）がみられる疾患
# 神経因性下部尿路機能障害（NLUTD）
## （神経因性膀胱）

関戸哲利

## [ 神経因性下部尿路機能障害（NLUTD）の定義 ]

神経因性下部尿路機能障害（neurogenic lower urinary tract dysfunction：NLUTD）とは、**中枢あるいは末梢神経障害が原因となって下部尿路（膀胱・尿道）機能に異常が生じている状態**である。代表的な神経障害におけるNLUTDの頻度を表1に示した。従来は神経因性膀胱（neurogenic bladder：NB）と呼ばれていたが、近年はNLUTDと呼ばれるため、本稿ではこちらの名称を用いる。

## [ NLUTDの病態 ]

正常の蓄尿と尿排出（排尿）に関与する中枢・末梢神経を図1に、NLUTDの病型分類と下部尿路機能障害（lower urinary tract dysfunction：LUTD）を図2、表2に示した。NLUTDは**核上型NLUTD**と**核・核下型NLUTD**に大きく分類され、核上型はさらに**核上型・橋上型NLUTD**と**核上型・橋下型NLUTD**に分類される。なお、表2の個々の疾患におけるNLUTDの詳細に関しては成書を参照されたい。

表1　各種神経障害におけるNLUTDの頻度

| 疾患 | NLUTDの頻度 |
|---|---|
| 脳血管障害 | 30〜80% |
| パーキンソン病 | 40〜70% |
| 多発性硬化症 | 50〜90% |
| 脊髄損傷 | 約100% |
| 脊柱管狭窄症 | 約50% |
| 二分脊椎 | 90〜100% |
| 糖尿病 | 40〜50% |
| 骨盤内悪性腫瘍根治術 | 10〜80% |

## 図1 正常の蓄尿と尿排出（排尿）の生理

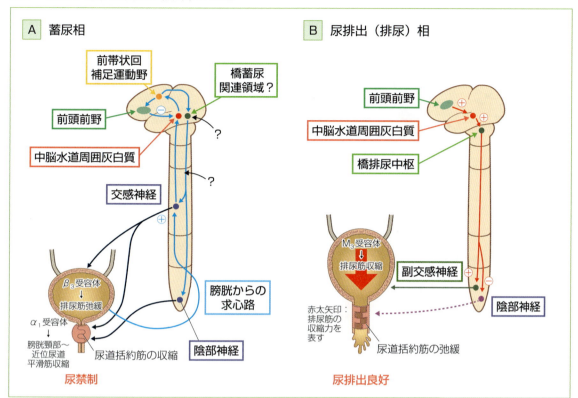

A 蓄尿相　／　B 尿排出（排尿）相
尿禁制　／　尿排出良好

A：膀胱知覚を伝達する膀胱求心路は仙髄に入ってから脊髄内を上行し、胸腰髄（Th11-L2）から起こる交感神経を興奮させ、$β_3$受容体を介して排尿筋を弛緩、$α_1$受容体を介して膀胱頸部から近位尿道平滑筋を収縮させる。さらにこの知覚情報は、中脳水道周囲灰白質を経由して、前帯状回・補足運動野や前頭前野に伝達される。前帯状回・補足運動野からの出力の詳細に関しては未解明の部分もあるが、橋蓄尿関連領域を経由して仙髄オヌフ核から起始する体性神経である陰部神経（S2-S4）を興奮させ、横紋筋である尿道括約筋を収縮させる。前頭前野は蓄尿するか尿排出（排尿）するかを最終的に決定する大脳の領域と考えられている。前頭前野で蓄尿が決定された場合には、中脳水道周囲灰白質の興奮が抑制され、これによって橋排尿中枢の活動も抑制される。以上のしくみにより、低圧で十分な膀胱容量の蓄尿が達成され、尿禁制が得られる。

B：前頭前野が尿排出（排尿）を決定すると、中脳水道周囲灰白質を介して橋排尿中枢が興奮する。橋排尿中枢は、仙髄から起こる副交感神経（S2-S4）を興奮させ、ムスカリン受容体（$M_3$受容体）を介して排尿筋を収縮させる。さらに、仙髄内の介在ニューロンを介して陰部神経を抑制し、尿道括約筋を弛緩させる。以上のしくみにより、良好な排尿筋収縮と尿流出路（膀胱出口部）の弛緩が得られ、膀胱内が高圧になることなく、残尿がなくなるまで尿が排出される。赤太矢印：排尿筋の収縮力を表す。

## 図2　NLUTDの分類と代表的なLUTD

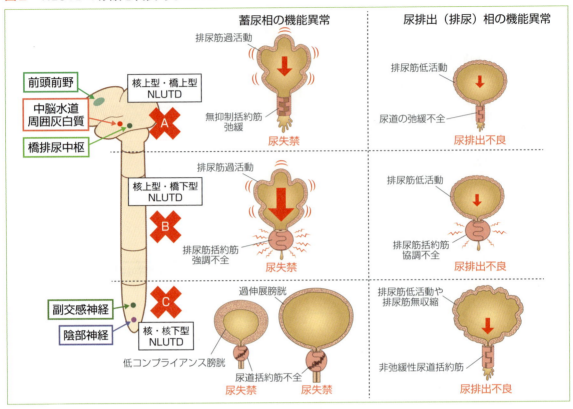

A：核上型・橋上型NLUTD、B：核上型・橋下型NLUTD、C：核・核下型NLUTD。
「核」とは副交感神経と陰部神経の起始核があるS2-S4の仙髄排尿中枢を指す。核上型は、これよりも上位の神経障害、核型は仙髄の神経障害、核下型は仙髄よりも末梢の神経障害を指す。橋上型は橋排尿中枢よりも上位の神経障害、橋下型は橋排尿中枢よりも下位の神経障害を指す。核上型NLUTDでは蓄尿時に排尿筋過活動を呈する一方、尿排出（排尿）時には排尿筋低活動を呈する場合がある〔排尿筋低活動を伴う排尿筋過活動（detrusor overactivity detrusor underactivity：DO-DU）〕。機能障害の解説は表2を参照。
赤太矢印：蓄尿相では膀胱内圧の状況を表す。尿排出（排尿）相では排尿筋の収縮力を表す。

## 表2　NLUTDの分類とLUTD、主な疾患

| 分類 | 下部尿路機能障害（LUTD） | | | | | 主な疾患 |
|---|---|---|---|---|---|---|
| | 排尿筋 | | 尿道（括約筋） | | 膀胱知覚 | |
| | 蓄尿相 | 尿排出（排尿）相 | 蓄尿相 | 尿排出（排尿）相 | | |
| A<br>核上型・橋上型 | ・排尿筋の不随意収縮である**排尿筋過活動**を認める<br>・排尿筋過活動の出現時に尿道括約筋は尿禁制を維持するために活動を亢進させるが持続せず、尿道括約筋の弛緩に伴い尿失禁が生じる | ・排尿筋の収縮強度や収縮の持続が障害される排尿筋低活動が認められる場合がある | ・前頭葉の病変などで尿道括約筋の不随意の弛緩である**無抑制括約筋弛緩**を認める場合がある。この場合には無抑制括約筋弛緩に続いて排尿筋過活動が生じ尿失禁に至る場合が多い | ・**排尿筋と括約筋との協調関係は**維持される<br>・脳血管障害の急性期などで、尿道の弛緩不全と考えざるを得ない機能障害が認められる場合があるが、その機序は明確になっていない | ・**尿意切迫感**や**膀胱知覚過敏**を認める<br>・脳血管障害の急性期などでは膀胱知覚低下や欠如が認められる場合がある | ・脳血管障害<br>・パーキンソン病<br>・多系統萎縮症<br>・進行性核上性麻痺<br>・脊髄小脳変性症<br>・正常圧水頭症<br>・認知症（アルツハイマー型、レビー小体型、血管性）<br>・脳腫瘍 |

（次頁につづく）

| 分類 | 下部尿路機能障害（LUTD） | | | | | 主な疾患 |
|---|---|---|---|---|---|---|
| | 排尿筋 | | 尿道（括約筋） | | 膀胱知覚 | |
| | 蓄尿相 | 尿排出（排尿）相 | 蓄尿相 | 尿排出（排尿）相 | | |
| B 核上型・橋下型 | ・排尿筋の不随意収縮である排尿筋過活動を認める<br>・完全型の脊髄障害（＝蓄尿相と排尿相の区別が困難）では、蓄尿相での膀胱の高圧状態や尿失禁の程度には、排尿筋括約筋協調不全の重症度も関与する | ・排尿筋の収縮強度や収縮の持続が障害される排尿筋低活動が認められる場合がある<br>・尿排出相での膀胱の高圧状態の程度、尿流量、残尿量には排尿筋収縮力と排尿筋括約筋協調不全の重症度が関与する | ・完全型の脊髄障害（＝蓄尿相と排尿相の区別が困難）では、排尿筋過活動出現時に尿道括約筋の不随意収縮である排尿筋括約筋協調不全が認められる | ・尿道括約筋の不随意収縮である排尿筋括約筋協調不全が認められる | ・完全型の脊髄障害では膀胱知覚は欠如する<br>・不完全型の脊髄障害では、障害の程度に応じて膀胱知覚はある程度保たれ、尿意切迫感や異常膀胱知覚（腹部膨満感、自律神経症状、痙性など）、膀胱知覚過敏を認める | ・頭部外傷<br>・脊髄血管障害<br>・脊髄損傷<br>・横断性脊髄炎<br>・多発性硬化症<br>・急性散在性脳脊髄炎<br>・HTLV-1関連脊髄症<br>・頸髄症（後縦靭帯骨化症やヘルニアを含む）<br>・脊髄空洞症<br>・脊髄腫瘍 |
| C 核・核下型 | ・膀胱の伸展性が低下している状態である低コンプライアンス膀胱が認められる場合がある<br>・膀胱の伸展性低下のために低圧での蓄尿ができず、蓄尿相で膀胱の高圧状態が生じる。高圧状態や尿失禁の程度には、尿道括約筋不全の重症度も関与する<br>・膀胱の伸展性の低下が認められず、膀胱知覚低下や欠如により膀胱過伸展状態に至る場合もある<br>・膀胱過伸展や尿失禁の程度には尿道括約筋不全の重症度も関与する | ・排尿筋の収縮強度や収縮の持続が障害される排尿筋低活動や排尿筋が収縮しない排尿筋無収縮を認める<br>・尿排出相での膀胱の高圧状態の程度、尿流量、残尿量にはどの程度の腹圧（用手圧迫やバルサルバ）をどれくらいの時間かけるかと非弛緩性尿道括約筋の程度が関与する | ・尿道の閉鎖不全である尿道括約筋不全を認める場合がある<br>・重症の尿道括約筋不全では、低コンプライアンス膀胱あるいは体動などによる腹圧負荷による膀胱内圧上昇で高度の腹圧性尿失禁が生じる<br>・いずれの場合も尿道括約筋不全がポップオフバルブの働きをし、尿失禁が重症な反面、著明な高圧蓄尿や膀胱過伸展に至らずにすむ場合もある | ・尿道括約筋の弛緩不全である非弛緩性尿道括約筋を認める場合がある | ・完全型の仙髄障害あるいは末梢神経障害では膀胱知覚欠如を認める<br>・不完全型の仙髄障害あるいは末梢神経障害では、障害の程度に応じて膀胱知覚はある程度保たれ、異常膀胱知覚（腹部膨満感など）、膀胱知覚低下を認める | ・二分脊椎（脊髄髄膜瘤、脊髄係留症候群）<br>・髄膜炎尿閉症候群（急性散在脳脊髄炎の軽症型と考えられ、仙髄排尿中枢が特異的に障害される）<br>・ギランバレー症候群<br>・疱疹性ウイルス群感染症<br>・腰部脊柱管狭窄症<br>・糖尿病<br>・骨盤内悪性腫瘍根治術 |

# NLUTDの診断と診療の流れ

## 1．NLUTDの診断

NLUTDと診断するためには、①明らかな神経障害が存在し、②その神経障害から予測されるLUTDと各種検査所見から得られたLUTDの所見が一致し、③神経障害とLUTDの経過の時間的関係に矛盾がなく、④LUTDの主因として他の泌尿器科的疾患（前立腺肥大症、尿道狭窄、骨盤臓器脱、膀胱憩室、膀胱結石など）の可能性が低い、ということが必要である。表3に示した評価を行い、これらを満たすことを確認する。なお、慢性的な経過をたどる神経障害の場合には、③の判定は難しいことも多い。また、多系統萎縮症や脊髄係留症候群などでは、LUTDが初発症状となる場合もあるので注意が必要である。

表3　NLUTDの診断

| | |
|---|---|
| 問診 | ・下部尿路症状：症状の経過も含めて系統的に問診する<br>・NLUTDでは下部尿路症状が機能障害を反映しないことも多く、下部尿路症状のみから機能障害の状況を予測するのは難しい<br>・神経障害に関する詳細な病歴の把握も必須である<br>・既往歴：神経障害以外に下部尿路機能障害の原因となりうる疾患の有無<br>・服薬歴：下部尿路機能障害の原因となりうる薬剤のチェック<br>・認知機能障害の程度：尿路管理法の決定などに際して重要である<br>・自律神経過緊張反射*：T6以上の高位の脊髄障害患者では自律神経過緊張反射の有無を聴取する。経尿道的操作や膀胱を伸展させる検査に際して発作が生じる可能性があると同時に、尿路管理法や薬物療法を検討するうえでも重要な情報である<br>・日本語での妥当性が検証された生活の質に関する質問票としては、脊髄障害患者用のQualiveen30や清潔間欠自己導尿患者用のJ-ISC-Qなどがある |
| 身体所見 | ・意識障害の程度：急性期において意識障害は膀胱過伸展の要因になりうる<br>・運動機能・感覚機能の程度：尿路管理法の決定に際して重要である。外出先を含めて長期間の清潔間欠自己導尿が現実的となるためには、上肢機能、特に手指の巧緻性が維持され座位保持可能で、女性ではさらに開脚可能であることが必要である。また、女性では会陰部の知覚障害が高度だと、導尿カテーテルの外尿道口への挿入の指導が困難な場合もある<br>・女性では骨盤底筋障害の程度や骨盤臓器脱の有無を台上診で評価する |
| 会陰部神経学的所見 | ・肛門周囲の知覚、肛門括約筋トーヌス（内肛門括約筋機能）、肛門括約筋随意収縮（外肛門括約筋機能）、肛門反射（S2-S5：陰部神経→陰部神経；陰部神経機能）、球海綿体筋反射（S2-S4：陰部＋骨盤神経→仙髄排尿中枢→陰部神経；仙髄排尿中枢機能）などを評価する<br>・核上型NLUTDでは肛門反射、球海綿体筋反射とも亢進し、核・核下型NLUTDでは低下する |
| 腰仙部皮膚所見 | ・脊髄係留症候群が疑われる場合には、腰仙部皮膚の異常な毛髪、皮膚陥凹（dimple）、皮下腫瘤、血管腫、臀裂の偏移などの異常の有無を確認する |
| 尿検査 | ・血尿を認めた場合には、膀胱結石や尿路悪性腫瘍などの鑑別が必要である<br>・膿尿を認めた場合には、下部尿路の高圧環境や膀胱過伸展、多量の残尿の有無の評価のほか膀胱結石などの鑑別が必要になる |
| 腎機能評価 | ・血清クレアチニンによるeGFR<br>・筋肉量が少ない患者においては血清クレアチニンによるeGFRが過大評価気味になるため、腎機能障害の早期診断にはシスタチンCとそれに基づくeGFRが有用である |

（次頁につづく）

| | | |
|---|---|---|
| 排尿（導尿）日誌 | | ・昼間あるいは夜間頻尿、尿失禁を認める患者では、排尿回数や機能的膀胱容量、多尿や夜間多尿の評価に必須である<br>・**清潔間欠導尿施行例では導尿回数、導尿時刻、導尿間隔の評価手段として有用**である |
| 残尿測定 | | ・自排尿例では、多量の残尿の有無の鑑別に必須である |
| 尿流測定 | | ・自排尿かつ尿流測定計への排尿が可能な患者では必須である<br>・低尿流量の場合には、排尿筋低活動や無収縮、器質的（前立腺肥大症や尿道狭窄など）あるいは機能的（排尿筋括約筋協調不全や非弛緩性尿道括約筋など）膀胱出口部閉塞の存在が示唆される<br>・尿流パターンがスタッカート型パターンでは排尿筋括約筋協調不全の存在が、間欠的波形では排尿筋低活動や無収縮、排尿筋括約筋協調不全や非弛緩性尿道括約筋に伴う腹圧排尿の存在が示唆される<br>・問診、理学的所見、その他の検査所見などから、高圧低尿流量の可能性がある場合にはカテーテル挿入を伴う尿流動態検査の実施を考慮する |
| 腹部エコー検査 | | ・**上下部尿路の形態的異常の検査として必須**である<br>・上部尿路：水腎水尿管症や腎瘢痕を認める場合には、下部尿路の高圧環境、膀胱過伸展、多量の残尿の存在を疑い、カテーテル挿入を伴う尿流動態検査が必要である。このほかに腎結石などの評価を行う<br>・下部尿路：膀胱肉柱形成、膀胱壁肥厚、膀胱憩室、膀胱結石などの存在は、下部尿路の高圧環境、膀胱過伸展、多量の残尿などを示唆する所見である。問診、理学的所見、その他の検査所見などとあわせてカテーテル挿入を伴う尿流動態検査を実施すべきかを検討する。このほか、膀胱結石、前立腺腫大などの評価を行う |
| カテーテル挿入を伴う尿流動態検査 | | ・膀胱内圧測定、内圧尿流検査が含まれる<br>・**下部尿路の高圧環境の有無、高圧環境、膀胱過伸展、多量の残尿の原因となっている機能異常を診断し、尿路管理法や薬物療法の決定に有用な情報を提供する検査**である<br>・NLUTDでは、症状や神経学的所見から推測されるLUTDと実際のLUTDとの間に乖離を認めることがしばしばある。このため、LUTDの精査目的に、可能な限り尿流動態検査の実施を考慮すべきである<br>・**透視下に実施すると形態的な異常を同時に診断可能**である |
| 膀胱尿道造影 | | ・膀胱尿管逆流、膀胱憩室、膀胱頸部開大（尿道括約筋不全）、排尿筋括約筋協調不全や非弛緩性尿道括約筋、前立腺内造影剤逆流（intraprostatic reflux）などの診断が可能である<br>・尿流動態検査と同時施行したほうが得られる情報量は多くなる |
| 腎シンチグラフィ | | ・腎機能障害や水腎症、腎瘢痕などが認められた場合に実施すべきである |
| 膀胱尿道鏡 | | ・膀胱尿道の器質的異常（膀胱結石、膀胱腫瘍、尿道狭窄など）の精査が必要な場合に施行する |

＊：自律神経過緊張反射では、麻痺域の刺激（膀胱や直腸の充満が大部分を占める）がT5-L2由来の交感神経を刺激して腸管や下肢血管を収縮させ、静脈還流が増加し高血圧をきたす（200mmHg以上になることも珍しくない）。一方、非麻痺域では、頸動脈や動脈弓の圧受容体を介する迷走神経反射により脈拍低下と血管拡張が生じるが、麻痺域にはこの抑制が伝わらず、高血圧が持続する緊急性のある病態である。高血圧、徐脈、発汗＋紅潮＋頭痛が3主徴であり、徴候としては、基線から20〜40mmHg以上の血圧上昇をもって診断する。最悪の場合、けいれん、意識障害、頭蓋内出血、不整脈を生じ致命的な事態に至る。この反射に遭遇した場合には、患者を座位として着衣をゆるめ、可及的すみやかな刺激の除去を行う。降圧薬投与が必要な重篤な症例では、集中治療室での循環動態のモニターが必要となる場合もある。

eGFR：推算糸球体濾過量

## 2. NLUTDの診療の流れ

NLUTDの診療の流れを図3に示した。NLUTDにおいて優先度の高い臨床的アウトカムは尿路合併症の防止、なかでも腎障害（腎機能障害と上部尿路障害）と症候性尿路感染（symptomatic urinary tract infection：sUTI）の防止である。これらに次ぐ優先度のアウトカムとして、社会的尿禁制の獲得、生活の質の改善が挙げられる。NLUTDの診断においては、腎障害やsUTIのリスクの有無を、表3に示した診断項目によって明確にすることが重要である。腎障害とsUTIのリスク因子としては、下部尿路の高圧環境と膀胱過伸展、多量の残尿などが挙げられる。それぞれのリスク因子をきたしやすいLUTDの組み合わせを表4に示した。このうち、下部尿路の高圧環境をきたしやすい核上型・橋下型NLUTDでは、カテーテル挿入を伴う尿流動態検査によってLUTDの精査を行うべきである。核・核下型NLUTDにおいても下部尿路の高圧環境が疑われる場合には、カテーテル挿入を伴う尿流動態検査を積極的に施行すべきである。

治療の項で述べる適切な尿路管理法や薬物療法を決定した後に、腎障害やsUTIの防止という臨床的アウトカムの達成状況を定期経過観察で評価する（図3）。定期経過観察としては、問診のほか尿検査、腹部エコー検査、残尿測定、尿流測定などの非侵襲的評価が主体となり、必要に応じてカテーテル挿入を伴う尿流動態検査などを追加する。臨床的アウトカムが達成されている場合には現行の治療を継続する。腎障害やsUTIの防止というアウトカムが未達成、あるいは達成されてはいるが患者が改善を希望する尿失禁が残存している場合には、カテーテル挿入を伴う尿流動態検査も含めたLUTDの精査を行い、尿路管理法や薬物療法の調整、それでも改善が認められない場合には外科的治療も考慮する（図3）。なお、NLUTDでの尿失禁のリスク因子としては、排尿筋過活動、低コンプライアンス膀胱、尿道括約筋不全などが挙げられる。

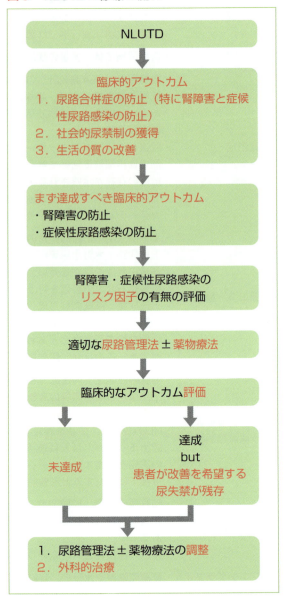

図3　NLUTDの診療の流れ

## NLUTDの治療

### 1. NLUTDの治療上の注意点

NLUTDの治療で注意すべき点は、治療のゴールは自排尿ではないという点である。もちろん、患者にとって自排尿による尿路管理法が望ましいのは論を待たない。しかし、NLUTDの臨床的ア

表4 腎障害、症候性尿路感染のリスクを生じやすいLUTD

| リスク因子 | 蓄尿相 | 尿排出（排尿）相 |
|---|---|---|
| 下部尿路の高圧環境 | ・完全型脊髄障害における高圧かつ持続する排尿筋過活動＋排尿筋括約筋協調不全<br>・低コンプライアンス膀胱＋尿道括約筋不全が軽度〜認められない場合* | ・尿道の弛緩不全<br>・排尿筋括約筋協調不全<br>・非弛緩性尿道括約筋 |
| 膀胱過伸展 | ・膀胱知覚低下あるいは欠如＋無抑制括約筋弛緩や尿道括約筋不全が軽度〜認められない場合* | |
| 多量の残尿 | | ・排尿筋低活動や無収縮＋尿道の弛緩不全、排尿筋括約筋協調不全、非弛緩性尿道括約筋 |

＊：核・核下型NLUTDでは尿道括約筋不全が軽度〜認められない場合もある。この場合、膀胱が高圧あるいは過伸展状態になっても尿道がポップオフバルブとして機能せず、膀胱の高圧あるいは過伸展状態が持続するため注意が必要である。

ウトカムは、腎障害やsUTIなどの尿路合併症の防止に加え、社会的な尿禁制の獲得、これらを通じた生活の質の改善にある。これらのアウトカムの達成のためには、自排尿が可能な場合であっても、あえて清潔間欠導尿を選択する場合がありうる。この点についての理解を、医療従事者・患者が共有しておく必要がある。NLUTDに対する尿路管理法と薬物療法・外科的治療をそれぞれ表5、6に示した。

## 2．尿路管理法

脳血管障害や脊髄障害の急性期には、それぞれ大脳ショック（cerebral shock）あるいは脊髄ショック（spinal shock）という排尿筋無収縮（と恐らく尿道の弛緩不全の合併）による尿閉を呈する。この時期には、尿道カテーテル留置の絶対的適応がなくなり次第カテーテルを抜去し、膀胱過伸展をきたさない回数・間隔で医療従事者による清潔間欠導尿を開始するべきである。

診断の項で述べた腎障害やsUTIのリスク因子（表4）を有する場合には、清潔間欠導尿が選択される。なお、固有尿道からの導尿が困難な場合には、適応を慎重に検討したうえで、腸管を用いた腹壁導尿路造設術が行われる場合がある。清潔間欠導尿が認知機能や運動・感覚障害のために現実的でない場合には、カテーテル留置が選択される。カテーテル留置としては尿道合併症などを回避する観点から、恥骨上膀胱瘻カテーテル留置も選択肢になる。リスク因子を有さない場合には自排尿が選択される。ただし、自排尿としては、随意排尿が推奨され、反射性排尿誘発や搾り出し排尿は推奨されない。なお、随意排尿は可能であるものの有意な残尿を認める場合には、残尿に対する清潔間欠導尿を追加する場合もある。

### 1）清潔間欠導尿の間隔（回数）

清潔間欠導尿のポイントは、膀胱内圧が低圧なうち、かつ過伸展になる前に低圧完全排尿させることである（図4）。このため、導尿間隔（導尿回数）を遵守することが重要となる。膀胱の高圧・過伸展を防止することで膀胱局所の免疫機能が維持され、sUTIが生じにくくなるため無菌的操作を行う必要はないとされる。清潔間欠導尿のみによる尿路管理法が適応となる場合には、おおむね4〜6時間ごとの導尿が必要である。1回の導尿操作にはある程度の時間を要するため、導尿回数があまりにも頻回とならないよう、また就寝中に導尿をしないですむよう、膀胱蓄尿機能に応じた飲水指導を行う必要がある。これに関しては導尿日誌に基づく指導が効果的である。一方、随意排尿後

表5　尿路管理法

| 尿路管理法 | 適応 | 注意点 |
|---|---|---|
| 自排尿 | ・随意排尿が可能<br>・安全な蓄尿と尿排出*が可能 | ・自排尿が認められることと安全な蓄尿と尿排出*が達成されていることはイコールではない点に留意する必要がある<br>・随意排尿とは、排尿反射を誘発するための刺激（反射性排尿誘発）は不要で、また、排尿に際して用手圧迫やバルサルバ（腹圧）などの搾り出し排尿も不要な自排尿を指す<br>・脳血管障害などでは、随意排尿による排尿自立を獲得させるために排尿促進法、定時排尿法などを併用する必要がある<br>・脳血管障害などによる身体機能障害のためにトイレ移乗が現実的でない患者や排尿姿勢の保持が困難な患者では、おむつ内への自排尿が安全な蓄尿と尿排出*と判断された場合には、おむつ内への排尿（失禁排尿）を許容せざるを得ない場合もある<br>・慎重な症例選択が行われた男性頸髄損傷患者では、反射性排尿誘発が適応となる場合がある<br>・用手圧迫やバルサルバ（腹圧）などの搾り出し排尿は推奨されない |
| 清潔間欠導尿 | ・随意排尿が不可能<br>・随意排尿では安全な蓄尿と尿排出*が達成不能 | ・自排尿が認められていても、安全な蓄尿と尿排出*の観点から、清潔間欠導尿を選択すべき患者がいる点に留意する必要がある<br>・日本では、清潔間欠導尿の実施は、医師、看護師、患者本人、その家族にしか認められていない<br>・在宅においては清潔間欠「自己」導尿でないと長期的な継続は困難である。この観点からは、自己導尿の必要性と手技、導尿回数（間隔）を理解可能な認知機能を有し、手指の巧緻性と座位保持の機能が保たれていることが必要である<br>・清潔間欠自己導尿の受け入れとアドヒアランスには、医療従事者による指導・教育、適切な経過観察が重要である<br>・低圧で蓄尿しているうち、かつ過伸展になる前に、低圧で、残尿なく導尿することが基本である。このため、膀胱蓄尿機能障害の状態に見合った1回導尿量と導尿回数（間隔）を設定し、その後は導尿日誌を用いて導尿時刻や水分摂取量を調整する必要がある<br>・根拠もなく、水分摂取量を増やすことを励行する指導をしてはならない<br>・各種カテーテル（再利用型、非親水性ディスポーザブルカテーテル、親水性カテーテル）の選択は患者選好、導尿困難の有無、症候性尿路感染の頻度などで決定する<br>・夜間多尿あるいは外出時に導尿ができないことによる高圧蓄尿や膀胱過伸展への対策としては、間欠式バルーンカテーテルの使用が考慮される。ただし、清潔間欠導尿の代替となる尿路管理法ではないこと、留置時間は可及的に短時間にとどめることを患者に十分に教育する必要がある |
| カテーテル留置 | ・清潔間欠導尿が不可能 | ・長期的な合併症の観点から、最後の手段と考えられる<br>・尿道合併症などを回避する観点から、恥骨上膀胱瘻カテーテル留置も検討すべきである |

＊：低圧で過伸展に至ることなく蓄尿可能で、高圧になることなく、有意な残尿（100〜150mL以上）がなく、尿排出（排尿）が可能な状態。

表6 NLUTDの治療

| 機能障害 | 治療法 | 作用機序など | 有害事象 |
|---|---|---|---|
| 排尿筋過活動・低コンプライアンス膀胱 | ・抗コリン薬 | ・排尿筋のムスカリン受容体を阻害することにより、排尿筋過活動あるいは低コンプライアンス膀胱を改善させ、膀胱の低圧化、尿失禁の改善に寄与する | ・口内乾燥、便秘、霧視などの抗コリン性有害事象<br>・残尿増加<br>・認知機能障害のリスク？ |
| | ・$\beta_3$受容体作動薬 | ・排尿筋の$\beta_3$受容体を刺激することで排尿筋の弛緩を強化し、排尿筋過活動あるいは低コンプライアンス膀胱を改善させ、膀胱の低圧化、尿失禁の改善に寄与する | ・血圧上昇、頻脈<br>・残尿増加 |
| | ・膀胱鏡下A型ボツリヌス毒素膀胱壁内注入療法 | ・難治性の排尿筋過活動に対して用いられる。副交感神経末端からのアセチルコリン放出を阻害（化学的除神経）することで排尿筋過活動を改善させ、膀胱の低圧化、尿失禁の改善に寄与する<br>・難治性特発性過活動膀胱（100単位）よりも高用量（200単位）を投与する<br>・効果の持続期間は8〜9か月である | ・尿閉、尿路感染症 |
| | ・腸管利用膀胱拡大術 | ・清潔間欠導尿と薬物療法を用いた最大限の保存的治療を行っても排尿筋過活動や低コンプライアンス膀胱による上部尿路障害、症候性尿路感染、尿失禁の改善が得られない場合に考慮される<br>・低圧で高容量の蓄尿が達成可能なように、小腸あるいは大腸を脱管腔化してカップ状に形成し、二枚貝状に切開した膀胱に縫合する | ・尿路結石（膀胱結石）<br>・腸管機能障害<br>・電解質・代謝異常<br>・膀胱穿孔<br>・悪性腫瘍発生 |
| | ・尿失禁手術 | ・清潔間欠導尿と薬物療法を用いた最大限の保存的治療を行っても、尿道括約筋不全による尿失禁の改善が得られない場合に考慮される<br>・膀胱頸部筋膜スリング手術、膀胱頸部形成術、人工括約筋埋込み術などの術式がある | ・デバイスの感染・機能不全（人工尿道括約筋）<br>・清潔間欠導尿困難 |
| 排尿筋低活動 | ・コリン作動性薬剤 | ・ムスカリン受容体作動薬であるベタネコール、コリンエステラーゼ阻害薬であるジスチグミンなどが用いられる場合があるが、NLUTDにおける排尿筋低活動の改善に寄与するというエビデンスは乏しい<br>・尿道の弛緩障害や非弛緩性尿道括約筋を悪化させる可能性があるため、$\alpha_1$遮断薬と併用されることが多い | ・コリン作動性クリーゼ |

（次頁につづく）

| 機能障害 | 治療法 | 作用機序など | 有害事象 |
|---|---|---|---|
| 尿道の弛緩不全、排尿筋括約筋協調不全、非弛緩性尿道括約筋 | ・α₁遮断薬 | ・膀胱頸部から近位尿道の平滑筋に分布するα₁受容体を阻害することで、平滑筋の緊張を緩和して尿道抵抗を低下させ、排尿効率を改善させる<br>・尿道括約筋への作用に関しての明確な結論は出ていない | ・起立性低血圧、射精障害 |

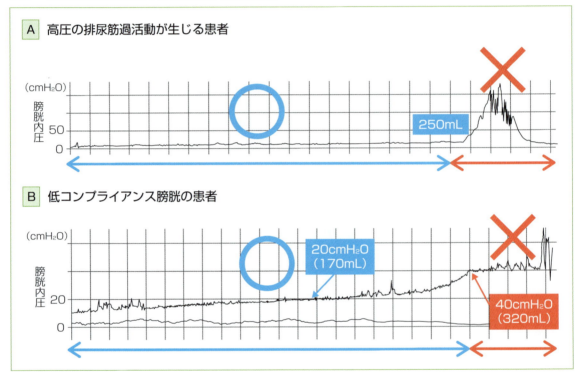

図4　清潔間欠導尿実施時の導尿間隔（導尿回数）

A：低圧のうちに導尿を行うためには、高圧（40cmH₂O）の排尿筋過活動が出現する前（○の部分）、すなわち250mL以内で導尿することが必要である。1日尿量を1200mL程度とすると、1200mL÷250mL＝4.8となり、最低5回（5時間ごと、24時間÷4.8回）の導尿が必要となる。実際には、抗コリン薬などを併用して膀胱容量の増大を図ったほうがベターである。

B：蓄尿時膀胱内圧が40cmH₂Oに達する以前（○の部分）、できれば20cmH₂Oに達する以前、すなわち170mL以内で導尿したいところである。1日尿量を1200mL程度とすると、1200mL÷170mL＝7.1となり、最低7回（3.5時間ごと、24時間÷7.1回）の導尿が必要となる。実際には抗コリン薬などを併用して、膀胱容量の増大を図らないとこの回数での導尿は厳しいであろう。

関戸哲利：清潔間欠導尿．泌尿器外科 2017；30 特別号：95-104．より引用

の残尿の導尿に関しては、1回導尿量が100～200mL以内に収まるように、排尿後毎回～1日1回程度まで残尿量に応じて導尿回数を設定する。

### 2）清潔間欠導尿の効果

清潔間欠導尿の効果としては、腎障害・sUTI・尿失禁の防止・改善、膀胱蓄尿機能の維持・改善が期待できる。

### 3）清潔間欠導尿用のカテーテル

清潔間欠導尿に用いられるカテーテルを表7に示した。カテーテルの選択に関しては、患者選好が優先されるべきである。

表7 清潔間欠導尿に用いられるカテーテル

| カテーテルの種類 | | 利点 | 欠点 | 備考 |
|---|---|---|---|---|
| 使い捨てカテーテル | ポリビニール製カテーテル | ・安価である<br>・カテーテルの洗浄や消毒が不要 | ・使用時に潤滑剤の塗布が必要 | ・特殊カテーテル加算1,000点が算定可能<br>・外出の多い患者で有用 |
| | 親水性コーティングカテーテル | ・カテーテルの洗浄や消毒が不要<br>・潤滑剤の塗布が不要（パッケージから出してそのまま使用可能）<br>・非親水性カテーテル（カッコ内）と比べて<br>　a 引き抜きに要する力が30％少ない<br>　b 挿入性が良好、疼痛がまったくなし：43〜65％（vs. 25％）<br>　c 尿路感染症発症リスクを64％低下<br>　d 最初の尿路感染症の発症までの期間を延長<br>　e 抗菌薬投与を要する感染リスクを21〜53％低下<br>　f 血尿のリスクを43％低下<br>　g 間欠導尿の生活の質のスコアを23％増加<br>　h 患者の63〜93％が親水性コーティングカテーテルを選好 | ・高価である<br>・親水性コーティング部分は把持したときに滑りやすい | ・特殊カテーテル加算が、本数に応じて1,000〜2,100点の範囲で算定可能<br>・以下の患者では使用を考慮すべきである<br>　a 男性＞女性<br>　b 導尿困難の既往のある患者<br>　c 尿道損傷の既往のある患者<br>　d 再発性尿路感染症を生じている患者<br>　e 外出の多い患者 |
| 再使用可能カテーテル | シリコン製カテーテル | ・再利用可能なため医療廃棄物による環境負荷が使い捨てカテーテルに比べて低い | ・使用後に毎回、洗浄や消毒液への浸漬が必要→外出時に不便 | ・特殊カテーテル加算400点が算定可能 |
| | 間欠式バルーンカテーテル | ・外出時や夜間の導尿が回避可能<br>　→QOL向上、膀胱過伸展防止<br>　→行動範囲拡大、社会復帰可能、介護負担軽減、尿失禁消失が80％以上の症例で得られる<br>・有熱性尿路感染症、膿尿、膀胱結石の発生率は尿道留置カテーテルよりも低く、間欠導尿との間で有意差を認めない | ・膿尿増悪<br>・誤操作による尿道出血 | ・特殊カテーテル加算1,000点が算定可能<br>・患者あるいは介護者が清潔間欠導尿の手技を習得していることが必須条件である<br>・留置時間は可及的に短時間とし、長くても12時間を超えないようにする |

図5 膀胱拡大術

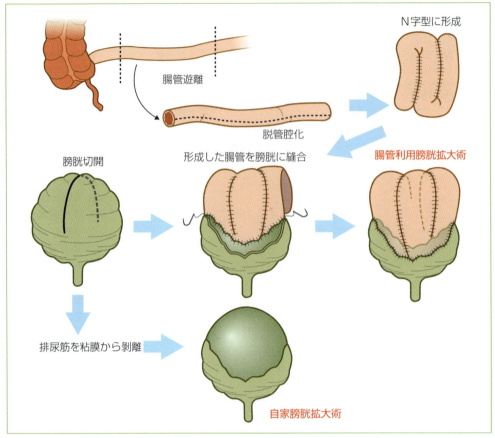

関戸哲利：神経因性膀胱 or 神経因性下部尿路機能障害．消化器外科 2017；30 特別号：254-267．より引用

## 3．薬物療法・外科的治療

適切な尿路管理法に加えて、LUTDの状況に応じて薬物療法を選択する（表6）。尿路管理法や薬物療法を最大限調整しても、腎障害やsUTIの防止が達成されない、あるいは社会的尿禁制が獲得されない場合には、適応を慎重に検討したうえで表6に示した外科的治療（膀胱拡大術：augmentation cystoplasty、図5）が行われる場合がある。

膀胱拡大術には**腸管利用膀胱拡大術（entero-cystoplasty）**と**自家膀胱拡大術（auto-augmentation）**がある。NLUTDに対しては腸管利用膀胱拡大術が一般的である。腸管利用膀胱拡大術は、遊離された小腸あるいは大腸を脱管腔化し、U字型、N字型、M字型などに形成した後、大きく切開した膀胱に縫合して拡大効果を期待する治療である。自家膀胱拡大術は、排尿筋を粘膜層から剥離し大きな膀胱憩室を作成して拡大効果を期待する治療である（図5）。

参考文献
1. 日本排尿機能学会，日本脊髄障害医学会，日本泌尿器科学会，脊髄損傷における下部尿路機能障害の診療ガイドライン作成委員会編：脊髄損傷における下部尿路機能障害の診療ガイドライン 2019年版．中外医学社，東京，2019．
2. 日本排尿機能学会，日本泌尿器科学会編：二分脊椎に伴う下部尿路機能障害の診療ガイドライン［2017年版］．リッチヒルメディカル，東京，2017．
3. 日本排尿機能学会 パーキンソン病における下部尿路機能障害診療ガイドライン作成委員会編：パーキンソン病における下部尿路機能障害診療ガイドライン．中外医学社，東京，2017．
4. 井川靖彦，百瀬均：神経因性膀胱という名の功罪．臨床泌尿器 2014；68（3）：269-272．

[ 排泄の病態・生理、症状 ]

排尿機能障害（下部尿路機能障害）

# 排尿機能障害（下部尿路機能障害）がみられる疾患
# 過活動膀胱

関戸哲利

## 過活動膀胱（OAB）の定義

過活動膀胱（overactive bladder：OAB）は、国際禁制学会の用語基準の「下部尿路機能障害を示唆する**症状症候群**（symptom syndromes suggestive of lower urinary tract dysfunctions）」に含まれ、用語基準上の正式名称は「過活動膀胱症候群（OAB syndrome）」であり、以下のように定義されている。

> 尿意切迫感を必須とし、通常は頻尿および/または夜間頻尿を伴う症状症候群であり、尿失禁を伴う場合と尿失禁を伴わない場合がある（図1）。また、その診断のためには尿路感染および局所的な病態を除外する必要がある。

OABの必須症状である尿意切迫感は「急に起こる、がまんすることが困難な強い尿意」と定義されるが、正常の尿意とは全く異なる異常な知覚と考えられている。正常の尿意と尿意切迫感の違いを表1に示した。

図1　OABの概念

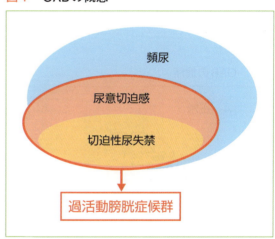

日本排尿機能学会　過活動膀胱診療ガイドライン作成委員会編：過活動膀胱診療ガイドライン[第2版]．リッチヒルメディカル，東京，2015：7より改変

表1　正常の尿意と尿意切迫感の違い

|  | 正常の尿意 | 尿意切迫感 |
|---|---|---|
| 生じ方 | 徐々に | 突然 |
| 強弱 | あり（がまんすると意識から消失） | 強いまま（尿をがまんできないという異常な知覚が持続） |
| 排尿のがまん | 可能 | 不可能（排尿を後回しにできない） |
| 補足 |  | 「漏れる恐怖」のような感情が伴う場合もある |

## OABの病態

大脳疾患や仙髄よりも上位の脊髄疾患（いずれも尿意切迫感がわかる程度の重症度）によるOABを**神経因性OAB**、それ以外を**特発性OAB**と呼ぶ。神経因性OABに関しては、「神経因性下部尿路機能障害」（p.18）を参照願いたい。特発性OABの原因としては、動脈硬化、高血圧、メタボリック症候群、糖尿病などの生活習慣病、尿路マイクロバイオームの異常、前立腺肥大症や骨盤臓器脱による膀胱出口部閉塞などが挙げられる。これらは、膀胱からの求心路活動の亢進や排尿筋の不随意収縮である排尿筋過活動を生じることで、OAB症状の原因となる（図2）。そのほか、女性の尿道過可動や尿道括約筋不全による尿の尿道内流入による尿道求心路の活動亢進なども原因となる。さらに近年、機能的脳画像[主として機能的磁気共鳴画像（fMRI）]を用いた検討から、膀胱からの求心路活動自体は正常であっても大脳での膀胱知覚の情報処理の障害が原因でOAB症状が生じる可能性も示唆されている（図2）。

## OABの診断

OABは症状症候群、すなわち明確な原因が特定できない機能的異常であって、**確定診断名ではない**。このため、OABの診断を進める際には、OABと同様な症状を呈する疾患を鑑別して、除外診断をすることが大切である。

OABと鑑別し原疾患の治療を優先すべきものには、高度の膀胱出口部閉塞（重症の前立腺肥大症や骨盤臓器脱など）、特発性排尿筋低活動、再発性尿路感染症、間質性膀胱炎、放射線性膀胱炎、神経因性下部尿路機能障害（尿路合併症のリスクの高いもの）、腹圧性尿失禁、骨盤臓器脱、前立腺がん、膀胱腫瘍、膀胱結石、下部尿管結石、尿

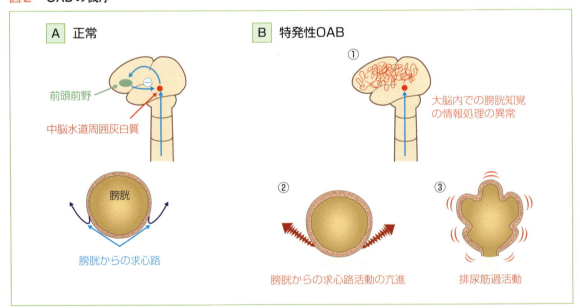

**図2　OABの機序**

A：正常の蓄尿相では、膀胱からの求心路活動の亢進や排尿筋過活動（排尿筋の不随意の収縮）は認められない。膀胱知覚は中脳水道周囲灰白質を経由して大脳内で情報処理がなされ、最終的に前頭前野で蓄尿するか尿排出するかが決定される。蓄尿する場合には、中脳水道周囲灰白質の活動が抑制される。
B：特発性過活動膀胱は膀胱からの求心路活動の亢進（②）や排尿筋過活動（③）によって引き起こされる。このほか、求心路活動が亢進していなくても大脳内での膀胱知覚の情報処理の異常（①）によって過活動膀胱症状が生じる場合がある。

道結石などが挙げられる。これらのほかにも、多飲・多尿、心因性頻尿、膀胱周囲の異常（大腸がんの膀胱浸潤、大腸憩室炎の膀胱への波及、子宮内膜症など）も除外すべきである。

さらに、明らかな歩行障害を伴うOABにも注意する必要がある。パーキンソン病は有病率が高く（100～300人/10万人）、歩行障害とOABを伴う代表的な神経変性疾患である。一方、頻度は低い疾患（有病率2～5人/10万人）ではあるが、神経難病である多系統萎縮症は、約3割の患者がOABなどの下部尿路症状で発症する点に注意が必要である。正常圧水頭症に伴うOABは、水頭症に対する外科的治療で改善が望める。歩行障害や認知機能障害を伴うOABは、脳神経外科・内科への紹介を検討する。このほか、より頻度の高い歩行障害と認知機能障害を伴うOABとして、白質型多発脳梗塞（脳血管性認知症）が挙げられる。

OABの診断には、日本で開発された**過活動膀胱症状スコア（OABSS、図3）**を用いるが、これのみでは不十分であるため、**表2**に示した基本評価（①は必須、②は症例により選択）も行い、病態が複雑な場合には専門的評価を追加する。OABSSはOABの診断や治療効果判定に有用であり、諸外国でも広く使われるようになってきている。

自覚症状（下部尿路症状）の問診に関しては、女性でもOAB症状の原因として膀胱出口部閉塞が一定の割合で認められることが知られている。このため、男女とも膀胱出口部閉塞に伴うOAB

**図3　過活動膀胱症状スコア（OABSS）**

| 質問 | 症状 | 点数 | 頻度 |
|---|---|---|---|
| 1 | 朝起きた時から寝る時までに、何回くらい尿をしましたか | 0 | 7回以下 |
| | | 1 | 8～14回 |
| | | 2 | 15回以上 |
| 2 | 夜寝てから朝起きるまでに、何回くらい尿をするために起きましたか | 0 | 0回 |
| | | 1 | 1回 |
| | | 2 | 2回 |
| | | 3 | 3回以上 |
| 3 | 急に尿がしたくなり、がまんが難しいことがありましたか | 0 | なし |
| | | 1 | 週に1回より少ない |
| | | 2 | 週に1回以上 |
| | | 3 | 1日1回くらい |
| | | 4 | 1日2～4回 |
| | | 5 | 1日5回以上 |
| 4 | 急に尿がしたくなり、がまんができずに尿を漏らすことがありましたか | 0 | なし |
| | | 1 | 週に1回より少ない |
| | | 2 | 週に1回以上 |
| | | 3 | 1日1回くらい |
| | | 4 | 1日2～4回 |
| | | 5 | 1日5回以上 |
| | 合計点数 | | 点 |

質問3の尿意切迫感のスコアが2点以上かつ質問1～4の合計が3点以上で過活動膀胱と診断する。重症度分類にも使用可能であり、3～5点が軽症、6～11点が中等症、12点以上が重症。最小臨床重要差は3点以上。

日本排尿機能学会 過活動膀胱診療ガイドライン作成委員会編：過活動膀胱診療ガイドライン［第2版］．リッチヒルメディカル，東京，2015：105．より引用

を鑑別するために、排尿症状をきちんと問診する必要がある。女性の混合性尿失禁では、腹圧性の成分が明らかに優位な場合には腹圧性尿失禁手術の適応を検討する必要があるため、きちんと問診すべきである。蓄尿時に原因不明の下腹部〜会陰部の違和感や疼痛を伴う場合は、間質性膀胱炎も鑑別に挙がる。

病歴の聴取に加えて、多飲・多尿の鑑別に有用な排尿日誌を可能な限り実施すべきである。

既往歴・合併症では、下部尿路機能に影響を与える中枢・末梢神経障害、骨盤部疾患の治療歴などは、OABの原因を鑑別するうえで重要である。服薬歴に関しては、下部尿路機能に影響を与える薬剤の有無をチェックする。さらに近年、抗コリン作用のある薬剤と認知機能障害との関連性が示唆されることから、特に高齢者においては、抗コリン作用のある薬剤のチェックも必要である。

身体理学的・神経学的所見としては、慢性尿閉による伸展した膀胱の存在を除外するための下腹部の診察、会陰部の神経学的所見の評価[「神経因性下部尿路機能障害」(p.18)参照]、前立腺疾患の鑑別目的の直腸診など、また女性では、高齢や尿失禁症状、あるいは腟下垂感を訴える場合には、台上診による骨盤底と生殖器の評価を行う。

尿検査にて膿尿を認める場合は、細菌検査を追加するとともに尿路感染症に対する治療が先決となる。顕微鏡的血尿、持続あるいは繰り返す膿尿に関しては、尿路悪性腫瘍や尿路結石などの原因

### 表2　OABの診断（基本評価）

| 基本評価①（必須） | 基本評価②（症例により選択） | 専門的評価（症例により選択） |
|---|---|---|
| ●自覚症状の問診<br>・蓄尿症状（過活動膀胱症状）<br>・排尿症状<br>・排尿後症状 | | |
| ●病歴の聴取<br>・既往歴・合併症<br>・服薬歴<br>・水分摂取習慣 | ●排尿日誌 | |
| ●過活動膀胱症状スコア（OABSS） | ●そのほかの症状質問票<br>・国際前立腺症状スコア（IPSS）<br>・主要下部尿路症状スコア（CLSS）<br>●QOL質問票<br>●キング健康質問票（KHQ）<br>●過活動膀胱質問票（OAB-q） | |
| ●身体所見・理学的所見 | ●台上診（女性）、直腸診（男性） | |
| ●尿検査 | ●尿細菌検査<br>●超音波検査<br>●血液検査<br>・血清前立腺特異抗原[PSA（男性）]<br>・血清クレアチニン | ●尿細胞診 |
| ●残尿測定 | ●尿流測定（泌尿器科診療） | ●尿流動態検査<br>・膀胱内圧想定<br>・内圧尿流検査<br>●膀胱鏡 |

日本排尿機能学会 過活動膀胱診療ガイドライン作成委員会編：過活動膀胱診療ガイドライン[第2版]．リッチヒルメディカル，東京，2015：110．より引用

疾患の鑑別が必要である。腹部超音波検査は、膀胱変形や膀胱壁肥厚、膀胱憩室、膀胱腫瘍、膀胱結石や壁内尿管結石、膀胱周囲の器質的病変などの評価・鑑別に必須である。

男性では、局所進行前立腺がんによる膀胱出口部閉塞がOABの原因となっている場合があるので、PSA測定は必須である。

残尿測定は重要な項目であり、多量の残尿による機能的膀胱容量低下に伴うOABを鑑別するために必須である。また、$\beta_3$受容体作動薬や抗コリン薬の使用に際しては、残尿量が100 mL未満であることを確認する必要がある。

表2に示した評価方法によって過活動膀胱症状スコアでOABと診断され、その原因として原疾患の治療を優先すべき器質的・機能的な異常が認められない場合に、特発性OABと診断する。

## OABの治療

OABの治療に際しては、治療のゴールを医師と患者の間で共有しておく必要がある。一次治療としては行動療法と薬物療法が挙げられる（表3、p.36）。高齢者においては、総抗コリン負荷を低減する観点から、$\beta_3$受容体作動薬の使用を考慮するべきである。

一次治療を最低12週間続けても奏効が得られない場合には、「難治性特発性OAB」と定義される。原疾患の治療を優先すべきOAB症状の原因となっている疾患の有無の精査を改めて行ったうえで難治性特発性OABと診断された場合、患者の希望する治療のゴールを十分に考慮し治療法を決定する。難治性特発性OABに対しては、神経変調療法として電気刺激療法（わが国で保険適用があるのは干渉低周波療法のみ）、磁気刺激療法、仙骨神経刺激療法があり、外科的治療として膀胱鏡下A型ボツリヌス毒素膀胱壁内注入療法や（腸管利用）膀胱拡大術がある（表4〈p.37〉、図4〜5〈p.39〉）。

参考文献
1. 日本排尿機能学会 過活動膀胱診療ガイドライン作成委員会編：過活動膀胱診療ガイドライン［第2版］．リッチヒルメディカル，東京，2015．
2. 日本排尿機能学会，日本泌尿器科学会編：女性下部尿路症状診療ガイドライン［第2版］．リッチヒルメディカル，東京，2019．
3. 日本排尿機能学会用語委員会：日本排尿機能学会標準用語集 第1版．中外医学社，東京，2020：6-7．
4. 関戸哲利，橘田岳也，東郷未緒編：見てわかるウロダイナミクス．医学図書出版，東京，2020：203-209．
5. Sakakibara R, Panicker J, Finazzi-Agro E, Parkinson's Disease Subcomittee, The Neurourology Promotion Committee in The International Continence Society, et al：A guideline for the management of bladder dysfunction in Parkinson's disease and other gait disorders. Neurourol Urodyn 2016；35（5）：551-563．
6. Welk B, McArthur E：Increased risk of dementia among patients with overactive bladder treated with an anticholinergic medication compared to a beta-3 agonist：a population-based cohort study. BJU Int 2020；126（1）：183-190．
7. Yoshida M, et al：Anticholinergic burden in the Japanese elderly population：Use of antimuscarinic medications for overactive bladder patients. Int J Urol 2018；25（10）：855-862, 2018．

表3　OABの一次治療

| ■行動療法 | |
|---|---|
| \multicolumn{2}{l}{・医療従事者による指導・教育、経過観察が治療の有効性やアドヒアランスに直結する} |
| 生活習慣の改善 | ・適切な体重維持、禁煙〜減煙、適度な運動、過度のアルコールやカフェイン摂取の回避、水分過剰摂取の回避（果物・サラダの過剰摂取の回避、塩分過剰摂取の回避を含む）、便秘の改善、長時間座位の回避、下半身の冷えの回避などを指導する<br>・水分摂取量に関しては、夜間多尿に対する行動療法の指導内容に準じ、水分摂取量として体重の2〜2.5％、1日尿量として20〜25mL/kg程度に収まるように調整する |
| 膀胱訓練 | ・尿をがまんさせることにより排尿間隔を延長させる方法（例：少なくとも2時間程度の排尿間隔とすることを目標に、1週間に15分ずつがまんする時間を延長する）<br>・75％の患者で改善が認められるとされる |
| 骨盤底筋訓練 | ・骨盤底筋の収縮によって陰部神経求心路を介する仙髄での排尿反射の抑制が生じOAB症状が改善する<br>・有効率は60〜80％とされる<br>・近年、日本排尿機能学会など下部尿路機能障害に関係する学会において、医療従事者向けのハンズオントレーニングが開催されており、骨盤底筋訓練のトレーナー育成環境が整ってきている |

■薬物療法
- 症状を緩和して生活の質を改善させる薬剤であり、完治を目指すものとは言いがたい。この点を患者に説明して、非現実的な薬物療法のゴールは是正しておく必要がある
- 女性OABや前立腺肥大症（BPH）を伴わない男性OABに対しては、$β_3$受容体作動薬、抗コリン薬が第一選択薬である
- BPHを伴う男性OABに対しては、サブタイプ選択的（尿路選択的）$α_1$遮断薬、ホスホジエステラーゼ5（PDE5）阻害薬が第一選択薬であるが、保険病名は「過活動膀胱」ではなく「前立腺肥大症」とする点に注意が必要である
- OAB症状を有するBPH患者においては、$α_1$遮断薬あるいはPDE5阻害薬の単独投与によって、約50％の患者でOAB症状の改善が認められる
- 最近、抗コリン薬の$β_3$受容体作動薬に対する認知症のハザード比が1.23（95％ CI 1.12-1.35）と報告された。抗コリン薬に分類されていなくても、抗コリン作用を有する薬剤は多数ある。このため、複数の薬剤を処方されている患者、特に高齢者においては総抗コリン負荷を低減させる観点から、$β_3$受容体作動薬の使用を検討すべきである

| $β_3$受容体作動薬、抗コリン薬 | ・効果の点では、$β_3$受容体作動薬と抗コリン薬との間に大きな違いはない<br>・各種薬剤の第Ⅲ相臨床試験などのデータを考慮すると、おおむね以下の効果が期待できる：ベースラインからの改善は、排尿回数が1日約2回減少、8回未満になる率が約3割、尿意切迫感が1日2〜3回減少、消失するのが約3割、切迫性尿失禁が1日1〜2回減少、消失するのが約50％（実臨床では30％程度までと思われる）<br>・有害事象としては、抗コリン薬では口内乾燥（約20〜30％）、便秘（約10％）などの抗コリン性有害事象が問題となる。なお、オキシブチニン貼付薬ではこれらの有害事象がそれぞれ、10％未満、1％未満と低率であるが、貼付部位反応が約4割で認められる。$β_3$受容体作動薬に関しては、これらの有害事象はいずれも5％未満と低率で、心血管系への有害事象も臨床的に問題となる頻度ではないことが示されている<br>・高齢者、特にフレイルやポリファーマシー状態の患者では、低用量から開始したほうがよい。抗コリン薬であるイミダフェナシン（0.1mg/日が可能）、ソリフェナシン（2.5mg/日が可能）、トルテロジン（2mg/日が可能）、プロピベリン（10mg/日が可能）や$β_3$受容体作動薬であるミラベグロン（25mg/日が可能）では、常用量の半量から開始できる利点がある |
|---|---|

（次頁につづく）

| | |
|---|---|
| β₃受容体作動薬、抗コリン薬 | ・常用量で効果が不十分な場合は、抗コリン薬のイミダフェナシン、ソリフェナシン、フェソテロジン、プロピベリンには増量という選択肢がある。抗コリン性有害事象の頻度に関しては、増量しても常用量と変わりはないとする意見と、増量に伴って増加するという意見があり結論は出ていない<br>・β₃受容体作動薬の先行投与で効果不十分な場合には、抗コリン薬の追加投与（併用療法）が選択肢となる<br>・抗コリン薬の増量、あるいはβ₃受容体作動薬と抗コリン薬との併用療法を行う場合には、投与前後で尿排出障害の評価を行うことが肝要である<br>・添付文書上、明確な基準は示されていないものの、NYHA分類Ⅲ度（日常的な身体活動以下の労作で疲労、動悸、呼吸困難あるいは狭心痛を生じる）以上の心機能障害を有する場合には、抗コリン薬とβ₃受容体作動薬のミラベグロンは禁忌、ビベグロンはいわゆる従来の「慎重投与」に該当するので、心疾患を有する患者では、その重症度の把握が必要である |
| BPHを伴うOABにおけるα₁受容体遮断薬への抗コリン薬、β₃受容体作動薬の追加投与（併用療法） | ・大規模臨床試験における除外基準として、PVR 50〜100mL以上、Qmax 5mL/s以下が含まれ、患者背景としては前立腺体積の平均が約30〜35mL、Qmaxの平均が約12〜15mL/s、PVRの平均が約15〜30mLである点には注意が必要である。つまり、大きなBPH、低尿流量、多量の残尿を有するような、いわゆる手術適応を検討すべきBPH患者に対して、併用療法が安全かつ有効とされているわけではない<br>・BPH患者においては、薬剤の追加のほかに外科的治療の選択肢もある点は念頭におくべきである<br>・抗コリン薬、β₃受容体作動薬とも低用量から開始したほうが安全である。低用量が選択可能な薬剤は上記を参照されたい<br>・適応を十分に絞った大規模臨床試験においても、約2.5%未満と低率ながら尿閉が認められている。併用療法前後で尿排出障害の評価を行うことが肝要であり、特に併用療法開始後の最初の2か月は、尿排出障害の悪化が生じていないかをこまめに評価すべきである |

NYHA：New York Heart Association（ニューヨーク心臓協会）、BPH：benign prostatic hyperplasia（前立腺肥大症）、PVR：post-void residual urine volume（残尿量）、Qmax：最大尿流量。

### 表4 難治性OABの治療

| | 干渉低周波療法 | 磁気刺激療法 | 仙骨神経刺激療法 | 膀胱鏡下A型ボツリヌス毒素膀胱壁内注入療法（100単位） | 膀胱拡大術 |
|---|---|---|---|---|---|
| 作用機序 | ・2つの異なる4000Hzの中周波電流を交差させることで干渉波を生じさせる<br>・陰部神経求心路の活動亢進、尿道括約筋や骨盤底筋への直接効果、交感神経の緊張の亢進など | ・陰部神経求心路の活動亢進、尿道括約筋や骨盤底筋への直接効果など | ・陰部神経求心路の刺激による脊髄反射と大脳内ネットワークの変調<br>・仙髄副交感神経の活動低下や大脳での排尿関連領域の再構築により排尿筋過活動が抑制される | ・副交感神経末端に取り込まれたA型ボツリヌス毒素の軽鎖が、シナプス小胞と細胞膜の融合に必要なタンパク質を切断する。このため、アセチルコリンの放出ができず化学的除神経の状態になり、排尿筋過活動が抑制される<br>・膀胱粘膜内の求心神経への作用も有し、求心路活動が抑制される | ・最後の手段であり、特発性難治性OABに実施されることはまれである<br>・脱管腔化した腸管（腸管利用膀胱拡大術）あるいは排尿筋を切除（自家膀胱拡大術）することで膀胱容量を増大させる |

（次頁につづく）

|  | 干渉低周波療法 | 磁気刺激療法 | 仙骨神経刺激療法 | 膀胱鏡下A型ボツリヌス毒素膀胱壁内注入療法（100単位） | 膀胱拡大術 |
| --- | --- | --- | --- | --- | --- |
| 利点 | ・低侵襲 | ・低侵襲<br>・体組織が抵抗にならず十分な電流が標的に到達しうる<br>・皮膚の刺激や痛みがない<br>・着衣のまま治療可能 | ・低侵襲手術で植込み可能<br>・テスト刺激により有効例を選別して植込みが可能<br>・尿排出障害は生じない<br>・便失禁に対する効果も期待できる | ・低侵襲手術で注入が可能<br>・外来通院での注入が可能 | ・膀胱容量増大効果が確実 |
| 欠点 | ・通院による治療が必要<br>・保険適用上は3週に6回を限度とし、その後は2週に1回が限度となっている | ・適応が女性のみである<br>・通院による治療が必要 | ・刺激装置の永久植込みが必要<br>・バッテリー交換が必要<br>・男性におけるデータはまだ多くない<br>・MRIなどの医療機器の使用制限が生じる | ・作用の持続期間が8〜9か月とされ、追加投与が必要<br>・尿排出障害に対する清潔間欠導尿が必要となる場合がある<br>・男性におけるデータはまだ多くない | ・侵襲が大きい<br>・種々の合併症が生じる<br>・清潔間欠導尿が必要となる率が決して低くない |
| 効果 | ・切迫性尿失禁の治癒率が20〜50％、改善率が54〜91％ | ・切迫性尿失禁の治癒率が20〜25％、改善率が50〜85％ | ・尿禁制率が46％、尿失禁の50％以上の改善率が約80％ | ・尿禁制率が23％、尿失禁の50％以上の改善が約60％ | ・腸管利用での奏効率は80〜90％<br>・自家拡大術での奏効率は30〜70％ |
| 有害事象 | ・疼痛、刺激など | ・臨床的に問題となる有害事象はほぼなし | ・創部感染<br>・デバイス関連疼痛<br>・デバイス機能不全 | ・尿路感染症<br>・残尿増加、尿閉とこれに対する清潔間欠導尿<br>・血尿 | ・拡大膀胱内結石、尿路感染症、代謝性アシドーシス、膀胱穿孔、腸管機能障害などのさまざまな合併症が生じうる<br>・残尿増加、尿閉とこれに対する清潔間欠導尿 |

図4　仙骨神経刺激療法

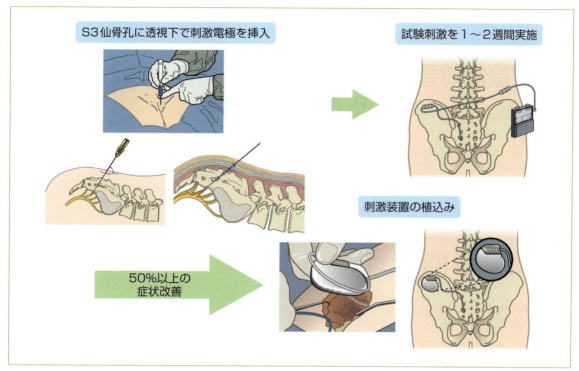

仙骨神経刺激療法では、電極を挿入した後にまず試験刺激を1～2週間実施し、排尿日誌上、過活動膀胱症状が改善（50％以上の改善などが目安になる）した場合には刺激装置の植込みを行う。このため、有効例に刺激装置を植込める利点がある。

Kessler TM, Fowler CJ：Sacral neuromodulation for urinary retention. Nat Clin Pract Urol 5(12)：657-666, 2008.
Vasavada SP, Rackley RR：Electrical stimulation and neuromodulation in storage and emptying failure. Wein AJ, Kavoussi LR, Novick AC, et al(ed.), Campbell-Walsh Urology10th ed. Elsevier, Philadelphia：2026-2046.
以上2文献より引用

図5　膀胱鏡下A型ボツリヌス毒素膀胱壁内注入療法

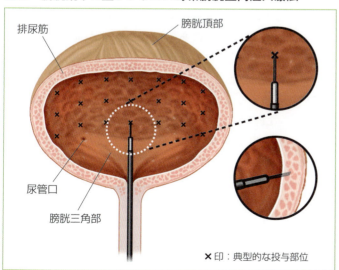

膀胱鏡下に専用の注射針を用いてA型ボツリヌス毒素の薬液10mL（A型ボツリヌス毒素10単位/mL）を20か所（薬液0.5mL/1か所＝A型ボツリヌス毒素5単位/1か所）に分割して注射する。各注射部位の間隔は約1cm、注射針の刺入深度は約2mmとし、膀胱三角部への注射は避けることが推奨されている。

ボトックス注用50単位／100単位（グラクソ・スミスクライン）の添付文書より引用
https://www.info.pmda.go.jp/go/pack/1229404D1020_1_11/（2021/3/29アクセス）

Part 1　排泄の基礎

[ 排泄の病態・生理、症状 ]

排尿機能障害（下部尿路機能障害）

# 排尿機能障害（下部尿路機能障害）がみられる疾患
# 骨盤臓器脱

関戸哲利

## 骨盤臓器脱（POP）の定義

骨盤臓器脱（pelvic organ prolapse：POP）は、子宮、膀胱、直腸、小腸などが腟を経由して下垂あるいは腟口から脱出した状態をいう（図1）。POPの原因は、骨盤底筋の障害や子宮、膀胱、直腸を支持する筋膜状あるいは靭帯状の結合組織の脆弱化によるものと考えられている。

## POPの病態

POPの原因が、骨盤臓器を支持する筋膜状、あるいは靭帯状の結合組織や骨盤底筋の障害にある点に関しては、諸家の意見は一致している。しかし、これがどのような機序で症状や機能障害に結びつくのかに関しては諸説あり、結論は出ていない。

骨盤臓器は、図2に示す結合組織や骨盤底筋で支持されている。骨盤底筋が収縮した場合のベクトルは、恥骨尾骨筋（PCM）が前方、肛門縦走筋（LMA）が下方、肛門挙筋板（LP）が後方と考えられている。この筋肉の収縮が有効に作用するためには、結合組織が障害されていないことが必要である。蓄尿・尿排出の症状や機能障害に関しては以下のように説明される。蓄尿時にはPCM、LMA、LPの3方向への収縮により膀胱を裏打ちする腟壁が緊張し、あたかもトランポリンのような構造物となる。恥骨尿道靭帯（PUL）や仙骨子宮靭帯（USL）が障害されると、この3方向への筋収縮のベクトルが有効に作用せず、前腟壁の下垂が生じる。この影響で膀胱が下垂し伸展される。その結果、膀胱の伸展受容体が発火して膀胱容量が少ない状態で排尿反射が生じ、過活動膀胱症状が出現する。一方、尿排出時には、PCMによる前方ベクトルが弛緩し、LPによる後方ベクトルが尿道後壁を引っ張り、尿流出路（膀胱出口部）の抵抗を低下させる。USLが障害されると後方ベクトルが弱まり、結果的に膀胱出口部閉塞が起きる。

便禁制・排便の症状や機能障害に関しては、以下のように説明される。便禁制を維持するために、PCMの下方にある恥骨直腸筋が前方に、LPとLMAが下向きに収縮し、直腸を恥骨直腸筋の周りに回転させて直腸肛門角をより鋭くし内腔を閉鎖する。一方、排便時には恥骨直腸筋が弛緩し、LP/LMAが肛門を開き、直腸の収縮により便が排出される。USLが障害されていると骨盤底筋の収縮の作用が有効にならず、それぞれ便失禁あるいは排便障害が生じることになる。骨盤部圧迫感（pelvic pressure）や腰痛（仙骨部痛）に関しては、USLの障害により、Th11-L2の神経線維を含む上下腹神経叢、S2-S4の神経線維を含む骨盤神経叢の支持が失われ、神経線維の伸長により当該神経領域に放散痛が生じるためであると考えられている。

### 図1 骨盤臓器脱の分類［下垂臓器（下垂部位）による病型］

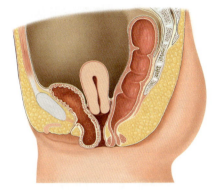

A 膀胱瘤（前腟壁脱）

B 子宮脱

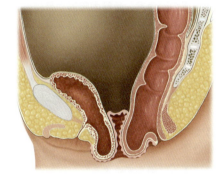

C 小腸瘤（腟断端脱）

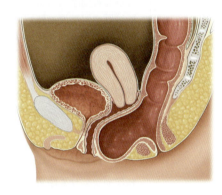

D 直腸瘤（後腟壁脱）

Hylen B, Maher CF, Barber MD, et al: An International Urogynecological Association (IUGA)/International Continence Society (ICS) Joint Report on the Terminology for Female Pelvic Organ Prolapse (POP). Neurourol Urodyn 2016;35(2):137-168. より引用

### 図2 骨盤臓器の支持

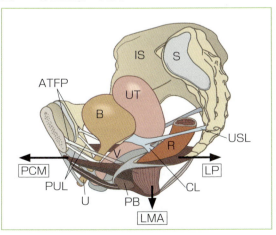

ATFP：骨盤腱膜弓
B：膀胱
CL：基靭帯
PB：会陰体
PUL：恥骨尿道靭帯
R：直腸
U：尿道
USL：仙骨子宮靭帯
UT：子宮
V：腟
収縮時に前方、下方、後方への収縮のベクトルを有する3つの重要な筋群（黒矢印）；
PCM：恥骨尾骨筋
LMA：肛門縦走筋
LP：肛門挙筋板

Liedl B, Goeschen K, Durner L：Current treatment of pelvic organ prolapse correlated with chronic pelvic pain, bladder and bowel dysfunction. Curr Opin Urol 2017;27(3):274-281. より引用

# POPの診断

POPの診断に関して表1に示した。

診察の際は、通常の日常生活を営んでもらったうえで午後の遅目の時間に診察を行うと、症状や所見が再現できる可能性が高い。POPは多彩な症状を呈するが、特に腟膨隆（感）（vaginal bulging）に関しては、患者がこれを何と表現してよいかわからない場合も多い。また、POP時に増悪する骨盤部圧迫感や腰痛（仙骨部痛）などの症状も重要である。このため、高齢女性で下部尿路症状や排便に関する症状、夕方にかけて悪化する骨盤部圧迫感や腰痛などの訴えがあった場合に

### 表1　骨盤臓器脱の診断

| | |
|---|---|
| 問診 | ・下部尿路症状のほか、排便に関する症状（排便困難や便失禁）、性機能に関する症状も問診する<br>・妊娠、出産歴、月経の状況、ホルモン補充療法の有無なども必ず問診する<br>・日本語で妥当性が検証された質問票として、骨盤臓器脱疾患特異的QOL質問票（P-QOL）や性機能への影響が評価可能な骨盤臓器脱、尿失禁、便失禁を伴う女性の性機能質問票（PISQ-IR）などがある<br>・既往歴や服薬歴も聴取する。特に、骨盤部疾患の治療歴、骨盤内臓器や骨盤底筋の機能に影響を与える神経疾患の有無などは重要である。骨盤部疾患の治療歴があり尿失禁を訴える患者においては、尿道外尿失禁を見逃さないようにする |
| 台上診 | ・POP-Qで骨盤臓器脱の程度を評価する<br>・必要であればPOPを還納した状態で咳テスト（ストレステスト）を行い腹圧性尿失禁の有無を診断する→「咳と同時に外尿道口から尿失禁が生じ、咳終了時に尿失禁が消失」をもって陽性と判定する<br>・Oxford Grading Scaleなどを用いて骨盤底筋の機能を評価する<br>・子宮、卵巣などの婦人科関連臓器の異常の評価も重要である |
| 排尿日誌 | ・頻尿や尿失禁を認める場合には、排尿日誌による評価を考慮する |
| 尿検査 | ・血尿や膿尿が認められた場合には、その原因検索を行う |
| 尿流測定・残尿測定 | ・POPは女性における膀胱出口部閉塞をきたす代表的な疾患であるため、残尿量や尿流測定による尿排出機能の評価を考慮すべきである |
| 腹部エコー検査 | ・水腎水尿管症、膀胱肉柱形成、膀胱壁肥厚、膀胱憩室などの評価に有用である<br>・高度の子宮脱では子宮動脈が尿管を下方へ牽引し、これによる通過障害で水腎症となることがある<br>・上記以外の腎、膀胱、尿道の病変、子宮や卵巣などの病変のスクリーニングにも有用である |
| 経会陰エコー検査、動的MRI | ・いずれもPOP-Qの代替にはならないが、骨盤内臓器、骨盤底筋、結合組織の状態を精査可能である。両者ともレントゲン被曝はないが、経会陰超音波検査のほうが簡便である<br>・通常、いずれの検査も仰臥位で実施するために、腹圧をかける練習をしてから検査しないとPOPの再現は困難である |
| 単純および造影CT | ・超音波検査で水腎症が認められた場合には、閉塞原因の診断や尿管の走行把握などの目的で、排泄相を含めた造影CTの実施を検討する |
| （透視下での）カテーテル挿入を伴う尿流動態検査 | ・病態が複雑な患者の術前評価として実施される場合がある<br>・排尿筋過活動、排尿筋低活動、膀胱出口部閉塞、潜在性腹圧性尿失禁の診断が可能である |

は、POPの鑑別目的で台上診を行うべきである。POPの診断においては、画像検査よりも台上診でのpelvic organ prolapse quantification system（POP-Q）が重要な位置を占めている（図3）。POP-Qの結果に基づいて、POPの病期分類を行う（図4）。

POPは診療科横断的な疾患であるため、泌尿器科、婦人科、大腸肛門外科などによる集学的診療を行うことが重要である。

### 図3 pelvic organ prolapse quantification（POP-Q）

#### A POP-Qの計測部位

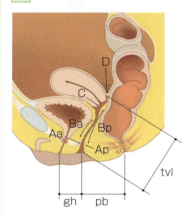

Aa：腟前壁の正中で外尿道口から3cmの部分
Ba：AaからCの間で最も突出した部分
C：子宮口
D：後腟円蓋（子宮摘除後の場合は記載しない）
Ap：処女膜痕から3cmの後腟壁正中部分
Bp：ApからCの間で最も突出した部分
gh：外尿道口の中心から後腟壁の処女膜痕の中央までの距離
pb：ghの下端から肛門中央部までの距離
tvl：正常の位置における腟の奥行き

#### B POP-Qの計測結果のグリッド表記

| Anterior wall | Anterior wall | Cervix or Cuff |
|---|---|---|
| Aa | Ba | C |
| Genital hiatus | Perineal body | Total vaginal length |
| gH | pb | TVL |
| Posterior wall | Posterior wall | Posterior fornix |
| Ap | Bp | D |

Anterior wall：前腟壁
Cervix or cuff：子宮頸部 or 腟断端
Genital hiatus：生殖裂孔
Perineal body：会陰体
Posterior fornix：後腟円蓋
Posterior wall：後腟壁
Total vaginal length：全腟管長

#### C POP-Qの記載例
（C-A：病期Ⅳ、C-B：病期0）

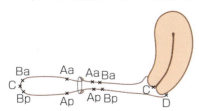

A

| +3 Aa | +8 Ba | +8 C |
|---|---|---|
| 4.5 gh | 1.5 pb | 8 tvl |
| +3 Ap | +8 Bp | — |

B

| −3 Aa | −8 Ba | −8 C |
|---|---|---|
| 2 gh | 3 pb | 10 tvl |
| −3 Ap | −3 Bp | −10 D |

Hylen B, Maher CF, Barber MD, et al：An International Urogynecological Association (IUGA)/International Continence Society (ICS) Joint Report on the Terminology for Female Pelvic Organ Prolapse (POP). Neurourol Urodyn 2016；35(2)：137-168.
Bump RC, Mattiasson A, Bo K, et al：The standardization of terminology of female pelvic organ prolapse and pelvic floor dysfunction. Am J Obstet Gynecol 1996；175(1)：10-17.
以上2文献より引用

### 図4　骨盤臓器脱の病期分類

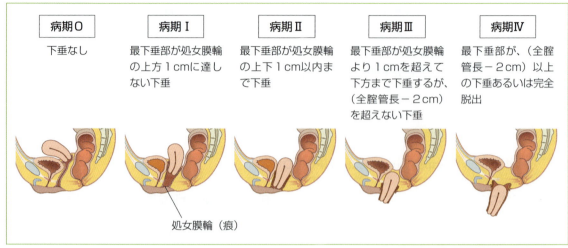

Hylen B, Maher CF, Barber MD, et al：An International Urogynecological Association (IUGA)/International Continence Society (ICS) Joint Report on the Terminology for Female Pelvic Organ Prolapse (POP). Neurourol Urodyn 2016；35(2)：137-168.より引用

## POPの治療

　POPの治療を表2に示した。

　**骨盤底筋訓練**はPOPの症状改善に有効な治療法と考えられている。遅筋系の訓練法と速筋系の強化法があるが、POPでは前者が主体となる。遅筋系の訓練は、緩徐な強い収縮・弛緩によるものである。一例を示すと、肛門・腟・尿道をゆっくり、その時点で最も強く締められるところまで締め、いちばん締まったところで6〜8秒間そのままにし、ゆっくり開くという運動を、8〜12回を1セットとして1日3セット、最低でも2日に1回、少なくとも4〜5か月継続させる。

　**ペッサリー療法**（図5）の歴史は長いが、質の高い臨床研究が行われていなかった治療法である。しかし近年、この方面での研究成果が多数報告されるとともに、その適正使用の重要性が認識されるようになった（例えば、日本女性骨盤底医学会では、受講証明書が授与されるペッサリー講習会が定期的に開催されている）。

　ペッサリーのフィッティングの失敗の予測因子としては、短い全腟管長（6cm以下）、広い腟入口部（4横指以上）、生殖裂孔が全腟管長比0.8以上、違和感、若年（65歳以下）、経腟手術の既往などが挙げられる。一方、治療中断の予測因子としては、後腟壁脱、若年（65歳以下）、尿失禁、不快感、ペッサリー脱落などが挙げられる。異物が組織を持続的に圧迫することによる有害事象を早期発見、あるいは低減する対策としては、それぞれ定期的な通院の必要性に関する教育、あるいは自己着脱の指導などが重要である。

　POPの外科的治療には、大きく分けて**非メッシュ手術**（native tissue repair）、**経腟メッシュ手術**［transvaginal mesh（TVM）手術］、仙骨腟固定術がある（図6、表3）。米国食品医薬品局から経腟メッシュ手術の重篤な合併症に対する警告が出されたこと、（ロボット支援）腹腔鏡下手術がさまざまな診療科で普及してきたことなどが相まって、**（ロボット支援）腹腔鏡下仙骨腟固定術**が増加傾向にある。モニターに手術の全経過が映し出される、つまり経腟メッシュ手術で問題となる盲目的な操作がなく、さらに良好な術野で展開される手術手技の映像を繰り返し見直すことができるため、教育効果が高い点などもその普及に貢献している可能性がある。

　POPの治療は、さまざまな疾患のなかで最も難しい部類に属するといっても過言ではない。こ

表2 骨盤臓器脱の治療

| 治療法 | | コメント |
|---|---|---|
| 行動療法 | 生活習慣改善 | ・重いものを持ち上げる職業、体重、便秘や排便時の怒責とPOPとの関連については明確な結論は出ていない<br>・過体重女性の減量はPOPの改善につながる可能性がある |
| | 骨盤底筋訓練 | ・病期Ⅰ～ⅢのPOPにおいて症状改善に寄与するとされるが、病期の改善に寄与するかは明確ではない<br>・骨盤底筋訓練単独と、骨盤底筋訓練＋ペッサリー療法併用に関しては、効果の点で有意な違いは認められないとされる |
| ペッサリー療法 | | ・支持型とスペース占拠型がある<br>・支持型（図5A、B）は、後腟円蓋にはまり恥骨あるいは骨盤底よりも頭側に位置して骨盤臓器を支持するもので、軽症～中等症のPOP（病期Ⅱ以下）に適応となる<br>・スペース占拠型（図5C～E）は重症（病期Ⅲ以上）のPOPに用いられ、ゲルホーン型（図5F）は両者の特性を有しており病期Ⅲ以下のPOPに用いられる<br>・治療効果としては、下垂感や膨隆感の改善が得られる<br>・有害事象あるいは問題点として、帯下の増加とこれに伴う会陰部の炎症、腟壁損傷、膀胱腟瘻や直腸腟瘻、性交への影響などがある<br>・有害事象を早期発見・治療するために、少なくとも3か月以内の定期的な通院が必須である<br>・連続装着に伴う有害事象や問題点を低減あるいは回避するために、可能であれば自己着脱を指導することが望ましい。特にスペース占拠型ペッサリーでは、腟壁障害の発生率が高いため自己着脱管理の必要性が高い。自己着脱が可能であれば、通院間隔を1年程度まで延長することも可能である<br>・腟炎や骨盤内感染症がある患者、定期的な通院が不可能の患者には禁忌である |
| 外科的治療 | 非メッシュ手術（native tissue repair） | ・メッシュを使用しない方法であり、経験のあるウロギネコロジストが行えば良好な成績、低い合併症の発生率で治療可能である<br>・POPの部位別にさまざまな手術術式があるが、子宮脱には腟式子宮摘出術と腟断端固定術、膀胱瘤や直腸瘤には前あるいは後腟壁形成術などが選択される<br>・高齢で性機能温存を希望しない場合には腟閉鎖術が選択される場合もある |
| | 経腟メッシュ手術［transvaginal mesh（TVM）手術］ | ・わが国では手術用キットが承認されていなかった関係から独自の進化を遂げている。そのためか欧米ほどメッシュ関連合併症の発生率は高くないとされている<br>・従来、膀胱瘤部分を覆う大きなメッシュが用いられ、メッシュアームを骨盤腱膜弓に通す術式が行われていたが、近年はメッシュの小型化が進むとともに仙棘靱帯のみにメッシュアームを通す術式に改良されている |
| | 腹腔鏡下仙骨腟固定術（laparoscopic sacrocolpopexy：LSC） | ・さまざまな分野での腹腔鏡手術の普及を背景として、現在、POP手術の第一選択と考えられる手術となっている<br>・今後は、ロボット支援手術（robot assisited LSC：RSC）がより普及するものと予想される |

経腟メッシュ手術と腹腔鏡下仙骨腟固定術に関しては表3も参照。

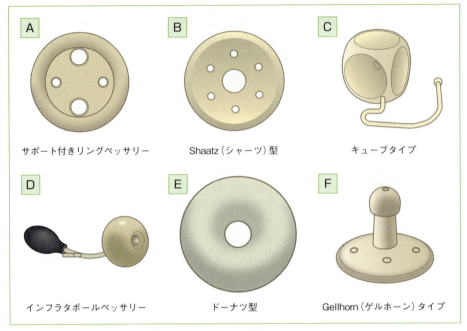

図5　ペッサリー療法に使用されるペッサリー（日本未承認のものも含む）

A・B：支持型、C〜E：スペース占拠型、F：ゲルホーン型

Harvey MA, Lemieux MC, Robert M, et al：Guideline No. 411：Vaginal Pessary Use. J Obstet Gynaecol Can 2021；43(2)：255-266. を参考に作成

れまでにさまざまな治療法が行われてきたが、解剖学的修復と下部尿路・下部消化管・性機能などの機能再建の両者を達成し、再発率が低率で有害事象が無視しうるような治療法は確立されていない。また、保存的治療の選択肢が限定的であるのも本疾患の特徴といえる。今後は、POPの予防という観点も含めた女性のライフステージに対応した治療戦略が必要であろう。さらに、POPが有病率の高い疾患であることを考慮すると、医療従事者の卒前あるいは卒後教育において、より一層の実践的教育の機会が設けられるべきであろう。

参考文献
1. 金野紅, 関戸哲利, 嘉村康邦：Urogynecology. 関戸哲利, 中島耕一, 鈴木啓悦, 他編, 泌尿器科クリーンノート. 中外医学社, 東京, 2019：337-356.
2. Liedl B, Goeschen K, Durner L：Current treatment of pelvic organ prolapse correlated with chronic pelvic pain, bladder and bowel dysfunction. Curr Opin Urol 2017；27(3)：274-281.
3. Harvey MA, Lemieux MC, Robert M, et al：Guideline No. 411：Vaginal Pessary Use. J Obstet Gynaecol Can 2021；43(2)：255-266.
4. 竹村政美, 野村昌良：IRCADに学ぶLSCテクニック. 金原出版, 東京, 2016.

## 図6 経腟メッシュ手術と仙骨腟固定術

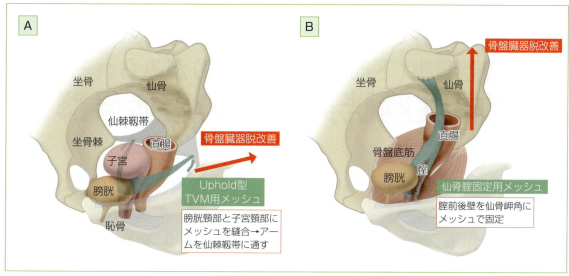

A：経腟的にメッシュを挿入して骨盤臓器脱を治療する手術（TVM手術）
B：腹腔鏡下（ロボット支援を含む）にメッシュを挿入して骨盤臓器脱を治療する手術

Aは、関戸哲利：女性腹圧性尿失禁・骨盤臓器脱．繪本正憲，西山博之，習田明裕，他編，ナーシング・グラフィカEX 疾患と看護8 腎/泌尿器/内分泌・代謝，メディカ出版，大阪，2020：206-211．より引用

## 表3 経腟メッシュ手術と腹腔鏡下仙骨腟固定術

| | 経腟メッシュ手術 | 腹腔鏡下仙骨腟固定術 |
|---|---|---|
| 適応 | ・膀胱瘤が主体<br>・性的活動なし、あるいは希望しない<br>・閉経後 | ・子宮脱が主体<br>・性的活動あり<br>・比較的若年 |
| 注意すべき患者 | ・開脚制限<br>・慢性疼痛、特に骨盤部に痛みがある患者<br>・コントロール不良の糖尿病、ステロイド、免疫抑制薬使用中など | ・手術時の頭低位が困難な場合（高度緑内障、破裂の危険性のある脳動脈瘤など）は禁忌<br>・コントロール不良の糖尿病、ステロイド、免疫抑制薬使用中など<br>・BMI＞30（特に本術式導入期の症例）<br>・腹腔内手術の既往 |
| 利点 | ・短時間で実施可能な低侵襲の経腟手術 | ・すべての骨盤臓器脱に対処可能<br>・原則的に盲目的操作がない<br>・メッシュ関連合併症の発生率が低い<br>・開脚制限でも実施可能 |
| 欠点 | ・手技の一部に盲目的操作が含まれる<br>・メッシュ関連合併症の問題 | ・手術時間が比較的長い |
| 主な合併症 | 膀胱損傷（1.6%）、尿管損傷（0.11%）、直腸損傷（0.31%）、腟壁メッシュ露出（2.8%）など | 膀胱損傷（2.0%）、腸管損傷（1.2%）、異常出血（1.1%）、直腸損傷（0.4%）、腟損傷（0.4%）など |

[ 排泄の病態・生理、症状 ]

**排尿機能障害（下部尿路機能障害）**

# 排尿機能障害（下部尿路機能障害）がみられる疾患
# 間質性膀胱炎・膀胱痛症候群

関戸哲利

## 間質性膀胱炎・膀胱痛症候群（IC/BPS）の定義

　国際的にみると間質性膀胱炎・膀胱痛症候群（interstitial cystitis/ bladder pain syndrome：IC/BPS）の定義は一定していないが、わが国では、「膀胱に関連する慢性の骨盤部の疼痛、圧迫感または不快感があり、尿意亢進や頻尿などの下部尿路症状を伴い、混同しうる疾患がない状態」と定義される。混同しうる疾患には、膀胱の感染症、新生物、結石、過活動膀胱などがある。

　IC/BPSのうち、後述するハンナ病変のあるものをハンナ型間質性膀胱炎または間質性膀胱炎［ハンナ型（Hunner type IC：HIC）］、それ以外をBPSと呼ぶ。疫学的には、女性の罹患率が男性の5倍という特徴がある。HICのうち、日本間質性膀胱炎研究会作成の重症度基準で重症（膀胱痛の程度が0〜10点のスケールで7〜10点、かつ排尿記録による最大1回排尿量が100mL以下）を満たすものは、厚生労働省指定難病（医療費助成対象疾患）となっている。認定期間は1年で更新が必要である。

## IC/BPSの病態

　IC/BPSの病態は未解明であるが、仮説として考えられている病態を図1に示した。近年、HIC

とHIC以外の（IC/）BPSとでは、その病態に違いがあると考えられている。HICでは高頻度に慢性炎症所見と上皮剥離が観察されるが、HIC以外の（IC/）BPSでは有意な炎症所見が認められず、尿路上皮の剥離もほとんど認められない。HICでは非ハンナ病変部にも炎症が認められ、リンパ球、形質細胞浸潤が特徴的であり、免疫性炎症が生じていると考えられている。ただし、この炎症が膀胱組織などに対する自己免疫反応か、外来抗原に対する免疫反応かは不明である。

## IC/BPSの診断と診療の流れ

　IC/BPSの診断を表1に、診療の流れを図3に示した。IC/BPS患者は通常、過知覚膀胱症状で受診する。過知覚膀胱症状とは、「膀胱に関連した慢性の骨盤部の疼痛、圧迫感または不快感で、尿意亢進や頻尿などの下部尿路症状を伴う」と定義される。つまり、膀胱痛、膀胱不快感、頻尿などの症状を有する患者が対象となる。これらの症状は、排尿後に軽減・消失することが多い。難治性過活動膀胱や神経因性下部尿路機能障害などと診断され、複数の抗コリン薬やβ₃受容体作動薬の効果が認められないなどといった病歴も重要である。まず、基本評価、症例によっては選択評価を行い、尿路結石、膀胱がん、前立腺がん、尿道がん、膀胱炎、前立腺炎、尿道炎、腟炎、神経因

図1 IC/BPSの病態（仮説）

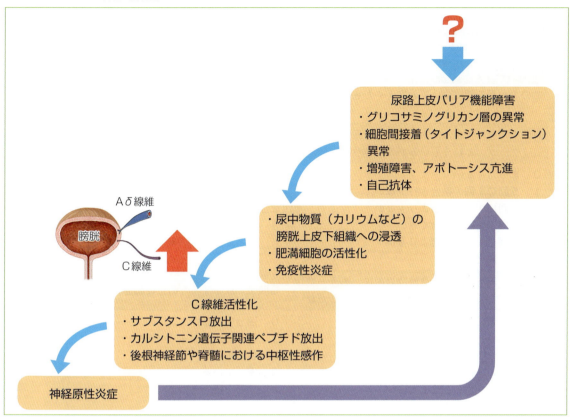

表1 IC/BPSの診断

| 基本評価 | 選択評価 |
|---|---|
| ・病歴と症状の聴取（必須検査）：食事や環境、ストレスなどとの関連を含めて詳細に聴取する | ・排尿日誌：排尿回数増加、1回排尿量減少を認めるが、飲水制限を行っている場合には排尿回数の増加を伴わない場合がある |
| ・質問票による症状とQOL評価（推奨検査）：O'Leary & Santによる症状スコアと問題スコア（図2）* | |
| ・身体所見（必須）：IC/BPSでは特徴的な所見はないとされる | |
| ・尿検査（必須）：IC/BPSでは多くの場合に異常はないとされる | ・尿培養、尿細胞診 |
| | ・前立腺特異抗原［PSA（男性）］ |
| | ・残尿測定：通常、残尿は少ない<br>・尿流測定：疼痛による排尿筋低活動、尿道の弛緩不全などのために尿流量が低下している場合がある<br>・カテーテル挿入を伴う尿流動態検査：排尿筋過活動の有無や膀胱容量の精査 |

＊痛みに関する質問が多いPUF（pelvic pain and urgency/frequency symptom score）症状スコアは、日本語訳の試案がある。

## 図2　O'Leary & Santによる症状スコアと問題スコア

下の質問は、あなたが間質性膀胱炎かどうか参考にするためのものです。
最もあてはまる回答の数字に○をつけ、その数字の合計を一番下に書いてください。

| 間質性膀胱炎　症状スコア | 間質性膀胱炎　問題スコア |
|---|---|
| この1か月の間についてお答えください | この1か月の間では、以下のことでどれくらい困っていますか |
| 質問1．急にがまんできなくなって尿をすることが、どれくらいの割合でありましたか | 質問1．起きている間に何度も尿をすること |
| 0　まったくない<br>1　5回に1回の割合より少ない<br>2　2回に1回の割合より少ない<br>3　2回に1回の割合くらい<br>4　2回に1回の割合より多い<br>5　ほとんどいつも | 0　困っていない<br>1　ほんの少し困っている<br>2　少し困っている<br>3　困っている<br>4　ひどく困っている |
| 質問2．尿をしてから2時間以内に、もう一度しなくてはならないことがありましたか | 質問2．尿をするために夜起きること |
| 0　まったくない<br>1　5回に1回の割合より少ない<br>2　2回に1回の割合より少ない<br>3　2回に1回の割合くらい<br>4　2回に1回の割合より多い<br>5　ほとんどいつも | 0　困っていない<br>1　ほんの少し困っている<br>2　少し困っている<br>3　困っている<br>4　ひどく困っている |
| 質問3．夜寝てから朝起きるまでに、ふつう何回、尿をするために起きましたか | 質問3．急に尿をがまんできなくなること |
| 0　0回<br>1　1回<br>2　2回<br>3　3回<br>4　4回<br>5　5回かそれ以上 | 0　困っていない<br>1　ほんの少し困っている<br>2　少し困っている<br>3　困っている<br>4　ひどく困っている |
| 質問4．膀胱や尿道に痛みや焼けるような感じがありましたか | 質問4．膀胱や尿道の焼けるような感じ、痛み、不快な感じ、押される感じ |
| 0　まったくない<br>2　たまたま<br>3　しばしば<br>4　だいたいいつも<br>5　ほとんど常に | 0　困っていない<br>1　ほんの少し困っている<br>2　少し困っている<br>3　困っている<br>4　ひどく困っている |
| ○をつけた数字の合計点：＿＿＿＿ | ○をつけた数字の合計点：＿＿＿＿ |

出典　間質性膀胱炎・膀胱痛症候群診療ガイドラインp24、より引用
編集　日本間質性膀胱炎研究会/日本泌尿器科学会

性下部尿路機能障害、過活動膀胱、前立腺肥大症、尿道狭窄、尿道憩室、神経性頻尿、多尿などを鑑別する。IC/BPSが疑われる場合には、可能な限り膀胱鏡検査を行う。なお、現時点で普及している血中あるいは尿中のバイマーカーはない。

**膀胱鏡検査**は、IC/BPSとそれ以外の疾患との鑑別、ハンナ病変の検出のために必須の検査である。ハンナ病変はびらん性病変であり、病変部のくぼみはなく、正常の毛細血管構造を欠き、血管がもつれた糸のように網状に増生している（図4）。好発部位は、頂部、側壁、後壁、およびそれらの境界部である。一般的にHICのほうが、そ

図3 IC/BPSの診療の流れ

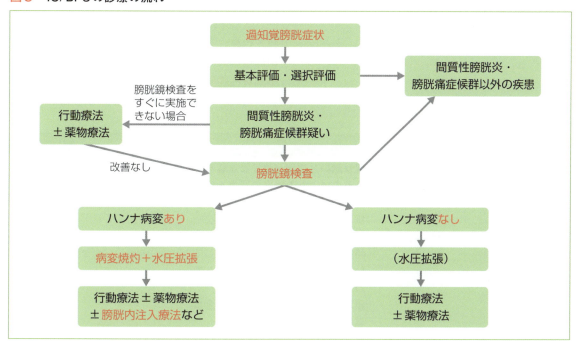

出典　間質性膀胱炎・膀胱痛症候群診療ガイドラインp8,より一部改変
編集　日本間質性膀胱炎研究会/日本泌尿器科学会

図4　ハンナ病変

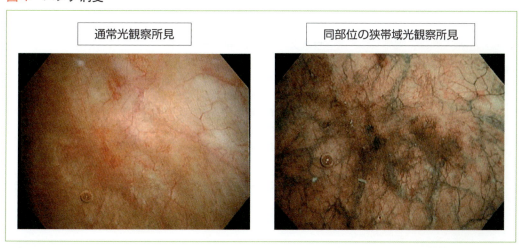

通常光で膀胱頂部から膀胱前壁にかけてハンナ病変を認め狭帯域光観察では同部位の毛細血管の異常集簇像がより鮮明になっている。

関戸哲利：間質性膀胱炎.泌尿器Care & Cure Uro-Lo 2018；23(3)：48-52.より引用

れ以外の(IC/)BPSと比べて膀胱容量が小さく膀胱痛が強い。図3に示した通り、膀胱鏡におけるハンナ病変の有無によって治療法が分かれるので、膀胱鏡検査はIC/BPSの治療方針を立案するうえで重要な検査といえる。さらに近年、HICとそれ以外の(IC/)BPSが病理学的にも異なるとの観点から、ハンナ病変部の生検による病理学的診断が見直されてきている。

## IC/BPSの治療

IC/BPSの治療を表2に示した。わが国で間質性膀胱炎に対する保険適用を有するのは**膀胱水圧拡張術**と**ジメチルスルホキシド(DMSO)の膀胱内注入療法**のみである。ただし、内服薬の**アミトリプチリン**に関しては、歴史が古く一定の効果が認められることから、使用され続けているのが現状である。また、ハンナ病変に対する膀胱鏡下の治療に関しては、日本排尿機能学会から「**ハンナ型間質性膀胱炎手術(経尿道)**」として保険収載を

表2　IC/BPSの治療

| 治療法 | | コメント | 作用機序 |
|---|---|---|---|
| 行動療法 | 生活指導 | ・尿が濃いと症状が強くなる場合があるので、ある程度の尿量を確保したほうがよい<br>・排尿間隔を徐々に延長する膀胱訓練が有効な場合もある<br>・特定のストレスで症状が悪化している場合には、そのストレスへの対処も必要である<br>・摂取制限を考慮すべき飲料や食事は以下の通りである*<br>　・コーヒー、紅茶、アルコール、グレープフルーツ、オレンジ、パイナップル、イチゴ、漬物、トマト、ヨーグルト、サラミ、ソーセージ、西洋ワサビ、ケチャップ、ドレッシング、醤油、ウスターソース、酢、チョコレート、人工甘味料、グルタミン酸ナトリウム（旨味調味料）、スパイシーな食事<br>※これらを一気に制限することは現実的ではなく、どの飲料や食事が症状に関与するか地道に検討する必要がある | ・尿希釈<br>・酸性尿の産生抑制<br>・細胞毒性のある尿中代謝産物排泄の抑制 |
| | 理学療法 | ・骨盤内外筋膜マッサージなど | ・骨盤底筋の過緊張状態を改善 |

申請中である。なお、おのおのの治療の作用機序は明らかとなっていない。

行動療法はすべてのIC/BPS患者で考慮すべき治療法である。HICに関しては、膀胱水圧拡張術や経尿道的なハンナ病変の切除・焼灼を考慮する。さらに2021年には、HICに対してDMSOの膀胱内注入療法が認可された。HIC以外の(IC/)BPSに関しては、膀胱水圧拡張術は必ずしも有効とはいえず、非侵襲的な治療を検討すべきである。薬物療法としては先述のアミトリプチリンが有効性の根拠があり使用される場合が多い。このほかに、ヒドロキシジン、シメチジン、スプラタストなどが有効な場合がある。神経因性疼痛の治療薬であるガバペンチン、プレガバリン、トラマドールなどが用いられる場合もある。

参考文献
1. 日本間質性膀胱炎研究会, 日本泌尿器科学会編:間質性膀胱炎・膀胱痛症候群診療ガイドライン, リッチヒルメディカル, 東京, 2019.
2. 秋山佳之, 他:間質性膀胱炎の病態と治療. 谷口珠美, 武田正之編著, 下部尿路機能障害の治療とケア. メディカ出版, 大阪, 2017:94-101.

| | 治療法 | コメント | 作用機序 |
|---|---|---|---|
| 薬物療法 | アミトリプチリン | ・投与の際は、三環系抗うつ薬であり本来はうつ病治療薬であること、IC/BPSに対する保険適応はないことを十分に説明する必要がある<br>・奏効率約70％とされる | ・中枢性に疼痛抑制<br>・肥満細胞の活動抑制<br>・膀胱の収縮抑制 |
| 外科的治療 | 膀胱水圧拡張術 | ・腰椎麻酔あるいは全身麻酔下に実施する<br>・生理食塩水を恥骨上80cmH₂Oの高さから自然滴下させて膀胱を過伸展状態とし2～5分間この水圧を維持する。場合によってはこれを反復する<br>・奏効率は約50％、奏効期間は6か月未満とされる<br>・合併症として膀胱破裂に注意が必要 | ・膀胱壁虚血による粘膜下知覚神経の障害<br>・抗炎症効果<br>・神経成長因子の減少 |
| | 経尿道的ハンナ病変切除・焼灼術 | ・約半数の患者で再手術が必要となり、奏効期間は1年前後とされる<br>・合併症として膀胱穿孔や出血などがある | ・炎症促進細胞の除去<br>・炎症液性因子の低下<br>・求心神経末端の切除<br>・上皮再生によるバリア機能回復 |
| 膀胱内注入療法 | ジメチルスルホキシド（DMSO） | ・間質性膀胱炎（ハンナ型）に適応がある<br>・添付文書上は、2週間間隔で6回膀胱内に注入する<br>・80％前後の改善率とされる<br>・有害事象として、膀胱刺激症状、ニンニク様の臭いなどがある | ・炎症抑制<br>・筋弛緩<br>・鎮痛<br>・コラーゲン分解<br>・肥満細胞の脱顆粒 |

＊摂取制限を考慮すべき飲料や食事についてはICA (Interstitial Cystitis Association) などのサイト (https://www.ichelp.org/living-with-ic/interstitial-cystitis-and-diet/elimination-diet) が参考になる。

[ 排泄の病態・生理、症状 ]

**排尿機能障害（下部尿路機能障害）**

# 排尿機能障害（下部尿路機能障害）がみられる疾患
# 夜間頻尿

関戸哲利

## 夜間頻尿の定義

　国際禁制学会の用語基準では、「夜間睡眠中に排尿のため1回以上起きなければならないという愁訴」と定義されている。しかし通常、臨床的には、入眠時から翌朝の起床時までの主要睡眠時間帯に2回以上排尿のために起き、夜間頻尿に対する治療を希望する場合を夜間頻尿とする場合が多い。

## 夜間頻尿の病態

　夜間頻尿の病態には、図1に示した通り「夜間多尿（多尿を含む）」「膀胱蓄尿障害」「睡眠障害」が関与する。近年ではこのうち、夜間多尿が夜間頻尿の主要な病態であると考えられている。
　夜間多尿の原因はさまざまであるが、特に明確な原因を認めない夜間多尿を夜間多尿症候群（水利尿が主体）、原因疾患が明らかな夜間多尿を二次性（続発性）夜間多尿（溶質利尿が主体）に分ける考え方もある。二次性夜間多尿の原因には、高血圧、心不全、糖尿病、睡眠呼吸障害（睡眠時無呼吸症候群）、腎機能障害などが挙げられる。
　膀胱蓄尿障害の原因としては、過活動膀胱や前立腺肥大症のほか、神経因性下部尿路機能障害、間質性膀胱炎、骨盤臓器脱などが挙げられる。
　睡眠障害としては、原発性不眠のほか、周期性四肢運動障害やレストレスレッグス症候群（むずむず脚症候群）、睡眠呼吸障害などの難治性不眠が挙げられる。

## 夜間頻尿の診断

　夜間頻尿の診断に必要な項目を表1に示した。これらの評価のうち、排尿日誌の重要性がきわめて高い。排尿日誌上の指標に関して図2～3に示した。
　24時間排尿量の算出上、図2のⒶとⒷで示さ

### 図1　夜間頻尿の病態

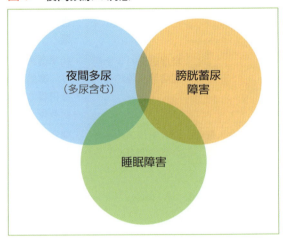

単一の原因として最も多いのは夜間多尿と考えられている。一方、夜間頻尿患者では、2つ以上の原因を合併している場合が最も多い。

## 表1　夜間頻尿の診断

| 基本評価 | 選択評価 |
|---|---|
| ・症状と病歴の聴取 | |
| ・身体所見 | |
| ・尿検査 | 尿培養、尿細胞診 |
| ・質問票による症状（過活動膀胱症状スコアや国際前立腺症状スコアなどのほか、ピッツバーグ睡眠質問票やアテネ睡眠尺度なども必要に応じて使用する）<br>・QOL評価（夜間頻尿特異的QOL質問票、N-QOL） | |
| ・**排尿日誌** | |
| ・残尿測定 | ・尿流測定<br>・カテーテル挿入を伴う尿流動態検査 |
| ・腹部超音波検査 | |
| ・前立腺特異抗原（PSA、男性） | ・血清クレアチニン |
| | ・内視鏡検査、画像検査 |

## 図2　夜間多尿指数の計算方法

【排尿日誌】
●月×日　◎起床時間：(午前)・午後　7時15分
　　　　　◎就寝時間：午前・(午後) 10時45分

| | 排尿した時刻 | 尿量（mL） | 備考 |
|---|---|---|---|
| | 時から翌日の | 時までの分をこの1枚に記載してください | |
| 1 | Ⓐ 7時30分 | 200 | |
| 2 | 10時00分 | 150 | |
| 3 | 13時15分 | 200 | |
| 4 | 15時30分 | 180 | 昼間1080mL |
| 5 | 18時45分 | 250 | |
| 6 | 21時00分 | 200 | |
| 7 | 22時30分 | 100 | |
| 8 | 0時30分 | 200 | |
| 9 | 2時00分 | 250 | 夜間870mL |
| 10 | 5時00分 | 200 | |
| 11 | Ⓑ 7時30分 | 220 | |
| 12 | | | |
| 13 | | | |
| 14 | | | |
| 15 | | | |
| | 計 | 1950mL | |

翌日●月□日　◎起床時間：(午前)・午後　7時30分

Ⓐ・Ⓑ：起床後初回排尿（早朝初回排尿）
（first morning void）

24時間尿量（24-hour urine production or 24-hour urine volume）：1950mL

夜間尿量（nocturnal urine volume：NUV）：870mL

※主要睡眠時間（帯）に産生される総尿量
　就寝前の最後の尿✕　朝に起床後最初の尿◯

夜間多尿指数
（nocturnal polyuria index：NPi）
$(870 \div 1950) \times 100 = 45\%$

若年者：20％以上、65歳以上：33％以上で夜間多尿と診断

若年者で20％以上、高齢者で33％以上が夜間多尿の診断基準であるが、35歳以下は20％以上、35～65歳は20％に5歳ごとに2％を加算、65歳以上は33％以上とする場合もある。

日本排尿機能学会　夜間頻尿診療ガイドライン作成委員会編：夜間頻尿診療ガイドライン，ワイリー・パブリッシング・ジャパン，東京，2009：9．より引用

図3　夜間多尿指数以外の指標

| 排尿日誌 | | | |
|---|---|---|---|
| ●月×日 | ◎起床時間：(午前)・午後　7時15分 | | |
| | ◎就寝時間：午前・(午後)　10時45分 | | |
| | 排尿した時刻 | 尿量（mL） | 備考 |
| | 時から翌日の 時までの分をこの1枚に記載してください | | |
| 1 | 7時30分 | 200 | |
| 2 | 10時00分 | 150 | |
| 3 | 13時15分 | 200 | |
| 4 | 15時30分 | 180 | |
| 5 | 18時45分 | 250 | 昼間1080mL |
| 6 | 21時00分 | 200 | |
| 7 | 22時30分 | 100 | |
| 8 | 0時30分 | 200 | |
| 9 | 2時00分 | 250 | 夜間870mL |
| 10 | 5時00分 | 200 | |
| 11 | 7時30分 | 220 | |
| 12 | | | |
| 13 | | | |
| 14 | | | |
| 15 | | | |
| | 計 | 1950mL | |
| 翌日●月□日 | ◎起床時間：(午前)・午後　7時30分 | | |

| 指標 | 計算方法 | コメント |
|---|---|---|
| 最大排尿量 | 1回の排尿で排出される最も多い尿量<br>＝250mL | ・＜250〜350mLで膀胱容量低下 |
| 夜間頻尿指数 | 夜間尿量÷最大排尿量<br>＝870÷250<br>＝3.48 | ・1以上で尿量と膀胱容量の不均衡<br>・1.5以上で夜間多尿 |
| 予測夜間排尿回数 | 夜間頻尿指数－1<br>＝3.48－1<br>＝2.48 | ・最大排尿量で夜間に毎回排尿するとした場合の夜間排尿回数 |
| 夜間膀胱容量指数 | 夜間排尿回数－予測夜間排尿回数<br>＝3－2.48<br>＝0.52 | ・0以上で最大排尿量未満で排尿<br>・1.3以上で夜間膀胱容量低下 |

日本排尿機能学会 夜間頻尿診療ガイドライン作成委員会編：夜間頻尿診療ガイドライン．ワイリー・パブリッシング・ジャパン，東京，2009：9．より引用

れる起床後初回排尿（早朝初回排尿）のうち、**Aは測定日前日の夜に産生された尿と考え、24時間排尿量には含めない。一方、Bは測定日当日の夜に産生されたと考え、24時間排尿量に含める。**昼間尿量は、起床後初回排尿の次の排尿から就寝前の最後の排尿までの尿量である。**夜間尿量は、就寝後からBの起床後初回排尿までの尿量である。**夜間尿量を24時間排尿量で除したものを夜間多尿指数と呼ぶ。**若年者で20％以上、高齢者で33％以上が夜間多尿の診断基準である。**なお、35歳以下は20％以上、35〜65歳は20％に5歳ごとに2％を加算、65歳以上は33％以上とする場合もある。

　症状や病歴、身体所見、検査所見で原疾患の治療を優先すべき泌尿器科的疾患の存在［例えば尿路感染症、重症の膀胱出口部閉塞（前立腺肥大症や骨盤臓器脱など）、間質性膀胱炎、尿路悪性腫瘍、尿路結石など］が疑われた場合には、そちらの精査・治療が先決である。一方、重症の睡眠障害が疑われた場合には、睡眠障害に精通した精神科医や内科医に、未治療あるいはコントロールが不良の内科疾患、すなわち糖代謝・電解質異常、腎機能異常、高血圧や心不全が疑われた場合には、それぞれ内分泌・代謝内科医、腎臓内科医、循環器内科医へ紹介する。

　原疾患の治療を優先すべき疾患が除外された場合、排尿日誌、症状と病歴、症状質問票の結果をふまえて、**表2のように夜間頻尿の病型を分類して治療方針を立案**する。

## 夜間頻尿の治療

多尿に関しては、改めて多尿の原因を見落とし

表2　夜間頻尿の病型分類

|  | 多尿 | 夜間多尿 | 多尿も夜間多尿もなし |
|---|---|---|---|
| 膀胱蓄尿障害あり | 多尿の精査・治療（行動療法）<br>＋<br>膀胱蓄尿障害の治療 | 夜間多尿に対する行動療法<br>＋<br>膀胱蓄尿障害の治療<br>↓改善なし<br>夜間多尿に対する治療 | 膀胱蓄尿障害の治療 |
| 膀胱蓄尿障害なし | 多尿の精査・治療<br>（行動療法） | 夜間多尿に対する治療 | 睡眠障害の精査・治療＊ |

＊この部分以外でも、睡眠障害の合併が疑われる場合には睡眠障害の精査・治療も併せて行う。
多尿は24時間尿量40mL/kg以上、膀胱蓄尿障害は蓄尿症状や症状質問票、排尿日誌上の平均排尿量≦200mLや最大排尿量＜250～350mLなどを合わせて判断する。
日本排尿機能学会，日本泌尿器科学会編：夜間頻尿診療ガイドライン［第2版］．リッチヒルメディカル，東京，2020：5．を参考に作成

ていないかを検討したうえで治療に移るほうが安全である。治療の第一選択は行動療法となり、膀胱蓄尿障害を合併する場合にはそちらに対する治療を併用する。

　夜間多尿に対しても治療の第一選択は行動療法である。膀胱蓄尿障害を合併する場合にはそちらに対する治療も行う。行動療法あるいは行動療法と膀胱蓄尿障害に対する治療を行っても改善が不十分な場合には、未治療あるいはコントロール不良な二次性夜間多尿の可能性を改めて否定したうえで、いわゆる夜間多尿症候群に対して、男性のみであるが低用量デスモプレシンを使用することが可能である。

　多尿も夜間多尿も認めない場合には、膀胱蓄尿障害があればそちらの治療、膀胱蓄尿障害がなければ睡眠障害の精査・治療を行う。睡眠障害に対する治療の第一選択も行動療法である（表3）。

　夜間頻尿に対する治療の第一選択は行動療法である（表4）。夜間頻尿に対する薬物療法の効果は限定的であるため（表5、p.59）、薬物療法を行う場合であっても行動療法を併用することが望ましい。いずれの行動療法も夜間排尿回数を1回程度減少させる効果が期待できる。

　夜間頻尿に対する薬物療法を表5に示した。過活動膀胱や前立腺肥大症治療薬の夜間頻尿に対する効果は限定的である。夜間多尿に対する低用量デスモプレシンは、男性のみに適応がある点に注意が必要である。また、重篤な有害事象として水分貯留に伴う低ナトリウム血症と心不全があるため、心不全やその既往のある患者、未治療あるいはコントロールが不良な高血圧、糖尿病、腎機能障害、睡眠呼吸障害を有する患者には投与してはならない。投与前に血清ナトリウム値が135mEq/L以上であることを確認し、最低でも投与後1週間以内、1か月目には血清ナトリウム値を測定し、これ以降も定期的に測定を続ける必要がある。血清ナトリウム値が135mEq/L未満となった場合には投与を中止する。なお、クレアチニンクリアランス50mL/分以下の腎機能障害を有する患者、利尿薬を投与されている患者に対しても低用量デスモプレシンの投与は禁忌である。低用量デスモプレシン以外の薬剤としては、ループ利尿薬やサイアザイド系利尿薬などが挙げられる。しかし、これらの薬剤は夜間多尿に対する適応を有さず限定的なエビデンスしかないため、使用する場合には有害事象などに十分注意すべきである。睡眠薬も、夜間頻尿そのものに適応を有する薬剤はなく限定的なエビデンスながら、表5に示した薬剤などが用いられる場合がある。

### 表3 睡眠の観点からみた夜間頻尿に対する生活指導（夜間頻尿改善10か条）

①就寝前の飲水を控える
②就寝前3～4時間のアルコールやカフェイン類（コーヒー、紅茶、日本茶、炭酸飲料など）は避ける
③就寝前1時間、中途覚醒時の喫煙は避ける
④就寝1時間前から部屋の照明を暗くして、音楽、香り（アロマ）などリラックスできるような環境をつくる
⑤昼間に光を浴びる（交感神経刺激による覚醒作用、夜間のメラトニン分泌量増加）
⑥朝一定の時刻に起床する
⑦規則正しい食事習慣、特に朝食が重要
⑧入床1～2時間前に入浴（40～41℃で約20分間）、あるいは足浴（40℃で約20分間）をする
⑨昼食後に約30分の昼寝を行う（午後3時以降は行わない）
⑩夕方に軽い運動を行う

日本排尿機能学会，日本泌尿器科学会：夜間頻尿診療ガイドライン［第2版］．リッチヒルメディカル，東京，2020：174．より改変

### 表4 夜間頻尿に対する行動療法とその作用機序

|  | 夜間の尿産生減少 | 夜間の膀胱知覚亢進の緩和 | 睡眠障害の改善 |
|---|---|---|---|
| 飲水指導（水分摂取量として体重の2～2.5%あるいは24時間排尿量を20～25mL/kg程度とする飲水量） | ◎ | | |
| 塩分制限（高血圧診療ガイドラインでは6g/日以下） | ◎ | | |
| 栄養指導（溶質利尿の改善のためにタンパク質成分の過剰摂取の回避など） | ○ | | |
| 運動療法（夕方から就寝前の時間に30分程度の速歩など） | ○ | | ◎ |
| 弾性ストッキング（下肢への体液移動の阻害） | ○ | | |
| 昼間の下肢挙上（30分以上） | ○ | | |
| 室温管理（特に冬季に寝室の室温を25～26℃に保つ） | | ○ | ○ |
| 統合的生活指導 | ○ | ○ | ○ |

### 参考文献

1. 日本排尿機能学会，日本泌尿器科学会編：夜間頻尿診療ガイドライン［第2版］．リッチヒルメディカル，東京，2020．
2. 日本排尿機能学会用語委員会：日本排尿機能学会標準用語集第1版．中外医学社，東京，2020：6-7．
3. Clemens JQ, Wiseman JB, Smith AR, et al：Prevalence, subtypes, and correlates of nocturia in the symptoms of Lower Urinary Tract Dysfunction Research Network cohort. Neurourol Urodyn 2020；39(4)：1098-1107.
4. Emeruwa CJ, Epstein MR, Michelson KP, et al：Prevalence of the nocturnal polyuria syndrome in men. Neurourol Urodyn 2020；39(6)：1732-1736.

表5 夜間頻尿の薬物療法

| 病態 | 薬剤 | コメント |
|---|---|---|
| 膀胱蓄尿障害 | 過活動膀胱治療薬 | ・過活動膀胱に伴う夜間頻尿に対して用いられる<br>・$β_3$受容体作動薬、抗コリン薬とも投与前と比較して、夜間排尿回数を0.3〜0.8回減少、夜間1回排尿量を30〜60mL増加、就寝後第一排尿までの時間（hours of undisturbed sleep）を30〜90分延長させる |
| | 前立腺肥大症治療薬 | ・前立腺肥大症に伴う夜間頻尿に対して用いられる<br>・サブタイプ選択的（下部尿路選択的）$α_1$遮断薬やPDE5阻害薬は、投与前と比較して夜間排尿回数を1.5〜0回減少、さらに$α_1$遮断薬は夜間尿量を180〜0mL減少させる<br>・$α_1$遮断薬と5α還元酵素阻害薬の併用療法でも一定の効果が期待できる |
| 夜間多尿 | 低用量デスモプレシン | ・集合管のバソプレシン2受容体に作用して水分の再吸収を促進させるペプチドホルモン製剤<br>・男性の夜間多尿に対して、適応を十分に検討（本文参照）したうえで使用することが可能<br>・常用量（50μg）の投与で、投与前と比べて夜間排尿回数は1.2回、夜間尿量は270mL、夜間多尿指数は13ポイントそれぞれ減少し、就寝後第一排尿までの時間は120分延長する<br>・重篤な有害事象として低ナトリウム血症がある<br>・投与時には以下の事項を十分に指導する<br>・食事は服用の2〜3時間前までに済ませ、服用8時間後（起床時）までは口渇がなければ飲水を避ける<br>・体液・電解質平衡を悪化させる疾患時にはデスモプレシンの内服をいったん中止する<br>・倦怠感、頭痛、悪心・嘔吐等の低ナトリウム血症を疑う症状の出現時、下腿浮腫の出現や増悪時、3日で2kg以上の体重増加を認めた場合などは、内服を中止して医療機関を受診する |
| | 利尿薬 | ・夜間多尿に対する保険適応はない<br>・浮腫を有する例ではループ利尿薬が、食塩感受性高血圧合併例にはサイアザイド系利尿薬が用いられる場合がある<br>・いずれも夜間多尿に対する保険適応を有さず、低ナトリウム血症、低カリウム血症、高尿酸血症などの有害事象があるため、適応を十分に検討する必要がある<br>・投与前と比べて夜間排尿回数を0.5回減少させる |
| 睡眠障害 | | ・高齢者においては有害事象の観点から、ベンゾジアゼピン系睡眠薬は第一選択薬として推奨されない点に注意が必要である<br>・入眠困難や中途覚醒に対しては、エスゾピクロン（$ω_1$受容体への親和性が低い非ベンゾジアゼピン系睡眠薬）、これに加えて早朝覚醒を伴う場合にはスボレキサント（オレキシン受容体拮抗薬）、夜間頻尿が睡眠障害に明らかに先行している場合にはラメルテオン（メラトニン受容体作動薬）などが用いられる<br>・投与前に比べて夜間排尿回数は0.7〜1.2回減少する |

[ 排泄の病態・生理、症状 ]

**排尿機能障害（下部尿路機能障害）**

# 排尿機能障害（下部尿路機能障害）がみられる疾患
# 認知症患者における下部尿路機能障害

関戸哲利

　認知症患者における下部尿路機能障害の診断と治療にあたっては、**多職種連携による学際的・集学的アプローチが必須**である。

## 認知症の定義

　認知症とは、「**一度獲得された知的機能が、後天的な脳の機能障害によって全般的に低下し、社会生活や日常生活に支障をきたすようになった状態で、それが意識障害のないときにみられるもの**」と定義される。代表的な診断基準としては、国際疾病分類第10版（ICD-10）や米国精神医学会による精神疾患の診断・統計マニュアル第5版（DSM-5）などがある。これらの診断基準を含め、認知症そのものに関する解説は本稿の範囲を超えてしまうので成書を参照願いたい。

## 認知症患者における下部尿路機能障害の病態

　認知症を生じる神経障害に伴う神経因性下部尿路機能障害（NLUTD）に関して**表1**に示した。このほかに、血管性認知症の10分の1程度の頻度であるが、尿失禁と歩行障害を伴う治療可能な認知症として**正常圧水頭症**がある。尿失禁は57％で、排尿筋過活動は95％で認められる。シャント手術後に20〜80％で過活動膀胱／尿失禁が改善するが、この改善は前頭前野や帯状回中部の血流改善と関連が認められる。

　認知症においては、**表1**に示した排尿筋過活動に伴う頻尿や切迫性尿失禁、**表2**に示した機能障害性尿失禁などの蓄尿障害のほかに、尿排出（排尿）障害にも注意が必要である。ただし、認知症患者における尿排出（排尿）障害に関しては、そもそも認知症の原因となる神経障害がその原因となりうるのかが重要であるが、この点に関する明確な結論は得られていないのが実情である。

　アルツハイマー型認知症では有意な残尿は認められないが、レビー小体型認知症では大脳のみならず脊髄・末梢神経レベルでの障害も示唆されており、尿流量の低下、有意な残尿、排尿筋低活動（約70％）、排尿筋無収縮（約20％）、排尿筋括約筋協調不全（約20％）などの尿排出機能障害が高率に認められるとされる。血管性認知症においては、磁気共鳴画像（MRI）上で白質病変が存在する群と存在しない群では、残尿量に有意な違いは認められないとされる。このため、アルツハイマー型認知症や血管性認知症で尿排出障害が認められた場合には、泌尿器科的な疾患を含め、その原因を精査する必要がある。特に、高齢者においてはさまざまな要因が絡み合い、潜在的な排尿筋低活動が顕在化あるいは重症化し、最悪の場合尿閉に至ると考えられている（**図1**）。高齢認知症患者の尿排出障害においては、これらの要因の関与を検討することも必要である。

なお、認知症に前立腺肥大症や骨盤臓器脱などの泌尿器科的疾患が合併することも当然ありうる。特に、これらの疾患が原因となり慢性尿閉（chronic urinary retention：CUR）をきたすと、その対処に苦慮する場合が少なくないため、臨床上は大きな問題である。

表1 代表的な認知症と下部尿路機能障害

| 代表的な認知症 | 頻度 | 病態 | 尿失禁 | 残尿100mL以上 | 排尿筋過活動 | 括約筋筋電図の神経原性変化 |
|---|---|---|---|---|---|---|
| アルツハイマー型認知症 | 約70% | ・大脳皮質、海馬、前脳底部で神経細胞死、シナプス減少、アセチルコリン低下が起こる<br>・若年発症と高齢発症がある<br>・女性に多い傾向あり<br>・緩徐進行性の出来事記憶の障害に始まる記憶と学習の障害が主要症状<br>・失語、遂行機能障害、視空間機能障害、人格変化などの社会的認知機能の障害に発展する<br>・尿失禁の出現は認知症発症後、平均6.5年程度とされる<br>・尿失禁の重症度はClinical Dementia Rating Scaleと有意な相関を認める | 33% | 0% | 40〜78% | 0% |
| レビー小体型認知症 | 約4〜10% | ・大脳から脳幹にかけてレビー小体が出現する疾患<br>・高齢発症が多いが若年発症もある<br>・男性に多い傾向あり<br>・変動する認知障害、パーキンソニズム、繰り返す具体的な幻視が中核症状である<br>・レム睡眠行動異常症、顕著な向精神薬に対する過敏性、繰り返す転倒、失神、起立性低血圧、便秘、尿失禁などを伴うことも多い<br>・尿失禁は、認知機能障害が重症になる前に生じる（認知症発症後平均3.2年程度で出現） | 71% | 8% | 89% | 47% |
| 前頭側頭葉変性症 | 数% | ・ピック病を原型とする<br>・初老期発症<br>・前頭葉と側頭葉を中心とする神経細胞の変性・脱落<br>・著明な行動異常、精神症状、言語障害を特徴とする<br>・経過中にパーキンソニズムや運動ニューロン症状などの運動障害も認める | 60% | 20% | 80% | 0% |

（次頁につづく）

| 代表的な認知症 | 頻度 | 病態 | 尿失禁 | 残尿100mL以上 | 排尿筋過活動 | 括約筋筋電図の神経原性変化 |
|---|---|---|---|---|---|---|
| 血管性認知症 | 約20% | ・脳血管障害が原因となる認知症であり、その病態は多様である。本項では、多発ラクナ（白質型）梗塞性認知症について主に述べる<br>・大脳半球、基底核、脳幹の細径深穿通枝領域にびまん性に病変が認められるほか、前頭葉の血流低下も生じる<br>・55歳以上の一般人口の約10％に病変があると考えられている<br>・下部尿路症状は認知症発症の5年以上前から、歩行障害は2年以上前から出現することも多い | 40% | 24% | 70～90% | 報告なし |

図1　高齢者における排尿筋低活動の顕在化や重症化の要因

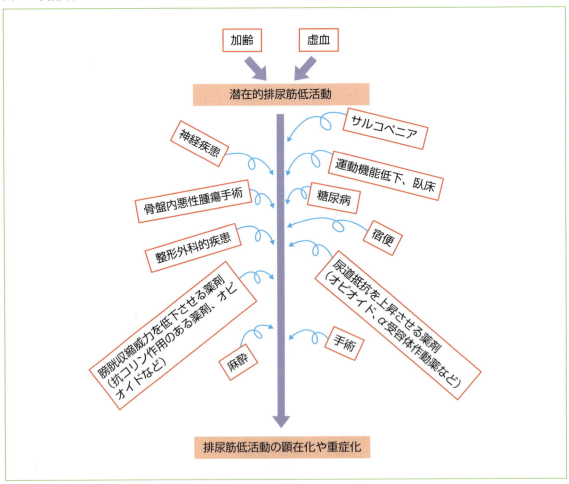

関戸哲利：高齢者の特性を考慮した低活動膀胱に対する安全な治療. 泌尿器Care & Cure Uro-Lo 2020；25(2)：31-38. より改変

## 認知症患者における下部尿路機能障害の診断

認知症における下部尿路機能障害の診断項目を表2に示した。どの項目を実施するかに関しては、認知症の程度や介護資源に応じて個別に判断する。なお、認知症そのものに対する評価に関しては本稿の範囲を超えるため成書を参照いただきたいが、Mini-Mental State Examination（MMSE）、改訂長谷川式簡易知能スケール、Montreal Cognitive Assessment 日本語版（MoCA-J）、N式老年者用精神状態尺度などを用いて評価された認知機能に関しては把握しておく必要がある。また、高齢者においては、**高齢者総合的機能評価**（詳細は成書参照）の結果も把握しておくべきである。

表2に提示した以外の検査として、侵襲的な治療の適応を検討する際には、カテーテル挿入を伴う尿流動態検査、膀胱尿道造影、膀胱鏡なども考慮する。

### 表2　認知症患者における下部尿路機能障害の診断

| | |
|---|---|
| 問診 | ● 下部尿路症状：系統的に問診する<br>● 尿失禁に関しては、**機能障害性（機能性）尿失禁**の有無を問診で十分に評価する。機能障害性尿失禁とは、身体的（例えば整形外科的、神経学的）および/または精神的障害のために、通常の時間内にトイレ/便器に到達することができない機能的障害による尿失禁の愁訴である。以下の2つに分類される<br>　・**運動機能障害性尿失禁**：運動機能障害のために通常の時間内にトイレに到達できずに尿失禁が生じる<br>　・**認知機能障害性尿失禁**：認知機能障害のある患者がトイレを認知できずに尿失禁が生じる<br>● 既往歴・服薬歴：下部尿路機能に影響を与えうる既往歴や併存疾患、服薬歴を聴取する<br>● 介護資源：排尿日誌や行動療法の実施、服薬などの管理、清潔間欠導尿の介助、留置カテーテルの管理などに関しては、介護資源が重要である |
| 質問票 | ● 過活動膀胱症状スコア、国際前立腺症状スコア、国際失禁会議質問票：質問票は有用ではあるが、質問内容が理解できない場合には評価が困難である |
| 排尿日誌 | ● 蓄尿、尿排出や水分摂取の状況に関して有益な情報を提供しうるので、介護者の協力が得られる場合には実施すべきである |
| 身体理学的所見・会陰部神経学的所見 | ● 直腸診による前立腺疾患の評価や台上診による骨盤臓器脱の評価を考慮すべきである<br>● 肛門括約筋の随意収縮、肛門反射、球海綿体筋反射は、高次機能を含めた神経障害のスクリーニングになる |
| 尿検査 | ● 血尿や膿尿を認めた場合には原因精査が必要である |
| 残尿測定 | ● 尿排出機能障害のスクリーニングとして重要な検査である<br>● 認知症に伴う下部尿路機能障害としては、蓄尿機能障害が多いことから必須検査として行うことに否定的な見解もある。しかし、多量の残尿に伴う機能的膀胱容量低下による頻尿、尿失禁を鑑別するためには必須の検査である<br>● 特に、①長期にわたる糖尿病罹患歴、②尿閉の既往または多い残尿、③再発する尿路感染症、④尿排出障害をきたすような薬剤の服用、⑤重症の便秘、⑥抗コリン薬や$\beta_3$受容体作動薬の投与にもかかわらず持続性または増悪している切迫性尿失禁、⑦以前の尿流動態検査上の排尿筋低活動や膀胱出口部閉塞の存在、などを有する患者では残尿測定の必要性が高い |
| 尿流測定 | ● 尿流量計に排尿が可能な場合には尿排出機能障害のスクリーニングとして実施を考慮してもよい |
| 腹部超音波検査 | ● 腎、膀胱、前立腺などの器質的異常のスクリーニングとして有用である |

# 認知症患者における下部尿路機能障害の治療

本項では、尿失禁と尿排出（排尿）障害の治療に関して概説する。

## 1. 尿失禁に対する治療

**治療のゴールを現実的なレベルに設定**することが必要である。尿失禁の状態を、一切の排泄・吸収用具の助けを借りないindependent continenceの状態まで改善させるのは困難なことが多い。このため、排泄用具、行動療法、薬物療法の助けを借りて尿禁制とするdependent continence、これが現実的でなければ、吸収用具の助けを借りるcontained incontinenceなど、社会的な尿禁制（social continence or accepted incontinence）を達成するための方策を十分に検討する。

尿失禁に対する治療を表3に示した。行動療法は第一選択の治療法と考えられるが、これには介護資源が充実していることが前提となる。**排泄・吸収用具の適切な選択**も重要である（**図2**）。薬物療法に関しては、最近の研究で抗コリン薬の$β_3$受容体作動薬に対する認知症のハザード比（HR）が1.23（95％信頼区間 1.12-1.35）であり、サブ解析の結果75歳以下［HR 1.69（95％信頼区間 1.36-2.09）］と男性［HR 1.41（95％信頼区間 1.23-1.62）］で有意であった。薬剤の選択に際しては、**認知症の重症度や総抗コリン負荷を十分に**

**表3　尿失禁に対する治療**

| | 治療法 | コメント |
|---|---|---|
| 行動療法 | 生活指導 | ・非認知症患者同様、適正な水分指導、バランスの取れた食生活、適度な運動、便秘の改善、アルコール・カフェインの過剰摂取の回避などの生活指導は患者ごとに検討すべきである |
| | 骨盤底筋訓練 | ・認知症の程度が軽度で、骨盤底筋訓練の内容を理解でき、**骨盤底筋訓練の指導に精通したトレーナーが確保できる場合**には検討してもよいと考えられる<br>・尿失禁回数を減少させる効果が期待できる |
| | 排尿促進法 | ・**介護資源が十分であれば検討する価値がある**<br>・日中の尿失禁回数を60％程度減少させうる可能性がある |
| | 定時排尿法・排尿習慣法 | ・**介護資源が十分であれば検討する価値がある**<br>・尿失禁回数を60％程度の患者で減少させうる可能性がある |
| | **適切な排泄・吸収用具の選択** | ・図2参照 |
| 薬物療法 | $β_3$受容体作動薬・抗コリン薬 | ・可能な限り**低用量から開始**する<br>・女性では、認知症の程度が軽度であれば$β_3$受容体作動薬、抗コリン薬のいずれもが選択肢になりうる<br>・**中等度以上の認知症患者あるいは他疾患に対してすでに抗コリン作用を有する薬剤を投与されている患者や男性患者**においては、$β_3$受容体作動薬を優先することが望ましいと考えられる<br>・**認知症治療薬である中枢性コリンエステラーゼ阻害薬を服用中の患者に対する抗コリン薬投与の安全性、有効性に関しては確立しておらず、注意深い経過観察が必要** |
| | $α_1$遮断薬・ホスホジエステラーゼ5阻害薬 | ・前立腺肥大症に合併した過活動膀胱に対しては、サブタイプ選択的（尿路選択的）$α_1$遮断薬やホスホジエステラーゼ5阻害薬の投与を行う。$α_1$遮断薬に関しては、頻度は低いながら起立性低血圧が生じる場合があるので注意が必要である |

## 図2 適切な排泄・吸収用具の選択

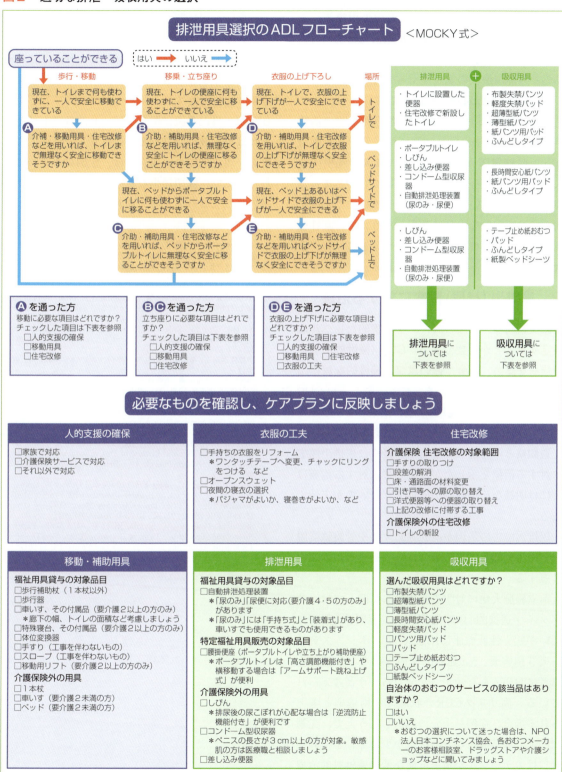

一般社団法人保健福祉広報協会：福祉機器選び方・使い方副読本（住宅改修編）『トイレ・排泄用品編』：51．より引用

検討すべきである。なお、認知症患者においては、$\beta_3$受容体作動薬と抗コリン薬との併用療法、あるいは前立腺肥大症に合併した過活動膀胱に対する$\alpha_1$遮断薬と抗コリン薬、あるいは$\beta_3$受容体作動薬との併用療法の安全性や有効性は確立していない点にも注意が必要である。

認知症患者における難治性過活動膀胱の治療（干渉低周波療法、磁気刺激療法、仙骨神経刺激療法、膀胱鏡下A型ボツリヌス毒素膀胱壁内注入療法）の安全性や有効性に関してもまとまった検討はなされていない。女性腹圧性尿失禁手術に関しては、症例を十分に選択したうえで、女性腹圧性尿失禁の標準術式である中部尿道スリング手術は選択肢になりうると考えられる。

## 2．尿排出（排尿）障害に対する治療

尿失禁同様、治療のゴールを現実的なレベルに設定することが必要である。CUR（慢性的に多量の残尿を認め、患者は遅い尿流と慢性的な尿排出不全を自覚する状態）であっても、高リスクCUR（水腎水尿管症、再発性症候性尿路感染などを生じているCUR）に該当せず、症状も軽度であれば経過観察という選択肢もある。表4に尿排出障害に対する治療を示したが、尿失禁に対する治療ほどには明確な治療戦略が提示できないのが実情である。

尿排出障害の主因が前立腺肥大症や骨盤臓器脱などの泌尿器科疾患の場合には、そちらの治療を考慮する。

前立腺肥大症に対する薬物療法に関しては、サブタイプ選択的（尿路選択的）$\alpha_1$遮断薬（頻度は低いが起立性低血圧に注意）、ホスホジエステラーゼ5阻害薬、5$\alpha$還元酵素阻害薬などが認知症患者においても有効かつ安全であろうと考えられている。高リスクCURの状態で手術適応と考えられる場合、症例を十分に選択したうえで、光選択的前立腺蒸散術などの出血が少なく、手術の翌日にはカテーテルが抜去可能な低侵襲外科的治療は選択肢となりうる。

骨盤臓器脱に関しては、保存的治療としてペッサリー療法があるが、連続装着となる場合には医療機関での定期的な診察が必須であり、これが遵守できそうにない場合には腟壁内への迷入などの重篤な合併症を生じるリスクがあるので適応とならない。自己着脱に関しては、介護資源上可能であれば選択肢になりうる。ペッサリー療法による対処が現実的でない場合には、症例を十分に選択したうえで、腟閉鎖術などの低侵襲な経腟手術は選択肢になりうると考えられる。

#### 参考文献
1. 日本サルコペニア・フレイル学会, 国立長寿医療センター編：フレイル高齢者・認知機能低下高齢者の下部尿路機能障害に対する診療ガイドライン. ライフサイエンス出版, 東京, 2021.
2. 榊原隆次, 関戸哲利, 西村かおる編：認知症の排泄ケア ベッドサイドマニュアル. 中外医学社, 東京, 2020.
3. Averbeck MA, Altaweel W, Manu-Marin A, et al：Management of LUTS in patients with dementia and associated disorders. Neurourol Urodyn 2017；36（2）：245-252.
4. Na HR, Cho ST：Relationship between Lower Urinary Tract Dysfunction and Dementia. Dement Neurocogn Disord 2020；19（3）：77-85.
5. 榊原隆次編：神経因性膀胱 ベッドサイドマニュアル. 中外医学社, 東京, 2014.
6. 榊原隆次, 服部孝通, 東條雅季, 他：脳血管性痴呆における排尿障害の研究. 自律神経 1993；20：390-396.
7. Welk B, McArthur E：Increased risk of dementia among patients with overactive bladder treated with an anticholinergic medication compared to a beta-3 agonist：a population-based cohort study. BJU Int 2020；126（1）：183-190.
8. Triantafylidis LK, Clemons JS, Peron EP, et al：Brain Over Bladder：A Systematic Review of Dual Cholinesterase Inhibitor and Urinary Anticholinergic Use. Drugs Aging 2018；35（1）：27-41.
9. Liao CH, Wang CC, Jiang YH：Intravesical OnabotulinumtoxinA Injection for Overactive Bladder Patients with Frailty, Medical Comorbidities or Prior Lower Urinary Tract Surgery. Toxins (Basel) 2016；8（4）：91. doi：10.3390/toxins8040091.
10. Stoffel JT, Peterson AC, Sandhu JS, et al：AUA White Paper on Nonneurogenic Chronic Urinary Retention：Consensus Definition, Treatment Algorithm, and Outcome End Points. J Urol 2017；198（1）：153-160.

表4 尿排出障害に対する治療

| | 治療法 | コメント |
|---|---|---|
| 行動療法 | 排尿促進法、定時排尿法・排尿習慣法 | ・理論上は、膀胱知覚低下による膀胱過伸展や残尿増加を認める患者には試みる価値があると考えられるが、尿失禁に対するようなまとまった報告はない<br>・介護資源が十分にないと実施や継続は困難である |
| | 適切な排泄・吸収用具の選択 | ・残尿が多いことに起因する頻尿や尿失禁に対する対処として必要である<br>・図2参照 |
| 薬物療法 | コリン作動性薬剤(副交感神経刺激薬) | ・排尿筋低活動に対する薬物療法として用いられる場合がある<br>・コリン作動性クリーゼなどの重篤な有害事象もあり、さらに認知症治療薬である中枢性コリンエステラーゼ阻害薬の添付文書上は「併用注意」とされている<br>・コリン作動性薬剤の排尿筋低活動の治療に対するエビデンスが十分とは言いがたいことを考慮すると、認知症患者の尿排出障害への使用を推奨することは難しい |
| | $α_1$遮断薬 | ・排尿筋低活動は尿道の弛緩不全を合併している場合が多いことから、尿道抵抗を低下させ排尿効率を改善させることを期待して使用される。<br>・男性では前立腺肥大症に用いられるサブタイプ選択的(尿路選択的)な$α_1$遮断薬が使用可能であるが、女性ではエブランチルなどの非選択的な薬剤しか使用できないため、起立性低血圧などの有害事象に十分な注意が必要である |
| カテーテル | 清潔間欠導尿 | ・1日複数回の導尿が必要な場合、特に、すべての尿排出を清潔間欠導尿で行う場合には自己導尿でないと継続は困難である<br>・認知症が軽度であれば清潔間欠自己導尿の指導や継続は可能であるとする報告もあるが、現実的には認知症の存在は高いハードルである<br>・基本的な尿路管理法が随意排尿で1日1～2回程度残尿を導尿するという場合には、介護資源の充実度によっては清潔間欠導尿は選択肢になりうる |
| | カテーテル留置 | ・尿路カテーテル関連の合併症に加えて自己抜去などの可能性もあり、最後の手段といえる<br>・尿量が確保できない認知症患者では、膀胱結石や沈殿物によるカテーテル閉塞、再発性症候性尿路感染などが頻回に生じる。1日尿量が1500～2000mL程度を確保できるような飲水や食事の介助など、介護資源が充実していないと長期の尿路管理法としては限界がある<br>・自己抜去などの問題でカテーテル管理が不可能と考えられた場合、症例を十分に選択したうえで、膀胱を直接皮膚に開口させる膀胱皮膚瘻(cutaneous vesicostomy)を造設し、おむつなどで尿を吸収するという方法も選択肢になる |

[ 排泄の病態・生理、症状 ]

排便機能障害

# 排便機能障害の病態・生理

前田耕太郎、小出欣和、勝野秀稔

## 排便機能障害を理解するために

排便機能障害には、便秘や便失禁、排便困難、残便感、頻便、下痢など多くの症状がある[1]。これらの排便機能障害は、正常な排便機能の一部、もしくはいくつかの機能の異常によって引き起こされるため、正常な排便機能を十分理解しておく必要がある。**人間の排便は、動物としての排便、さらには社会人としての排便、また種々の疾患に関連して変化する排便があり、これらの要素がわれわれの排便に深く関与している。**

本稿では、正常な排便に関与する機能や解剖、生理とともに排便機能障害の病態・生理について概説する。

## 排便に関与する因子と作用

正常な排便とは、適切な時間と場所で、随意的に適切な便を適切な頻度で排出することである。これらが適切に行われるには、以下に示すような種々の因子がかかわっている。

### 1. 正常な消化管、排便機能

口より摂取された食物は、種々の消化酵素により胃と小腸で消化・吸収される。小腸では、主に消化と吸収が行われて便が作成され肛門側へ送られる（図1[2]、表1）。結腸では、主に水分・電解質の吸収のみ行われるため、右側結腸において便は流動状であるが、次第に粥状、固形状と固くなり直腸側に輸送される。小腸・結腸の運動によって便は肛門側に送られるが、この運動には腸管の自律運動能のほかに、壁内神経叢や外因性神経による制御、モチリンやドーパミンなど体液性因子による調節も関与している（表1）。これらの消化・吸収、腸管運動により、通常、食物は摂取後24～92時間で肛門より排出される。S状結腸で便は一時貯留され、大蠕動により便意が起こると腹圧をかけて肛門より排出される。便意や禁制の制御には、脳や脊髄の反射機能が関与している（表1）。

### 2. 肛門部の筋肉群の構成と神経支配

便排出に関与する肛門部の筋肉群には、直腸の内輪筋より連続する**内肛門括約筋**、直腸の外縦筋より連続する**連合縦走筋**、その外側の**外肛門括約筋**がある（図2）。また、外肛門括約筋と連続するようにして、内・外肛門括約筋を骨盤部の骨につり上げているかたちの肛門挙筋が存在している。内・外肛門括約筋は、輪状に肛門を形成している。内肛門括約筋と連合縦走筋は、前述のとおり直腸の筋肉と連続しているため、自律神経支配の不随意筋である。外肛門括約筋と肛門挙筋は第2～4仙髄の体性神経によって支配される随意筋である。すなわち、自分の意思によって肛門を締める際に収縮するのは外肛門括約筋と肛門挙筋で

図1　小腸・結腸・直腸・肛門の機能

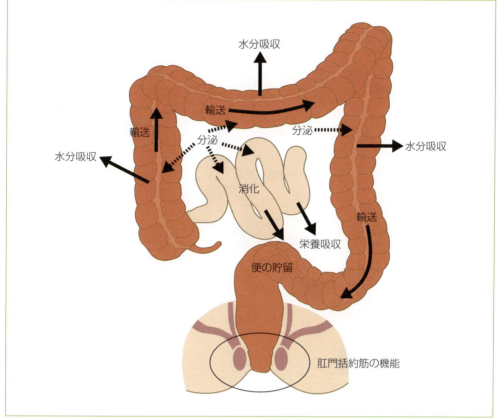

大矢雅敏：排便にはどんなことが関与しているの？．前田耕太郎編，徹底ガイド 排便ケアQ&A，総合医学社，東京，2006：4-5．より引用

表1　排便に関与する因子

| 小腸・結腸の機能 | ●腸管運動：収縮・弛緩をくり返し、便を輸送<br>①腸管の自発的な電気的活動<br>②壁内神経叢による制御<br>③外因性神経による制御：副交感神経で刺激、交感神経で抑制<br>④体液性因子による調節：モチリン、ドーパミンなど多種<br>●腸管の吸収・分泌能：水分、電解質など<br>●便貯留（蓄便） |
|---|---|
| 直腸肛門機能<br>（排便調節機構） | ●便排出調節（排便） |
| 腹圧（腹筋） | |
| 脳、脊髄 | |

図2　肛門部の筋肉群

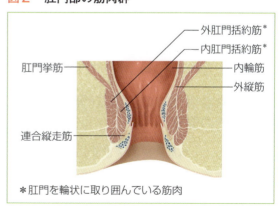

＊肛門を輪状に取り囲んでいる筋肉

### 図3　正常な直腸肛門部の筋肉群の働き

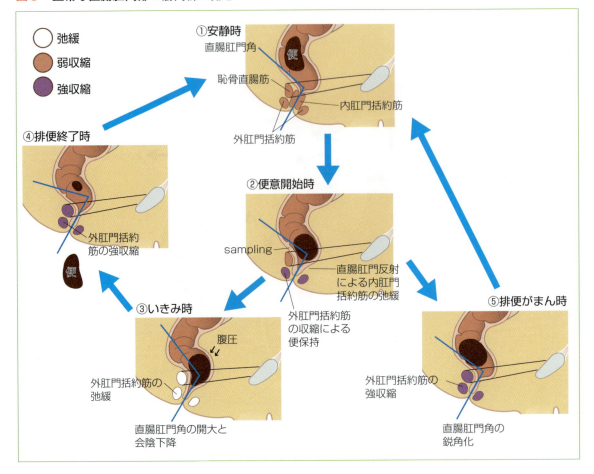

ある。内肛門括約筋は、咳をしたり立ち上がったりするとき、無意識に反射的に収縮して肛門の禁制を保持している。

## 3. 正常な排便時の直腸肛門部の筋肉の働き

肛門管は内・外肛門括約筋で囲まれ、その口側の直腸に連続しており、安静時には肛門は閉鎖している。直腸と肛門管の境界部では、肛門挙筋の1つである恥骨直腸筋により恥骨側に直腸が牽引され、直腸と肛門の境界部にはある角度が形成される。この角度は「直腸肛門角」と呼ばれ、禁制にも関与していると考えられている（図3①）。

恥骨直腸筋は、恥骨から直腸を囲むように走行し、直腸を恥骨側に牽引している。便が肛門近くに降りてくると、直腸肛門反射により内肛門括約筋が弛緩し、肛門上部で、便であるかガスであるかのサンプリング（sumpling）が行われる（図3②）。この際には外肛門括約筋は収縮し、便の保持が行われる。排便が可能な状況で腹圧がかかると、内・外肛門括約筋と恥骨直腸筋が反射的に弛緩し直腸肛門角も鈍化することで、直腸が直線化し排便がスムーズに行われる（図3③）。排便終了時には、外肛門括約筋と恥骨直腸筋が収縮し、便を切り排便が終了する（図3④）。

排便できる状況でないときには、便を切る動作と同様な動きをし、結果的には直腸肛門角は鋭角化し禁制を保つ（図3⑤）。

## 便秘の病態・生理

### 1．便秘の分類

便秘を大きく分類すると、がんなどによる閉塞や狭窄が原因の**器質性便秘**、排便機能の障害による**機能性便秘**、原因が特定できない**特発性便秘**に分けられる（表2）。

機能性便秘は、**排便回数減少型**と**排便困難型**に分類される。糖尿病や甲状腺機能低下などによって続発性に起こる便秘は別に分類されるが、続発性の便秘は自律神経障害などによって大腸機能障害を起こしたための便秘と考えてよく、広義には排便回数減少型の大腸通過遅延型便秘に含まれる（表2）。

### 2．便秘の原因

排便回数減少型の便秘は、主に表1に示した排便に関する因子のうち、小腸・結腸機能の腸管運動の機能障害によって引き起こされる。排便回数減少型便秘は、大腸機能の運動能低下による大腸通過遅延型の便秘と、便秘型過敏性腸症候群にみられるような大腸通過の遅延はない大腸通過正常型の便秘に分類される（表2）。

排便困難型便秘は、表1の因子のうち、直腸肛門機能の便排泄調節の異常によって引き起こされる。いきんでも図3で示した反射的な肛門筋群の弛緩が起こらず、反対に収縮する便排出機能の協調障害（図3③）では**恥骨直腸筋症候群（肛門挙筋症候群）**[3]と呼ばれ便秘になる。また、直腸瘤や直腸脱、直腸重積などの解剖学的異常では、直腸肛門部での便の通過が適切に行われず便秘になる（表2）。

分類はされないが、高齢者では腹筋力低下で腹圧をかけられないため、便秘になりやすい（表1）。

## 下痢の病態・生理

下痢は、腸炎や下痢型の過敏性腸症候群など、種々の病気によって引き起こされる。腸炎などの下痢では、表1に示した小腸・結腸機能の腸管の吸収・分泌能の異常によって引き起こされる。**炎症により腸管からの分泌液が増加し、水分の吸収能の低下がみられる結果、腸管内の水分量が増加して下痢になる**。また、下痢型の過敏性腸症候群などでは腸管運動が過度になることにより、水分が十分吸収されないうちに便が通過するため下痢が引き起こされる。

表2　便秘の機序と分類

| 器質性便秘：解剖学的異常による | |
|---|---|
| ●狭窄性便秘 | がんなどによる物理的通過障害 |
| ●非狭窄性便秘 | 直腸瘤や直腸脱などの器質性便排出障害による |
| 機能性便秘：機能障害による | |
| ●排便回数減少型便秘 | ①大腸通過遅延型便秘：便が大腸を通過する時間が遅延する<br>②大腸通過正常型便秘：過敏性腸症候群の便秘型など |
| ●排便困難型便秘 | 直腸・肛門での便排出障害 |
| ●続発性（症候性）便秘 | 甲状腺機能低下、糖尿病など基礎疾患による |
| 特発性便秘：原因を特定できない | |

表3 便失禁の症状による分類と主な障害部位

| 分類 | 症状 | 主な障害部位 |
|---|---|---|
| 漏出性便失禁 | 便意なく、気づかないうちに失禁 | 内肛門括約筋 |
| 切迫性便失禁 | 便意あるが、トイレに間に合わず失禁 | 外肛門括約筋 |
| 混合性便失禁 | 漏出性、切迫性の両方の症状 | 内・外肛門括約筋 |

## 便失禁の病態・生理

　便失禁に関与するのは、**主に肛門の括約筋群であるが、そのほか、直腸の感覚機能や貯留能、腸管運動異常**なども関与している。肛門の括約筋群の異常は括約筋自体の断裂や損傷のみでなく、これらの筋群を支配している神経の異常によっても引き起こされる。

　出産は便失禁のリスク因子であるが、出産の場合には括約筋の損傷とその支配神経の両方の損傷が原因となる。

　直腸がんに対する低位前方切除後症候群による便失禁では、括約筋、支配神経、腸管の貯留能、腸管運動の異常が関与している。

　便意がなく、気づかないうちに漏れる漏出性便失禁は、主に不随意筋である内肛門括約筋が障害されているために起こる。便意はあるが、トイレに間に合わない切迫性便失禁は、主に随意筋である外括約筋の障害によって引き起こされる(表3、図2)。

引用文献
1. 前田耕太郎, 花井恒一, 佐藤美信, 他：慢性便秘の論理的治療. 消化器内科 2011；52(3)：285-290.
2. 大矢雅敏：排便にはどんなことが関与しているの?. 前田耕太郎編, 徹底ガイド 排便ケアQ&A. 総合医学社, 東京, 2006：4-5.
3. 前田耕太郎, 花井恒一, 佐藤美信, 他：肛門挙筋症候群. 産科と婦人科 2013；80(7)：897-900.

[ 排泄の病態・生理、症状 ]

排便機能障害

# 排便機能障害の症状

山名哲郎

## 便秘

便秘は、若年者から高齢者までどの年齢層でも最も多くみられる排便障害の症状である。一言で便秘といってもその意味するところはさまざまであり、「何日も便が出ない」「下剤を飲まないと便が出ない」「便が出にくい」「いきまないと出ない」「排便後もすっきりしない」「残便感がある」「便が小さい」「便が少ない」などが愁訴として聞かれる。腹満感や腹痛、食欲不振や倦怠感、肌荒れなどの全身症状を便秘の症状として訴える場合もある。

排便の回数や量は個人差が大きいため、正常な排便を定義することは難しい。排便回数からみると1日3回から3日に1回までは正常な範囲とされており、3日以上便が出ない場合や週に2回以下の場合は一般に便秘とみなされる。また、硬便や努責、残便感、摘便、閉塞感などの便排出時の症状が頻繁に起こる場合（4回に1回以上）も便秘とみなされる[1]（表1）。

### 1. 大腸通過遅延型便秘

大腸通過遅延型便秘とは、一般に**弛緩性便秘**と呼ばれているタイプで、便が大腸を通過する時間が遷延しているために起きる便秘である。排便回数が少ないことが特徴であり、「何日も便が出ない」「下剤を飲まないと便が出ない」という大腸内の便の停滞に関する訴えが多い。若い女性から高齢者に至るまで、**便秘のなかでは最も多いタイ**

表1　慢性便秘症のRome Ⅳ診断基準

1. 「便秘症」の診断基準
   以下の6項目のうち、2つ以上を満たす
   a. 排便の4分の1超の頻度で、強くいきむ必要がある
   b. 排便の4分の1超の頻度で、兎糞状便または硬便（BSFSでタイプ1か2）である
   c. 排便の4分の1超の頻度で、残便感を感じる
   d. 排便の4分の1超の頻度で、直腸肛門の閉塞感や排便困難感がある
   e. 排便の4分の1超の頻度で、用手的な排便介助が必要である（摘便・会陰分圧迫など）
   f. 自発的な排便回数が、週に3回未満である

2. 「慢性」の診断基準
   6か月以上前から症状があり、最近3か月間は上記の基準を満たしていること

（Lacy BE, et al：Gastroenterology 2016；150：1393-1407. を参考に作成）

日本消化器病学会関連研究会 慢性便秘の診断・治療研究会編：慢性便秘症診療ガイドライン2017．南江堂，東京，2017：6．より引用

プであり大腸の蠕動運動の低下が原因となる。一般に、機能的な便秘症といえば大腸通過遅延型便秘の場合が多い。また、経口モルヒネ剤などの薬剤に起因する便秘もこのタイプである。

## ２．便排出障害型便秘

便排出障害型便秘とは、一般に**直腸性便秘**と呼ばれているタイプで直腸や骨盤底筋に原因があり、便が排出しにくいために起こる便秘である。便の出にくさを訴えるのが特徴であり、「便が出にくい」「いきんでも出ない」「排便後もすっきりしない」「残便感がある」という便排出に関する訴えが多い。「摘便」や「腟の用手圧迫」などもこのタイプの便秘の愁訴として聞かれる。便排出障害型便秘の原因としては、**直腸が努責時に腟へ膨隆する直腸瘤や、骨盤底筋が努責時に弛緩しない骨盤底筋協調障害**などがみられる。加齢による便の認知機能の低下もこのタイプの原因となりうる。

## ３．大腸通過正常型便秘

大腸通過正常型便秘とは、一般にけいれん性便秘と呼ばれているタイプで自律神経の過緊張によって下行結腸やＳ状結腸がけいれん性に収縮するため、便がその場所で停滞し水分が吸収されて硬くなるために起こるとされる。「コロコロ便」「兎糞のような便」「お腹が張る」「便秘と下痢が交互」などの訴えが多い。過敏性腸症候群の便秘型がこのタイプの便秘に関係していると考えられている。食物繊維の摂取不足もこのタイプの便秘になりうる。

# 便失禁

便失禁は、「無意識または自分の意思に反して肛門から便が漏れる症状」と定義される排便障害の症状である。便失禁は、成人や高齢者に比較的よくみられる症状で、わが国でも65歳以上で6～9％の頻度で認められたとする報告がある[2]。**便失禁は個人の自尊心を大きく傷つけて自信を失わせ、外出や人づきあいを制限してしまうなど日常生活のQOLに大きな影響を及ぼす症状である**ため、積極的な診療の対象となるべき排便障害である。

## １．漏出性便失禁

漏出性便失禁とは、便意を感じないまま自然に便が漏れてしまう便失禁症状をいう。加齢による内肛門括約筋機能の低下や直腸肛門感覚の低下が関与していると考えられる。漏出性便失禁は、高齢者や直腸脱の患者に多くみられる。便の性状も大きく関係しており、漏出性便失禁のほとんどは日ごろから軟便である人に多い。また、兎糞便も漏出性便失禁になりやすい。

## ２．切迫性便失禁

便をがまんしきれずに漏れてしまう便失禁症状を切迫性便失禁と呼ぶ。出産や肛門手術により外肛門括約筋に損傷を受けた人や、外肛門括約筋の支配神経である陰部神経やその上位の神経に障害のある人にみられ、外肛門括約筋機能の低下が関与している。また、直腸切除や直腸の炎症性変化による貯留能や伸展性の低下も切迫性便失禁の原因になる。便性状も大きく関与しており、過敏性腸症候群や炎症性腸疾患などの疾患や生活習慣による慢性下痢症の人は切迫性便失禁の症状が出現しやすい。

# 下痢

下痢とは水様便が排泄される排便障害の症状であり、回数にかかわらず１日の便重量（水分含有量）が200mL以上になる排便が下痢と定義される。実際に排便の重量を測ることはあまりないので、相当量の水様便があれば臨床的には下痢と考えてよい。

急性下痢症は突然に発症する下痢症で、感染性腸炎や薬剤による下痢が多い。主な感染性腸炎はサルモネラ菌、赤痢菌、カンピロバクター、クロ

ストリジウム、病原性大腸菌、黄色ブドウ球菌などの細菌性腸炎と、ノロウイルス、ロタウイルス、アストロウイルス、アデノウイルスなどのウイルス性胃腸炎である。これらの下痢は、主に小腸粘膜の障害によって腸液の分泌が過剰になることで起こる。

慢性下痢症は1か月以上持続する下痢症で、過敏性腸症候群、炎症性腸疾患、生活習慣、腸管外の器質的疾患が原因となることが多い（表2）。マグネシウム製剤やソルビトールなどの下剤の濫用や、アルコールの飲み過ぎなどが原因となることもある。カルチノイドと呼ばれる特殊なホルモンを産生する腫瘍、腸管運動の異常をきたす甲状腺機能亢進症なども慢性下痢症の原因となる。

表2 臨床的な下痢の分類

| 急性下痢症 | ●感染症腸炎<br>・細菌感染：サルモネラ菌、赤痢菌、カンピロバクター、クロストリジウム、病原性大腸菌、黄色ブドウ球菌など<br>・ウイルス感染：ノロウイルス、ロタウイルス、アストロウイルス、アデノウイルスなど<br>・原性動物感染：赤痢アメーバ<br>●薬剤による下痢<br>　下剤、抗生物質、抗がん剤など |
|---|---|
| 慢性下痢症 | ●過敏性腸症候群<br>●炎症性腸疾患<br>●潰瘍性大腸炎<br>●クローン病<br>●生活習慣による下痢<br>●下剤乱用、アルコール、肉類・脂肪分の過食<br>●腸管外器質的疾患による下痢<br>●甲状腺機能亢進症、糖尿病、アミロイドーシス、強皮症、カルチノイドなど |

## 直腸術後の排便障害

直腸がんや潰瘍性大腸炎の術後には、1回の排便でまとめて排泄することができず、何回かに分けて小刻みに排便し、結果的に頻回排便になる症状がしばしば出現がする。これは、直腸が本来もっている便貯留能（リザーバー機能）が低下することが原因と考えられている。直腸がんに対する直腸低位前方切除術後にみられる頻回排便や、漏出性・切迫性便失禁症状は低位前方切除後症候群（low anterior resection syndrome：LARS）と呼ばれ、直腸がん術後の大きな問題点である。また、潰瘍性大腸炎に対する大腸全摘術後はJ型回腸嚢で再建されることが多いが、小腸の一部である回腸嚢から排泄されるため、軟便や泥状便の頻回排便（4〜10回）となる。夜間に漏出性便失禁がみられることもある。

**直腸切除術後に直腸のリザーバー機能を再建する術式として結腸嚢や回腸嚢が工夫されている**が、これらの術式をもってしてもこの頻回排便の症状を完全に解消することはできない。食事や薬剤による便性状の調整や、坐薬、浣腸による強制排便がこの頻回排便の症状軽減につながる場合もある。

## 精神的な排便障害

排便障害の症状は精神的な要素も大きく関与する。排便に関するこだわりが異常に強い個人では、便の回数や便の性状、排便の感覚、便失禁の程度などが客観的にみて病的な範囲でなくても、主観的に強い排便障害の症状と感じている患者が存在する。**これらの患者では、いわゆる神経症やノイローゼといわれる精神状態やうつ病に関連した便秘症状である可能性がある。**

臭いの漏れを愁訴とする患者もしばしば病院を受診する。異臭症や自己臭症として古くから知られている愁訴であるが、原因は不明である。これらの患者では肛門括約筋機能はほとんどの例で正常であり、妄想や強迫性障害などの精神的症状としてとらえられることが多い。

引用文献
1. 福土審，本郷道夫，松枝啓監訳：ROME Ⅲ 日本語版．協和企画，東京，2008：321-326．
2. Nakanishi N, Tatara K, Naramura H, et al. Urinary and fecal incontinence in a community-residing older population in Japan. J Am Geriatr Soc 1997；45（2）215-219．

[ 排泄の病態・生理、症状 ]

排便機能障害

# 排便機能障害と疾患

西澤祐吏

## 排便機能障害とは

　排便機能障害は、排便に関する何らかの機能異常がある状態を表し、さまざまな病態を含んでいる。そのため、正常な排便機能の生理を理解し異常な病態を把握して、実臨床におけるそれぞれの症状を理解することが重要である。

　近年では、生活の質（QOL）を重要視した診療が求められるようになり、排便機能障害に対する価値観も変わってきた。本邦で刊行されたガイドラインも重要な存在となり（図1）、代表される病態である便秘や便失禁について、積極的に治療介入することが求められるようになってきた。これには、社会的背景として仙骨神経刺激療法（sacral nueromodulation：SNM）や排尿自立指導料が保険収載されたことなど、排泄に対する診療報酬の付与が大きく影響している。

　前述のように、排便機能障害はさまざまな病態を含んでいるため、その治療介入においては問診から検査、診察に始まり、生活指導、看護ケア、服薬コントロールから外科治療の介入に至るま

図1　近年発売されたガイドライン等

日本大腸肛門病学会編集
『便失禁診療ガイドライン2017年版』
（南江堂、2017年発行）

日本消化器病学会関連研究会 慢性便秘の診断・治療研究会編集
『慢性便秘症診療ガイドライン2017』
（南江堂、2017年発行）

で、多医療分野でのチーム医療が必須となってくる。診療の現場では排便機能障害がQOLの低下に大きく関与していることを認識して、それぞれの医療者が患者と向き合い、連携した診療体系を構築することが望まれる（図2）。

## 排便機能障害の病態

ここでは排便機能障害を「便秘」「下痢」「便失禁」に分けて、それぞれに関連する疾患を説明する。いずれも腹部症状を有する疾患であり、第一には迅速な治療や診断を必要とする病態が含まれることを念頭におく。

例えば、腸閉塞（イレウス）は便秘だけでなく、下痢や直腸病変では便失禁をきたすこともある病態である。イレウスは「機械的イレウス」と「機能的イレウス」に大別され、麻痺性イレウスやけいれん性イレウスなどの機能的イレウスでは器質的な腸管の閉塞を伴わないが、機械的イレウスでは器質的な腸管の閉塞を伴う。さらに、機械的イレウスは臨床上、「閉塞性イレウス」と「絞扼性イレウス」に分けて診断する必要がある。腸管の血行障害を伴う絞扼性イレウスは、緊急手術が必要な病態であるため早急な診断・治療を要する。

診断では、まず絞扼性イレウスを除外する必要があるが、閉塞性イレウスの症状がある場合は腹部造影CT検査を施行し、造影効果の弱い腸管が存在する場合は虚血を疑う。whirl signなど絞扼性イレウス特有の所見を認める場合は、緊急手術を念頭において診療を進める必要があるため、医師との連携が重要である（図3）。器質的な異常の有無は、治療を進めるうえで急を要するかどうかを判断する重要な要因となるため、注意して診療にあたる必要がある。

図2　各職種の専門性を発揮した質の高いチーム医療

図3　緊急対応が必要な腹部症状

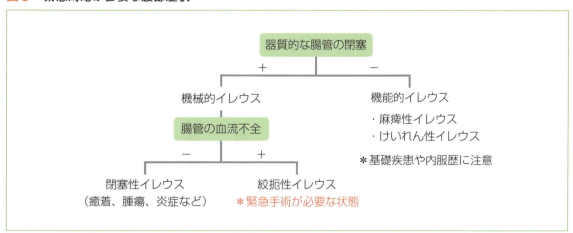

[排泄の病態・生理、症状]

**排便機能障害**

# 排便機能障害：便秘がみられる疾患

西澤祐吏

## 便秘がみられる疾患

　厚生労働省の国民生活基礎調査（図1）では、便秘の有訴者率は男性2.5％、女性4.6％で、治療のニーズが大きい。便秘の定義は「本来体外に排出すべき糞便を十分量かつ快適に排出できない状態」[1]とされ、経口摂取が不良な場合に排出すべき糞便がなければ排便がなくても便秘とはならない。便秘が上記の定義にあるような状態を表す言葉であることから、症状を問診したうえで適切な検査を行い分類することや、基礎疾患の有無を明らかにすることが重要である。また、「便秘」は状態について表すが、一般的には病状名、疾患名としても使用されることが多く、「便秘症」とは便秘状態が続き、医療が必要になるほどの症状が出現した状態をいう。

　慢性便秘症の診断基準として、現在ではRome Ⅳが広く用いられている。腹部症状を診察する日常診療では、便秘と下痢は表裏一体であることも多いため、便秘と決めつけずに経過観察を含めた慎重な判断が必要である。なお、過敏性腸症候群（irritable bowel syndrome：IBS）においては慢性便秘症の症状をきたすことから、『慢性便秘症

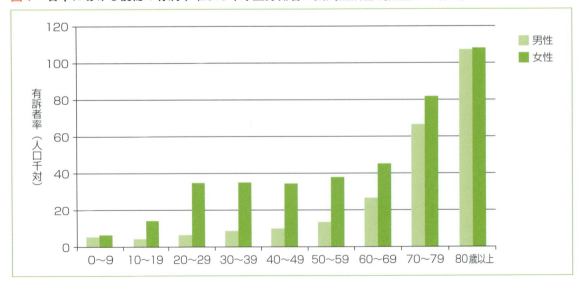

図1　日本における便秘の有病率（2016年厚生労働省の国民生活基礎調査より作図）

### 表1 便秘症の診断基準

1. 「便秘症」の診断基準
   以下の6項目のうち、2項目以上を満たす
   a. 排便の4分の1超の頻度で、強くいきむ必要がある
   b. 排便の4分の1超の頻度で、兎糞状便または硬便（ブリストル便形状スケールでタイプ1か2）である
   c. 排便の4分の1超の頻度で、残便感を感じる
   d. 排便の4分の1超の頻度で、直腸肛門の閉塞感や排便困難感がある
   e. 排便の4分の1超の頻度で、用手的な排便介助が必要である（摘便・会陰部圧迫など）
   f. 自発的な排便回数が、週に3回未満である
2. 「慢性」の診断基準
   6か月以上前から症状があり、最近3か月間は上記の基準を満たしていること

(Lacy BE, et al：Gastroenterology 2016：150：1393-1407を参考に作成)

※器質的な閉塞を除外することが重要である。
日本消化器病学会関連研究会, 慢性便秘の診断・治療研究会編：慢性便秘症診療ガイドライン2017. 南江堂, 東京, 2017：6. より引用

---

診療ガイドライン2017』では慢性便秘症の診断基準として「下剤を使用しないときに軟便になることは稀である」といった条件は削除されている（表1）。また、大腸がんや直腸瘤などの器質的な異常で便秘になることも念頭において診断する必要がある。

器質的閉塞では、大腸閉塞スコア（Colorectal Obstruction Scoring System：CROSS）で評価を行う。これは、摂食状況と腹部症状から点数化して評価する指標である。継続的な腸管減圧を必要とする、または経口摂取不能（スコア0〜1）の場合は狭窄解除の必要があり、早急なマネジメントを要する。また、閉塞性大腸がんの進行度は高く、肉眼型ではType 2病変で深達度はT3（SS）以深であることが多い。器質的閉塞の原因検索、生検組織による大腸がんの確定診断では大腸内視鏡検査を施行するが、前処置として使用する下剤・腸管洗浄剤の服用により腸管内圧が急激に上昇し、腸閉塞、腸管穿孔、敗血症が惹起されるリスクがある。通過障害の有無を評価し検査方法に対する患者の理解度を確認したうえで、適応と前処置の方法を慎重に判断する。前処置においてリスクがある場合は、低残渣食と浣腸を併用し入院で慎重に行うなど、注意深い観察の下で行う。

## 便秘を引き起こす疾患

便秘を引き起こす疾患は、「機能性便秘」「二次性便秘」に分類して考えるとわかりやすい。

### 1. 機能性便秘

便意を感じていないときは直腸に糞便はなく、左半結腸に大蠕動が生じて一気に直腸へ糞便が移動すると、直腸の伸展刺激が大脳皮質に伝わって便意となる。直腸壁の伸展は、外肛門括約筋の反射的収縮と内肛門括約筋の反射的弛緩という複雑な神経活動を経て、便内容を識別してトイレに至るまでの便保持（外肛門括約筋と恥骨直腸筋の随意収縮）を経て排便に至る（排便姿勢と怒責による外肛門括約筋と恥骨直腸筋の弛緩）（図2）。この機能のどこかが障害を受けた状況が機能性便秘であり、直腸知覚低下と機能性便排出障害に大別される。大腸通過時間が遅延している場合は消化管運動が低下している可能性を考慮し、大腸通過時間が正常な場合は精神的なストレスと関連している可能性を念頭において、診療にあたる必要がある。

#### ①直腸知覚低下

直腸に糞便があっても便意を感じない病態であ

## 図2　排便のメカニズム

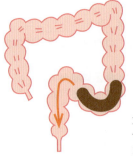

大蠕動によって口側腸管の糞便が直腸に移送され、直腸壁が伸展され便意が生じる

トイレに到着するまで、外肛門括約筋・恥骨直腸筋の随意収縮による便保持

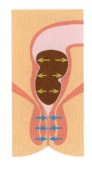

外肛門括約筋の反射的収縮

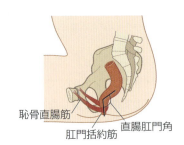

恥骨直腸筋
肛門括約筋
直腸肛門角

トイレ到着後、排便姿勢をとって怒責することで外肛門括約筋・恥骨直腸筋が弛緩し排便に至る（排便しやすい姿勢：前かがみになり、足元台を置いて足がつくようにするか、足先を床につけて踵を少し上げる）

内肛門括約筋の反射的弛緩と内容の識別

排便姿勢

直腸肛門角

り、直腸知覚低下や直腸コンプライアンス上昇が原因として挙げられる。直腸内の宿便が原因で漏出性の便失禁を生じることがあり、特徴的である。疾患としては、脊椎障害、小児の遺糞症、巨大直腸症が挙げられるが、加齢によって直腸の知覚が低下した高齢者も考慮する。

### ②機能性便排出障害

前述のとおり、排便のメカニズムでの直腸壁の伸展は、外肛門括約筋の反射的収縮と内肛門括約筋の反射的弛緩につながる複雑な神経活動が行われている。排便時の怒責と骨盤底筋群の協調運動が有効に行われず便排出障害に至っている場合は「排便協調障害」と呼ばれ、疾患として、大腸腫瘍（直腸がんなど）による閉塞や裂肛、痔核、炎症性腸疾患、直腸脱、直腸瘤、骨盤臓器脱を考える必要がある（表2）。

## 2．二次性便秘症

基礎疾患などの原因疾患に伴うものと薬剤性のものに大別して考えるが、原因疾患の治療薬として原因薬剤が用いられていることも多いため、双方から原因を検索する必要がある。

### ①基礎疾患（表2）

内分泌代謝疾患では、有病率の高い糖尿病を筆頭に甲状腺機能低下症（甲状腺ホルモンと腸管運動能の関係性）を考慮し、強皮症を代表とする膠原病、うつ病、心気症の精神疾患で頻度が高いことを認識する必要がある。

糖尿病患者では脂質異常症や高血圧症を合併していることが多く、高脂肪食が便秘を引き起こすとの報告もあり[2]、食事指導が重要になってくる。高血圧症の合併からカルシウム拮抗薬を処方されていることがあり、平滑筋運動抑制が起こらないよう他剤への変更を検討する。糖尿病にも関連する透析患者においても便秘の有病率は高く、その原因としてカリウム・水分摂取量の制限による腸管内水分量の減少や、リン吸着薬の内服などが考えられる。また、高マグネシウム血症のリスクから酸化マグネシウム製剤が十分量使用できず、治療に難渋することがある。

甲状腺機能低下症に伴う便秘では、重篤なホルモン欠乏からイレウスや中毒性巨大結腸症を発症することがあるため、臨床上で迅速な対応が必要な場合があることに注意する。

パーキンソン病では大腸通過時間の障害から便秘に至るが、これは振戦や無動などの運動症状が発現する前から認めることが多い。α-シヌクレインというタンパク質が消化管に蓄積し、それが中枢に進展することで発症するといわれており[3]、便秘を有する人のパーキンソン病発症リスクは6.5倍と高いことが報告されている[4]。いったん便秘を認めると麻痺性イレウスや誤嚥性肺炎を引き起こし、重篤な状況になる可能性があるため、普段より内服薬とリハビリテーションによる排便コントロールが重要である。

小児の便秘では、発症時期や食事摂取内容、成長曲線の確認など、成人と異なる診察が必要になってくるが、やはり器質的疾患の診察は重要であるため、乳幼児期より発症する外科的疾患であるヒルシュプルング病なども念頭において診察にあたる必要がある（詳しくは『小児慢性機能性便秘

表2　便秘症をきたす基礎疾患

| | |
|---|---|
| 機能性便排出障害 | 大腸腫瘍（直腸がんなど）による閉塞、裂肛、痔核、炎症性腸疾患、直腸脱、直腸瘤、骨盤臓器脱 |
| 内分泌・代謝疾患 | 糖尿病、甲状腺機能低下症、慢性腎不全 |
| 神経疾患 | 脊髄損傷、脳血管疾患、多発性硬化症、パーキンソン病、ヒルシュプルング病、二分脊椎、精神発達遅延 |
| 膠原病 | 全身性硬化症（強皮症）、皮膚筋炎 |
| 変性疾患 | アミロイドーシス |
| 精神疾患 | うつ病、心気症 |

日本消化器病学会関連研究会，慢性便秘の診断・治療研究会編：慢性便秘症診療ガイドライン2017．南江堂，東京，2017：29．より改変

## 表3　便秘症を起こす薬剤

| 薬剤種 | 薬品名 | 薬理作用、特性 |
|---|---|---|
| 抗コリン薬 | ・アトロピン、スコポラミン<br>・抗コリン作用をもつ薬剤（抗うつ薬や一部の抗精神病薬、抗パーキンソン病薬、ベンゾジアゼピン、第一世代の抗ヒスタミン薬など） | ・消化管運動の緊張や蠕動運動、腸液分泌の抑制作用 |
| 向精神薬 | ・抗精神病薬<br>・抗うつ薬（三環系、四環系抗うつ薬、選択的セロトニン再取り込み阻害薬、セロトニン・ノルアドレナリン再取り込み阻害薬、ノルアドレナリン作動性・特異的セロトニン作動性抗うつ薬） | ・抗コリン作用<br>・四環系よりも三環系抗うつ薬で便秘を引き起こしやすい |
| 抗パーキンソン病薬 | ・ドパミン補充薬、ドパミン受容体作動薬<br>・抗コリン薬 | ・中枢神経系のドパミン活性の増加やAch活性の低下作用<br>・抗コリン作用 |
| オピオイド | ・モルヒネ、オキシコドン、コデイン、フェンタニル | ・消化管臓器からの消化酵素の分泌抑制作用<br>・蠕動運動抑制作用<br>・セロトニンの遊離促進作用 |
| 化学療法薬 | ・植物アルカロイド（ビンクリスチン、ビンデシン）<br>・タキサン系（パクリタキセル） | ・末梢神経障害や自律神経障害<br>・薬剤の影響とは異なり、がん治療に伴う精神的ストレス、摂取量の減少、運動量の低下なども関与 |
| 循環器作用薬 | ・カルシウム拮抗薬<br>・抗不整脈薬<br>・血管拡張薬 | ・カルシウムの細胞内流入の抑制で腸管平滑筋が弛緩する |
| 利尿薬 | ・抗アルドステロン薬<br>・ループ利尿薬 | ・電解質異常に伴う腸管運動能の低下作用<br>・体内の水分排出促進作用 |
| 制酸薬 | ・アルミニウム含有薬（水酸化アルミニウムゲルやスクラルファート） | ・消化管運動抑制作用 |
| 鉄剤 | ・フマル酸第一鉄 | ・収れん作用で蠕動の抑制作用 |
| 吸着薬、陰イオン交換樹脂 | ・沈降炭酸カルシウム<br>・セベラマー塩酸塩<br>・ポリスチレンスルホン酸カルシウム<br>・ポリスチレンスルホン酸ナトリウム | ・排出遅延で薬剤が腸管内に蓄積し、二次的な蠕動運動阻害作用 |
| 制吐薬 | ・グラニセトロン、オンダンセトロン、ラモセトロン | ・5-HT$_3$拮抗作用 |
| 止痢薬 | ・ロペラミド | ・末梢性オピオイド受容体刺激作用 |

日本消化器病学会関連研究会,慢性便秘の診断・治療研究会編：慢性便秘症診療ガイドライン2017,南江堂,東京,2017：33,より引用

症診療ガイドライン』、診断と治療社、2013を参照)。

#### ②薬剤性

薬剤性便秘を引き起こす薬剤を**表3**に示す。原因となる薬剤は多数存在することから、詳細に確認する必要がある。特に、抗コリン薬、抗パーキンソン病薬、オピオイド、抗精神病薬の投与症例では便秘症を経験することが多いため、投与開始時から注意する必要がある。抗がん剤では、ビンカアルカロイド、タキサンなどで末梢神経障害や自律神経障害から便秘を発症することがある。分子標的治療薬のプロテアソーム阻害薬でも、消化管毒性から自律神経障害に至り便秘になることが知られている。

便秘を引き起こす薬剤は、前述した基礎疾患の治療薬として使われていることも多いため、診断には双方から原因を検索することが重要である。

便秘症の治療にあたっては、原因薬剤の中止が原疾患の悪化に影響するかどうかも考慮して治療方針を決める必要がある。循環器作用薬のカルシウム拮抗薬や抗コリン薬、認知症治療薬のN-メチル-D-アスパラギン酸受容体拮抗薬、利尿薬(フロセミド)や透析に用いるリン吸着薬などは、原疾患の治療とともに薬剤性便秘に注意する必要がある。

## まとめ

便秘がみられる疾患の診療は有病率が高いことから、診断の機会も多い。原因も多岐にわたり単一の原因ではないことが多いため、継続的な診療・治療が必要であるが、自施設での診療・治療の継続が困難な場合は適切な専門医に紹介することも重要である。

便秘症と心理的異常は相関性があるとされる報告があり[5-7]、便秘症ではQOLが低下することも報告されている[8]。これらを考慮すると、さまざまな生活環境の変化が重なって便秘症が発症し、

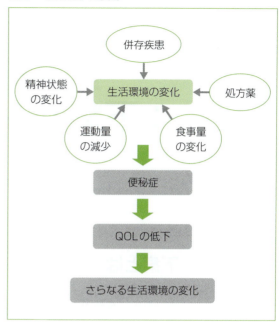

図3　便秘症の原因

便秘症がQOLを低下させ、さらなる生活環境の変化を余儀なくされ悪循環に陥るケースも少なくない。心理的・社会的なこととして女子高校生の便秘発生率が高いことは、臨床的な特徴として覚えておくとよい。ただ「便秘症」と診断するのではなく、適切に治療介入することの重要性を認識していただきたい(**図3**)。

引用文献
1. 日本消化器病学会関連研究会, 慢性便秘の診断・治療研究会編：慢性便秘症診療ガイドライン2017. 南江堂, 東京, 2017.
2. Mukai R, Handa O, Naito Y, et al：High-fat diet causes constipation in mice via decreasing colonic mucus. Dig Dis Sci 2020；65(8)：2246-2253.
3. Svensson E, Horváth-Puhó E, Thomsen RW, et al：Vagotomy and subsequent risk of Parkinson's disease. Ann Neurol 2015；78(4)：522-529.
4. Choung RS, Rey E, Locke GR 3rd, et al：Chronic constipation and co-morbidities: A prospective population-based nested case-control study. United European Gastroenterol J 2016；4(1)：142-151.
5. Chan AO, Cheng C, Hui WM, et al：Differing coping mechanisms, stress level and anorectal physiology in patients with functional constipation. World J Gastroenterol 2005；11(34)：5362-5366.
6. Emmanuel AV, Mason HJ, Kamm MA：Relationship between psychological state and level of activity of extrinsic gut innervation in patients with a functional gut disorder. Gut 2001；49(2)：209-213.
7. Mason HJ, Serrano-Ikkos E, Kamm MA：Psychological morbidity in women with idiopathic constipation. Am J Gastroenterol 2000；95(10)：2852-2857.
8. Belsey J, Greenfield S, Candy D, et al：Systematic review：impact of constipation on quality of life in adults and children. Aliment Pharmacol Ther 2010；31(9)：938-949.

[ 排泄の病態・生理、症状 ]

排便機能障害

# 排便機能障害：下痢がみられる疾患

西澤祐吏

## 下痢とは

　下痢とは、何らかの原因で糞便中の水分量が増えて水様便となった状態をいう。前項「排便機能障害の症状」に臨床的な下痢の分類が示されているので参考にしてほしい（p.75、表2）。

　脱水症状などで早急な対応が必要な場合があることや、悪性腫瘍などの器質的疾患が背景にあることなどを念頭において、慢性下痢症と急性下痢症の分類をすることが重要である。下痢はその持続期間が2週間以内であれば急性下痢、2週間を超えると遷延性下痢、4週間を超えると慢性下痢と定義される。

## 急性下痢症

　一般的には、急性下痢症の90％以上は感染症＊が原因である。便培養は陽性率が高くないため必須の検査とはならず、脱水補正などの対症療法で改善することが多い。海外渡航歴がある場合や症状が遷延する場合は感染源を同定する必要がある。

## 慢性下痢症

　原因は多岐にわたっているため、発症年齢や病歴、身体所見、便性状などをまず参考にして、追加で内視鏡検査等の必要な検査を行い、的確な診断と治療に結びつけることが重要である（表1）。

### 1．炎症性腸疾患（inflammatory bowel disease: IBD）

　広義には慢性炎症性腸管障害の総称であるが、狭義には潰瘍性大腸炎とクローン病のことである。10～20歳代の若年者を中心に発症するが中年以降の発症も増加しているため、慢性下痢症の患者では常に念頭においておく必要がある。潰瘍性大腸炎は粘血便や血性下痢の症状が多く、クローン病は下痢と腹痛が中心で、発熱や体重減少、痔瘻を伴い、臨床像が異なっている。内視鏡検査から確定診断に至ることが多い。

### 2．薬剤性下痢症（表2）

　臨床上では炎症性腸疾患等と類似していることや、発症のメカニズムがすべて解明されていない

---

＊抗菌薬使用歴が直近である場合は Clostridium difficile（CD）感染症を鑑別に挙げる必要があり、CDトキシン検査で陽性の場合は（抗原検査の感度は90％を超えるが、迅速キットの感度は50％程度である）、CD感染症の治療を開始する。高齢者や他疾患を合併している症例では再発しやすく、難治性であることから迅速な診断と治療が重要である。
　トピックとしては便移植療法が難治性のCD感染症に対して高い治療効果を示している報告があり、米国のCD感染症治療ガイドラインでは推奨治療として追加されている。

#### 表1 慢性下痢症の原因疾患

1. 慢性炎症性腸管障害
   - 炎症性腸疾患（inflammatory bowel disease：IBD）
   - 炎症性潰瘍性大腸炎
   - クローン病
   - 広義の慢性炎症性疾患
   - 好酸球性胃腸症
   - 腸管ベーチェット病
   - 放射線性腸炎
   - microscopic colitis
   - 感染性腸炎
2. 薬剤性
3. 内分泌疾患
   - 甲状腺機能亢進症、副甲状腺機能低下症、副腎不全、糖尿病、VIPoma、ガストリノーマなど
4. 大腸腫瘍
   - 大腸がん、大腸絨毛腺腫、悪性リンパ腫
5. その他
   - 膠原病、肝硬変、アミロイドーシス、血管炎、胆汁性下痢、アルコールなど
6. 吸収不良症候群
   - 慢性膵炎、膵切除後、胃切除後、乳糖不耐症、small intestinal bacterial overgrowth（小腸内細菌異常増殖）
7. 機能性疾患
   - 過敏性腸症候群、短腸症候群

ことから、診断が難しい。また、むだな投薬や長期間の投薬をただ継続することは避ける必要がある。

これらの薬剤は基礎疾患治療薬として使われていることも多いため、診断の際は双方から原因を検索し、治療にあたっては原因薬剤の中止が原疾患の悪化につながるかどうかも考慮した治療計画が重要である。プロトンポンプ阻害薬、非ステロイド抗炎症薬（NSAIDs）、選択的セロトニン再取り込み阻害薬（SSRI）では、薬剤性腸炎を起こして下痢となることがある。大腸内視鏡検査の生検で膠原線維帯の肥厚から診断することができるが、原因薬剤の中止でほとんど改善する。免疫チェックポイント阻害薬（immune checkpoint inhibitor：ICI）関連腸炎から下痢を発症することは、トピックとして覚えておく（表2）。

### 3．内分泌疾患

甲状腺機能亢進症では、甲状腺ホルモンが過剰となることで腸蠕動の亢進が起こり下痢をきたす。この疾患の臨床像である頻脈、動悸、体重減少、眼球突出と女性に多いことなどを把握する必要がある。副甲状腺機能低下症では、低カルシウム血症による脂肪便から下痢をきたす。

糖尿病では、便秘の病態が特徴である反面、自律神経障害から小腸通過時間が短縮すれば下痢になることも覚えておく必要がある。

### 4．大腸がん（大腸腫瘍）

近年、大腸がんは増加しているため、腫瘍による器質的な異常は念頭におく必要がある。器質的な狭窄は便秘を想定することが多いが、腫瘍の進行とともに狭窄を伴うようになり、腸管機能の低下などから慢性の下痢を認めることがあるため、CTや大腸内視鏡検査で適切に診断することが重要である。

### 5．膠原病

全身性エリテマトーデスでは、血管炎に基づくループス腸炎とタンパク漏出性胃腸症をきたすことがある。膠原病に伴う下痢では、原疾患による消化器症状とその治療薬による薬剤性下痢があるため、双方から診断することが重要である。

### 6．過敏性腸症候群（irritable bowel disease: IBS）

自律神経の失調に基づく腸管の神経障害により消化器症状が発症する。腹痛と便通異常を慢性的に生じており、便秘と下痢の双方を認めることが多い。臨床像としては、発症と増悪にストレスが関与すること、青壮年期の発症が多いこと、夜間便や血便を伴わないこと、男性で下痢型、女性で便秘型が多いことを覚えておく必要がある。問診で診断をつける疾患であるが、器質的な疾患の除外は重要であり、大腸内視鏡検査等で適切に診察を進めていく。

### 表2　薬剤性下痢症に関連する薬剤

| | |
|---|---|
| オルメサルタン | ・アンジオテンシンⅡ受容体拮抗薬（ARB）<br>・重度の下痢が起こる<br>・十二指腸、小腸の絨毛萎縮を主体とした吸収不良症候群 |
| プロトンポンプ阻害薬 | ・NSAIDs、アスピリン、アカルボースなどが関与 |
| 抗悪性腫瘍薬 | ・イリノテカンは下痢の副作用が多い<br>・UGT1A1の遺伝子多型と毒性に関連がある<br>・フルオロウラシルはホリナート、レボホリナートと併用することで抗腫瘍効果と副作用が増強する<br>・メルファランや分子標的薬であるボルテゾミブ、エルロチニブ、ゲフィチニブなどでも発症する |
| コルヒチン | ・痛風発作の寛解および予防で使用 |
| ミソプロストール | ・NSAIDsの長期投与時にみられる胃十二指腸潰瘍に適応がある |
| 選択的セロトニン再取り込み阻害薬（SSRI）、セロトニン・ノルアドレナリン再取り込み阻害薬（SNRI） | ・うつ病、うつ状態の第一選択薬 |
| 山梔子（さんしし） | ・山梔子を含む漢方薬（加味逍遥散、黄連解毒湯、辛夷清肺湯、茵蔯蒿湯など） |
| マクロライド系抗菌薬 | ・消化管蠕動ホルモンであるモチリンのアゴニストとして下痢を生じる |
| 認知症治療薬 | ・アセチルコリンエステラーゼ阻害薬 |
| 免疫チェックポイント阻害薬（ICI） | ・免疫チェックポイント阻害薬（ICI）関連腸炎<br>・腸炎は、免疫関連有害事象（immune related ocverse event：irAE）のなかでも抗CTLA-4抗体によるものの頻度が高い<br>・ICIどうしの併用や他の抗悪性腫瘍薬（殺細胞性抗がん剤、分子標的治療薬）で頻度や病態が変化する |

## まとめ

　下痢がみられる疾患の診療では、便秘に比べると急性なことが多く、訴えも強いため、診断の機会が早いことが多い。しかし、原因は多岐にわたり単一ではないことも多いため、継続的な診察・治療が必要である。また、IBSのように下痢と便秘を繰り返す病態でストレスと関与する疾患もあるため、適切な治療介入が重要である。

[ 排泄の病態・生理、症状 ]

排便機能障害

# 排便機能障害：便失禁がみられる疾患

西澤祐吏

## 便失禁を理解する

便失禁を理解するうえで、直腸から肛門にかけた解剖と正常生理を把握することは重要である（図1〜2）。

便禁制・便排出には、直腸の内輪筋より連続する内肛門括約筋、直腸の外縦筋より連続する連合縦走筋、内・外肛門括約筋からなる肛門管を骨盤部につり上げて固定する肛門挙筋、肛門挙筋から連続して肛門管の外側を形成する外肛門括約筋等が関与している。内肛門括約筋と連合縦走筋は直

### 図1　排便の解剖：排便に関係する筋肉

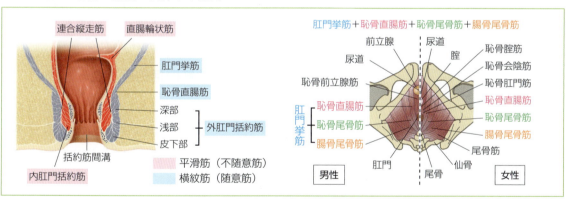

### 図2　便の禁制（continence）：肛門の持続的閉鎖

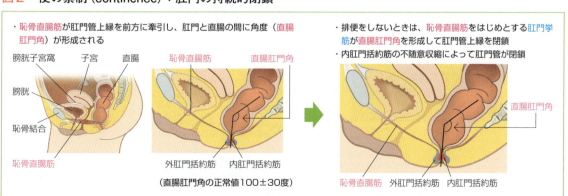

腸から連続している自律神経支配の不随意筋である。外肛門括約筋と肛門挙筋は随意筋であり、正常な場合は自分の意思でコントロールすることができる。便が肛門管近傍に下りてきた状況では、外肛門括約筋は自分の意思で収縮して便の保持が行われる。排便の状況下では内・外肛門括約筋と恥骨直腸筋が反射的に弛緩し、いわゆる直腸肛門角が鈍化することで直腸が直線化して排便が無意識のうちに行われる。

便失禁は、この排便過程のどこかが障害されて起こるが、無意識または自分の意思に反して肛門から便が漏れることで社会生活が困難になっているかどうかを、問診で把握する必要がある。

が、積極的な外科治療を考えるうえでは肛門管超音波検査や骨盤MRI検査による肛門括約筋の評価が重要になってくる。新たな治療法である仙骨神経刺激療法（sacral neuromodulation：SNM）を考慮するうえでも重要な検査となることを念頭におく。便失禁はQOLを著しく損なう状態であることから、難治症例ではストーマ造設を提案していくことも重要である（図4）。ストーマの一般的なイメージはネガティブなことが大半であるが、オストメイトのQOLは必ずしも低くないことは、医療者が便失禁診療において患者に的確に伝えなければならない。

## 便失禁の診療

初期診療では、問診等による臨床的初期評価をしっかりと行い、その次に大腸がんなどの器質的疾患を鑑別する必要がある。治療初期は保存的療法を多くの場合で実施する。

最近では、便失禁診療という概念が普及してきたものの、まだないがしろにされることも多いため、啓発を図り専門医を増やして、診療や医療連携ができる機会をつくっていく必要がある（図3）。

病態や疾患の把握には専門的検査が必要になる

## 便失禁がみられる疾患

### 1．肛門括約筋機能低下

加齢によって起こるため、65歳以上の便失禁有病率が男性で8.7％、女性で6.6％と高いのも、肛門括約筋の機能低下によるためである。特発性便失禁として診断・治療にあたる。

### 2．外傷性肛門括約筋不全

外的な損傷で肛門括約筋の働きが悪くなった状態であり、断裂の有無を専門的検査（図4）で診

図3　便失禁に対する初期診療

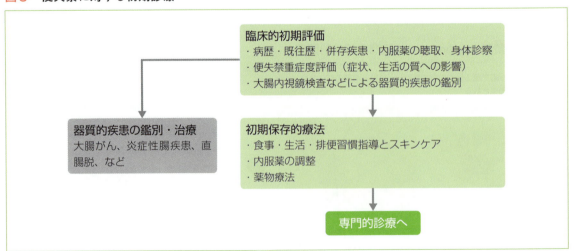

図4　便失禁に対する外科治療

断する必要がある。

　分娩外傷は頻度が高く、第3・4度会陰裂傷の際に発症する。長期間の経過後に発症することもあるため、便失禁診療の際に分娩の問診も重要である。その他、痔核、痔瘻、裂肛などの肛門手術、肛門外傷でも発症することがある。直腸がん術後も含まれるが特殊な病態であるため、後の項で詳細に述べる。

## 3．神経原性肛門括約筋不全

　脊髄損傷、脊髄腫瘍、二分脊椎、髄膜瘤などの脊髄神経の障害による便失禁がある。保険収載されている治療法である逆行性洗腸のよい適応であることを知っておく必要がある。また、自律神経障害でも便失禁が発症する。糖尿病によるものや、直腸がん術後の骨盤神経叢の損傷がこれに含まれる。なお、糖尿病は便秘、下痢、便失禁とすべての排便機能障害の可能性があることを念頭におく必要がある。直腸がん術後については後述する。前項（2．外傷性肛門括約筋不全）で分娩外傷について説明したが、分娩が遷延した際に陰部神経が障害を受けて便失禁の原因となることもある。分娩に関与する便失禁では、外傷性肛門括約筋不全と神経原性肛門括約筋不全の双方を念頭におく。

## 4．先天性直腸肛門疾患

　ヒルシュプルング病や鎖肛など、小児外科疾患が挙げられる。術後において、便失禁を中心とした排便機能障害を認める。専門医にかかっているケースがほとんどであるが、小児外科領域でも、近年はこれらの便失禁に対するリハビリテーションを積極的に導入する傾向にある。

## 5．後天性直腸肛門疾患

　直腸脱、直腸瘤、直腸重積、直腸腫瘍（進行直腸がん）等が挙げられる。器質的な疾患であることから、初期診療において鑑別診断に挙げる必要がある。

## 6．直腸がん肛門温存手術後

　2017年に刊行された『便失禁診療ガイドライン』にエビデンスのある治療法として掲載された仙骨神経刺激療法（SNM）が保険収載されたことを発端に、2020年度の診療報酬改定で、肛門吻合を伴う切除術として究極の直腸がん肛門温存手術である内外括約筋間直腸切除術（intersphincteric resection：ISR、図5）が保険収載された。ISRでは自身の肛門は温存されるが、便失禁を代表とする排便機能障害を認めることが報告されている。便失禁に対する治療体系が整備されてきた現在において、便失禁は日常診療で取り扱うべき病態となってきた。

### ①直腸がん手術後の排便機能障害への対応

　大腸がんは罹患数の最も多い疾患であり、直腸がん単独でも6位に位置しているが[1]、5年生存率は7割を超えており、比較的根治が得られる疾患である[2]。

　直腸がんの手術手技は、腹腔鏡下手術、ロボット支援下手術、経肛門的直腸間膜切除術（transanal total mesorectal excision：TaTME）など、クオリティが向上し進化してきたといえるが、術後の

### 図5　直腸がんに対する肛門温存手術

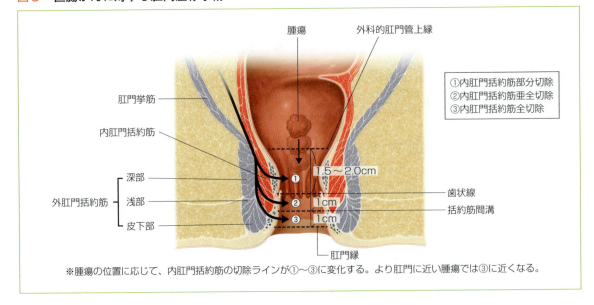

※腫瘍の位置に応じて、内肛門括約筋の切除ラインが①〜③に変化する。より肛門に近い腫瘍では③に近くなる。

機能障害がある一定の割合で生じることは変わっていない。

　直腸がんに伴うストーマ造設の状況は、ISRなどの肛門温存手術の進歩により変わってきている。しかしその一方で、低位前方切除後症候群（low anterior resection syndrome：LARS）は直腸がんの肛門温存手術後に高率に認める排便機能障害で、QOLの低下につながることから積極的に介入すべき病態であることが認識されるようになってきた。また、肛門温存手術において、吻合部の縫合不全は最も危惧する術後合併症の一つであり、これを予防するために一時的ストーマを造設することも多い。肛門温存率が高くなり、一時的ストーマの造設件数も増加している。術後のストーマ関連合併症ではストーマ周囲皮膚障害が最も多く、かゆみや痛みを伴うためQOLの低下につながる。外科技術の進歩が肛門温存率の増加につながった意義は大きいが、直腸がん術後の多様なQOL向上に向けた取り組みが重要である。

　直腸がん手術においては、多職種チームにて術前から、ストーマや術後の排便機能障害、術後のQOLなどについて患者と情報共有を行い、治療方針の決定には患者も参加する必要がある。

　前述のとおり、ISRが2020年度の診療報酬改定で保険収載されたことにより、肛門温存手術が今後も増加すると考えられるが、排便機能障害に対するバイオフィードバックのようなリハビリテーションや、QOLにかかわるケアについて、チーム医療で実施することが大切である。

　直腸がん術後の便失禁においては、術前後のQOLの差が激しく、この病態の治療については、患者のニーズが大きいことも医療者が認識する必要がある。直腸がんは根治したとしても、LARSや便失禁は半永久的に継続していく病態であるため、術後合併症の一つとして外来診療で継続的な診察・治療を行う必要がある。

### ②直腸がん手術後の排便機能障害の臨床的特徴

　直腸がん手術後の排便機能障害ではさまざまな臨床的特徴がある。表1は、ISR術後5年の排便機能障害の臨床像である。主に、切迫性や分割便、便失禁に関する項目と、便排出困難に関するものに二分できるが、実際の臨床像はこれらの項目の程度が患者ごとに異なることから、症例ごとに臨床像を把握する必要があり、時間のない外来診療では難しいことが多い。臨床上利用しやすい評価指標を使用して、医師だけでなくチーム医療で取り組める体制を構築することが有用である。カル

表1 直腸がんに対する肛門温存手術（ISR）後の排便障害の状況

| 1日の排便回数 | 4±3.5回 |
|---|---|
| 切迫感 | 32% |
| 便・ガス識別困難 | 18% |
| 分割便 | 51% |
| 便排出困難 | 25% |
| 日中の便失禁 | 30% |
| 夜間の便失禁 | 26% |
| ガス失禁 | 55% |
| パッドの使用 | 55% |

Saito N, Ito M, Kobayashi A, et al：Long-term outcomes after intersphincteric resection for low-lying rectal cancer. Ann Surg Oncol 2014；21(11)：3608-3615.より改変

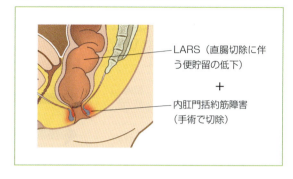

図6 内外括約筋間直腸切除術（ISR）後の状態

テに簡易に打ち込めるシステムなどを構築して、多職種で情報を視覚的に共有できることが、症例ごとの臨床像を把握して、治療を計画し、その経過を評価していくうえで重要である。

### ③LARSの病態

手術に伴う支配神経の損傷に伴う括約筋障害、切迫性に関与する腸管運動異常（腸蠕動亢進）や便・ガス識別能の低下、排便時の肛門管の短縮に関与する尾骨直腸筋や連合縦走筋の手術操作に伴う障害、頻回便や分割便にかかわる直腸切除に伴う再建直腸の便貯留能の低下などが原因と考えられている。

またISRでは、内肛門括約筋を切除して低位前方切除よりもより低位で吻合を行うことから、通常のLARSに加えて肛門括約筋障害や便・ガス識別能の低下は著しく、排便機能障害の原因となっている（図6）。

### ④評価

LARSの評価は、LARS scoreで行われることが多い。この評価は5項目からなり、分割便や切迫性に重みづけがされており、「no」「minor」「major」の3段階で評価する。LARS scoreは日本語も含めた多くの言語で検証されているため、

臨床で使用しやすい。

便失禁の重症度評価では、便失禁症状とQOLの双方が評価に含まれるCCFIS（Cleveland Clinic Florida Fecal Incontinence Score、Wexner scoreとも呼ばれる）が臨床では使用しやすい。ISR術後の評価では、通常のLARSよりも便失禁の頻度が高いことから、分割便や切迫性を重視したLARS scoreとCCFISの双方を利用するのが有用である。

生理学的検査として直腸肛門内圧検査、直腸最大耐容量を計測する直腸肛門感覚検査、肛門管超音波検査、排便造影検査があり、診断に有用な場合がある。

### ⑤要因

LARSのリスクファクターとして術前放射線化学療法（chemo radiotherapy：CRT）があり、排便回数の増加など再建直腸の機能低下を招く。ISRにおいてもCRTは術後の有意な便失禁のリスクファクターである。また、より肛門管近傍の腫瘍で吻合部が低位の症例ではリスクが高くなる。

ISRに関しては、CRTと男性が最大のリスクファクターであるが[3]、術前の肛門内圧検査結果もふまえ[4]、術前から患者に情報提供することが特に重要である。

### ⑥QOLへの影響

LARS scoreで重視している分割便と切迫性に関しては、トイレやその近くで過ごす時間が増え

図7 術式決定に関する意思決定支援（shared decision making）

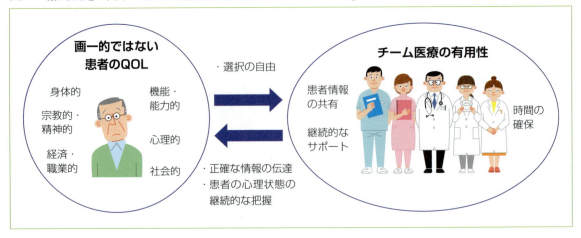

表2 LARS・排便機能障害に対する治療

| | 治療内容 | メリット |
| --- | --- | --- |
| 保存的治療 | 食事指導・生活指導 | 簡便に開始できる |
| | 肛門周囲皮膚ケア | 的確な指導でQOL改善 |
| | 内服薬処方 | エビデンスのある薬剤あり |
| リハビリテーション | 骨盤底筋訓練 | 簡便にできるリハビリテーション |
| | バイオフィードバック（図7） | 視覚的にできるリハビリテーション |
| 外科的治療 | 仙骨神経刺激療法（SNM、図8） | 4割程度に改善の可能性 |
| | ストーマ造設 | QOLは低くない |

ることから活動性が低下することがある。主にmajor LARSの患者ではQOLの低下が著しいため、重厚な治療が必要である[5]。

便失禁に関しても、パッドの使用や肛門周囲の皮膚炎等はQOLの低下につながる。また、便失禁・ガス失禁は症状だけでなく、においなどの心理的不安からQOLの低下につながる。

また、ストーマ造設に対するQOLに関する情報（ボディイメージは低下するが、うまくケアすることで高い活動性が維持できる生活になるなど）も含めて、排便機能障害のQOL（便失禁や頻回便でトイレから離れられないなど）とうまく付き合う生活スタイルについて情報共有し、術式などの治療方法を決定すること（意思決定支援：shared decision making）が重要である（図7）。

⑦治療

LARSの存在や程度を経時的に評価し、患者ごとのメリットを考えて治療にあたることが重要である（表2）。最初は食事・生活指導から始まり、食物繊維を含んだ健康補助食品の使用を考慮する。内服治療としてポリカルボフィル、ロペラミド、ラモセトロンはエビデンスがあり有用である。リハビリテーションとして骨盤底筋訓練、筋電図や肛門内圧計を用いたバイオフィードバックを行うことで効果的な場合もある（図8）。保存的治療は、これらの多岐にわたる内容を組み合わせて総合的・継続的に行うことで、効果から患者満足度が高くなる傾向にある。

保存的治療に抵抗性の場合は、エビデンスのある治療として仙骨神経刺激療法（SNM、図9）が

### 図8　バイオフィードバック

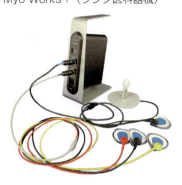

バイオフィードバックの医療機器
Myo Works＋（フジタ医科器械）

・骨盤底筋収縮訓練
・直腸感覚正常化訓練

### 図9　仙骨刺激療法（SNM）

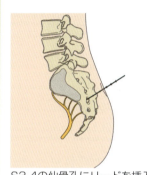

S3-4の仙骨孔にリードを挿入

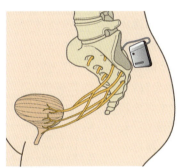

試験刺激の有効例では、刺激装置を皮下に挿入

Inter Stim® II 仙骨刺激システム（日本メドトロニック）

### 図9　ISR後の排便機能障害に対するSNM実施の結果

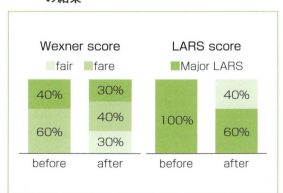

ある。ISR術後の排便機能障害に対してSNMを実施した結果、LARSスコアの改善を40％の患者で認めた（図10）。LARSや排便機能障害は半永久的に続くため[6]、2年以上継続する場合は永久ストーマの造設が推奨されている。永久ストーマ造設前の排便機能を改善する最後の外科治療として、SNMは可能性のある治療である。ストーマの生活は必ずしもQOLの低下とはならず、むしろ活動性の面からQOLが高くなる可能性を説明して、ストーマ造設を提案することも重要である。

#### ⑧便失禁に対するチーム医療の実際

　LARSの治療は外来診療で行うため、直腸がん術後の経過観察に加えて時間やマンパワーが必要である。また、術前のマネジメントは医師の診察だけでは時間が限られるため、手術準備外来を中

**図10 チーム医療で行う直腸がん手術に関する意思決定支援**

手術準備外来
- ストーマオリエンテーション
  ・教材や動画を用いたセルフケアのイメージを提供
- 周術期から術後生活の教育
- ストーマ合併症、排便機能障害
- リハビリテーション（骨盤底筋訓練、バイオフィードバック）

＋

チーム医療
- 肛門温存/永久的ストーマの術式について意思決定支援
- ストーマ造設に向けた支援
- ストーマセルフケアを確立する支援（せん妄、認知症評価、家族サポート）

---

心としたチーム医療で患者をサポートできるとよい。手術準備外来では、教材や動画を用いたストーマオリエンテーションや、周術期から術後の生活に関する情報提供などを行う。ストーマ関連合併症や排便機能障害についても説明し、その治療やリハビリテーションについても術前から説明する。また、せん妄や認知症に関する評価を行い、家族の適切なサポートが得られるようマネジメントも行う。このような取り組みは、肛門温存/永久的ストーマの術式についての意思決定支援にもつながる（図10）。

術前準備からの情報をチーム医療で共有することは、術後の患者QOLの向上に向けた介入にとっても重要であり、継続的な患者サポートにつながる。これらの取り組みは術後早期のストーマセルフケアの手技獲得につながり、術後のLARSへの理解につながり、入院期間の短縮に寄与する。チーム医療で包括医療制度（DPC）に配慮したクリニカルパスの作成を行い、退院前ストーマ診察の日程をパスのなかに組み込むなどの工夫することで、DPC期間Ⅱまでに退院する患者の割合が増加する。チーム医療で医療の質を向上させることは、経営改善にもつながる。

引用文献
1. Hori M, Matsuda T, Shibata A, et al：Cancer incidence and incidence rates in Japan in 2009: a study of 32 population-based cancer registries for the Monitoring of Cancer Incidence in Japan (MCIJ) project. Jpn J Clin Oncol 2015；45（9）：884-891.
2. Matsuda T, Ajiki W, Marugame T, et al：Population-based survival of cancer patients diagnosed between 1993 and 1999 in Japan: a chronological and international comparative study. Jpn J Clin Oncol 2011；41（1）：40-51.
3. Saito N, Ito M, Kobayashi A, et al：Long-term outcomes after intersphincteric resection for low-lying rectal cancer. Ann Surg Oncol 2014；21（11）：3608-3615.
4. Kitaguchi D, Nishizawa Y, Sasaki T, et al：Clinical benefit of high resolution anorectal manometry for the evaluation of anal function after intersphincteric resection. Colorectal Dis 2019；21（3）：335-341.
5. Juul T, Ahlberg M, Biondo S, et al：Low anterior resection syndrome and quality of life: an international multicenter study. Dis Colon Rectum 2014；57（5）：585-591.
6. Enomoto H, Nishizawa Y, Inamori K, et al：Sacral neuromodulation for the prevention of a permanent stoma in patients with severe defecation disorder following intersphincteric resection. Surg Today 2021；51（8）：1379-1386.

「排便機能障害がみられる疾患（便秘・下痢・便失禁）」の参考文献
1. 日本大腸肛門病学会：便失禁診療ガイドライン 2017年版. 南江堂, 東京, 2017.
2. 日本消化器病学会関連研究会, 慢性便秘の診断・治療研究会編：慢性便秘症診療ガイドライン2017. 南江堂, 東京, 2017.
3. 日本創傷・オストミー・失禁管理学会編：排泄ケアガイドブック. 照林社, 東京, 2017.
4. Saito N, Ito M, Kobayashi A, et al：Long-term outcomes after intersphincteric resection for low-lying rectal cancer. Ann Surg Oncol 2014；21（11）：3608-3615.
5. 西澤祐吏：直腸癌治療の温故知新 術後合併症 LARSと排便機能障害への対応. 日本外科学会雑誌 2021；122（4）：404-410.
6. 日本消化器病学会編：機能性消化管疾患診療ガイドライン2014. 南江堂, 東京, 2014.
7. 西澤祐吏：QOLの向上を目指した直腸癌手術とストーマケア. 日本創傷・オストミー・失禁管理学会雑誌 2021；25（3）：in press.
8. 前田耕太郎, 小出欣和, 勝野秀稔：便失禁の治療−診療ガイドラインの解説を含めて 便失禁診療ガイドライン作成の時代的背景と概要. 外科 2017；79（3）：207-211.
9. 味村俊樹：便失禁の治療−診療ガイドラインの解説を含めて 便失禁の定義と疫学. 外科 2017；79（3）：212-219, 2017.

Part 2

# 排尿機能障害への
# アプローチ

[ アセスメントとそのポイント ]

**問診の仕方と注意点**

# 問診の進め方
## ：目的・環境・内容

谷口珠実

## 排尿のアセスメント

　人が排尿する行為には、以下の一連の過程が含まれている。尿意を知覚し、適切な排尿場所に移動して、下着を脱ぎ、排尿する。排尿後は後始末をして、下着を着用し、生活の場に戻るまでのすべての過程である（図1）。そこで、**患者の全体像をアセスメントするためには、生活習慣や排泄状態を把握する必要がある。**

　アセスメントとは、患者のデータを収集し査定することによって、看護診断あるいは看護問題を導くことである。排尿ケアにおいては、患者が希望する状況を目標に掲げ、理想の状況が阻害される原因を査定することで、適切な看護計画を立案することができる。

　このため、排尿ケアを行うときには、①下部尿路症状の評価、②全身状態、③心理状態・社会状況・環境要因、のアセスメントを進める。

　実際の下部尿路症状を的確に診断するためのアセスメント項目を表1に示す[1]。問診や検査の詳細については後述する。下部尿路症状を引き起こす全身状態や認知機能、心理状態、社会状況、環境要因についての具体的なアセスメントの領域を表2に示す[1]。要介護者では、トイレの環境や家族介護者の状況が、在宅療養生活者の排尿に影響する。状況に応じたアセスメントの詳細は各項で解説する。

## 問診とは

　患者への問診は、失禁状態を正確にアセスメントする第一歩であり、今後の適切な対応を進める際に患者と協働して診断を確定する大事な導入部分である。これにより、患者が失禁に対してどのような認識をもっているか、また、どのようなセルフケアをしてきたのかを把握することができる[2]。

### 1．問診の環境の配慮

　**患者に問診を行う際は患者の羞恥心に配慮する。**病室では多床室でカーテン越しに同室患者に聞かれたくない内容もある。このため、個室やプライバシーが守られる環境を整え問診する。外来で問診を行う際にも、患者が安心できて話しやすい環境を整える。具体的には、スタッフの往来が少ない、落ち着いた静かな個別の診察室などである。

### 2．看護師が問診を行う意義

　排泄の問題は日々の生活と切り離すことができない。いったん排泄が自立した後、再び排泄に支障をきたすと人間としての尊厳を傷つけられるアクシデントに直面し、日々この対処に追われることになる。この対処に困窮すると、生活上の楽しみを控えることになったり、出席しなければならない場所に出かけられなかったりするなど、日常

## 図1 排泄行為の過程

尿意・便意を感じる → トイレまで移動する → トイレや便器が認識できる → 下着を下ろす → 便座にじょうずに座る → 排泄する → 後始末をする → 衣服を着ける → 手を洗う → 部屋に戻る

## 表1 局所アセスメント

| 大項目 | アセスメント項目 |
|---|---|
| 排尿状態 | 尿の性状（量、比重、pH、臭い、色）、1日の排尿回数、尿意の有無、尿勢、残尿感、排尿時痛、排尿困難、尿閉、排尿方法など |
| 排便状態 | 便の性状（形状、色、臭い）、便の回数・量、排便時間、便意の有無、排便時痛、排便方法など |
| 失禁に対する認識 | 尿意・便意の有無、トイレ・便器の認識の有無、尿失禁に対する状況のとらえ方、希望など |
| 排泄動作 | トイレへの移動動作、衣服着脱動作、便器の使用動作、排尿・排便動作、後始末動作 |
| 失禁状態 | ①いつどんな動作時に漏れるのか、どのくらい漏れるのか<br>・咳やくしゃみをしたとき、笑ったとき、激しい運動時など<br>・掃除や食事の支度をしているとき、いつのまにか、緊張したとき、がまんしたとき<br>・水の音を聞いたとき、冷たい水に触れたとき、トイレに行きたいと思った途端<br>・重い物を持ったとき、眠っているとき、生理の時期、心配事のあるとき<br>②1度に漏れる量と回数<br>③本当に漏れているのか、尿以外の漏れは認められるか<br>④漏れていると認識したとき、途中で止められるか |
| 自己管理状態 | ①失禁に対する自己対処方法：水分摂取の制限の有無、尿意を感じる前にトイレへ行く<br>②失禁用具の活用：おむつ、パッド類などの使用状況<br>③使用頻度：1日に何回交換しているのか、生活の場によってパッドの使い分けはできているかなど |
| 皮膚の清潔状態 | スキンケア、失禁後の陰部・殿部のケア |
| 排泄習慣 | 幼少時からの排泄習慣：便器の様式、種類、排泄時の体位、排泄に要する時間、回数など |

本田芳香：失禁患者のアセスメント．田中秀子、溝上祐子監修、失禁ケアガイダンス．日本看護協会出版会、東京、2007：181．より改変

## 表2 全身状態のアセスメント

| 領域 | アセスメント項目 |
|---|---|
| 属性 | 年齢、性別、家族構成、職業 |
| 健康習慣（健康行動） | 食習慣、運動習慣、睡眠・休息習慣、清潔習慣、着衣習慣 |
| 成長・発達状態 | 成長・発達段階の特徴 |
| 栄養 | 食欲、食事内容・時間・回数・方法（経口、経管栄養、輸液）、1日食事摂取量、必要栄養量、水分出納バランス、身長、体重（最近の体重の変化） |
| 活動・休息 | 1日の活動・休息パターン、睡眠パターン、日常生活動作の自立度・安静度、姿勢、体位と体位保持状況、病気・運動障害の状態 |
| 清潔 | 皮膚・粘膜・毛髪、口腔、陰部の状態、清潔行為の内容と頻度（入浴、更衣、洗髪、洗顔、歯磨き） |
| セクシュアリティ | 生理の状態（規則的、不規則など）、閉経年齢、妊娠・出産回数 |
| 感覚・知覚 | 感覚障害（視覚、臭覚、聴覚、味覚、触覚）、意識レベル、コミュニケーション、認知障害、見当識障害、疼痛 |
| 自己知覚・自己実現 | 自己概念、ボディイメージ、家族関係、職業、経済状態、社会活動 |
| 健康認識・健康管理 | 1）現病歴（入院までの経過）<br>・発症時期：生来のものか、成長期の発症、出産・手術などの契機<br>・現在までの対処方法：薬物療法、行動療法、手術療法など<br>2）既往歴<br>・脳・脊髄神経疾患（脳血管障害、パーキンソン病、二分脊椎症など）<br>・内科疾患（アレルギー症、糖尿病など）<br>・整形外科疾患（脊椎・脊髄疾患、手指・上肢の障害など）<br>・泌尿器科疾患（腎機能障害、膀胱脱、膀胱がん、尿路感染症など）<br>・産婦人科疾患（子宮脱、子宮筋腫、子宮がんなど、膀胱腟瘻など）<br>・精神科疾患（うつ病など）<br>3）薬歴<br>・α遮断薬、利尿薬、抗うつ薬、抗アレルギー薬などの利用状況<br>4）病気についての説明の理解、服薬の有無、健康信念 |
| 社会的役割・対人関係 | コミュニケーション能力、家庭における役割、職場における役割、社会活動における役割、家族や他者との関係、入院中の行動 |
| 生活環境 | トイレ環境（採光、換気、照明、色彩、手すり）、通勤距離、通勤方法、経済状態、社会資源など |
| 身体的環境 | トイレへの移動方法、移動距離、手指の巧緻性、衣服調整、トイレの椅子の高さ、居間・トイレの照明 |
| 社会的環境 | 介護者の有無、尿失禁に対する考え方、活用している社会資源 |
| 疾患の治療とそれに関連する尿禁制障害 | 合併症の病状と予後、薬剤に伴う尿禁制状態、疾患の状態に伴う尿禁制状態 |
| 服薬状況 | 服薬の有無、薬剤名と量、服薬管理の状態、服薬による副作用 |

本田芳香：失禁患者のアセスメント．田中秀子，溝上祐子監修，失禁ケアガイダンス．日本看護協会出版会，東京，2007：180．より改変

生活や社会生活、周囲の生活者との人間関係にも影響を及ぼすことが知られている[4]。しかし、直接生命が脅かされる神経因性膀胱による溢流性尿失禁以外の多様な治療が広がったのは近年であり、「年のせいだから仕方がない」とあきらめられてきた。

看護師が行う問診は、QOL（生活の質、生命の質）に大きく影響を及ぼす疾患であることをふまえて、正確な診断を導くための状態の把握のみならず、**失禁により生活に支障をきたしている影響とその困り具合を把握し、治療やケアにあたっての患者の希望や期待を含めて聴取することが必要**である。また、排泄の問題は、性生活への支障を伴っていることもあり、セクシュアリティの問題は誰に相談してよいか悩んでいる患者も少なくない。泌尿器科医は男性が多く、医師に相談できずにいる女性患者も多い。

看護師が問診することによって患者と看護師の信頼関係を築き、患者が気がねなく本音で希望を語ることで、患者のニーズを明確にし、ケアの目標を設定することができる。

## 3．問診時の看護師の役割

的確な問診を行うためには、以下の点に注意する。

- 排尿について正常と異常を判別する。
- 失禁のタイプとその特徴についての知識があり、ケアの方向性を判断する。
- 的確な診断を導くための検査や問診を、医師と協働して行う。
- 下部尿路症状に関連する危険因子の有無を確認する。
- 治療法やケア方法を熟知し、患者の希望に沿う治療やケアの展開を行う。
- ケアを行う自分の価値観や信念を押しつけず、相手の価値観や信念を容認したうえで尊重する。
- 患者を含めた来院者が抱える問題を整理し、患者のニーズを引き出す。
- 失禁に付随して起こる不安や心理・感情の状態、社会生活上の影響や制限を把握する。生活環境や活用できる社会資源、また、その活用状態を把握する。
- 患者が意欲的に治療に取り組めるように、患者の希望する望ましい姿のイメージを知る。

## ［下部尿路症状の問診の項目］

問診を円滑に進めるために、最初は質問票を用いて概要を把握し、必要に応じて詳細な問診を行う。**詳細な問診が必要な部分を把握するためには、下部尿路症状の特徴と原因を理解しておくことが不可欠**である。

失禁による生活への影響やセクシュアリティの問題などは、無意識のうちに避けてきたことでもある。これらは問診で突然尋ねられるよりも、問診票などで事前に尋ねたほうが回答しやすいものである。

問診の内容と質問項目を以下に示す。

### 1．的確な診断を導くための問診

#### 1）排尿の正常と異常の判断

- 排尿状況（1回排尿量、1日合計排尿量、日中（覚醒時）・夜間（就寝から起床まで）の排尿回数）。
- 尿意の有無、尿意切迫感の有無。
- 排尿時痛の有無、蓄尿時痛の有無。
- 尿勢、排尿姿勢（立位、座位、仰臥位）、排尿開始までの時間、排尿開始から終了までの時間、腹圧排尿の有無。

#### 2）下部尿路症状

- 下部尿路症状の発症時期、状況と症状（随伴症状、動作に付随した失禁の状況）。
- 失禁の頻度（毎日、1週間に2～3回、1か月に2～3回、年に数回）。
- 失禁の量（1回量、1日量）。
- パッドの使用状況（吸収量）、1日の使用枚数。

### 3）影響要因

- 身長と体重、BMI、体重の増減の変化。
- 飲水量、飲水時間、飲水内容（カフェイン摂取量など）。
- 排便状況（便秘、便失禁）。
- 理解力・認知機能。
- 性別に応じた項目。
  - ▶ 男性：前立腺肥大症やがんによる尿勢低下、排出困難の有無。
  - ▶ 女性：月経・分娩の有無、分娩回数と分娩方法、出生児体重、膀胱瘤・直腸瘤・子宮脱など腟から脱出する知覚、性器下垂感、月経周期との関係、閉経、ホルモン療法の経験。
- 既往歴。
  - ▶ 神経疾患、糖尿病、膠原病など神経症状を引き起こす全身疾患の罹患の有無。
  - ▶ 骨盤内、頭蓋内、脊椎の手術歴・治療の有無。脳腫瘍、パーキンソン病、多発性硬化症、頸椎症など神経因性膀胱の原因となる疾患。
  - ▶ 呼吸器疾患、骨盤や会陰部の外傷、前立腺疾患、子宮筋腫など。
- 薬剤の服用の有無と種類、服用状況。
  - ▶ 降圧薬、精神安定薬、糖尿病治療薬、抗アレルギー薬、前立腺治療薬、便秘薬、筋弛緩薬、利尿薬、カルシウム拮抗薬、交感神経刺激薬、その他。

### 4）下部尿路症状が起こる随伴症状と発症状況の把握

①腹圧性尿失禁に特徴的な症状（重症度も反映）

- 咳やくしゃみで漏れる。
- 走ったり跳んだりすると漏れる。
- 重い物を持つときに漏れる。
- 階段の昇降で漏れる。
- 椅子に座る、椅子から立ち上がる動作で漏れる。
- 歩いたり、家事をするだけで漏れる。

②過活動膀胱、切迫性尿失禁に特徴的な症状（強い尿意切迫感を伴う要因の有無）

- 急に尿意をもよおして、がまんしきれずに尿が漏れる。

③溢流性尿失禁が疑われる症状

- 排尿困難：尿がすっきり出ない、出せない。
- 残尿感がある。
- 排尿遅延、または排尿までに時間がかかる。

④手洗い尿失禁

- 水に触れる、水の音を聞くと尿が漏れる。

⑤症状だけでは不明確で、問診で詳細を尋ねる状況

- 就寝中に尿が漏れる。

一般的に、腹圧性尿失禁では臥床中は漏れない。しかし、高齢者では起居動作時に腹圧をかけて漏れていることや、起き上がり移動中に尿意切迫感を伴い漏れていることなども含めて「夜も漏れる」と訴えるため、詳しい状況を尋ねることが必要である。

## 2．問診時に機能障害性尿失禁の可能性を検討

以下のような状況がみられる場合は、生活・排泄動作の観察と生活環境の問診が必要な状況である。

- 日常生活動作が緩慢で、移動やトイレ移乗動作に通常より時間を要する。
- 日常の生活場所・寝室からトイレまで距離がある、同じ階にないなど。

また、診察室への出入りや診察台の昇降動作、診察時の衣類の着脱の様子、排尿動作の観察も合わせて評価する。

## 3．失禁に対する認識

失禁の認識や受け止め方は、性格や年齢によっても異なる。どのように症状をとらえ、ストレスに感じているか判断する。

## 4．失禁への対処方法

本人の価値観や信念、さまざまな生活体験のなかで失禁への対処を行っている。これらの対処方法には、失禁の治療に向かう問題解決的努力と、感情を落ち着けるための対処である情動的努力がある。治療に向かう努力と感情の安定を図る工夫、その両方がバランスよく行われると自尊感情を保ち治療に向かうことができる。

失禁を恐れて飲水を控える、走らない、動かない、出かけないなど、社会生活に影響を及ぼしていないか、また、失禁は少量なのに大きなおむつを着けている場合などは、失禁に非常に強い不安を感じて、とても神経質に気をもんでいることもある。

問診を通して、なぜそのような対処方法をとっているのかという患者の気持ちを把握すると同時に、情報を利用する能力や、失禁というストレスをじょうずに回避して快適な気分で過ごせているか把握する。これらの対処の経過を尋ねることによって、失禁を恐れるあまり外出を控えることで身体を動かすことが減り、体重が増加してますます漏れが増える、といった悪循環に気づくことがある。

医療的な立場からは、長期的にみて好ましい対処方法と好ましくない対処方法がある。これまでの対処方法を聞くことにより、その後の健康教育の必要性を判断する。

引用文献
1. 本田芳香：失禁患者のアセスメント．田中秀子，溝上祐子監修，失禁ケアガイダンス．日本看護協会出版会，東京，2007：175-185．
2. 谷口珠実：看護師が行う問診．田中秀子，溝上祐子監修，失禁ケアガイダンス．日本看護協会出版会，東京，2007：186-198．

[ アセスメントとそのポイント ]

**問診の仕方と注意点**

# 排尿日誌のつけ方と指導法

谷口珠実

## 排尿日誌とは

　排尿日誌とは、排尿時刻・排尿量、起床と就寝の時刻、尿失禁の有無を記入し、その時々の付加的な状態として、尿意の強さ（尿意切迫感）・（多尿であれば）飲水量・残尿量や残尿感の有無などを記録するものである。形式にこだわることはないが、排尿機能学会が作成している記録の種類には、排尿日誌（Bladder diary、図1）、頻度・尿量記録（Frequency volume chart、図2）、排尿時刻記録（Micturition time chart、図3）がある[1]。学会のホームページからダウンロードして、そのまま記載することが可能である。

　これらは最低でも24時間観察し、可能であれば3日間の記録をつける。

## 排尿日誌のつけ方

- 起床時間、就寝時間を記載する。
- 起床前後の早朝の排尿時から24時間（翌日の朝まで）を記載する。
- 排尿時には計量道具（図4）を使用して尿を計測する。
- 計測した1回尿量を日誌に記載する。
- 尿意の有無、尿意切迫感があれば記載する。
- 失禁があれば量（多い、少ない、など）を記載する。
- 失禁が生じた状況を記載する（腹圧がかかった、咳をした、強い尿意があり失禁した、など）。
- 状況により排尿した場合には、その状況を記載する（外出前、入浴前、就寝前など。尿意がなく排尿していればその状況を記載）。
- 可能であれば排尿後の残尿測定を行う（1～3回/日）（図5、6）。

## 排尿日誌の読み方

　以下の項目において、正常範囲か異常値か比較する[2]。

- 1回の排尿量（最大と最小、平均）。
- 1日の排尿量。
- 1日の排尿回数。
- 尿意の知覚、尿意切迫感の有無と頻度。
- 尿失禁の状況。
- ドライタイム（失禁のない時間）。
- （必要時）IN-OUTバランス。
- 残尿量。

## 排尿日誌の使い方

　これらの排尿記録とともに問診を深めていくと、患者の主観的な訴えと客観的事実との相違が

### 図1 排尿日誌の記入例

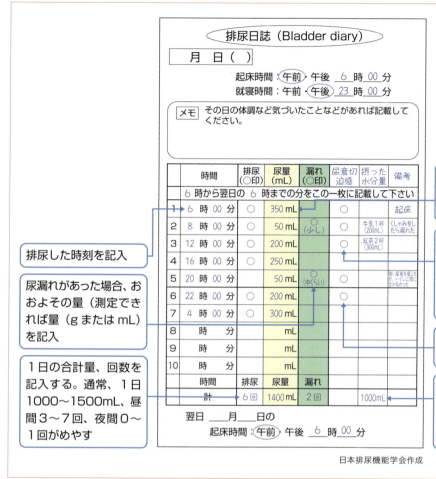

わかる。患者と看護師の双方にとって、排泄の状況が整理されて理解できる。記録をつけることで、患者は自分が尿を溜めず、その結果、膀胱容量が少ないと気づく。このようなセルフモニタリングをとおして自己分析ができる患者もいる[3]。

また、おむつをつけている場合、タイミングよく排尿誘導を行うために利用することもできる。尿がおむつに漏れた時間や量を記入し飲食の時間と合わせて、生活のリズムや排尿のパターンを見いだすことに役立てられる。

排尿記録は、飲水量や生活習慣といった生活指導の必要性の判断や、失禁のタイプの推測に利用できる。さらに、患者の理解力や記入能力、継続する意欲、尿量や回数を計算する能力、そして患者本人の訴えと客観的な事実の相違についても知ることができる。患者の感じている問題となる状況が、1日のうちたえず起きているとは限らない。排泄は1日のうちでも違いがあるため、本人ですら排泄の状況やパターンがつかめていないこともある。例えば、患者の主訴が「15分おきの頻尿」であっても、頻尿は朝の出勤前に限った状況であり夜間は十分に蓄尿できていることなどを明らかにすることができる。

起こっている現象とその排泄状況に関連する要因を患者とともに考え、探っていくことにより治療者と患者がともに理解し合うことができる。

## 図2　頻度・尿量記録用紙

頻度・尿量記録（Frequency volume chart）

月　日（　）　起床時間：午前・午後　　時　　分
　　　　　　　就寝時間：午前・午後　　時　　分

|   | 排尿した時刻 | 尿量（mL） | 備考 |
|---|---|---|---|
|   | 時から翌日の | 時までの分をこの一枚に記載してください | |
| 1 | 時　分 | | |
| 2 | 時　分 | | |
| 3 | 時　分 | | |
| 4 | 時　分 | | |
| 5 | 時　分 | | |
| 6 | 時　分 | | |
| 7 | 時　分 | | |
| 8 | 時　分 | | |
| 9 | 時　分 | | |
| 10 | 時　分 | | |
| 11 | 時　分 | | |
| 12 | 時　分 | | |
| 13 | 時　分 | | |
| 14 | 時　分 | | |
| 15 | 時　分 | | |
| 16 | 時　分 | | |
| 17 | 時　分 | | |
| 18 | 時　分 | | |
| 19 | 時　分 | | |
| 20 | 時　分 | | |
|   | 計 | mL | |

翌日　　月　　日の　起床時間：午前・午後　　時　　分

日本排尿機能学会作成

## 図3　排尿時刻記録用紙

排尿時刻記録（Micturition time chart）

月　日（　）　起床時間：午前・午後　　時　　分
　　　　　　　就寝時間：午前・午後　　時　　分

|   | 排尿した時刻 | 備考 |
|---|---|---|
|   | 時から翌日の | 時までの分をこの一枚に記載してください |
| 1 | 時　分 | |
| 2 | 時　分 | |
| 3 | 時　分 | |
| 4 | 時　分 | |
| 5 | 時　分 | |
| 6 | 時　分 | |
| 7 | 時　分 | |
| 8 | 時　分 | |
| 9 | 時　分 | |
| 10 | 時　分 | |
| 11 | 時　分 | |
| 12 | 時　分 | |
| 13 | 時　分 | |
| 14 | 時　分 | |
| 15 | 時　分 | |
| 16 | 時　分 | |
| 17 | 時　分 | |
| 18 | 時　分 | |
| 19 | 時　分 | |
| 20 | 時　分 | |
|   | 排尿した時刻 | 備考 |

翌日　　月　　日の　起床時間：午前・午後　　時　　分

日本排尿機能学会作成

## 図4　排尿計量道具の例

計量カップ

採尿容器（ユーリパン）

図5　超音波残尿測定器

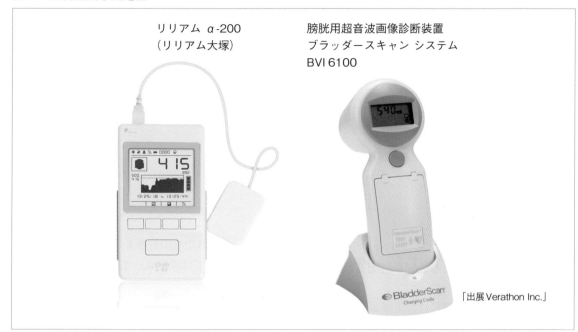

図6　ハンディ超音波測定機器

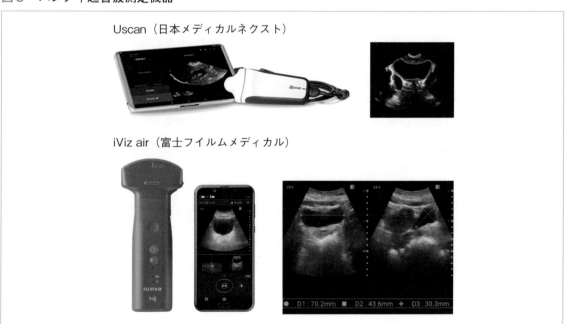

引用文献
1. 日本排尿機能学会ホームページ：http://japanese-continence-society.kenkyuukai.jp/special/?id=15894
2. 石塚修, 西沢理：「排尿日誌（排尿記録）を用いた排尿管理・指導の有用性」排尿日誌の基本的事項. 日本排尿機能学会誌 2013；24(2)：300-303.
3. 谷口珠実：患者に適した排尿記録の種類と指導. 日本排尿機能学会誌 2013；24(2)：304-308.

[ アセスメントとそのポイント ]

**問診の仕方と注意点**

# 質問票

谷口珠実

## 下部尿路症状の質問票

　下部尿路症状の質問票には、下部尿路症状を把握する質問票と、症状が生活に影響する状況（QOL評価票）を把握するための質問票がある。

　下部尿路症状の多くの症状を把握するための質問票として用いられるのは、主要下部尿路症状質問票（CLSS、表1）である[1]。尿失禁の頻度や症状を把握するためのICIQ-SF（表2）[2]、過活動膀胱の診断にも用いることができるOABSS（表3）[3]、排尿（尿排出）障害の症状質問票としても活用できる国際前立腺症状スコア（IPSS、表4）[4]がある。

　尿失禁に特化したQOL尺度は3種類あり、尿失禁の影響に関する質問票（IIQ、表5）、尿失禁QOL質問票（I-QOL、表6）、キング健康質問票（KHQ、表7）がある[5-7]。

## 失禁による生活への影響

### 1. QOL

　失禁による生活への影響は、①仕事や社会参加を断念する、②失禁を隠すための行為から人間関係がぎこちなくなる、③症状に対する不安や自己嫌悪感を抱く、④気分が落ち込む、⑤睡眠や生活への影響、などが知られている。QOL質問票は欧米で開発されたものが多く、日本語版に翻訳されたものとしては、KHQ、IIQ、I-QOL質問票がある。

　しかし、QOLを問診票だけで把握することは不十分な状況もある。例えば、高齢者の場合には問診票に記入ができない身体状況や、理解力などの問題もある。質問票の回答が難しい場合には、失禁があることで具体的に「どのようなことに困っているか」、あるいは「失禁がなければできたと思うことは何か」などと尋ねるとよい。そうすると、ゴルフや登山といった楽しみの断念であったり、出なければならない用事を休んでしまったことなどが語られる[8,9]。これらの語りから、患者の望む生活像が浮き彫りになり、ゴールを設定しやすい。

## 患者と介護者の価値観をとらえる

　高齢患者とその家族が受診した場合、患者と家族の希望が必ずしも一致するとは限らない。患者の希望と家族の希望を別個に確認し調整することも必要である。外来受診や相談のきっかけを尋ねると、誰がどのような問題を感じているかがつかみやすい。例えば妻は「飛行機に乗っている間中、夫の尿漏れによる衣類の汚染と臭いが気になり旅行が楽しめなかった」と言うが、夫は「おしっこが出ないほうがもっと困るから、出ているぶんに

は困らない」と言うこともある[10]。個人の排尿や禁制（コンチネンス）に対する価値観が反映されるのが、生活上の問題の特徴である。

### 表1 主要下部尿路症状質問票（Core Lower urinary tract Symptom Score：CLSS）

この1週間の状態に当てはまる回答を1つだけ選んで、数字に○をつけてください。

| | 何回くらい、尿をしましたか | | | | |
|---|---|---|---|---|---|
| 1 | 朝起きてから寝るまで | 0 | 1 | 2 | 3 |
| | | 7回以下 | 8～9回 | 10～14回 | 15回以上 |
| 2 | 夜寝ている間 | 0 | 1 | 2 | 3 |
| | | 0回 | 1回 | 2～3回 | 4回以上 |
| | 以下の症状が、どれくらいの頻度でありましたか | | | | |
| | | なし | たまに | ときどき | いつも |
| 3 | がまんできないくらい、尿がしたくなる（切迫感） | 0 | 1 | 2 | 3 |
| 4 | がまんできずに、尿が漏れる（切迫性尿失禁） | 0 | 1 | 2 | 3 |
| 5 | 咳・くしゃみ・運動のときに、尿が漏れる（腹圧性尿失禁） | 0 | 1 | 2 | 3 |
| 6 | 尿の勢いが弱い（排出困難） | 0 | 1 | 2 | 3 |
| 7 | 尿をするときに、お腹に力を入れる（腹圧排尿） | 0 | 1 | 2 | 3 |
| 8 | 尿をした後に、まだ残っている感じがする（残尿感） | 0 | 1 | 2 | 3 |
| 9 | 膀胱（下腹部）に痛みがある（間質性膀胱炎） | 0 | 1 | 2 | 3 |
| 10 | 尿道に痛みがある（膀胱炎） | 0 | 1 | 2 | 3 |

1から10の症状のうち、困る症状を**3つ以内**で選んで番号に○をつけてください。

| 1 | 2 | 3 | 4 | 5 | 6 | 7 | 8 | 9 | 10 |
|---|---|---|---|---|---|---|---|---|---|

上で選んだ症状のうち、最も困る症状の番号に○をつけてください（**1つだけ**）

| 1 | 2 | 3 | 4 | 5 | 6 | 7 | 8 | 9 | 10 |
|---|---|---|---|---|---|---|---|---|---|

現在の排尿の状態がこのまま変わらずに続くとしたら、どう思いますか？

| 0 | 1 | 2 | 3 | 4 | 5 | 6 |
|---|---|---|---|---|---|---|
| とても満足 | 満足 | やや満足 | どちらでもない | 気が重い | いやだ | とてもいやだ |

日本排尿機能学会, 女性下部尿路症状診療ガイドライン作成委員会編：女性下部尿路症状診療ガイドライン, リッチヒルメディカル, 東京, 2013：57. より引用
Homma Y, Yoshida M, Yamanishi T, et al. Core Lower Urinary Tract Symptom score (CLSS) questionnaire: a reliable tool in the overall assessment of lower urinary tract symptoms. Int J Urol 2008；15(9)：816-820.

**表2** ICIQ-SF（International Consultation on Incontinence Questionnaire-Short Form）日本語版

Q1. どのくらいの頻度で尿が漏れましたか？（1つだけ、チェックをつけてください）
  □なし
  □おおよそ1週間に1回、あるいはそれ以下
  □1週間に2～3回
  □おおよそ1日に1回
  □1日に数回
  □常に

Q2. あなたはどれくらいの量の尿漏れがあったと思いますか？
  （あてものを使う使わないにかかわらず、通常はどれくらいの尿漏れがありましたか？）
  □なし
  □少量
  □中等量
  □多量

Q3. 全体として、あなたの毎日の生活は尿漏れのためにどれくらい損なわれていましたか？
  0（全くない）から10（非常に）までの間の数字を選んで○をつけてください
    0　1　2　3　4　5　6　7　8　9　10
    全くない　　　　　　　　　　　　　　　非常に

Q4. どんなときに尿が漏れましたか？
  （あなたにあてはまるものすべてをチェックしてください）
  □なし—尿漏れはない
  □トイレにたどり着く前に漏れる
  □咳やくしゃみをしたときに漏れる
  □眠っている間に漏れる
  □体を動かしているときや運動しているときに漏れる
  □排尿を終えて服を着たときに漏れる
  □理由がわからずに漏れる
  □常に漏れている

後藤百万, Donovan J, Corcos J, 他：尿失禁の症状 QOL質問票：スコア化ICIQ-SF（International Consultation on Incontinence-Questionnaire：Short Form）. 日本神経因性膀胱学会誌 2001；12(2)：230. より改変

### 表3 過活動膀胱症状質問票（Overactive bladder syndrome score：OABSS）

以下の症状がどれくらいの頻度でありましたか。この1週間のあなたの状態に最も近いものを、1つだけ選んで、点数の数字を○で囲んでください。

| 質問 | 症状 | 頻度 | 点数 |
|---|---|---|---|
| 1 | 朝起きたときから夜寝るまでに、何回くらい尿をしましたか？ | 7回以下 | 0 |
| | | 8〜14回 | 1 |
| | | 15回以上 | 2 |
| 2 | 夜寝てから朝起きるまでに、何回くらい尿をするために起きましたか？ | 0回 | 0 |
| | | 1回 | 1 |
| | | 2回 | 2 |
| | | 3回以上 | 3 |
| 3 | 急に尿がしたくなり、がまんが難しいことがありましたか？ | なし | 0 |
| | | 週に1回より少ない | 1 |
| | | 週に1回以上 | 2 |
| | | 1日1回くらい | 3 |
| | | 1日2〜4回 | 4 |
| | | 1日5回以上 | 5 |
| 4 | 急に尿がしたくなり、がまんできずに尿を漏らすことがありましたか？ | なし | 0 |
| | | 週に1回より少ない | 1 |
| | | 週に1回以上 | 2 |
| | | 1日1回くらい | 3 |
| | | 1日2〜4回 | 4 |
| | | 1日5回以上 | 5 |

質問3の尿意切迫感スコアが2点以上、かつOABSSが合計3点以上で過活動膀胱（OAB）。
重症度：軽症5点以下、中等症6〜11点、重症12点以上。

本間之夫, 吉田正貴, 小原健司他：過活動膀胱質問票（Overactive bladder symptom score：OABSS）の開発と妥当性の検討（第93回日本泌尿器科学会総会）. 日本泌尿器科學會雜誌 2005；96(2)：182. より改変

## 表4　国際前立腺症状スコア（International Prostate Symptom Score：IPSS）

以下の症状がどれくらいの頻度でありましたか。この1週間のあなたの状態に最も近いものを1つだけ選んで、点数の数字を○で囲んでください。

| | 全くない | 5回に1回の割合より少ない | 2回に1回の割合より少ない | 2回に1回の割合くらい | 2回に1回の割合より多い | ほとんどいつも |
|---|---|---|---|---|---|---|
| 1. この1か月の間に、尿をした後にまだ尿が残っている感じがありましたか | 0 | 1 | 2 | 3 | 4 | 5 |
| 2. この1か月の間に、尿をしてから2時間以内にもう一度しなくてはならないことがありましたか | 0 | 1 | 2 | 3 | 4 | 5 |
| 3. この1か月の間に、尿をしている間に尿が何度も途切れることがありましたか | 0 | 1 | 2 | 3 | 4 | 5 |
| 4. この1か月の間に、尿をがまんするのが難しいことがありましたか | 0 | 1 | 2 | 3 | 4 | 5 |
| 5. この1か月の間に、尿の勢いが弱いことがありましたか | 0 | 1 | 2 | 3 | 4 | 5 |
| 6. この1か月の間に、尿をしはじめるためにお腹に力を入れることがありましたか | 0 | 1 | 2 | 3 | 4 | 5 |

| | | | | | | |
|---|---|---|---|---|---|---|
| 7. この1か月の間に、夜寝てから起きるまでに、ふつう何回尿をするために起きましたか | 0回 | 1回 | 2回 | 3回 | 4回 | 5回以上 |
| | 0 | 1 | 2 | 3 | 4 | 5 |

IPSS：＿＿＿＿＿＿点

| | とても満足 | 満足 | ほぼ満足 | なんともいえない | やや不満 | いやだ | とてもいやだ |
|---|---|---|---|---|---|---|---|
| 現在の尿の状態がこのまま変わらずに続くとしたら、どう思いますか | 0 | 1 | 2 | 3 | 4 | 5 | 6 |

QOL　：＿＿＿＿＿＿点

IPSS重症度：軽症（0～7点）、中等症（8～19点）、重症（20～35点）
QOL重症度：軽症（0～1点）、中等症（2～4点）、重症（5～6点）

本間之夫, 塚本泰司, 安田耕作, 他：International Prostate Symptom ScoreとBPH Impact Indexの日本語訳の計量心理学的検討. 日本泌尿器科學會雜誌 2003；94(5)：562. より改変

## 表5 尿失禁の影響に関する質問票（Incontinence Impact Questionnaire：IIQ）

思わぬ尿漏れのために、行動や人間関係や気分が影響を受けることがあるかもしれません。
以下の質問は、そのためにあなたが生活の中で影響を受けた可能性のあることに関するものです。おのおのの質問について、尿漏れのためにあなたが受けた影響の程度として最もよく当てはまるものを1つ選んで、○をつけてください。

| | 影響の程度 | | | |
|---|---|---|---|---|
| | 全くない | 少し | 中くらい | とても |
| 1. 家事（料理、掃除、洗濯など）をする | 0 | 1 | 2 | 3 |
| 2. 家の中や外回りでの日常作業や修繕をする | 0 | 1 | 2 | 3 |
| 3. 買い物をする | 0 | 1 | 2 | 3 |
| 4. 趣味・気晴らしに何かをする | 0 | 1 | 2 | 3 |
| 5. 歩く・泳ぐ・スポーツで体を動かす | 0 | 1 | 2 | 3 |
| 6. 娯楽（映画・コンサートなど）を楽しむ | 0 | 1 | 2 | 3 |
| 7. 車やバスで家から30分以内の場所へ外出する | 0 | 1 | 2 | 3 |
| 8. 車やバスで家から30分以上の場所へ外出する | 0 | 1 | 2 | 3 |
| 9. はじめての場所へ行く | 0 | 1 | 2 | 3 |
| 10. 休暇で旅行に行く | 0 | 1 | 2 | 3 |
| 11. 地域の集会に行く | 0 | 1 | 2 | 3 |
| 12. ボランティア活動をする | 0 | 1 | 2 | 3 |
| 13. 自宅外で仕事をする | 0 | 1 | 2 | 3 |
| 14. 自宅に友人を招く | 0 | 1 | 2 | 3 |
| 15. 自宅外で社交的な活動をする | 0 | 1 | 2 | 3 |
| 16. 友人との関係 | 0 | 1 | 2 | 3 |
| 17. 家族との関係 | 0 | 1 | 2 | 3 |
| 18. 性的な関係をもつ | 0 | 1 | 2 | 3 |
| 19. どんな服装をするか | 0 | 1 | 2 | 3 |
| 20. 心の健康の状態 | 0 | 1 | 2 | 3 |
| 21. 体の健康の状態 | 0 | 1 | 2 | 3 |
| 22. 睡眠をとる | 0 | 1 | 2 | 3 |
| 23. 臭わないかという心配のため活動が制限される | 0 | 1 | 2 | 3 |
| 24. 恥ずかしい思いをしないかという心配のため活動が制限される | 0 | 1 | 2 | 3 |
| 尿漏れのために、以下のような気分を経験しましたか？ | | | | |
| 25. 神経質・不安 | 0 | 1 | 2 | 3 |
| 26. 心配 | 0 | 1 | 2 | 3 |
| 27. 欲求不満 | 0 | 1 | 2 | 3 |
| 28. 腹立ち | 0 | 1 | 2 | 3 |
| 29. 落ち込み | 0 | 1 | 2 | 3 |
| 30. 恥ずかしい | 0 | 1 | 2 | 3 |

合計点を指標とする。（全項目の平均）×33　0〜100点に換算する。

本間之夫, 後藤百万, 安藤高志, 他：尿失禁QOL質問票の日本語版の作成. 日本神経因性膀胱学会誌 1999；10：232. より改変

## 表6 尿失禁QOL質問票（Incontinence Quality of Life Instrument：I-QOL）

尿漏れ（尿を漏らしたくないのに漏らしてしまうこと）に関して作成された文があります。おのおのの文について、いまのあなたに最も当てはまるものを1～5の中から選び、その番号に○をしてください。どのように質問に答えてよいかわからないときでも、最も近い答えを選んでください。回答は正しい答えあるいは間違った答えといったものはありません。（当てはまる回答の番号に○をつけてください）

| | きわめてそうである | かなりそうである | そうである（中くらい） | 少しそうである | 全くそうでない |
|---|---|---|---|---|---|
| 1. トイレに間に合わないのではないかと心配である | 1 | 2 | 3 | 4 | 5 |
| 2. 尿漏れのために、気をつけて咳やくしゃみをするようにしなければならない | 1 | 2 | 3 | 4 | 5 |
| 3. 座っていた後に立ち上がるときには、尿が漏れないように注意しなければならない | 1 | 2 | 3 | 4 | 5 |
| 4. はじめての場所ではトイレがどこにあるのか心配である | 1 | 2 | 3 | 4 | 5 |
| 5. 尿漏れのため、気分が落ち込む | 1 | 2 | 3 | 4 | 5 |
| 6. 尿漏れのため、長い時間自由に家を離れることができない | 1 | 2 | 3 | 4 | 5 |
| 7. 尿漏れのため、自分がやりたいことができなくて欲求不満を感じる | 1 | 2 | 3 | 4 | 5 |
| 8. 周りの人に自分の尿が臭うのではないかと心配である | 1 | 2 | 3 | 4 | 5 |
| 9. 尿漏れのことがいつも気になる | 1 | 2 | 3 | 4 | 5 |
| 10. 早め早めにトイレに行っておかなければならない | 1 | 2 | 3 | 4 | 5 |
| 11. 尿漏れのため、あらかじめ事細かい準備をしておかなければならない | 1 | 2 | 3 | 4 | 5 |
| 12. 年をとるにつれ尿漏れが悪くなるのではないかと心配である | 1 | 2 | 3 | 4 | 5 |
| 13. 尿漏れのため、夜よく眠れない | 1 | 2 | 3 | 4 | 5 |
| 14. 尿漏れのため、決まりが悪かったり恥ずかしい思いをしたりするのではないかと心配である | 1 | 2 | 3 | 4 | 5 |
| 15. 尿漏れのため、自分が健康な人ではないように感じる | 1 | 2 | 3 | 4 | 5 |
| 16. 尿漏れのため、自分ではどうしようもないと感じる | 1 | 2 | 3 | 4 | 5 |
| 17. 尿漏れのため、人生の楽しみが減った | 1 | 2 | 3 | 4 | 5 |
| 18. 尿を漏らして衣類を濡らすのではないかと心配である | 1 | 2 | 3 | 4 | 5 |
| 19. 尿をがまんできない気がする | 1 | 2 | 3 | 4 | 5 |
| 20. 尿漏れのため、飲物や飲む量に気をつけなければならない | 1 | 2 | 3 | 4 | 5 |
| 21. 尿漏れのため、服を自由に選べない | 1 | 2 | 3 | 4 | 5 |
| 22. 尿漏れのため、性交渉をもつのが心配である | 1 | 2 | 3 | 4 | 5 |

合計点を指標とする。（全項目の平均）×25　0～100点に換算する。

本間之夫, 後藤百万, 安藤高志, 他：尿失禁QOL質問票の日本語版の作成. 日本神経因性膀胱学会誌 1999；10：234. より改変

## 表7 キング健康質問票（King's Health Questionnaire：KHQ）

回答の際にはこの2週間の状態についてお考えください。

Q1．あなたのいまの健康状態はいかがですか？（1つだけ選んで○をつけてください）
　　　1　とても良い　　2　良い　　3　良くも悪くもない　　4　悪い　　5　とても悪い

Q2．排尿の問題のために、生活にどのくらい影響がありますか？（1つだけ選んで○をつけてください）
　　　1　全くない　　　2　少しある　　3　ある（中くらい）　　4　とてもある

以下に挙げてあるのは、日常の活動のうち排尿の問題から影響を受けやすいものです。排尿の問題のために、日常生活にどのくらい影響がありますか。
（すべての質問について、1つだけ選んで○をつけてください）

| | 全くない | 少し | 中くらい | とても |
|---|---|---|---|---|
| **＜仕事・家事の制限＞** | | | | |
| 3a．排尿の問題のために、家庭内の仕事（掃除、買い物、電球の交換など）に影響がありますか？ | 1 | 2 | 3 | 4 |
| 3b．排尿の問題のために、仕事や自宅外でのいつもの活動に影響がありますか？ | 1 | 2 | 3 | 4 |
| **＜身体的・社会的活動の制限＞** | | | | |
| 4a．排尿の問題のために、散歩・走る・スポーツ・体操などの体を動かしてすることに影響がありますか？ | 1 | 2 | 3 | 4 |
| 4b．排尿の問題のために、外出や旅行をするのに影響がありますか？ | 1 | 2 | 3 | 4 |
| 4c．排尿の問題のために、世間的な付き合いに影響がありますか？ | 1 | 2 | 3 | 4 |
| 4d．排尿の問題のために、友人に会ったり、訪ねたりするのに影響がありますか？ | 1 | 2 | 3 | 4 |

| | | 全くない | 少し | 中くらい | とても |
|---|---|---|---|---|---|
| **＜個人的な人間関係＞** | | | | | |
| 5a．排尿の問題のために、伴侶・パートナーとの関係に影響がありますか？（あてはまらない、つまり伴侶・パートナーがいない方は0に○をつけてください） | 0 | 1 | 2 | 3 | 4 |
| 5b．排尿の問題のために、性生活に影響がありますか？（あてはまらない、つまり性生活のなかった方は0に○をつけてください） | 0 | 1 | 2 | 3 | 4 |
| 5c．排尿の問題のために、家族との関係に影響がありますか？（あてはまらない、つまり家族のいない方は0に○をつけてください） | 0 | 1 | 2 | 3 | 4 |

| | 全くない | 少し | 中くらい | とても |
|---|---|---|---|---|
| **＜心の問題＞** | | | | |
| 6a．排尿の問題のために、気分が落ち込むことがありますか？ | 1 | 2 | 3 | 4 |
| 6b．排尿の問題のために、不安を感じたり、神経質になったりすることがありますか？ | 1 | 2 | 3 | 4 |
| 6c．排尿の問題のために、情けなくなることがありますか？ | 1 | 2 | 3 | 4 |
| **＜睡眠・活力（エネルギー）＞** | | | | |
| 7a．排尿の問題のために、睡眠に影響がありますか？ | 1 | 2 | 3 | 4 |
| 7b．排尿の問題のために、疲れを感じることがありますか？ | 1 | 2 | 3 | 4 |
| **以下のようなことがありますか？** | | | | |
| 8a．尿パッドを使いますか？ | 1 | 2 | 3 | 4 |
| 8b．水分をどのくらい摂るか注意しますか？ | 1 | 2 | 3 | 4 |
| 8c．下着が濡れたので取り替えなければならないですか？ | 1 | 2 | 3 | 4 |
| 8d．臭いがしたらどうしようかと心配ですか？ | 1 | 2 | 3 | 4 |
| 8e．排尿の問題のために恥ずかしい思いをしますか？ | 1 | 2 | 3 | 4 |

（次頁につづく）

【計算方法】
- 全般的健康感　スコア＝(Q1−1)/4×100
- 生活への影響　スコア＝(Q2−1)/3×100
- 仕事・家事の制限　スコア＝(Q3a+Q3b−2)/6×100
- 身体的活動の制限　スコア＝(Q4a+Q4b−2)/6×100
- 社会的活動の制限：
  　5c≧1の場合　スコア＝(Q4c+Q4d+Q5c−3)/9×100
  　5c＝0の場合　スコア＝(Q4c+Q4d+Q5c−2)/6×100
- 個人的な関係
  　5a+5b≧2の場合　スコア＝(Q5a+Q5b−2)/6×100
  　5a+5b＝1の場合　スコア＝(Q5a+Q5b−1)/3×100
  　5a+5b＝0の場合　欠損値(不適用)として扱う
- 心の問題　スコア＝(Q6a+Q6b+Q6c−3)/9×100
- 睡眠・活力　スコア＝(Q7a+Q7b−2)/6×100
- 自覚的重症度　スコア＝(Q8a+Q8b+Q8c+Q8d+Q8e−5)/15×100

日本排尿機能学会, 女性下部尿路症状診療ガイドライン作成委員会編：女性下部尿路症状診療ガイドライン. リッチヒルメディカル, 東京, 2013：60. より引用
Uemura S, Homma Y. Reliability and validity of King's Health Questionnaire in patients with symptoms of overactive bladder with urge incontinence in Japan. Neurourol Urodyn 2004；23(2)：94-100.

引用文献
1. Homma Y, Yoshida M, Yamanishi T, et al. Core Lower Urinary Tract Symptom score (CLSS) questionnaire: a reliable tool in the overall assessment of lower urinary tract symptoms. Int J Urol 2008；15(9)：816-820.
2. 本間之夫, 後藤百万：Overactive bladder questionnaire (OAB-q) の日本語版の作成と言語的妥当性の検討. 日本排尿機能学会誌 2006；17(2)：241-249.
3. 後藤百万, Donovan J, Corcos J, 他：尿失禁の症状 QOL質問票：スコア化 ICIQ-SF (International Consultation on Incontinence-Questionnaire：Short Form). 日本神経因性膀胱学会誌 2001；12(2)：227-231.
4. 本間之夫, 塚本泰司, 安田耕作, 他：International Prostate Symptom ScoreとBPH Impact Indexの日本語訳の計量心理学的検討. 日本泌尿器科學會雜誌 2003；94(5)：560-569.
5. 本間之夫, 後藤百万, 安藤高志, 他：尿失禁QOL質問票の日本語版の作成. 日本神経因性膀胱学会誌 1999；10：225-236.
6. 本間之夫：尿失禁QOL質問票日本語版の作成. 日本排尿機能学会誌 2002；13：247-257.
7. Uemura S, Homma Y. Reliability and validity of King's Health Questionnaire in patients with symptoms of overactive bladder with urge incontinence in Japan. Neurourol Urodyn 2004；23(2)：94-100.
8. 谷口珠実：看護師が行う問診. 田中秀子, 溝上祐子編, 失禁ケアガイダンス. 日本看護協会出版会, 東京, 2007：186-190.
9. 谷口珠実：フィジカルアセスメント. 田中秀子, 溝上祐子編, 失禁ケアガイダンス. 日本看護協会出版会, 東京, 2007：213-221.
10. 失禁の原因をつかみ, 排尿コントロールが可能になる援助をする―谷口珠実さん ケアの達人たち―27の技. Nursing Today 2002；17(12)：28-31.

[ アセスメントとそのポイント ]

**ヘルスアセスメント**

# ナースが行うヘルスアセスメント

谷口珠実

## 看護師としての配慮

　患者の主観的な訴えと合わせて身体的な評価を行う。患者にとっては外陰部や排泄動作の観察や評価を受けること、さらに失禁を確認するためのテストなどは、羞恥心を伴うことが多い。そのため、患者の羞恥心を最小限にとどめるために環境を整えること、検査の必要性を十分に説明すること、そして患者の了承を得て診察や検査を進めることが必要である。これらの検査や診察の際、医師や看護師の態度や言葉遣いにも注意を払うことが、信頼感や安心感に影響する。

　患者の羞恥心が強い場合には、信頼関係を築いたうえで身体所見を観察する配慮や、十分な説明を行い、患者に心の準備を整えさせることが大切である。**意を決して失禁外来を訪れた患者でも、外陰部の診察や検査に対しては心理的な抵抗感をもっていることを忘れてはならない。**診察にあたっては、カーテンや扉を確実に閉め、隙間から他者に見られる心配がないように部屋の環境を整える。

　看護師は、泌尿器科医と協働して失禁の程度を査定していくことに加えて、看護師独自の視点として、日常生活のなかでの患者の身体調節能力や、全体の日常生活の活動動作の緩慢に伴う排泄動作にかかわる身体機能的な観察も欠かせない。さらに、泌尿器科医や婦人科医の指導のもと、経腟的・経直腸的な触診の技術も習得しておくことが望ましい。

　ヘルスアセスメントを行う看護師の能力・判断力を養うためには、解剖学的な理解と生理学的・運動機能学的な理解を深める努力が必要である。

## 尿流測定

　尿流測定では、膀胱内に十分に蓄尿するよう説明する。飲水を促しても蓄尿には時間を要するため、患者の協力を得て効率よく検査のタイミングを図るとよい。筆者の体験から、パッドテスト終了後も可能な限り蓄尿を続けて尿流測定を行うと効率がよい。検査は医師と協働して、必要に応じて残尿測定、膀胱内圧測定、尿検査、骨盤底筋群の評価、ストレステストを行う。

### 1．外来で行う尿流測定の注意点

　尿流測定のために蓄尿を促すと、検査直前になり多量の失禁となることもある。

　外来で検査を行う場合は、蓄尿限界時のコールには敏感に対応し患者を待たせることなく検査が進められる配慮が大切である。

# パッドテスト

　パッドテストとは、客観的に尿失禁の量を測定する検査方法である。国際禁制学会（International Continence Society：ICS）が尿失禁の程度を客観的・定量的に測定する方法として推奨した方法である[1]。

　検査方法には24時間と60分間の2つの方法がある。60分間パッドテストよりも24時間パッドテストのほうが再現性は高いが、外来受診時には60分間パッドテストで客観的・定量的に評価を行い治療の判断や治療効果の評価に用いることが多い。

　しかし、高齢者に60分間パッドテストを行う場合には注意が必要である。例えば、整形外科疾患や循環器疾患などを合併していると、走る、かがむ、歩き回るなどの動作に制限があり、手順どおりの実施が困難なこともある。このような場合には、24時間パッドテストを行い評価する。患者の状況に適した方法を選択する必要がある。

## 1．パッドテスト測定方法

　使用前パッドの重量測定と使用後パッドの重量測定を行う。60分間パッドテストも24時間パッドテストも、

　　（使用後パッド重量）−（使用前パッド重量）＝失禁量（g）

となる。

## 2．60分間パッドテスト実施方法（図1）

　テスト開始前に、最終排尿時間あるいは最終導尿時間からテスト開始までの時間を確認する。

## 3．24時間パッドテスト

　特別な動作を指定することなく、患者の日常生活に応じた失禁量を24時間測定する。病棟での実施は容易である。在宅療養患者でも、患者や家族・介護者等の協力を得られれば測定できる。

## 4．外来で行うパッドテストの注意点

　外来でパッドテストを行う際、普段の日常生活とは異なるため、患者は周囲の人の視線が気になったり、緊張することがある。また、尿漏れが起こらないように腹圧が上昇する動作時に意識的に骨盤底筋を収縮させてしまったという訴えも少なくない。このため、パッドテストの重量だけで失禁による生活への影響を判断することはできない。検査前に、日ごろの失禁の状態を把握することが目的であることを患者に伝えておく。また、検査前には日ごろ使っているパッドの吸収量を確認して、60分間の検査が安心して行えるパッドを準備する。検査終了後は、患者にとって日常の生活での漏れの状態と比較した感想を確認しておく。さらに、どのような動作時に漏れたのかが明確であれば、その情報も追加しておく[2]。

　膀胱内の蓄尿量があまりにも少ないとパッドテストは再現性が乏しくなるため、ある程度の蓄尿が必要である。しかし、失禁を恐れて常に早めに排尿する習慣ができている患者は蓄尿を怖がることも少なくない。

　パッドテストに伴い衣類を汚すことがないよう配慮することはもちろんであるが、状況によっては下着類の着替えを用意して行うとよい。

# 外陰部の観察

　姿勢は、台上診または臥位で膝を立て開脚してもらう。まず、視診にて皮膚状態や外陰部の臓器脱の状況などを観察し、知覚の確認を行う。

## 1．形状の観察とスキントラブルの有無

　女性であれば外陰部と陰唇の形状、腟周囲の発赤や表皮剥離の有無を観察する。これらのスキントラブルは、失禁量が多く、パッドを常用している場合に起こりやすい。パッドの種類により通気性や素材が異なるため、それらの使用方法やスキンケアに対する患者教育の必要性も判断する。

### 図1　60分間パッドテスト

| 0分<br>(○時○分) | 開始 | 排尿はしないで、重量測定済みのパッドを当てる<br>椅子またはベッド上で安静にして、500mLの水を15分以内で飲む |
|---|---|---|
| 15分<br>(○時○分) | 30分間<br>歩行する | この間に階段昇降を1階分行う |
| 45分<br>(○時○分) | 15分間<br>動作を行う | ①椅子に座る、立ち上がるをくり返す×10回<br>②強く咳込む×10回<br>③1か所を走り回る×1分間<br>④床上の物を、腰をかがめて拾う動作×5回<br>⑤冷たい流水で手を洗う×1分間 |
| 60分 | 検査終了 | パッドをはずす<br>排尿または導尿<br>テスト終了時膀胱容量（mL） |

60分間パッドテスト判定基準：2.0g以下：正常
　　　　　　　　　　　　　　2.1～5.0g：軽度尿失禁
　　　　　　　　　　　　　　5.1～10.0g：中等度尿失禁
　　　　　　　　　　　　　　10.1～50.0g：高度尿失禁
　　　　　　　　　　　　　　50.1g以上：きわめて高度の尿失禁

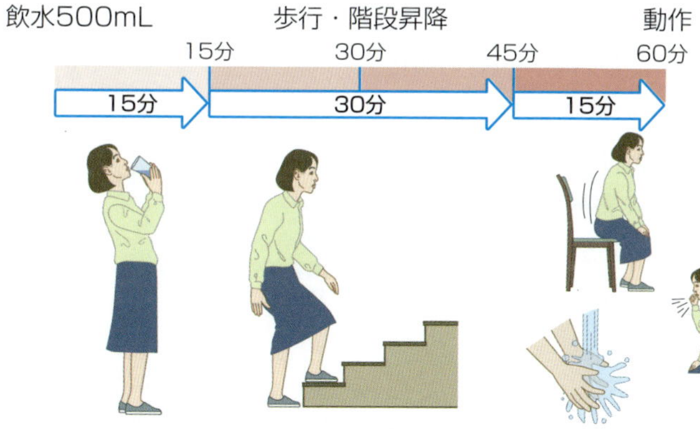

60分後のパッドの重さ－テスト前のパッドの重さ＝失禁量

## 2．臓器脱の観察、臭気の確認

陰唇を開き、咳や怒責などの腹圧をかけることにより、膀胱・尿道・直腸・子宮など臓器の脱出がないか観察する。

また、外陰部の臭いからは、尿便失禁の状態や腟からの分泌物の状態、排泄物の拭き取りや後始末が行えているかなど、総合的な衛生状態を知ることができる。

## 3．知覚（神経学的検査）

陰核または肛門に沿って刺激を与える。肛門括約筋の反射性収縮が起こる。会陰に軽く触れて知覚を確認する。

男性の場合は直腸内、女性の場合は腟内に指を挿入し、挿入後の知覚の有無を確認する。

## 尿道過可動の観察

### 1. Qチップテスト（図2）

尿道の過可動を診るために行う。潤滑剤を塗布した綿棒を尿道内に挿入し、腹圧をかけ努責してもらう。綿棒の先端が30度以上動いた場合は尿道過可動（骨盤底の弛緩）と判断する。

### 2. 視診

綿棒を挿入しなくても、咳をしてもらう、あるいは陰唇を開き腹圧をかけてもらうと尿道過可動の観察を行うことができる。腹圧性尿失禁の場合は骨盤底筋の評価を行っておく。

## ストレステスト（図3）

腹圧性尿失禁の診断過程において、患者の腹圧や咳によって外尿道口からの尿の流出を観察する。ストレステストは、膀胱内の蓄尿量により影響を受けるため、検査前後に蓄尿量を確認する。検査前の確認方法としては、尿意、最終排尿からの時間、超音波検査などである。

ストレステストを正確に行うためには、医師が膀胱内に150～300mLの生理食塩水を注入して実施する。砕石位にて外尿道口を直接観察するが、砕石位や臥位ではうまく腹圧上昇が再現できない場合は立位で行ってよい。ただし、直接外尿道口を観察することは難しいため、トイレットペーパーやティッシュを外陰部に当てて咳やくしゃみをくり返してもらう。強い咳やくしゃみができない場合には、その場で軽くジャンプしてもらい腹圧をかける。立位でのストレステストでは、尿漏れによって紙が濡れた大きさや失禁量で判断する。

図3　ストレステスト

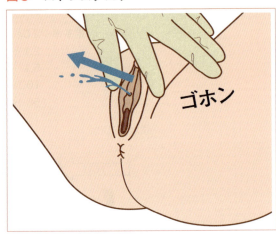

患者に強く咳をしてもらう。そのとき、尿道からの尿漏れを確認する。

図2　Qチップテスト

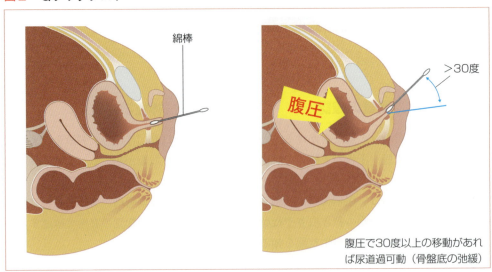

腹圧で30度以上の移動があれば尿道過可動（骨盤底の弛緩）

## Bonneyテスト

ストレステストで外尿道口からの尿流出を認めた場合、膀胱尿道移行部の尿道の側方を示指と中指で持ち上げ、尿の流出が止まるかどうかを観察する。この方法で尿失禁が是正されれば、外科手術に反応する[3]。

## 骨盤底筋評価

腹圧性尿失禁、骨盤底筋の脆弱化により瘤や脱が生じている場合に、骨盤底筋の収縮する筋力を評価する。女性の場合には腟からの触診、男性の場合には肛門から直腸診を行い、意図的な筋収縮が可能かどうかや強さを評価する。図4に骨盤底筋群の位置を示す。

診察は、砕石位あるいは臥位で行う。臥位の場合は開脚し膝を屈曲させる。触診を行うことを説明し、深呼吸をしてリラックスするよう促す。

触診は、手袋を装着後、手のひらを上にして腟あるいは肛門から指を2本挿入する。患者の不安や緊張が強いと内診挿入時の痛みや不快感が強くなるので、患者に深呼吸を促しゆっくりと口から息を吐いてもらうとよい。

骨盤底筋には遅筋と速筋があるので、双方の筋力を評価する。触診法は器具を用いることなく簡便に検査できるが、評価者の感覚に依存するため経験が乏しいと自信がもてず、筋力の変化を判断することは難しい。

評価方法には、触診法のほかに、筋電図を用いた評価、腟内圧測定、超音波を用いた動きの評価がある。また、収縮力測定の腟圧計、プローブを用いて筋力を測定する筋電図測定（図5）、経腹的または経会陰的超音波を用いた画像による筋肉の動きの確認など、いくつかの方法がある。これらは、評価だけでなく骨盤底筋訓練の際に収縮を可視化して訓練を強化するバイオフィードバック療法としても用いられている。

腹筋や殿筋、大腿四頭筋などに力が入りやすいので、無駄な力を抜いて全身をリラックスさせる。腹圧をかけて、いきまずに骨盤底筋群のみを収縮させられるとよい。内診を行う際、患者がいきむと腹圧を感じることになる。さらに、患者の腹部に手を当てると腹筋を緊張させて腹部内圧を上昇させている様子が容易に確認できる。患者の認識を促すためには、患者の手を腹部に当てさせ、腹壁が緊張しないように意識してもらうとよい。

表1に、腟内診による骨盤底筋の収縮力評価指標を示す。

### 図4　骨盤底筋群の位置

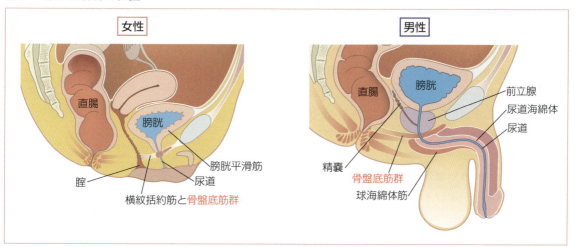

## 図5　プローブを用いた筋電図測定

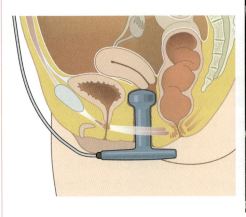
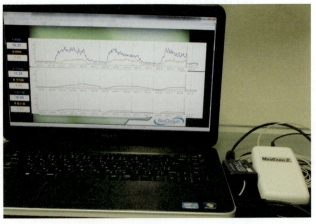

表1　腟内診による骨盤底筋収縮力の評価指標（Oxford scale）

| | |
|---|---|
| 0 | 全く収縮しない |
| 1 | わずかに収縮する |
| 2 | 弱いが収縮は可能 |
| 3 | 収縮は可能で、骨盤底が挙上する |
| 4 | 良好に収縮し、抵抗を加えても収縮できる |
| 5 | 強い収縮 |

## 図6　筋収縮の方法

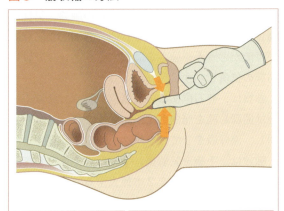

| 全身の力を抜く<br>×息ごらえ・いきみ<br>×怒責をかける | 手のひらを上向きにして、第2指または第2～3指を入れる |
|---|---|
| | 収縮と弛緩の感覚を覚える<br>「おならをがまん」<br>「腟口を締める」 |

## 腟の萎縮、伸展の観察

　腟の萎縮や皮膚の状態、薄さ、伸縮性を観察する。さらに内診時には、腟内で指を広げて腟壁の萎縮の有無も確認する。また、収縮力の評価には、内診、筋電計、腟収縮圧の測定方法などがある。どの方法で評価する場合にも、意図的な収縮により腟と肛門をすぼめるよう指示する。「腟と肛門をギュッと閉じる（すぼめる）感じ」「おしっこをがまんする感じ」「おならをがまんする感じ」など、患者が理解しやすい言葉を選ぶようにする（図6）。

引用文献
1. 泌尿器科領域の治療標準化に関する研究班編：女性尿失禁診療ガイドライン．EBMに基づく尿失禁診療ガイドライン．じほう，東京，2001．
2. 谷口珠実：看護師が行うヘルスアセスメント．田中秀子，溝上祐子監修，失禁ケアガイダンス．日本看護協会出版会，東京，2007：214-216．
3. The Merck Manuals Online Medical Libraly：泌尿生殖器疾患　排尿障害　尿失禁．http://merckmanual.jp/mmpej/sec17/ch228/ch228b.html

[ アセスメントとそのポイント ]

**ヘルスアセスメント**

# 排尿動作評価

吉田美香子

## 排泄動作とは

　国際生活機能分類（International Classification of Functioning, Disability and Health）によると[1]、排泄（toileting）とは「排泄（排尿、排便、月経）を表示し、計画し、遂行するとともに、その後清潔にすること」とされている。

　排尿動作には、下部尿路機能のほかに、排尿を調整し適切に行うために必要な能力、例えば、尿意を表出すること、排尿に適した姿勢をとること、排尿に適した場所を選びそこに行くこと、排尿前後に衣服を着脱すること、排尿後に身体をきれいにすることなどが含まれる。本項では、排尿機能障害に対する排尿動作について説明するが、その考え方は排便動作にも応用可能である。

## 排泄動作の評価

　排尿の自立とは「排尿管理方法は問わず、自力で排尿管理が完結できること」[2]であり、それには特に、①トイレへの移動動作（起居・移乗・移動）と、②排泄に関連する動作（衣類の着脱・尿便器の使用・後始末）が大きくかかわっている[3]（表1）。そこで、排尿動作の評価ではこれらの動作をどの程度自立して実施できるかを評価する。

　日常生活動作を評価できるツールはいくつかあ

るが、その中でも機能的自立度評価尺度（Functional Independence Measure：FIM）[4]は排尿動作の評価に有用である。FIMは7歳以上を対象にしており、運動項目4項目13細項目（セルフケア、排泄コントロール、移乗、移動）と認知項目2項目5細項目に分かれており、これら18項目について完全自立から全介助までの7段階で評価する。排尿動作に関連する項目としては、運動項目のセルフケア（細項目：清拭、更衣・下半身、トイレ動作）、排泄コントロール（細項目：排尿管理）、移乗（ベッド・椅子・車椅子、トイレ）、移送（歩行・車椅子）などがあり、排尿動作の全体を大まかに評価することが可能である。

## 排尿動作障害の原因の同定

　排尿に関連する一連の動作を失敗なく遂行し、自立して排尿を行うには、運動機能や認知機能が保たれていること、排尿への意欲があること、ソフト・ハード面での環境が整っていることが必要である（図1）。そこで、排尿動作の障害が認められた場合には、これらの視点から障害の原因を同定する。

### 1．運動機能障害

　排尿動作の妨げとなる運動機能障害には、関節拘縮、運動麻痺、筋力低下、バランス不良などが

## 表1　正常な排尿動作と関連する能力

| 動作 | 正常な状態 | 正常にできるための能力 |
|---|---|---|
| トイレへの移動動作（起居・移乗・移動） | ・起居・移乗・移動の目的がわかる<br>・寝返りが打てる<br>・起き上がれる<br>・座位が保持できる<br>・横移乗ができる<br>・立位がとれる<br>・歩行ができる<br>・リフター、車椅子など移動の用具を使うことができる | ・移動するという意思がある<br>・筋力がある<br>・関節の拘縮がない<br>・バランスが保てる<br>・痛みがない<br>・移動動作ができる心肺機能を持っている<br>・起立性低血圧を起こさない<br>・移動用具を理解し、適合している |
| 排尿に関連する動作 | 衣類の着脱動作<br>・ズボン、スカートなどを下ろしたり、まくったりする<br>・排泄物がかからないように下着を下ろす<br>・下着やスカート、ズボンを元に戻す | ・衣類の着脱の方法を認識できる<br>・手先が動き、ボタンを外したりかけたりできる<br>・下着を下ろせるよう腰上げ、あるいはずらすことができる |
| | 尿便器の使用動作<br>・尿便器の位置を確認できる<br>・蓋を開けるなど必要な動作がわかり、できる<br>・尿道の位置に当てることができる | ・見える、あるいは視力に代わる知覚で確認できる<br>・判断力がある<br>・手先の巧緻性、あるいは仕上げなど必要な動作ができる |
| | 後始末動作<br>・紙を切る<br>・尿道口を拭く<br>・水洗の場合、汚物を流す<br>・汚物を捨てる<br>・尿便器を洗う<br>・手を洗う | ・後始末の必要性、方法が理解できる<br>・手先が動く、見える、あるいは視力に代わる知覚で確認できる |

挙げられる。排尿動作を観察しながら、どのような運動機能障害があるかを評価する。

### 1）トイレへの移動動作（起居・移乗・移動）

　立ち上がり時にバランスを崩し転倒しやすい場合や、排尿時の座位姿勢が保持できない場合は、姿勢を保つ体幹の筋力や持久力の不足から、前方への重心移動が十分でなく、重心が後方に偏位していることが多い（図2）。そのため、座位において重心が支持基底面に乗っているか、手が自然と腿の上に置かれ、自分の体幹の筋力で姿勢を保持できるかを観察し、評価する。また、立位や歩こうと下肢にグッと体重を乗せると、"カクッ"と膝に力が入らず折れ、ポータブルトイレまでも

### 図1　排泄自立に関連する要因

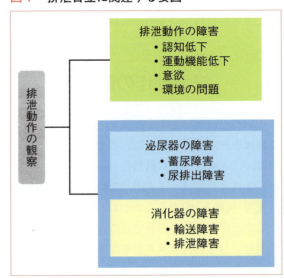

### 図2 排尿動作に関連する運動機能評価

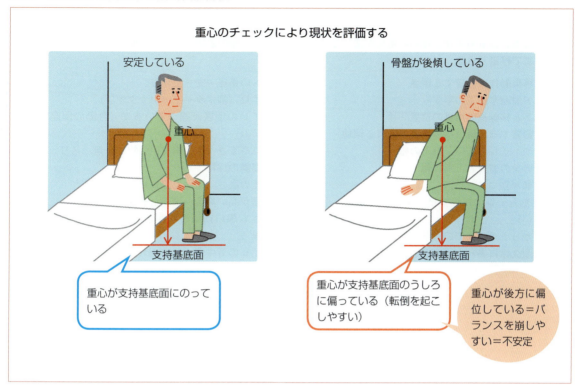

移動ができない場合がある。一般的にこの現象は「膝折れ」と呼ばれ、大腿四頭筋や下腿三頭筋の筋力低下や、神経障害による運動麻痺などによって生じる。

これらの運動機能障害のほかに、心肺機能が低下している場合にもトイレへの移動動作は障害される。その場合、起立性低血圧やめまい・動悸、極度の疲労感が出現する。これらの主な原因としては、急性期やターミナル期、廃用による運動耐容能力の低下がある。

### 2) 排尿に関連する動作（衣類の着脱・尿便器の使用・後始末）

ズボンなどのボタンやホックを外す・とめる、尿便器を尿道にあてる、トイレットペーパーを切るなどの動作ができない理由には、手指の筋力低下や関節拘縮といった運動機能の低下のほか、ボタン等が見えないなどの視覚障害や指先の感覚の低下、振戦など手先の巧緻性も関係している。一方で、ズボンやスカートを下ろす・元に戻すなどの衣類の着脱や、尿道口を拭くなどの後始末動作では、手指の運動機能の低下のほかに、下着を下ろせるよう腰を上げるなど、片手で姿勢を保持しながらも排尿動作ができる上下肢の筋力が必要となる。そのため、これらの動作ができない場合には、手先だけでなく全身の筋力やバランス能力も評価する。

通常、私たちは立位や座位となり、体幹を起こし腹腔内の重力が下降するようにして排泄をする。時には、いきみやすくするために前傾姿勢をとったりもする。しかし、筋力や持久力が低下すると、この排泄姿勢を保持することができない。

### 2. 認知機能障害

排泄動作に影響を与える認知機能には、尿意の自覚や伝達能力、排尿に関する動作の認識や理解がある（表1）。

表2　排尿動作に関連する環境

| トイレまでの移動環境 | トイレ内の環境 |
|---|---|
| 自力、あるいは車椅子など移動の用具を使って自らトイレまで移動できる | 自力で衣類の着脱・尿便器の使用・後始末ができる |
| 起居・移乗動作に影響する環境<br>・ベッド周囲や廊下の手すり<br>・ベッドと移動補助用具の位置関係<br>移動に影響する環境（移動用具が通れる環境）<br>・居室やトイレの入口、廊下の幅<br>・廊下の角の有無と、角の幅<br>・介助者が立つスペース<br>・居室やトイレの戸の構造（車椅子の場合、引き戸が良い）<br>・居室からトイレまでの段差の有無<br>・運動耐久性にあった居室とトイレの距離 | 便座への着座・立ち上がり<br>・手すり（押すタイプ、引くタイプ）<br>・トイレの便座が開いているか（自動の便座開閉システム）<br>・滑りやすさ：床の素材、敷物の有無、スリッパ<br>排尿姿勢の保持<br>・便座の高さ：座った際に足が床につくか<br>・便座が高い場合→踏み台を使う<br>・いきむ際に前傾姿勢がとれるか：前方の支持具の有無<br>・トイレの背中側：背もたれ用のクッション、座面<br>後始末・更衣<br>・ペーパーホルダーの高さ・位置と麻痺側の関係<br>・ゴミ箱の位置<br>・流しの位置<br>そのほか<br>・音や臭いへの配慮 |

## 3．意欲の障害

人が行動する意欲を失う原因として、疼痛や疲労、睡眠障害、トイレ動作による転倒の恐れなどがある。特に、基礎疾患や治療に伴う急性疼痛のほか、高齢者などでは膝関節変形症などの筋・骨格の加齢変化やがん性疼痛などの慢性疼痛がある。疼痛は、痛みを感じる部位、痛みの部位、性質、痛みのはじまり、どのようにすると軽くなるかなどをチェックする。

## 4．環境の問題

排尿動作に関連する環境の問題は、「トイレまでの移動環境」と「トイレ内の環境」に大別できる（表2、図3）[5]。

「トイレまでの移動環境」とは、トイレへの移動動作（起居・移乗・移動）に影響する環境のことを指し、トイレまで移動しようとした場合の障害となる環境要因を検討する。日本の家屋はトイレのスペースや入口が狭い場合が多く、移動用具を使用する場合や介護者が移乗・移動を介助する場合、移送用具や介助者のスペースを十分確保することが難しい。

「トイレ内の環境」とは、自力で排尿に関連する動作（衣類の着脱・尿便器の使用・後始末）ができる環境が整っているかである。これは、大まかに、便座への着座・立ち上がり、排尿姿勢の保持、後始末・更衣に分類でき、個人の運動機能や認知機能によって必要な環境は異なる。

[ 重要な環境を評価 ]

排尿動作を評価する際には、その自立度のみを評価するのではなく、障害がある場合、原因となる運動機能や認知機能、排尿への意欲までを考える必要がある。患者によっては、運動機能や認知機能が改善する見込みが低い場合もあり、残存す

## 図3 排尿動作に関連する環境の問題

ベッドの近くにトイレがある

ベッドからトイレまでの動線

縦手すりで立位を安定させる

前傾姿勢をとるためにキャスターを使用

棚を手すり代わりとして移動する

夜間も電気をつけたままのトイレ

足台の利用

土屋雅彦, 落合美加子：トイレ環境・住環境. 穴澤貞夫, 後藤百万, 高尾良彦, 他編, 排泄リハビリテーション―理論と臨床. 中山書店, 東京, 2009：264-270. を参考に作成

る運動機能や認識機能のなかで、いかに自立した排尿ができるようになるかという視点で、ソフト・ハード両面での環境を評価することが重要である。

引用文献
1. World Health Organization (WHO). International Classification of Functioning, Disability and Health, 2001.
2. 一般社団法人日本創傷・オストミー・失禁管理学会編：平成28年度診療報酬改定「排尿自立指導料」に関する手引き. 照林社, 東京, 2016
3. 西村かおる：排尿自立のための病棟看護師の役割 入院患者の自立度を低下させないために. 看護技術 2016；62(6)：10-13.
4. 慶應義塾大学月が瀬リハビリテーションセンター：Functional Independence Measure 早見表. http://www.keio-reha.com/ADL/fim_hayami_top.html
5. 穴澤貞夫, 後藤百万, 高尾良彦, 他編：排泄リハビリテーション―理論と臨床. 中山書店, 東京, 2009：264-270

参考文献
1. 越智隆弘総編集, 中村利孝専門編集：最新整形外科学大系25 高齢者の運動器疾患. 中山書店, 東京, 2007.

[ アセスメントとそのポイント ]

ヘルスアセスメント

# 認知機能評価

津畑亜紀子

## 排泄と認知機能

　排泄に重要な要素は、下部尿路機能、排泄に伴う動作能力、認知機能等である。「認知機能」とは、記憶、理解力、判断力、見当識、知覚や言語などの機能をいう。排泄を行うためには、尿意を自覚し、排泄動作の開始決定、トイレまでの道のりや排泄に至るまでの手順の判断など、多くの事柄の認識、情報の整理や判断を行う必要がある。

　認知機能障害は、脳血管疾患や事故、認知症など脳の損傷が原因で生じる。症状は、損傷部位や範囲によって異なり多様な症状を示す。外見からでは判断が難しい症状もあるため、周囲の理解が得られにくく、ときには本人でさえ自覚が乏しいこともある。

### 1．遂行機能障害

　何か行動をする際に目的を定めて計画を立て、段取りよく実行することを「遂行機能」という。この遂行機能が障害されると、目的に達するために見合った手段や方法を合理的に考えることが困難になる。例えば、尿意を感じトイレに行きたいと思っても、場所を思い浮かべ、そこに行き着くまでの道順や排泄動作の一連の流れを計画できず、段取りよく実行することが困難になる。排泄行動の一連の流れのうち、どの部分に困難が生じるのかを見きわめサポートしていく必要がある。

### 2．見当識障害

　「見当識障害」とは、時間や場所、人物に対する自己の位置づけに対する障害である。排泄においては、トイレの場所あるいは自分のいる場所が認識できない、昼夜の区別がつかずトイレに行くなどの行動がみられる。居室の位置の工夫やトイレに目印をつけるなどの支援が必要となる。

### 3．失行

　「失行」とは、麻痺や運動障害はないものの、日常的に習熟しているはずの行動ができなくなる障害である。例えば、ボタンやファスナーが取り扱えない、着替えができないなどの症状が認められる。衣服の着脱が困難になると、排泄の準備が整わず失禁したり、排泄後の身支度を整えられないなどの症状がみられる。目でボタンやファスナーを見ているだけだと操作方法がわからないが、触れると扱い方を思い出すといった失行もある。衣類の留め具の種類や規格を統一する、前あき、かぶりものなど着脱方法が異なる衣類を減らすなどの工夫によって、くり返し訓練できるよう支援する必要がある。

### 4．失語

　「失語」とは、言葉がうまく出てこない、伝えたい言葉とはまったく異なる言葉が出てくるなどといった言葉の障害である。排泄においては、尿

意を相手に伝えたくても伝えることができない、トイレの場所を尋ねたくても聞くことができないなどの問題が生じる。失語は、話すことだけではなく、読むこと、聞くこと、書くことも障害されている場合や、それぞれの機能障害の程度が異なる場合がある。平易な言葉を使う、絵を用いて説明するなど対象の状況に応じてコミュニケーション方法を工夫する必要がある。

## 5．失認

「失認」とは、視覚や聴覚、触覚などを通じての物の認識ができなくなる障害である。例えば、トイレの表示を見ても何を意味するのか理解できない、便器を見ても何に使うのかわからないなどの症状が認められる。視覚としてトイレを認識できない場合は、音声案内を使用するなどほかの感覚を用いてみるとよい。

## ［認知機能の側面からみる排泄行動のチェックポイント］

認知機能の側面からみる排泄行動のチェックポイントを以下に挙げる。
①尿意や便意があるか。
②尿意や便意を何らかの方法で伝達できるか。
③排泄のための行動は目的に見合って合理的か。
④トイレを認識しているか。
⑤トイレまでの道のりと現在地を理解しているか。
⑥トイレの操作方法を理解しているか。
⑦扉や鍵の操作方法が理解できているか。
⑧衣類の脱着方法が理解できているか。
⑨陰部の清拭の必要性、方法が理解できているか。

## ［認知機能の評価］

認知機能を評価する検査は認知機能障害のスクリーニングや重症度の判定に用いられる。評価方法はいくつかあり、総合的知的能力を評価する内容で構成されたものや、障害の内容ごとに詳細に評価する方法がある。ここでは、総合的知的能力の評価方法として代表的かつ看護師が評価可能なものを示す。

## 1．MMSE（表1）

MMSE（Mini-Mental State Examination）は、見当識や即時記憶、短期記憶、空間認知、計算、言語の流暢性など11の項目を1～5点で採点するもので、30点満点中23点以下は認知症の疑いがあるとされている。評価項目のなかには作文や作図が含まれ、失行や失認が評価できる反面、麻痺などのために利き手が使用できない場合には評価の対象とすることができない。その場合は、改訂長谷川式簡易知能評価スケールを用いる。

MMSEの得点は手段的ADL（IADL）やADLと結びついており、得点が下がれば下がるほど日常生活の自立度が低下する。尿失禁はおおむね12点未満で生じるといわれている（図1）。

## 2．改訂長谷川式簡易知能評価スケール（HDS-R）（表2）

HDS-R（Revised version of Hasegawa's Dementia Scale）は、MMSEと同様に日本で広く用いられている評価方法である。麻痺があって書字が行えない対象者に使用できる。見当識や即時記憶、短期記憶、計算、言語の流暢性など9つの項目で採点し、30点満点中20点以下は認知症の疑いがあるとされている。

## 3．N式老年者用精神状態尺度（NMスケール）（表3）

このスケールは、行動観察を通じて評価者が客観的に評価できるツールである。MMSEやHDS-R採点時に必要な質疑応答が不要なため、協力が得られない対象や意思疎通が困難な対象にも使用できる。項目は、家事労働、意欲、会話、記憶、見当識の5項目で構成されており、寝たきりの場合は会話、記憶、見当識の3項目で評価する。各項目は0～10点で評価され、総得点より5段階に重症度が分類される。

## 表1　MMSE (Mini-Mental State Examination)

| | 質問内容 | 回答 | 得点 |
|---|---|---|---|
| 1（5点） | 今年は何年ですか | 年 | |
| | いまの季節は何ですか | | |
| | 今日は何曜日ですか | 曜日 | |
| | 今日は何月何日ですか | 月 | |
| | | 日 | |
| 2（5点） | ここはなに県ですか | 県 | |
| | ここはなに市ですか | 市 | |
| | ここはなに病院ですか | | |
| | ここは何階ですか | 階 | |
| | ここはなに地方ですか（例：関東地方） | | |
| 3（3点） | 物品名3個（相互に無関係）<br>検者は物の名前を1秒間に1個ずつ言う。その後、被検者に繰り返させる<br>正答1個につき1点を与える。3個すべて言うまで繰り返す（6回まで）<br>何回繰り返したかを記せ　　　回 | | |
| 4（5点） | 100から順に7を引く（5回まで）。あるいは「フジノヤマ」を逆唱させる | | |
| 5（3点） | 3で提示した物品名を再度復唱させる | | |
| 6（2点） | （時計を見せながら）これは何ですか<br>（鉛筆を見せながら）これは何ですか | | |
| 7（1点） | 次の文章を繰り返す。<br>「みんなで、力を合わせて綱を引きます」 | | |
| 8（3点） | （3段階の命令）<br>「右手にこの紙を持ってください」<br>「それを半分に折りたたんでください」<br>「机の上に置いてください」 | | |
| 9（1点） | （次の文章を読んで、その指示に従ってください）<br>「眼を閉じなさい」 | | |
| 10（1点） | （何か文章を書いてください） | | |
| 11（1点） | （次の図形を書いてください） | | |
| 30点満点中23点以下は認知症の疑いあり。 | | 合計得点 | |

北村俊則：Mini-Mental State Examination(MMSE), 大塚俊男, 本間昭監修, 高齢者のための知的機能検査の手引き, ワールドプランニング, 東京, 1991：36. より引用
Folatein MF, Folstein SE, McHugh PR. "Mini-Mental State"：a practical method for grading the cognitive state of patients for the clinician. J Psydhiat Res 1975；12：189-198.

図1　MMSEの程度とADL/IADLの関係

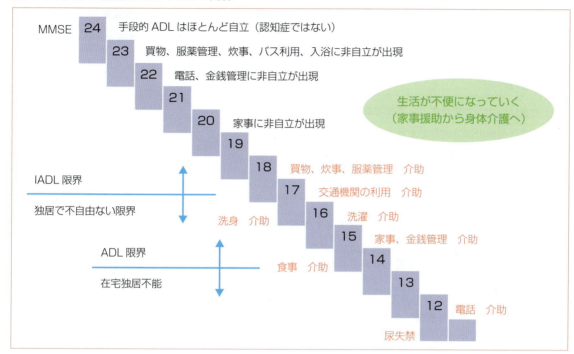

認知症サポート医等のあり方および研修体系・教材に関する研究事業：認知症サポート医養成研修．平成24年度厚生労働省老人保健事業推進費等補助金（老人保健健康増進等事業分），より引用

## 表2　改訂長谷川式簡易知能評価スケール（HDS-R）

（検査日：　　年　　月　　日）　　　　　　　　　　　　　　　　　　　　（検査者：　　　　　　　）

| 氏名： | 生年月日：　年　月　日 | 年齢：　　　歳 |
|---|---|---|
| 性別：男／女 | 教育年数（年数で記入）：　　年 | 検査場所： |
| DIAG（診断）： | （備考） | |

| | | | |
|---|---|---|---|
| 1 | お歳はいくつですか？（2年までの誤差は正解） | | 0　1 |
| 2 | 今年は何年の何月何日ですか？何曜日ですか？<br>（年月日、曜日が正解でそれぞれ1点ずつ） | 年<br>月<br>日<br>曜日 | 0　1<br>0　1<br>0　1<br>0　1 |
| 3 | 私たちがいまいるところはどこですか？<br>（自発的にでれば2点、5秒おいて家ですか？病院ですか？施設ですか？のなかから正しい選択をすれば1点） | | 0　1　2 |
| 4 | これから言う3つの言葉を言ってみてください。あとでまた聞きますのでよく覚えておいてください<br>（以下の系列のいずれか1つで、採用した系列に○印をつけておく）<br>　1：a) 桜 b) 猫 c) 電車<br>　2：a) 梅 b) 犬 c) 自動車 | | 0　1<br>0　1<br>0　1 |
| 5 | 100から7を順番に引いてください<br>（100−7は？　それからまた7を引くと？　と質問する。最初の答えが不正解の場合、打ち切る） | （93）<br>（86） | 0　1<br>0　1 |
| 6 | 私がこれから言う数字を逆から言ってください<br>（6-8-2、3-5-2-9を逆に言ってもらう。3桁逆唱に失敗したら、打ち切る） | 2-8-6<br>9-2-5-3 | 0　1<br>0　1 |
| 7 | 先ほど覚えてもらった言葉をもう一度言ってみてください<br>（自発的に回答があれば各2点、もし回答がない場合以下のヒントを与え正解であれば1点）<br>　a) 植物 b) 動物 c) 乗り物 | | a：0　1　2<br>b：0　1　2<br>c：0　1　2 |
| 8 | これから5つの品物を見せます。それを隠しますのでなにがあったか言ってください<br>（時計、鍵、タバコ、ペン、硬貨など必ず相互に無関係なもの） | | 0　1　2<br>3　4　5 |
| 9 | 知っている野菜の名前をできるだけ多く言ってください<br>（答えた野菜の名前を右欄に記入する。途中で詰まり、約10秒間待っても答えない場合にはそこで打ち切る）<br>0〜5＝0点、6＝1点、7＝2点、<br>8＝3点、9＝4点、10＝5点 | | 0　1　2<br>3　4　5 |

● 総得点は30点で、20点以下は認知症疑いとなる。　　　合計得点

加藤伸司, 下垣光, 小野寺敦志, 他：改訂長谷川式簡易知能評価スケール（HDS-R）の作成. 老年精神医学雑誌 1991；2(11)：1342. より引用

## 表3 N式老年者用精神状態尺度（NMスケール）

| 項目 \ 評点 | 0点 | 1点 | 3点 | 5点 | 7点 | 9点 | 10点 | 評価 |
|---|---|---|---|---|---|---|---|---|
| 家事 身辺整理 | 不能 | ほとんど不能 | 買い物不能、ごく簡単な家事、整理も不完全 | 簡単な買い物も不確か、ごく簡単な家事、整理のみ可能 | 簡単な買い物は可能、留守番、複雑な家事、整理は困難 | やや不確実だが買い物、留守番、家事などを一応任せられる | 正常 | |
| 関心・意欲 交流 | 無関心 全く何もしない | 周囲に多少関心ありぼんやりと無為にすごすことが多い | 自らはほとんど何もしないが、指示されれば簡単なことはしようとする | 習慣的なことはある程度自らする。気が向けば人に話しかける | 運動・家事・仕事・趣味などを気が向けばする。必要なことは話しかける | やや積極性の低下がみられるが、ほぼ正常 | 正常 | |
| 会話 | 呼びかけに無反応 | 呼びかけに一応反応するが、自ら話すことはない | ごく簡単な会話のみ可能、つじつまの合わないことが多い | 簡単な会話は可能であるが、つじつまの合わないことがある | 話し方はなめらかではないが、簡単な会話は通じる | 日常会話はほぼ正常 複雑な会話がやや困難 | 正常 | |
| 記銘・記憶 | 不能 | 新しいことは全く覚えられない 古い記憶がまれにある | 最近の記憶はほとんどない、古い記憶多少残存、生年月日不確か | 最近の出来事の記憶困難、古い記憶の部分的脱落 生年月日正答 | 最近の出来事をよく忘れる 古い記憶はほぼ正常 | 最近の出来事をときどき忘れる | 正常 | |
| 見当識 | 全くなし | ほとんどなし 人物の弁別困難 | 失見当識著明、家族と他人との区別は一応できるが、誰かはわからない | 失見当識かなりあり（日時・年齢・場所など不確か、道に迷う） | ときどき場所を間違えることがある | ときどき日時を間違えることがある | 正常 | |

NMスケール評価点

●重症度評価点
カッコ内の数字は、寝たきり高齢者（N-ADLで歩行・起坐が1点以下のとき）の場合で、「会話」「記銘・記憶」「見当識」の3項目によって暫定的に評価する。

| | |
|---|---|
| 正常 | 50～48点（30～28点） |
| 境界 | 47～43点（27～25点） |
| 軽症認知症 | 42～31点（24～19点） |
| 中等症認知症 | 30～17点（18～10点） |
| 重症認知症 | 16～0点（9～0点） |

小林敏子, 播口之朗, 西村健, 他：行動観察による痴呆患者の精神状態評価尺度（NMスケール）および日常生活動作能力評価尺度（N-ADL）の作成. 臨床精神医学 1988；17(11)：1654. より改変

Part 2 排尿機能障害へのアプローチ

[ アセスメントとそのポイント ]

# 排尿機能検査

鈴木康之

## 排尿障害治療方針の決め方

　臨床（排尿障害治療）において、方針決定には以下の段階を踏むのが一般的である。

　まず、**主観的**（subjective）な自覚症状である下部尿路症状（lower urinary tract symptom：LUTS）を患者から聴取する。これに問診票を使用すると比較・解析が容易となる。次に、**客観的**（objective）な排尿日誌や排尿機能検査、画像検査などが追加される。そして、これらを評価（assessment）し、治療方針（plan）を導き出す[注1]。

　主観的評価は、患者本人が問題とし解決を希望している事項が判明する反面、心理状態、評価者や時間経過などで容易に変化し不安定である。一方で、客観的評価は、主観的評価から医療者側が病態により選択する「検査」で、その所見（結果）は、X線や超音波（エコー）などの画像検査に代表されるように、評価者や心理状態により変化するものではないことが多い。

　排尿機能検査は客観的評価には含まれるが、心理的影響も受けやすい。これを最低限にするため、リラックスして検査を受けることができる環境への配慮は不可欠である。また、良好な環境で適切な手技のもとで施行されたものでも、複数回行った検査結果が、誤差も含めて大きく異なる場合もしばしば認められる。このため、その結果判断も柔軟に行う必要がある。

　現実の排尿機能障害は多因子が複雑に関与しており、その病因は複雑である。排尿遂行には全身機能が必要である（図1A）。正常排尿には、下部尿路機能以外にも視力、上下肢機能、座位保持機能のみならず、認知機能までが一定水準以上であることが不可欠である（図1B）。この概念は、多機能が低下している高齢者では重要な概念である。排尿機能検査（尿流動態検査）は下部尿路機能の評価であり、そこで指摘された異常で排尿機能障害全体を説明することはできない。

　このように、尿流動態検査には限界はあるものの、結果は客観的で不可逆的な外科療法選択時などの重要な方針決定時に最も頼りになる検査でもある。さらに、結果は数値化されているため、統計解析しやすいなどの利点もある。

## 残尿測定
（post-void residual：PVR）

　下部尿路機能（表1）は、蓄尿と尿排出に分かれ、前者はQOL維持の機能であり、後者は生命維持機能でもある。よって、蓄尿機能はより障害を受けやすく、その臨床症状は過活動膀胱に代表され

---

注1：「SOAP」法と呼ばれる、カルテ記載法としても知られている。

図1 排尿に必要な機能

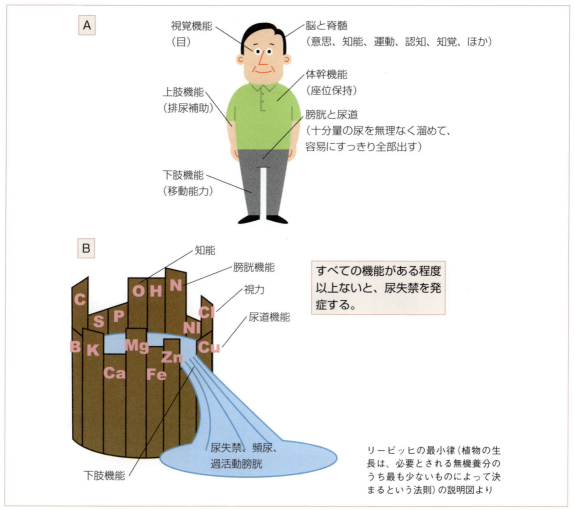

図Bは水の入った木製の樽である。それぞれの機能を、樽を構成する木枠にたとえている。この木枠の長さ（機能）がある程度ないと中の水は漏れてしまう。図では、尿道機能、視力、膀胱機能、知能は十分であるが下肢機能低下が失禁の主原因となっている状態を示している。

表1 下部尿路機能の比較

|  | 詳細 | 目的 | 自律神経 | 神経伝達物質 | 受容体 |
|---|---|---|---|---|---|
| 蓄尿 | 漏らさず十分量を溜める | QOL維持 | 交感神経 | ノルアドレナリン | $α_1$受容体、$β_3$受容体 |
| 尿排出 | すみやかに全部の尿を排出 | 生命維持（腎機能保護、尿路感染予防） | 副交感神経 | アセチルコリン | ムスカリン受容体 |

る尿意切迫である。

過活動膀胱は、最初に出現する排尿障害とも考えられ、その治療方針決定までのアルゴリズム（図2）は、排尿障害全体をカバーするものとも考え

ることができる。

ここでは、残尿測定（post-void residual：PVR）が検尿に引き続いて行われるべき必須の検査となっている。

図2 日本の過活動膀胱診療ガイドライン (2015) による一般医家向けアルゴリズム

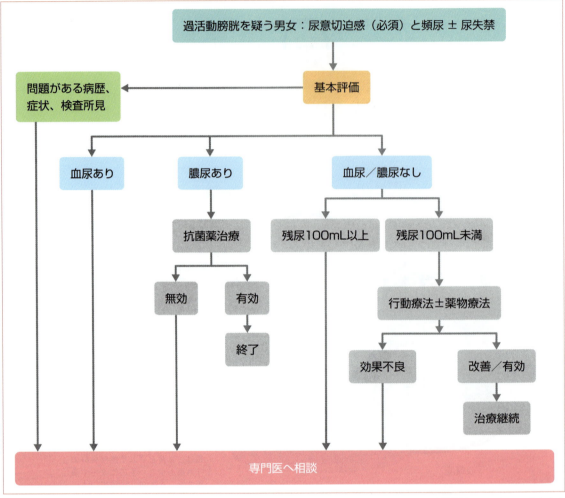

過活動膀胱患者に対し一般医がなすべき最低限の検査・評価のアルゴリズムを示したものである。過活動膀胱はこのなかで中央上方の"基本評価"で、最低限必要なのは検尿（血尿・膿尿の有無判定）であり、これに引き続いて行うのが残尿測定で、この2種は必須の検査となる。
日本排尿機能学会過活動膀胱診療ガイドライン作成委員会編：診療アルゴリズム，過活動膀胱診療ガイドライン［第2版］，リッチヒルメディカル，東京，2015：12，より改変

## 排尿障害の程度

　尿排出障害の程度は、前立腺肥大症のみならず排尿機能障害の重症度判定の根幹をなすもので（表2）、残尿測定はその臨床的有用性が高く排尿障害診療には不可欠である。ただ、エコー機器がないために残尿測定が困難な医療機関があるのは事実であるが、残尿が多いと尿路感染を合併する傾向もあるため（図3）、導尿法（図5〈後述〉）も考慮する必要がある。残尿は少量であれば問題はないとされ、一般に50mL以下では臨床的に問題になることはなく、100〜150mLを超えると難治性尿路感染などの問題があるとされる。残尿は図3、4に示すように、その量の増加とともに感染症が難治性となり腎機能や全身性感染症への移行のリスクが高まる。

## 表2 前立腺肥大症・排尿障害の病期

|  | 第1病期<br>（膀胱刺激期） | 第2病期<br>（残尿発生期） | 第3病期<br>（慢性尿閉期） |
| --- | --- | --- | --- |
| 症状（LUTS） | 頻尿<br>排尿困難 | 頻尿<br>排尿困難 | 頻尿<br>排尿困難 |
| 病態 | 尿排出障害 | 尿排出障害<br>複雑性尿路感染症 | 尿排出障害<br>溢流性尿失禁（複雑性尿路感染・水腎症） |
| 尿流率（尿流量） | 良好 | 低下 | 不良（自排尿不可） |
| 残尿量 | 0 | 50～150mL未満 | 大量（膀胱容量と同じ） |

泌尿器科学書に記載されている前立腺肥大症（BPH）の病期の概念である。前立腺肥大症の病期とは結局のところ尿排出障害の病期であり、進行とともに専門医受診や早急な対応（緊急ドレナージ）が必要となる。第1病期は膀胱刺激期で、各種のLUTSはあるものの、治療希望がなければ放置可能な病態である。第2病期（残尿発生期）は、注意深い観察が必要で専門医の診察が好ましい。第3病期（慢性尿閉期）は、大量残尿があり、尿路感染や腎不全により生命の危機が切迫している状況である。臨床では病期判定は不可欠である。しかし、自覚症状LUTSでは病期鑑別はできない。判別には、尿流率（尿の勢い）で判断するのが最良であるが、高価な専用機器が必要である。一方で、残尿量測定は、導尿や通常のエコー機器で可能であり病期判定における臨床的有用性が高い。

## 図3 残尿量と感染の関係

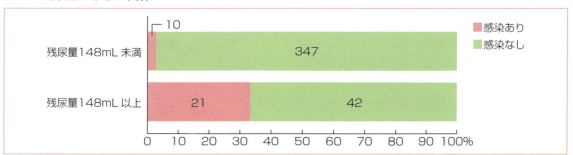

420名の排尿障害患者を対象に残尿量と尿路感染合併の関係を示したものである。残尿量が少ない（148mL未満）と感染は3％未満（10/357）であるのに対し、残尿量が多い（148mL以上）と33％（21/63）となる。これは、残尿量が多いと一度尿路感染になっても容易に治癒しない（複雑性尿路感染症）ためと推測される。
吉野恭正, 大石幸彦, 鈴木康之, 他：排尿障害患者の残尿量と尿路感染の関連. 臨床泌尿器科 2000；54(6)：456. より引用

## 図4 なぜ残尿がよくない？

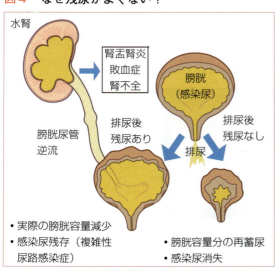

中央右上部は感染尿が充満（仮に400mLとする）した膀胱である。排尿時に全部排泄された（右側：残尿なし）場合には、尿中細菌は膀胱内からなくなり尿路感染はほぼ治癒する[*1]。また、膀胱容量分の400mL貯留するまで排尿をがまんできる。一方で、排尿時に100mLしか出せない（左側：残尿300mL）場合には、残尿内に起炎菌が残存して尿路感染は持続する[*2]。また、100mLの尿貯留後に再度の排尿を強いられる（頻尿）。さらに感染が遷延すると、逆流防止機構が破綻して膀胱尿が尿管・腎盂へ逆流（膀胱尿管逆流：VUR）する。膀胱尿管逆流により、腎盂内圧が上昇すると水腎症を招き、腎実質の減少を招く。この際に逆流する尿が感染尿であった場合には発熱を伴う重篤な腎盂腎炎となり、適切な治療が行われないと敗血症などの全身感染症になり生命の危機にさらされる。また、逆流する尿が無菌であっても膀胱尿の腎盂への逆流（腎盂内圧上昇）は水腎症を悪化（腎実質萎縮）させ腎機能障害・腎不全を招く。

[*1]：単純性尿路感染症の病態であり、利尿だけでも感染は容易に治癒する場合がある。
[*2]：複雑性尿路感染症の病態であり、抗菌薬使用によっても菌交代現象が起こるだけで尿路感染は遷延し治癒は得られない。

# 残尿測定法の実際

実際の残尿測定法には、導尿法とエコーなどによる画像推定法がある。導尿法（図5）は手技が煩雑で患者側からも敬遠される傾向にあるものの、残尿測定の基本であるだけでなく、ある程度以上の残尿量がある場合には画像推定法にない以下のような利点がある。

第1に、**信頼できる検体が得られる点**である。提出検体は正しく採取されるべきであるが、患者本人の採取では（特に女性が多いが）、男女を問わず外尿道口の白血球・細菌混入（いわゆるコンタミネーション）のリスクがあり、検尿、尿沈渣、尿培養結果への信頼性が劣るが、導尿で得られた検体の信頼性は高い。

第2に、**導尿で残尿を排出できる**点である。残尿があっても膀胱尿が完全に排出されれば一時的であるにせよ間欠導尿と同じ効果が得られる。

第3は**確実性**である。画像推定法のなかでも専用機による場合には、腹腔内貯留水である卵巣嚢腫、腹水などを測定し表示することがあるが、導尿法で得られる尿は確実に膀胱内の尿である。

**残尿測定において実臨床で最も採用されているのは、画像診断による推定法**である。排尿後に膀胱画像（図6）をとり残尿量を推定する方法は、非侵襲的で手軽である。また、エコーで大量残尿を認めた場合は、同時に水腎症の有無も観察することができる。専用機器も多種あり、有用性が高い（「排尿日誌のつけ方と指導法」p.105、図5～6参照）。

残尿測定検査で得られた値の解釈はしばしば問題になる。残尿測定結果は、前述のように排尿環境に依存するだけでなく、実際に大きく変動することが現場で確認されている。さらに、画像推定法の測定値の根拠はあくまで球体を元にしているので、これを膀胱にあてはめるのには無理がある。前立腺肥大による膀胱底挙上例では実際量との誤差は無視できない。しかし、臨床的に重要な測定結果は0 mLか50 mLか、100 mLか200 mLか程度の範囲であり、多少の誤差は問題ない。また、残尿感（自覚症状）と残尿量（他覚所見）はまったく無関係であり、残尿感がないから残尿測定が不

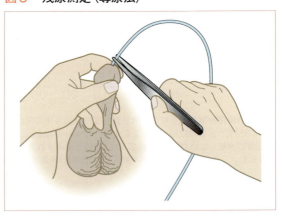

図5　残尿測定（導尿法）

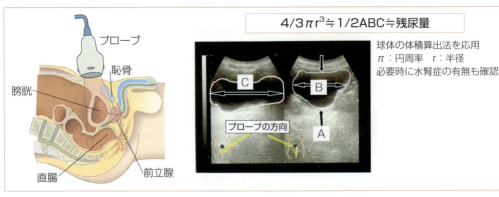

図6　エコー断層装置による残尿の推定

$4/3\pi r^3 ≒ 1/2ABC ≒ 残尿量$

球体の体積算出法を応用
$\pi$：円周率　$r$：半径
必要時に水腎症の有無も確認

排尿後に一般のエコー断層装置を使用して膀胱の縦・横・高さを計測し残尿量を概算する。また、大量の残尿があれば水腎症の有無のチェックも必要である。

要ということにはならない。

# 尿流測定（uroflowmetry：UFM）

## 尿流測定とは

尿流測定は、残尿測定と並び非侵襲的であるにもかかわらず、最も基本的かつ重要な客観的評価（表2）を与えてくれる。排尿は膀胱排尿筋収縮（膀胱内圧）と尿道抵抗のバランスの結果で下部尿路機能を総合的に表現できる検査であり、この検査で異常とならない場合には、追加の尿流動態検査は必ずしも必要ではない。

測定されるパラメーター（図7）は最大尿流量［maximum urinary flow rate（Qmax）：mL/秒］、平均尿流量［average urinary flow rate（Qave）：mL/秒］、排尿量（voided volume：mL）、排尿時間（flow time：秒）などである。上記のパラメーターは専用機器で測定されるが、排尿量、排尿時間、平均尿流量だけであれば尿量測定カップと時計だけで算出可能である。

男女では尿道の解剖学的形態が大きく異なるため、尿流測定値に差が出る。図8に、尿流曲線の性差を示す。男性では排尿量が数百mLで最大尿流量増加はなくなり排尿時間延長で尿量を排出しているのに対し、尿道の短い女性では排尿量増加に対し最大尿流量の増加がみられ、排尿時間延長は男性ほど大きくない。

図7 尿流曲線と各種のパラメーター

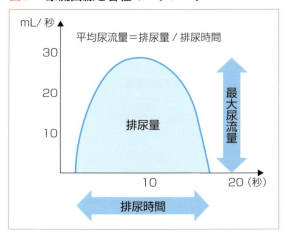

## 排尿量とパラメーター

尿流測定では排尿量とともにパラメーターが変わることが知られ（図9）、成人では150〜

図8 尿流曲線の性差

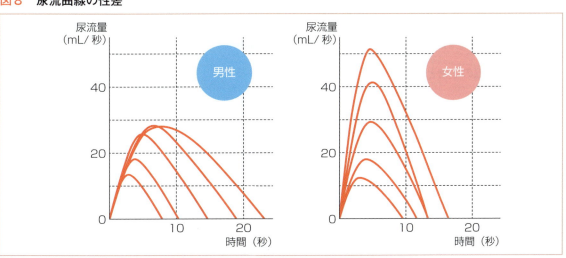

宮田昌伸, 水永光博, 佐賀祐司, 他：成人女性の排尿と尿流量解析. 日本泌尿器科学会雑誌 1990；81（7）：1076. より改変

400mL前後の排尿量で行った場合の結果を評価すべきとされている。また、排尿量が50〜250mLの間では、尿流量は排尿量に依存して大きくなるので、判断にはノモグラム（図9）の利用が勧められている。各測定値の最大尿流量が、その測定時の排尿量で、ノモグラム上の正常域内にあれば問題なく、正常域の－2SDより低い測定値は排尿障害ありとされる。また、これらのパラメーターには厳密な正常値はなく、一般に、男性で15mL/秒、女性で20mL/秒程度あれば尿排出機能に問題があることは少ないともいえる。図10のように、大きく正常波形から逸脱したものは尿流曲線からだけでも異常と判断できる。また、図11には各種の異常波形を示した。

臨床で正常・異常の判断に迷う場合には、残尿量、検尿所見、経過、自覚症状などを総合的に判断する必要がある。尿流測定では、排尿筋収縮力と尿道抵抗の差として各種のパラメーターが検出されるが、そのどちらに障害があるか否かの判定はできない。そのためには、膀胱内圧を測定しながらの尿流測定（後述）などの追加検査が必要となる。また、尿流測定結果も自覚症状と相関するものではなく、排尿困難を自覚していないことは、この検査の不要を意味するものではない。

## 尿流動態検査（ウロダイナミクス検査）

尿流動態検査（ウロダイナミクス検査）には、

### 図9　排尿量と尿流量の関係

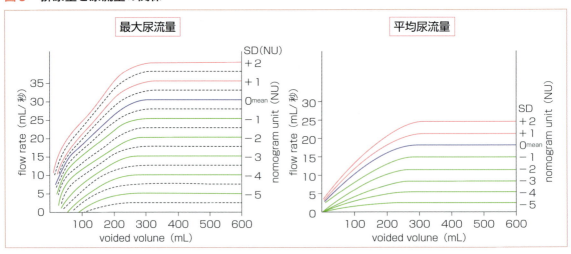

八竹直：尿流量測定の臨床的意義について. 泌尿器科紀要 1981；27(8)：1022. より引用

### 図10　尿流曲線の正常と異常

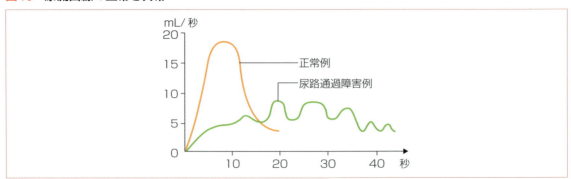

馬場志郎：前立腺肥大症の検査. 吉田修監修, 日常診療のための泌尿器科診断学. インターメディカ, 東京, 1999：230. より引用

### 図11 各種の尿流曲線

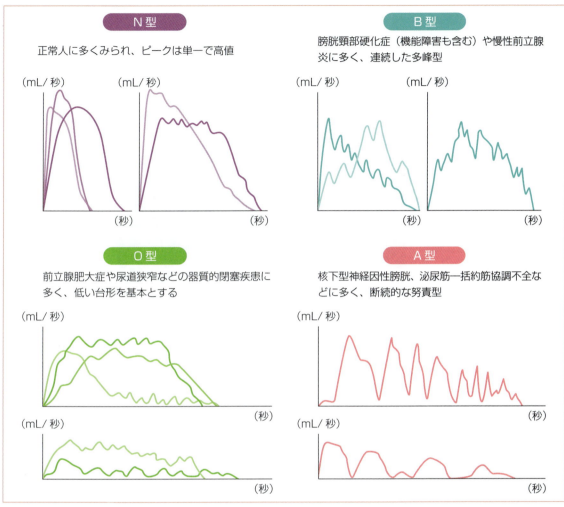

八竹直：尿流量測定の臨床的意義について. 泌尿器科紀要 1981；27(8)：1023. より引用

広義には残尿測定・尿流測定も含むことが多いが、本項ではその重要性から別に記載した。

## 膀胱内圧測定

　膀胱内圧測定（cystometry、cystometrography：CMG）は、膀胱内の圧を測定・記録する検査である。膀胱知覚（尿意）、膀胱壁のコンプライアンス（伸展性）、膀胱容量、排尿筋過活動の有無、随意的な膀胱収縮の可否、外尿道括約筋との協調等について調べるものである。
　実際の検査ではまず、膀胱と直腸にカテーテルを留置する（図12）。膀胱内のものは、一般に注入用と圧測定用のため2腔が使用される。また、引き続き内圧尿流測定（後述）を行う際には、抜けないようにピッグテール型のものが使用される場合がある。膀胱内には腹圧と膀胱の収縮圧（排尿筋圧）がかかるため、腹圧測定も必要となる（膀胱内圧＝排尿筋圧＋腹圧）。腹腔内に直接カテーテルを挿入し圧を測る方法は侵襲性が高いため、腹圧は直腸内圧で代用される。直腸内圧測定には先端の穴に膜状のカバーを被せたカテーテルに水（生理食塩水）を少量入れたものが使われる。また、針電極または表面電極で外尿道括約筋の筋電図を同時測定する（図13）。

### 図12 膀胱内圧測定

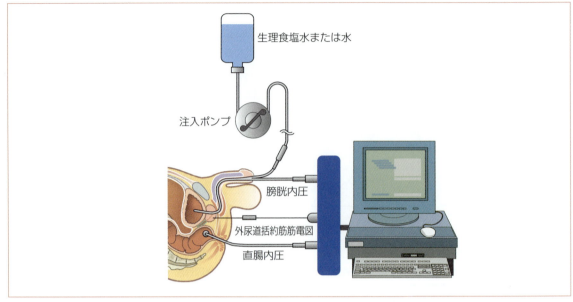

金子茂男, 八竹直, 谷口成実, 他：ウロダイナミクス. 吉田修監修, 日常診療のための泌尿器科診断学. インターメディカ, 東京, 2001：96. より引用

　膀胱に一定速度で生理食塩水[注2]を注入しながら膀胱内圧と直腸内圧を同時測定する（注入相）。この際、排尿筋圧は膀胱内圧から直腸（腹腔）内圧を引き算出される（図14）。また、初発尿意（初めて膀胱の充満を感じる）を経て最大尿意（これ以上排尿をがまんできない）に達したら、排尿命令を出し排尿筋の自発的収縮の有無をみる（排尿相）。

## 1. 膀胱内圧測定による腹圧性尿失禁の診断

　膀胱内圧測定の蓄尿相で咳やいきみを行わせた際に、尿失禁が誘発されるか否かを確認する。腹圧上昇に伴い排尿筋の収縮なく尿道からの尿漏出が確認されたら**真性腹圧性尿失禁（尿流動態性腹圧性尿失禁）**と診断できる。この際に、咳が排尿筋収縮を誘発することがあるので、最初の10分に強い咳と同時に尿が漏れ、その咳が終わり漏れが止まるときが本来の尿流動態性腹圧性尿失禁であるという規定もある（ICS、2002）。また、この失禁の際にどれだけ腹圧が上昇したかを測定し、腹圧下尿漏出圧（abdominal leak point pressure：ALPP）を測定し、括約筋の機能を推し量る方法がある。これが60cmH$_2$O以下であれば、内因性括約筋不全（intrinsic sphincter deficiency：ISD）とされ、90cmH$_2$O以上であれば尿道過可動

---

注2：ICSでは、充満速度は、体重（kg）を4で割った値（mL/分）未満の速度を、生理的な注入速度と規定している。これは、一般に施行されている速度よりも遅いと考えられる。注入速度は、検査中の変更も含め尿流動態レポートに記載すべきである。通常、ルーチン検査では中等度の注入速度（25〜50mL/分）が適用されるべきである。より緩徐な注入速度（25mL/分以下）は低コンプライアンス、排尿日誌上での低容量膀胱、神経因性下部尿路機能障害などが考えられる場合に適している。より急速な注入速度は50mL/分以上である。
　注入液の温度（temperature of fluid）は、通常は室温の液体が用いられる。体温まで温めてもよいが結果に影響するという事実はない。
　患者の体位（position of patient）については、異常排尿筋活動（すなわち過活動）は仰臥位よりも座位（立位）のほうが誘発されやすい。なお、男性患者では、多くの男性は立位で排尿するため、検査中のある段階で、望ましければ立位で注入を行ってもよい。

## 図13 電極の位置

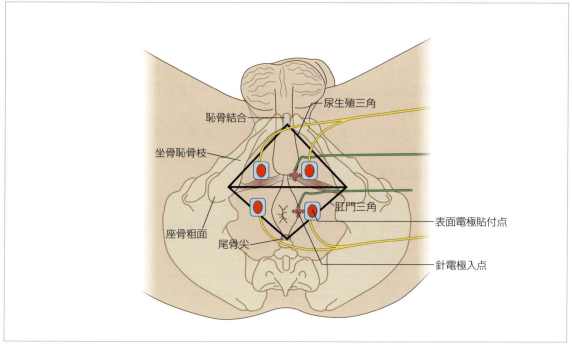

電極の位置は針電極と表面電極で2か所ずつ考えられる。下方は、針電極も表面電極も肛門括約筋筋電図となる。上方の針電極のみが外尿道括約筋筋電図を得られる。上方の表面電極では尿道周囲骨盤底筋群の筋電図となる。このように外尿道括約筋筋電図を得るには上方に針電極を刺す必要があるが、ほかの筋電図でも代用可能である。

## 図14 膀胱内圧曲線

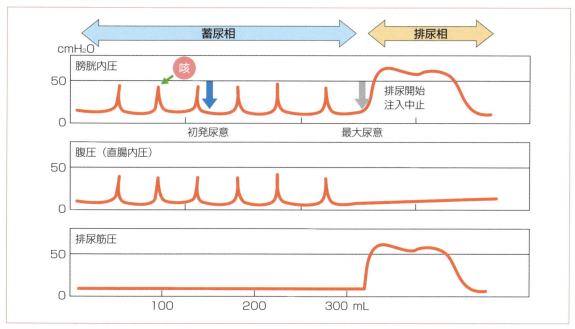

実際に測定しているのは膀胱内圧と直腸内圧である。直腸内圧は腹圧を代表するものと考えられている。排尿筋圧は膀胱内圧から腹圧を引いた値として表示される。実際の測定中にはカテーテルが抜けていないか、失禁が誘発されないか何度か咳で確認する。この図では計6回の咳が記録されている。上図の正常の膀胱内圧曲線で約300mL注入されたところで最大尿意となり排尿を行っている。排尿と同時に排尿筋の収縮による膀胱内圧の上昇が認められる。

(urethral hypermobility)とされる。

## 2. 膀胱内圧測定による切迫性尿失禁の診断

切迫性尿失禁や強い尿意切迫を訴える患者でも約半数しか排尿筋過活動（detrusor overactivity：DO）[注3]を証明できないが、膀胱内圧測定の蓄尿相で排尿筋過活動（図15）や最大膀胱容量やコンプライアンス低下が診断されたら、**切迫性尿失禁**の診断はより確実になる。また、排尿筋過活動は体位変換、冷水刺激などの誘発テストを行うと検出率が高くなる。一方で、尿意切迫や排尿困難をまったく訴えない患者にも、低頻度であるが排尿筋過活動がみられることも知られており、その本態は不明である。

蓄尿相で尿意が低下・消失し、排尿筋の収縮を

**図15　膀胱内圧曲線（排尿筋過活動）**

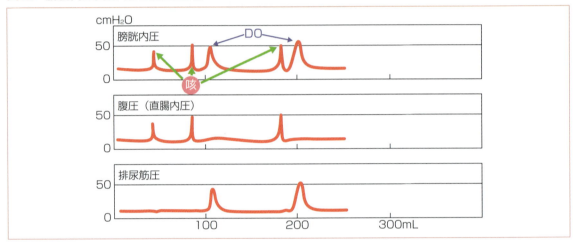

排尿筋過活動が認められる蓄尿期の膀胱内圧曲線である。このような結果が切迫性尿失禁患者に出た場合には、排尿筋過活動性失禁（detrusor overactivity incontinence）といわれ、正常膀胱知覚患者では尿意切迫感が尿漏れの直前に起こると考えられている（ICS、2002）。
DO：detrusor overactivity（排尿筋過活動）。

**図16　低活動型神経因性膀胱**

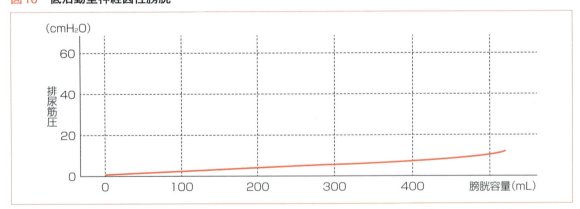

金子茂男, 八竹直, 谷口成実, 他：ウロダイナミクス. 吉田修監修, 日常診療のための泌尿器科診断学, インターメディカ, 東京, 2001：100. より引用

注3：注入法による膀胱内圧測定中に排尿筋収縮を認める病態を指す。これらの排尿筋収縮は、自然に、または誘発刺激で起こるが、膀胱内圧曲線上にさまざまな持続と振幅からなる波形を生み出す。収縮は、一過性または終末時かもしれない。これらの収縮は患者により、抑制されることもあれば制御不能であることもある。症状（例えば尿意切迫感、切迫性尿失禁、または収縮の知覚）は、ある場合とない場合がある。

認めない場合がある（図16）。逆に、膀胱壁の伸展性が不良で蓄尿相で内圧の急上昇が認められる場合を、低コンプライアンス膀胱（図17）といい、しばしば排尿筋過活動との区別が困難な場合もある。コンプライアンス（compliance）とは、膀胱壁の伸展性（伸びやすさ）を示す。膀胱容量の変化量（ΔV）を内圧の変化量（ΔP）で除した値（ΔV/ΔP mL/cmH$_2$O）で表わされる。一般に、最大膀胱容量÷（最大尿意時排尿筋圧−初圧）で求められ、10mL/cmH$_2$O以下を低コンプライアンスとすることが多い（図17）。女性における低コンプライアンスと正常コンプライアンスの定義を表3に示す。

通常、排尿命令によって膀胱排尿筋が収縮すると、外尿道括約筋筋電図は消失（弛緩）するのが

図17　低コンプライアンス膀胱

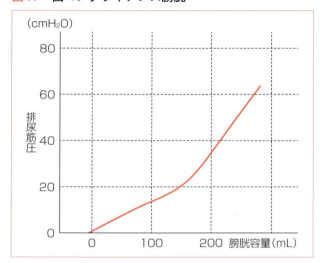

金子茂男, 八竹直, 谷口成実, 他：ウロダイナミクス. 吉田修監修, 日常診療のための泌尿器科診断学. インターメディカ, 東京, 2001：101. より引用

表3　女性における低コンプライアンスと正常コンプライアンスの定義

| | | |
|---|---|---|
| 低コンプライアンス | 神経因性の患者 | 10mL/cmH$_2$O以下 |
| | 非神経因性の患者 | 30mL/cmH$_2$O以下 |
| 正常コンプライアンス | 神経因性の患者 | 30mL/cmH$_2$O以上 |
| | 非神経因性の患者 | 40mL/cmH$_2$O以上 |

男性における推奨値は明確ではない。

図18　膀胱内圧と外尿道括約筋筋電図

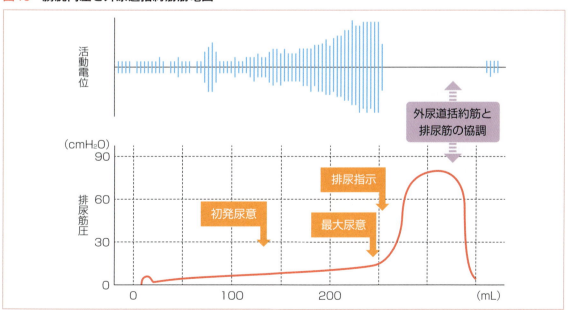

金子茂男, 八竹直, 谷口成実, 他：ウロダイナミクス. 吉田修監修, 日常診療のための泌尿器科診断学. インターメディカ, 東京, 2001：101. より引用

#### 図19 排尿筋尿道括約筋協調不全

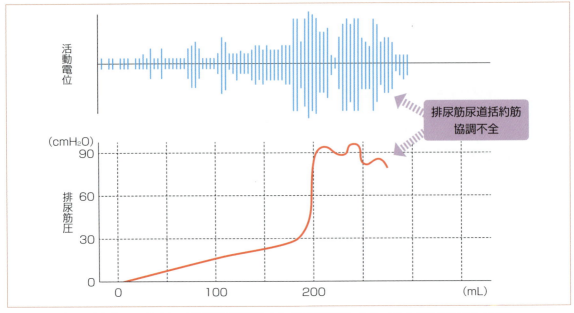

金子茂男, 八竹直, 谷口成実, 他：ウロダイナミクス. 吉田修監修, 日常診療のための泌尿器科診断学. インターメディカ, 東京, 2001：102. より引用

正常である（図18）。これに対し、排尿筋と膀胱排尿筋がばらばらに活動するものが排尿筋括約筋協調不全（detrusor sphincter dyssynergia：DSD）で、「尿道または尿道周囲の横紋筋（括約筋）の不随意収縮と排尿筋収縮が同時に生じている状態であり、尿流が途絶することもある」と定義されるものである（図19）。タイプ1 DSDは、不完全神経病変を有する患者で生じる。最大排尿筋収縮の時点をピークとする外尿道括約筋収縮活動の漸進的な増大で、これに引き続き外尿道括約筋の急激な弛緩が生じ、排尿筋圧が低下し排尿が起こる。タイプ2 DSDは、完全神経病変を有する患者で、より頻繁に起こる。排尿筋収縮が起こっている間、持続的に外尿道括約筋が収縮し、機能的膀胱出口部閉塞や尿閉が起こる。

## 尿道内圧測定

尿道内圧測定（urethral pressure measurement）は、安静時の尿道括約筋緊張を評価する検査である。内尿道括約筋、外尿道括約筋を含む尿道抵抗を評価するもので、実際には細いカテーテル（7〜10Fr）の側孔から、一定流量で水（生理食塩水）を注入しつつカテーテルを引き抜きながら、そのときの注入圧により尿道内圧を表現する（図20、21）。

## 内圧尿流測定

内圧尿流測定（pressure-flow study）は、尿流測定施行時に膀胱内圧測定も行うもの（図22、23）である。前述の尿流測定で、尿排出機能が低下している場合にその原因が下部尿路閉塞であるのか、排尿筋収縮不全であるのかを検出する目的で施行される検査である。

尿流測定における最大尿流量（Qmax）と、そのときの排尿筋圧（最大尿流量時排尿筋圧：Pdet at Qmax）（図22）をノモグラム（P-Q plot）上に描いて判定する（図24）。ノモグラムにはAbram-GriffithとSchaferの2つがよく使われる。

Abram-Griffithのノモグラムでは、閉塞性（obstructed）、非閉塞性（unobstructed）、判定保

図20　尿道内圧測定の原理

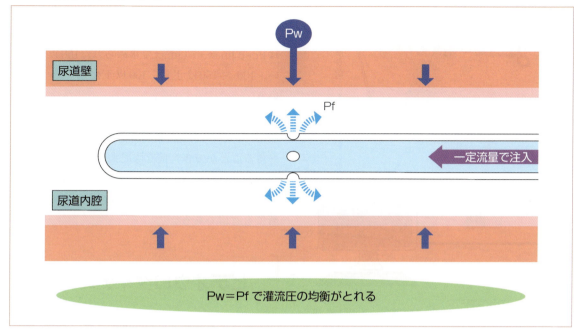

Pw：尿道壁から内腔にかかる圧、Pf：灌流圧。
金子茂男, 八竹直, 谷口成実, 他：ウロダイナミクス. 吉田修監修, 日常診療のための泌尿器科診断学. インターメディカ, 東京, 2001：103. より引用

図21　尿道内圧測定のパラメーター

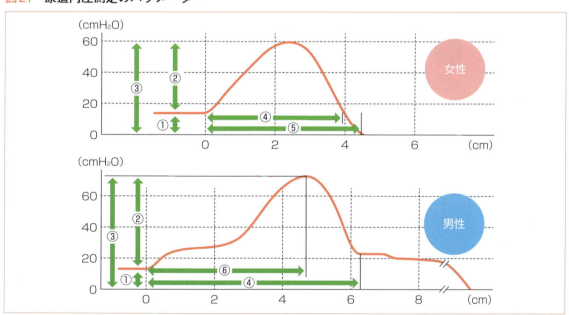

①膀胱内圧(bladder pressure)、②最大尿道閉鎖圧(maximum urethral closure pressure)、③最大尿道内圧(maximum urethral pressure)、④機能的尿道長(functional profile length)、⑤全尿道長(total profile length)、⑥前立腺部尿道長(prostatic profile length)。
金子茂男, 八竹直, 谷口成実, 他：ウロダイナミクス. 吉田修監修, 日常診療のための泌尿器科診断学. インターメディカ, 東京, 2001：104. より引用

### 図22 内圧尿流測定

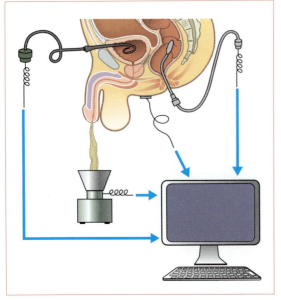

深堀能立：臨床検査ならびにその他の補助診断の進め方．吉田修監修，前立腺外来．メジカルビュー社，東京，1998：71．より引用

留（equivocal）の3群に分類する。男性における排尿筋収縮力の評価指標として膀胱収縮力指数（Bladder Contractility Index：BCI）がある。BCIはPdetQmax＋5Qmaxで求められ、150以上は強い、100～150は正常、100以下が弱いとされている。

また、Schaferのノモグラムでは、閉塞程度に加えて、さらに排尿筋の収縮程度についての情報も得ることができ、前立腺肥大症で手術後の効果を予測するのに役立つ。detrusor hyperreflexia with impaired contractile function（DHIC）の診断にも有用である。

## ビデオウロダイナミクス

X線透視下に行うため、下部尿路の形態や膀胱

### 図23 内圧尿流測定の実際

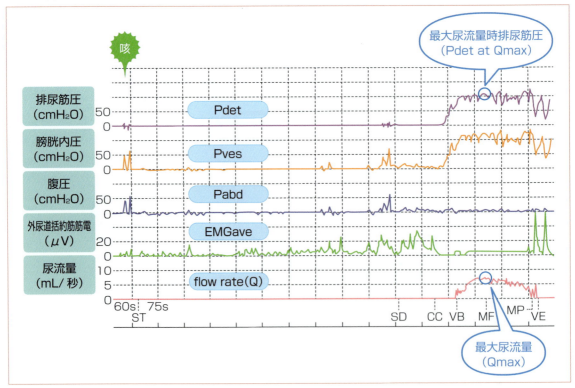

金子茂男，八竹直，谷口成実，他：ウロダイナミクス．吉田修監修，日常診療のための泌尿器科診断学．インターメディカ，東京，2001：107．より引用

図24 内圧尿流測定の解釈

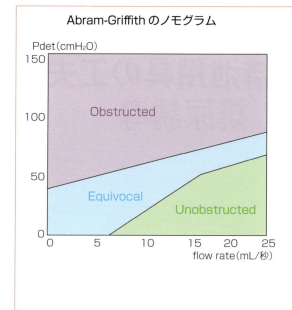
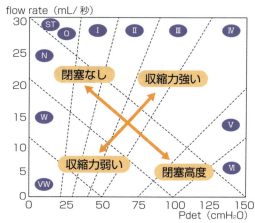

- 閉塞の程度を6段階に分類
  O：閉塞なし、Ⅰ：軽度の閉塞～Ⅵ：高度の閉塞
- 排尿筋の収縮力を4段階に分類
  ST：強い、N：正常、W：弱い、VW：非常に弱い

金子茂男, 八竹直, 谷口成実, 他：ウロダイナミクス. 吉田修監修, 日常診療のための泌尿器科診断学. インターメディカ, 東京, 2001：106.より引用

尿管逆流の有無のほかに、尿道の過可動性、膀胱頸部の開大も含めて、圧力情報と形態情報を総合的に判断できる方法で、最も多くの情報量を得られる検査といえる。この方法では、立位安静時に排尿筋収縮を伴わずに膀胱頸部開大が観察でき、内因性尿道括約筋機能不全の典型的所見として観察できる。しかし、これは多くの設備と人材を必要とするため、限られた施設でしか行われていない。

## その他の方法

携帯装置を使用し長時間にわたり膀胱内圧測定を行うambulatory urodynamicsがある。これは、ウロダイナミクス検査が特殊な環境で短時間でしか行われていないために異常を同定できない欠点を補う方法である。機器が高価で解析に長時間を要するなどの問題点もあるが、より多くの情報が得られる点は特筆すべきものがある。

日本泌尿器科学会は、2004年から排尿機能検査にかかわる排尿機能検査士の資格制度を発足させている。詳細は以下まで。

排尿機能検査士制度委員会
〒113-0034　東京都文京区湯島2-17-15
　　　　　　日本泌尿器科学会事務局内
TEL：03-3814-7921　FAX：03-3814-4117
E-mail：office@urol.or.jp
URL：https://www.urol.or.jp/other/inspection_system.html

参考文献
1. 日本泌尿器科学会編：実践研究排尿機能検査. ブラックウェルパブリッシング, 東京, 2007.
2. 日本排尿機能学会用語委員会編：日本排尿機能学会標準用語集 第1版. 中外医学社, 東京, 2020.

[ 治療・ケア ]

**排尿自立支援**

# トイレ環境の工夫、排泄用具の工夫、排尿動作支援、排尿誘導

吉田美香子

## 排尿自立とは

　下部尿路機能障害や下部尿路症状を治療によって完全に消失させることは難しい。そのため、排尿の自立ケアでは、患者がもつ運動機能や認知機能に合わせた排尿用具の選択と活用によって「排尿管理方法は問わず、自力で排尿管理が完結できること」[1]をめざす。つまり、患者が文化・社会的規範のなかで排泄を限りなく自己コントロールできるように支援する。そのため、①トイレ環境の工夫、②排泄用具の工夫、③排尿動作支援（排尿しやすい姿勢・環境、衣類の工夫、移動・排尿意欲への支援）、④排尿誘導の視点から、できるだけその人が行ってきた排尿に近づけるよう支援する。

## トイレ環境の工夫

　できる限りトイレで排泄したいというのは、人としての基本的な望みである。そこで、本人の移乗・移動能力、座位姿勢保持能力に合わせて、トイレと居室が近くなるように居室を変更する、移動の補助具を使ってトイレまで行けるように途中経路の障壁を除去し、スムーズにトイレまでの移動動作が行えるようにする。それでもトイレへ行けないほど運動機能が落ちてしまった場合には、ポータブルトイレなどを使用する。

　トイレ内では、排尿に関連する一連の動作（衣類の着脱・尿便器の使用・後始末）がスムーズにできるように環境を整える。具体的には、運動機能の低下がある場合は、身体機能に応じた手すりや便座の設置をする。便座は、立ち上がりやすく座位保持ができやすい洋式便器への改修や簡易洋式型トイレの設置を行う。上肢の麻痺等により排泄後の処理などが難しい場合は、センサーやボタン1つで蓋の開閉や洗浄ができる機能や、自動洗浄機能も有効である。「排尿動作評価」図3（p.125）も合わせて参照されたい。

## 排泄用具の工夫

　排泄用具を使用する最大のメリットには、できるだけ自立度の高い排尿をすることで人としての自尊心を守ることがある（表1）[2]。尿排出障害がある場合は、できるだけカテーテルを用いた清潔間欠導尿を患者自身あるいは介護者が実施し、尿道カテーテル留置管理は極力避ける。蓄尿障害がある場合には、トイレまでの移動に関連する運動機能と尿意の表出に関連する認知機能の2つの側面から排泄ケア用品を選択する（表2）[3]。

## 表1　排泄用具を活用するメリット

①人の尊厳を守ることができる
②自立度を高めることができる
③生活を活性化できる
④衛生を保てる
⑤二次障害を予防できる
⑥介護者の負担を軽減できる

石井賢俊, 西村かおる：らくらく排泄ケア, メディカ出版, 大阪, 2008：22-158. より引用

## 表2　タイプ別排泄補助器具

| タイプA：尿意・便意がある | |
|---|---|
| 移動・座位自立 | トイレ排泄が安全に安定してできることをめざす。補助器具は排泄動作の各段階の不都合を最小にするために用いる<br>トイレ用手すり：便座に座る・立ち上がる際の筋力低下やバランス低下を補う<br>腰掛け式便器への改造：和式の場合は便器・段差用を使って洋式の腰掛け式にする<br>　据置式と両用式<br>座高調節機能つき便座：<br>　補高便座：便座にはめ込んで使う<br>　昇降機能つき便座：電力で昇降を補助<br>洗浄便座：殿・陰部の清潔を保ち後始末が自立する<br>片麻痺用ペーパーホルダー：片手でペーパーを切る | <br>トイレ用手すり（アシストバー・背もたれ付、TOTO）<br><br>洋式便座（①サニタリーエース OD 据置式 暖房便座、②サニタリーエース OD 両用式 暖房便座、アロン化成）<br>画像はアロン化成株式会社より提供<br><br>補高便座（ソフト補高便座、アロン化成）<br>画像はアロン化成株式会社より提供 |

(表2つづき)

| タイプA：尿意・便意がある ||
|---|---|
| | <br>昇降機能つき便座（トイレリフト、TOTO） |
| 移動介助・介助で座位可 | まずは座位排泄をめざす。座位保持が介助であっても、日中は車椅子で移動してトイレで排泄させたい。移動介助が困難な場合や夜間はポータブルトイレや尿器を用いる<br>前方手すり：跳ね上げ式の前方ボードで、便座に腰掛けた<br>　　　　　　体幹を前傾姿勢で支える<br>ポータブルトイレ：家具調ポータブルトイレ<br>　ベッドから移動しやすい折りたたみ式ポータブルトイレ<br>　バケツ洗浄の手間をなくした自動ラップ式排泄処理ユニット<br>尿器：座位用しびん<br>　逆流防止弁つきしびん（男性用・女性用）<br>　手持ち式自動吸引収尿器座位用<br>便器：ベッドパン | <br>前方手すり（前方ボード〈はね上げタイプ〉、TOTO）<br><br><br>ポータブルトイレ（ナーセントポータブルトイレ スチール製丸型、アイ・ソネックス）<br><br><br>ラップ式自動トイレ（ラップポン・ブリオ、日本セイフティー）<br><br><br>尿器（①コ・ボレーヌ 男性用尿器、②コ・ボレーヌ 女性用尿器、ピップフジモト） |

（表2つづき）

| タイプA：尿意・便意がある | |
|---|---|
| 寝返りができない | 尿意・便意がある場合はおむつを使わず、補助器具を使う。補助器具を本人が使えれば自立度は高まる。また、座位保持が困難であってもギャッジアップするなど、通常の状態に近い排泄の体位を工夫する<br>尿器：しびん（男性用・女性用）<br>　　　逆流防止弁つきしびん（男性用・女性用）<br>　　　手持ち式自動吸引収尿器臥床用（男性用・女性用）<br>便器：差し込み式便器<br>　　　ゴム製便器<br>　　　腰上げしない差し込み式便器 | <br><br>しびん（①ハビナース尿器女性用、ピジョン、②自動採尿器「スカットクリーン」・臥位使用〈左：本体と女性用レシーバー、右：男性用レシーバー〉、パラマウントベッド）<br><br>差し込み式便器（らくらくクリーン、総合サービス） |

| タイプB：尿意・便意がない（あっても失禁） | |
|---|---|
| 移動・座位自立 | 尿意・便意がない場合は排泄日誌から排尿・排便パターンを把握し、排泄誘導する。特に便はパターンを把握し、便の性状を普通便に調整し、トイレ誘導による排泄が有効である<br>排泄パターン把握：排泄日誌、装着型排尿モニター<br>失禁パンツ：再利用式失禁パンツ、使い捨て式尿失禁パンツ | 装着型排尿モニター（リリアム α-200、リリアム大塚）<br><br>使い捨て式尿失禁パンツ（リフレ「はくパンツ®」〈左：下着のようなベージュタイプ（約2回分吸収）、右：うす型長時間安心（約4回分吸収）〉、リブドゥコーポレーション）<br>※「リフレはくパンツ®」は、約2回分吸収の「下着のようなベージュタイプ」「軽やかなうす型」、約4回分吸収の「うす型長時間安心」、約6回分吸収の「1枚で一晩中安心」の4タイプあり<br>「はくパンツ®」は株式会社リブドゥコーポレーションの登録商標です |

(表2つづき)

| タイプB：尿意・便意がない（あっても失禁） | |
|---|---|
| 尿意・便意がなくても介助で座位保持できることを生かし、日中は排尿日誌から排尿パターンを把握し、それに合わせてトイレ誘導、便座に腰掛けて排泄させる<br>パッド固定パンツ<br>軽度失禁用パンツ<br>尿取りパッド：軽度尿失禁用尿吸収パッド（ギャザー型、ナプキン型、ひょうたん型など）<br>パンツ固定式男性用収尿器<br>間欠自己導尿セット | ①<br><br>②<br><br>パッド固定パンツ（①TENAフィックス、ユニ・チャーム メンリッケ）、②リクープ快適パンツ〈左：男性用、右：女性用〉、ピジョン）<br><br>軽度失禁用パンツ（リハビリパンツ、ニシキ健康事業部）<br>① ②<br><br>③ ④<br><br>軽度尿失禁用吸収パッド（①リクープ快適パッドすっきり、ピジョン、②ポイズ 肌ケアパッド、日本製紙クレシア、③TENA コンフォートミニシリーズ、ユニ・チャーム メンリッケ、④ライフリー あんしん 尿とりパッド 男性用、ユニ・チャーム）<br><br>間欠自己導尿セット（間欠式バルーンカテーテル®、ディヴインターナショナル） |

移動介助・介助で座位可

(表2つづき)

| タイプB：尿意・便意がない（あっても失禁） ||
|---|---|
| 寝返りできない | 寝たきり状態で便意・尿意がない場合はおむつが使われることが多い。この場合も尿便による殿・陰部の皮膚汚染を最小にし、おむつを外した時間をつくることはできる。また、座位に近い体位で排便する工夫も必要である。それには排泄日誌からパターンを把握し、それに応じておむつ交換をする<br>おむつ：材質は紙と布がある。排尿量、体格や姿勢、関節拘縮の有無、ベッド上での動き、介護者の状態等で選ぶ（フラット型、ひょうたん型、テープ止め型紙オムツ）<br>尿取りパッド：コールセンサーつき使い捨て尿吸収パッドシステム<br>収尿器：コンドーム型男性用収尿器<br>貼り付け式採便袋 |

ひょうたん型紙おむつ（TENAコンフォートシリーズ、ユニチャーム メンリッケ）

コールセンサーつき使い捨て尿吸収パッドシステム（ナイトノックス、アワジテック）

コンドーム型男性用収尿器（コンビーン オプティマ、コロプラスト）

加藤基子：排泄補助器具．穴澤貞夫，後藤百万，高尾良彦，他編，排泄リハビリテーション―理論と臨床．中山書店，東京，2009：287-291．を参考に作成

## 排尿しやすい姿勢・環境

通常、私たちは、重力を利用して腹腔内内容物を下降するように立位や座位となり、前傾姿勢になっていきみやすくして排尿する。トイレやポータブルトイレでは、足を床につき、踏ん張ることで上体のバランスがとりやすくなる。個人によって適切な座面の高さは異なることから、座高調節機能付き便座や、前方の姿勢保持具を使用して床と座面の高さを調節する。

床上排泄の場合でも、できるだけ上体を起こし自然の排尿姿勢に近づけるようにする。その際、安楽な体位で身体的に力を抜いて排尿できるように、なるべく電動ベッドに寄りかかって頭側を挙上する、クッション等を用いて背中を丸める姿勢にする。また、排泄に関する羞恥心には、排尿している際の音や臭いも含まれるため、本人が周囲に気がねなく排尿できる環境を支援する。

## 衣類の工夫

　手指の筋力や感覚の低下、視覚障害などによって手先の巧緻性が低下している場合、残された手指で使用できるファスナーやゴムなどを使用した着脱のしやすい衣類を選択する。また、床上排泄を行う患者は、自力で腰を上げ、下衣の上げ下げを行う場合が困難なことが多い。この場合は、下衣や下着を前開きにし、下衣を下げなくても尿器等の排尿用具を自力で尿道に当てられるようにする。

　認知機能の低下によって更衣が困難な場合、排尿の前に下衣を下げられなかったり、排尿後に身支度を整えられなかったりする。前開きやかぶりものなど、日々異なる着脱方法の服を着ると、どのように着脱してよいか混乱することもある。そのため、残っている認知機能で操作ができる着脱方法をみつけ、なるべくそれに統一した服にする。

　高齢者では、衣類を何枚も重ねて着込んでいる姿を見かけることが多い。重ね着をしていると、尿意を感じたときに何枚もの衣類を下げている間に失禁してしまうこともある。したがって、暖房等を利用して、なるべく重ね着をしなくてよい環境をつくることも必要である。

## 移動・排尿意欲への支援

　手術または合併疾患に関連する身体機能の低下がある場合は、移動時に疼痛や苦痛が生じることがある。また一方で、心理的には、慌ててトイレへ行った際に転倒した経験から恐怖や不安なども生じることもある。このようなことから、移動やトイレでの排尿への意欲が低下したり、緊張によりうまく排尿ができなかったりする。このような場合、鎮痛薬を使用した疼痛緩和や、リハビリテーションと連携して苦痛が少ない排尿動作を検討する。

　日中の覚醒レベルが低い場合、尿意を十分認識できない、排尿行動への意欲がわかないといった症状が出ることがある。不眠時のケアや、必要時は睡眠薬を使用するなど睡眠が十分とれるようにする。

## 排尿誘導

　尿意に問題がある場合の排尿誘導法としては、時間を一律に設定して排尿を誘導する定時排尿誘導、生活習慣に合わせてトイレ誘導をする習慣化排尿誘導、尿意の自覚とその意思を伝える力を再学習する排尿自覚刺激療法の3つがある（表3）[4]。

表3　排尿誘導プログラム

- **排尿自覚刺激療法（prompted voiding）**
  個別の排尿パターンを把握した対象者に対し、排尿の意思を伝え尿失禁がなく排尿できた場合に賞賛の言葉かけを行うことで、排尿を自発的に伝える能力を獲得する行動療法、無作為比較化試験による有効性の報告が出されている。認知機能が低下している高齢者の場合でも、対象によって改善できることが報告されている
- **排尿習慣化訓練（habit training）**
  個別の排尿パターンを把握した対象者に対し、本人のパターンに沿ってくり返し排尿を誘導し習慣化することによって尿失禁の改善を図る行動療法。わが国で行われている排尿誘導に最も近い方法で、介護を要する高齢者や認知症高齢者が入居するグループホームなどで適している
- **いわゆる定時誘導（schedule toileting）**
  排尿自立が困難な対象に対し、一定のスケジュール（2～4時間間隔の範囲内）でトイレに誘導し排泄介助を行う。汚染したままの状態を防ぐことを目標としている

中島紀恵子, 石垣和子監修：高齢者の生活機能獲得のためのケアプロトコール 連携と協働のために. 日本看護協会出版会, 東京, 2010. より引用

### 表4　排尿自覚刺激療法の排尿プロトコール

1. パッドまたはクロスが尿で濡れているか、またはドライ（dry）の状態か尋ねる
2. 本人の了解を得て、尿パッドを実際に確認する
3. パッドの状態が本人の説明通りドライであれば、漏れることなく、正しく報告してくれたことについて、対象者を賞賛する（例：××さん、あなたのおっしゃる通りパッドは大丈夫ですね。よく教えてくれました。この調子です。たいへんよかったです）
4. パッドが尿で濡れていれば、（羞恥心や自尊心に配慮しながら）本人にフィードバックする。対象者には、排尿したいときは介助者に伝えるように説明する（例：××さん、今回はお小水をパッドが受け止めてくれました。大丈夫です。今度、トイレに行きたいように思われるときは、私にぜひ教えてください。注：排尿について尋ねるときは、ほかの一般的な会話を挟み込まないようにし、対象者に意識を集中させる）
5. 現在の尿意知覚の有無の確認をする
6. 尿意があればトイレに誘導し、排尿を終了した段階で、トイレで排尿したことを賞賛する（例：××さん、トイレでお小水ができて、お腹がすっきりなさいましたか、爽快でしょう。本当によかったですね）
7. 尿意がない場合は、少し時間をおき2回まで同じ働きかけを実施する
8. 次回の排尿予定時間を説明し、それまではできるだけ排尿をがまんするように説明する
9. 時間の排尿予定を確認し、排尿量、尿漏れの具体的な状況について日誌に記載する

佐藤和佳子：長期ケア施設における集団的アプローチの有効性に関するエビデンス．EB NURSING 2002；2(2)：193-198．より引用

　排尿自覚刺激療法は、自発的に尿意を伝え、失禁せずに排尿ができた場合に十分賞賛をすることで、排尿の意思を他者に伝えられるようにするプログラムである（表4）[3]。尿意の知覚が低い場合は、介護者が尿意や失禁の有無を確認して誘導するが、排尿間隔は水分摂取量や他の環境要因で変化するので、排尿誘導する前に漏れてしまっていることもある。一方、膀胱容量の低下など蓄尿機能障害により尿意知覚が亢進している場合、尿意のサイン（手を局所にもっていく、立ち上がってトイレを探そうとする、怒りやすくなる、など）をもとに誘導しても尿が溜まっておらず排尿できなかったりすること（空振り）が起こる。それを防ぐためには、「超音波補助下排尿誘導法」が勧められる[5]。この方法では、残尿測定装置を用いて定期的に膀胱内尿量を測定し、排尿に適した尿量（評価時に測定した排尿量と残尿量の合計値）にほぼ達したときに排尿誘導する。

引用文献
1. 一般社団法人日本創傷・オストミー・失禁管理学会編：平成28年度診療報酬改定「排尿自立指導料」に関する手引き．照林社，東京，2016．
2. 石井賢俊，西村かおる：らくらく排泄ケア．メディカ出版，大阪，2008：22-158．
3. 穴澤貞夫，後藤百万，高尾良彦，他編：排泄リハビリテーション—理論と臨床．中山書店，東京，2009．
4. 中島紀恵子，石垣和子監修：高齢者の生活機能獲得のためのケアプロトコール 連携と協働のために．日本看護協会出版会，東京，2010．
5. Suzuki M, Iguchi Y, Igawa Y, et al. Ultrasound-assisted prompted voiding for management of urinary incontinence of nursing home residents：Efficacy and feasibility. Int J Urol 2016；Jul 11. doi：10.1111/iju.13156.［Epub ahead of print］．

参考文献
1. 越智隆弘総編集，中村利孝専門編集：最新整形外科学大系25 高齢者の運動器疾患．中山書店，東京，2007．

[ 治療・ケア ]

看護の実際

# 行動療法
## ：生活指導、膀胱訓練、排尿誘導

谷口珠実

## 行動療法の種類

　排泄行為は生活の一部である。行動療法は、患者の生活習慣を改善、あるいは変容させることを目的としている。排泄に対する行動療法には、生活習慣の改善、膀胱訓練、骨盤底筋訓練、排尿習慣化訓練などがある[1,2]。

## 行動療法の基礎

　行動療法は、患者が行動や生活習慣を変容する必要がある慢性的な疾患や症状を管理するための方法である。
　欧米では失禁や頻尿の治療法として、行動変容や行動科学を基盤としたbehavioral techniques、behavioral change、health behavior、behavioral modificationなどが行動療法に含まれている。また、lifestyle modification、lifestyle therapyなども日常の生活習慣の変容をめざした方法である。ライフスタイルの変容は、食事や運動、排泄や休養など日常の生活のほかに、その人の生き方や価値観も影響するような仕事の仕方や対人関係のとり方などに及んでいることもある。
　行動療法は、心理学を基盤として発達した後、健康教育の分野に発展した。これらはhow to的な方法論があるわけではないため、患者を中心にした健康教育モデルを用いた看護の介入研究が行われてきた。失禁や頻尿の症状をもつ人にとって、副作用がまったくない治療であることから、最初に行う治療法として推奨されている[1,2]。

## 行動療法を行う基本

　行動を変えるのは患者自身であり、健康教育を指導する医療の専門職や支援者の役割は、患者の自己管理やセルフケアを促すことである。
　最初に、患者が必要な知識や情報を理解しやすい言葉で説明すること、患者自身のモチベーションを高め、セルフコントロールの技術や知識を活用し、主体的で能動的な態度を育てていくことが基本である[3]。
　このためには、指導を実践する看護師の技能として教育的にかかわり導くこと、患者に手を差し伸べて励まし続ける支援者としての態度の双方が必要になる。
　**患者にとっては、日々何度となくくり返される排泄行為は、行動療法を始めても日々の変化が微妙で感じ取りにくいこともある。そのため、看護師が患者とともに肯定的に変化を確認することが患者の支えになる。**
　患者が行動を変容するための情報に注目し、その情報の意味を理解し、納得して変化を受け入れ、初めて実行に移すことができる。このため看護師

は、①情報を提示し行動療法について説明を行う、②意思決定までの支援、③望ましい行動を継続するために強化することが必要になる。

## 下部尿路症状に対する行動療法

失禁や頻尿が生じた場合、自分なりに失禁に困らない工夫を施して過ごしている。例えば、失禁しないよう水分摂取量を減らして尿量を減少させたり、失禁量を減らすために頻回に排尿したりという行動などである。下部尿路症状に対する対処行動が、医学的な根拠からも適切に行われているか判断し、患者がより好ましい健康的な排泄について考える機会をもち、排泄に影響を及ぼす生活全般を見直し、行動や生活を改善することが望ましい。

下部尿路症状の行動療法には、生活指導(lifestyle interventions)、理学療法(physical therapies)、計画療法、補助療法がある。

## 自己管理のための排尿日誌の活用

行動療法を行う患者が生活と排尿を自己管理するためには、セルフモニタリング(self-monitoring：自己監視法)技法を活用し[4]、最初に排尿日誌を記載してもらうとよい。排尿日誌は、診断や治療前後の状態の変化、排尿を誘導するときのタイミングを見計らうことにも用いることができる。

患者は、飲水と排尿の関係を自分で観察して記録することで、自分の排尿回数や排尿量、下部尿路症状に関連する動作(くしゃみや咳・走るなど)、刺激となるストレスの多い状況、人間関係など、失禁や頻尿に影響する要因を自分で観察することができる。自己分析とともに客観的な判断材料になり、看護師も現状の把握や治療効果の評価として用いることができる。

## 行動療法の実際の進め方

### 1. 生活指導（lifestyle interventions）

生活指導の内容は、減量(体重減少)、運動、仕事、禁煙、食事、便秘などである。

#### 1) 減量

肥満は、腹圧性尿失禁や過活動膀胱の原因に関係する。腹圧性尿失禁の患者は、適切な減量により尿失禁が減少する。体重減少のためには食事と適度な運動が基本になるが、必要であれば適切な体重維持のための栄養指導や地域資源(メタボリック対策事業)などを活用し、効果的で安全な体重調整法を実施できるよう支援する。

#### 2) 運動

激しい運動では腹圧性尿失禁を伴うことがある。激しい運動としては、マラソンやテニス、バレーボール(なかでもアタックをしたとき)などがある。普段の生活では失禁はないが、激しい運動時に限られるのが特徴である。

肥満になると運動時に失禁が生じるために運動を避けている場合もあるが、肥満の解消を優先して、適度な運動を促したほうがよい。

#### 3) 仕事

重労働などで重い物を持つことは、骨盤臓器脱のリスクの一つで、骨盤底への負荷がかかるためと考えられる。このため、重労働や重い物を持たないほうがよいが、やむを得ず持つ場合は、予防策として臓器脱を支える用具を活用する。

#### 4) 禁煙

喫煙により失禁のリスクが増大する可能性や、ニコチンが膀胱の収縮を引き起こす影響があることなどの報告があるため、禁煙を勧める。

### 5）食事・飲水

飲水量やアルコール、炭酸飲料の摂取量の多さは尿失禁と関係するという報告がある。適切な飲水量は、生活スタイルや活動量、そして気候によっても異なる。適切な排尿量を保てるよう、排尿日誌でのIN-OUTバランスを確認したうえで飲水を調整するとよい。

### 6）便秘

便秘により膀胱を圧迫することや、便が溜まることで骨盤底に負荷がかかり、排尿障害のリスクとなる。そのため、食事の工夫と全身運動に努めて、便秘を予防する。

### 7）気持ちの問題

気持ちが落ち着かずたえず排泄行動をとる心因性頻尿の患者に対しては、リラックスを促し、うまくストレスが対処できているか判断する。

排泄は気持ちの影響も大きく受けるため、ストレスを感じる状況とリラックスを感じる状況を分析し、その結果どのようになったかということを含めたセルフモニタリングを行う。

## 2．膀胱訓練

膀胱訓練（bladder training）とは、排尿をがまんすることにより蓄尿症状を改善する方法で、切迫性尿失禁や過活動膀胱患者に行う。その効果は、薬物療法（抗コリン薬）とほぼ同等という報告もある[2]。副作用の報告がないことから、安全性が高い方法である。抗コリン薬の一部で高齢者に対する認知機能への影響が懸念される状況においても、積極的に推奨できる方法である。

### 1）対象となる患者

膀胱訓練の対象となるのは尿排出機能の障害がない患者で、排尿回数が多い、あるいは1回排尿量が少なく頻尿の患者である。排尿日誌でこのような状況を判断した場合は、神経因性膀胱による溢流性尿失禁を除外診断するため、残尿がないことを確認してから訓練を実施する。残尿が多い場合は、膀胱訓練を行う以前に、膀胱を空にして再度排尿日誌を記載する。

失禁を伴う頻尿患者の場合には、その程度により失禁の治療（骨盤底筋訓練や薬物療法）と合わせて行う必要がある。

過去の看護教育のなかでは、膀胱-尿道留置カテーテルを挿入中の患者に対して、抜去前にカテーテルをクランプして尿意を確認する方法を紹介された経緯もあるが、現在では、留置カテーテル抜去前にこのような方法を推奨する根拠はないため実施しない。

### 2）患者教育

膀胱訓練を行う際には、以下の内容を説明して患者の動機づけを行う[5]。

①正常排尿について解剖生理学的メカニズムを説明する。

②膀胱容量と1回排尿量、初発尿意と蓄尿、飲水と排尿バランスについて説明する。特に、初発尿意を感じたら、「がまんしないで排尿する」ことを意識的に行ってきている人では、がまんが身体に悪いととらえている場合がある。排尿間隔のめやすとして3時間程度にするよう指導する。

③膀胱容量の低下を改善し蓄尿を行うことで、頻尿を改善することが目的であることを患者と共有する。

### 3）行動変容

①問題行動を具体的に表現する

患者の訴えから、問題行動の原因を明らかにする。

患者の認識を正すだけで頻尿が改善する状況としては、「早めに排尿する習慣」「失禁を恐れる」「多飲多尿」などがあり、このような状況は修正しやすい。例えば、患者は「1日に15回トイレに行く（頻尿）」「1日に何度もトイレに行く」「少ししかおしっこが溜まっていないのにトイレに行く」と表現するが、これでは具体的にどの程度であるかという客観性がなく、人によりイメージが異なる。

そこで、**排尿日誌から排尿量や排尿間隔を把握し、できるだけ具体的に状況を確認する**。状況の確認では、行動と状況や環境との関係を分析するために、「仕事で嫌なことがあるとトイレに行き排尿する」「仕事に向かう電車に乗ると、何度も尿意をもよおす」など問題となる行動が、「どのようなときに」「何をきっかけに」起こっているかを尋ね、状況や環境、問題となる行動の起こり方の関係を明らかにする。特に、心因性頻尿の患者では、この原因を解決しないと膀胱訓練を行っても改善に至らない。

② 膀胱訓練の具体的な行動技法を選択する

膀胱訓練は、意識的に排尿をがまんして蓄尿する訓練であるが、尿意切迫感を伴う失禁（切迫性尿失禁）を経験したような、蓄尿に自信がもてない患者にとっては積極的に取り組めないこともある。

そこで、「何をしたら排尿時間が延びそうか」「どの程度ならできそうか」を患者と一緒に考えて、具体的に「何をするか」を決めていく。例えば「おしっこがしたいと思ってから、5分か10分からはじめてみる」「好きな歌を歌って気をまぎらわす」「趣味や楽しみに没頭する」「トイレは3時間以上間隔を空ける」「排尿日誌の排尿量をみて、おしっこが200mL以上溜まったときの感覚を覚える」など、患者によりさまざまな方法が考えられる。これらの成果は排尿日誌をみて、排尿の間隔（約3時間）、1回排尿量の増加、排尿回数の減少を確認していく。

③ 行動を強化する

排尿状態が改善されることがある。望ましい行動がとれていればその行動に着目し、褒めて自信をつけさせる。さらに、改善している効果をフィードバックして行動を強化する。逆に、望ましくない行動が続く場合や他の望ましくない行動が出た場合には、最初のステップに戻る。

④ 薬物療法と併用

心因性頻尿で薬物療法を併用している場合には、本人の安心感が得られた段階で徐々に薬物服用量を減量する。心因性頻尿以外でも薬物療法と併用することで安心感が得られ、自信の回復が促せる場合がある。膀胱訓練は、単独でも薬物療法との併用でも実施できる。

⑤ 骨盤底筋訓練と併用

膀胱訓練と骨盤底筋訓練は併用して行うとよい。膀胱訓練を単独で行うよりも蓄尿を行いやすく、尿意切迫感が出現した際に骨盤底筋を収縮させることで、尿意が落ち着くことにも役立つ。

⑥ その他の注意

精神的な不安による影響が大きく看護師のカウンセリングでは対応できない場合には、早めに精神科のコンサルテーションを行う[6,7]。

## 3．排尿誘導 (p.154〜155参照)

排尿誘導は行動療法に含まれ、広義の膀胱訓練として定時排尿、習慣化排尿、排尿促進法と合わせて「計画療法」という[6,7]。

機能障害性尿失禁のある高齢者では、下部尿路に異常がなくとも日常生活動作や認知力の低下、環境や衣類の着脱が遅いことなどが原因で尿失禁が発症する。

認知機能や運動機能の障害に対して、機能を回復するためのリハビリテーションと平行して排泄行為を再獲得するためには、ケアの力や環境整備が欠かせない。このため、介護力の低下や入院・施設への入所などによってもおむつを当てられることになり、廃用性の機能低下が起こり、おむつをつけたまま失禁となる経過をたどることも少なくない。

在宅療養生活者において、排泄自立と家族の介護負担は往々にして相反することがある。家族・介護者は、「トイレに行って排尿したい。おむつをつけるのはまだ嫌だ」という患者の気持ちを知りつつ、「トイレ移動の介護は負担が大きいこと

や、排泄の介護が最も汚くて嫌である」と考えていることもある。

　排泄ケアにかかわる福祉制度も地域格差は大きい。高齢者が、安全で快適な生活ができるための医療と福祉の連携と、排泄ケアの改善が望まれる。

### 1）定時トイレ誘導またはスケジュール排尿

　定時トイレ誘導（routine toileting）とは、固定した規則的な間隔で排泄介助を行う方法である。2～4時間の一定間隔、あるいは食事の前後、起床時や就寝前など定期的に排尿を誘導する。目標は失禁がないことであり、自立排泄ができない患者のケア方法である。個別のアセスメントが不十分でも介助できるが、個々の患者に不適切なこともある。スケジュール排尿（schedule training）ともいう。

### 2）習慣化訓練

　習慣化訓練（habit training）は、患者の排尿習慣に合わせて排尿を促すものである。患者の排尿習慣は、排尿記録やおむつセンサーにより把握する。個別の状況に適した方法なので、排尿のタイミングが適切で、失禁の改善が図られる。

　定時的な排尿誘導に比べ、トイレ移動後排尿がないという空振りの状況は少なく、介護者は効率のよい介護力提供が行える。おむつをつけていた人でも、排尿習慣を取り戻すことができ、成功する例も報告されている。

### 3）排尿促進法、または自覚刺激行動療法

　尿意を感じとり訴えることができる、あるいはトイレに誘導すると排尿することができる人に対して、排尿行為の回復をめざす方法である。初期は、尿意の訴えがなければ3時間程度でトイレに誘導する。このとき、排尿の自覚を刺激するために、介護者は次のことを行う。

①おむつが濡れていないか尋ねる、あるいは濡れていないか観察する。
②尿意を確認した後、トイレに行くよう促す。
③禁制（コンチネンス）が保持できていたら褒める。

　禁制（コンチネンス）が保てると、介護者からも気持ちのよい刺激（＝褒められること）を受けることで、高齢者も心地よく取り組む気持ちになる。

　高齢者の排尿ケアにおいても、排尿日誌と残尿測定により下部尿路機能を評価すれば、トイレに誘導することができ、禁制（コンチネンス）が回復し、生活全般の意欲が向上する。しかし、これらのケアを熱心に行うスタッフの姿勢、排尿日誌や残尿測定が正しく行える技能、適切に排尿に導く知識などがまだまだ不足しており、慢性的な失禁が続いている現状がある。適切な知識と技能をもち、効率的に専門的な指導者が増えることが期待される。

引用文献
1. 日本排尿機能学会女性下部尿路症状診療ガイドライン作成委員会編：女性下部尿路症状診療ガイドライン．リッチヒルメディカル，東京，2013．
2. 日本排尿機能学会 過活動膀胱診療ガイドライン作成委員会編：過活動膀胱診療ガイドライン 第2版．リッチヒルメディカル，東京，2015．
3. ステファン ロルニック，クリストファー バトラー，ピップ メイソン：健康のための行動変容—保健医療従事者のためのガイド．法研，東京，2001．
4. Karen Glanz, Barbara K. Rimer, Frances Marcus Lewis編．曽根智史，湯浅資之，渡部基，他訳：健康行動と健康教育 理論，研究，実践．医学書院，東京，2006．
5. 田中秀子，溝上祐子監修：失禁ケアガイダンス．日本看護協会出版会，東京，2007．
6. 日本排尿機能学会，日本泌尿器科学会編：女性下部尿路症状診療ガイドライン．リッチヒルメディカル，東京，2019．
7. 谷口珠実，武田正之編著：下部尿路機能障害の治療とケア．メディカ出版，大阪，2019．

[ 治療・ケア ]

看護の実際

# 骨盤底筋訓練

谷口珠実

## 骨盤底筋訓練とは

　下部尿路機能障害のなかでも、腹圧性尿失禁、切迫性尿失禁、混合性尿失禁、過活動膀胱、頻尿などの蓄尿障害に対し最初に推奨される治療として、骨盤底筋訓練がある[1]。骨盤底筋訓練とは、骨盤底筋群の収縮と弛緩をくり返すことである。この訓練を継続することで脆弱化した骨盤底筋群の筋力が回復し、蓄尿しやすくなり、下部尿路症状が改善する[1]。

## 骨盤底筋群の構造

　骨盤底は、骨盤底筋群と呼ばれる複数の筋肉と、靭帯、隔膜、筋膜などの支持組織からなり、骨盤内の臓器をハンモックに乗せるようにして支えている。骨盤底の筋の上層には、恥骨尾骨筋があり、主に尿道の閉鎖と開放の役割をもっている。恥骨直腸筋は肛門直腸閉鎖の要の役割をもち、挙筋板全体を挙上する[2]。骨盤底の下層の筋群は臓器を遠位部に固定して支えている（図1〜3）。男性の骨盤底の構造は、腟がないため2穴の構造である（図4）。骨盤底筋の筋構成は、遅筋と速筋の両方が含まれている。

## 骨盤底筋群の筋力を強化する必要性

　女性の尿禁制は尿道括約筋、尿生殖隔膜、肛門挙筋などから構成される骨盤底筋群により膀胱と尿道が適切な構造に保たれ機能する。男性では、尿道括約筋の果たす役割が女性より大きいといわれている。

　腹圧性尿失禁の主な原因は、膀胱や尿道を支える「骨盤底」のゆるみである。正常な場合は、膀胱に腹圧がかかったときに、骨盤底の筋肉や靭帯などが連携して、尿道を締める仕組みがあり、尿道を周囲から締める「尿道括約筋」とともに尿が漏

図1　骨盤底の下層の筋群

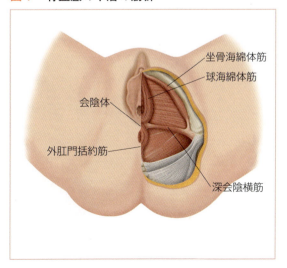

坐骨海綿体筋
球海綿体筋
会陰体
外肛門括約筋
深会陰横筋

骨盤底筋訓練　161

### 図2　骨盤底の筋の上層

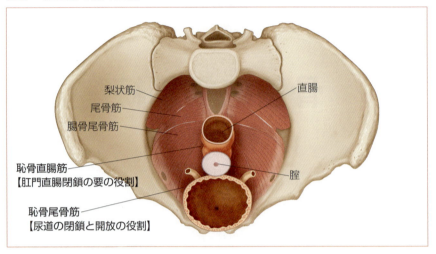

### 図3　恥骨直腸筋

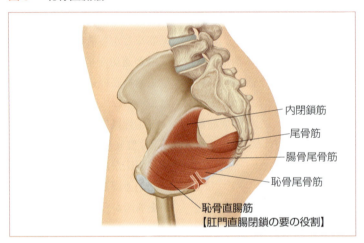

### 図4　男性の骨盤と会陰

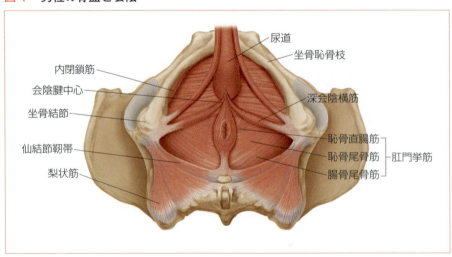

れないように働く。しかし、骨盤底がゆるむと尿道過可動の状態となり、腹圧がかかると尿道が膀胱とともに移動し、尿道が開きやすくなり、尿が漏れる。

腹圧性尿失禁患者が骨盤底筋群を鍛える目的は、症状の改善と悪化予防である。筋肉の運動は、継続することで鍛えられ筋力が増強する。また、腹圧上昇を生じる咳やくしゃみ、体を動かす、走る、階段の昇降などの動作時に骨盤底筋を随意収縮させることができるようになり、腹圧上昇に抗う尿道内圧を上昇させて漏れを防ぐことを意図的に行うことができる。

過活動膀胱患者には、骨盤底筋の収縮を行うことで尿意切迫感を抑制する報告がある。膀胱訓練を行う際には、尿意を抑制する方法として骨盤底筋訓練を併用する。

# 看護師の指導の実際

患者指導の要点は、**患者が骨盤底筋を鍛える目的を理解し、正しい方法を身につけ、取り組む意欲をもち続けて継続するための支援を実施する**（図5）ことである。

## 1．対象者の準備状態と動機づけ

骨盤底筋訓練の目的が理解できる認知能力がある人を対象に行う。骨盤底筋訓練は、下部尿路症状の第一義に推奨すべき治療である。副作用がなく安全で、安価で簡便な方法であり、いつでも開始できるが、実行する意欲がないと続かない。このため、最初に患者の準備状態を判断する。準備状態とは、現在の環境や心理状態が整っているか、

図5　日常生活の中での骨盤底筋訓練の姿勢

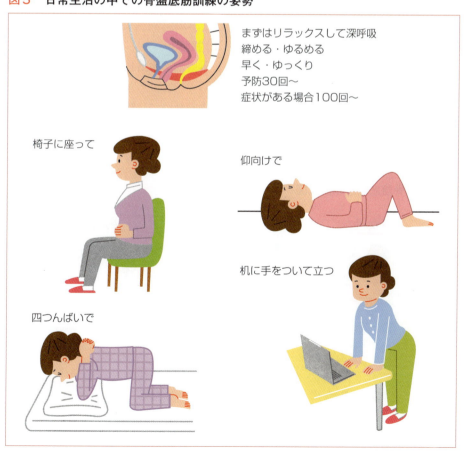

まずはリラックスして深呼吸
締める・ゆるめる
早く・ゆっくり
予防30回〜
症状がある場合100回〜

椅子に座って

仰向けで

机に手をついて立つ

四つんばいで

日々の生活のなかでセルフケアが行える状況であるかを確認し、実行可能な状況で開始する。

環境の準備とは、例えばがんなど悪性疾患の検査中や、介護、養育に忙しすぎると実施できないため、自分の身体に関心が高い状況において指導する。心理状態では、失禁によるうつ状態が強い場合や保存治療の希望がない場合には、治療方法を検討し柔軟に対応する。

骨盤底筋訓練は即効性のある治療法ではないため、侵襲が少ない治療、自分の身体に負担がかからない方法、自ら治せる努力手段などを望む患者に適している。

## 2．体内の筋肉の位置のイメージをつかむ

骨盤底筋の位置や構造を対象者の理解状況に合わせて説明する。

骨盤底筋群は体内にあり、外側からは構造がわからないため、その構造や位置を患者の理解に応じてわかりやすく説明する。この際、専門的で難解な解剖図よりも、簡単な骨格と筋肉の模型や、イメージしやすい模式図などを利用したほうが患者は受け入れ、理解しやすい（図6）。

## 3．正しい収縮方法を獲得する

前述のとおり、骨盤底筋は体内にある筋肉であり、外側から簡単には確認しにくい。外陰部を観察するか、いくつかの手段を用いて骨盤底筋の収縮力を確認し評価する方法があるため、これらを組み合わせるとよい。筋肉を正しく動かし目的とする骨盤底筋の収縮と弛緩ができているか、収縮方向として努責をかけず骨盤底を体内に引き込む方向に収縮し動かせているか、という2点を評価する。

看護師が収縮や弛緩を確認する方法には、視診、指診、触診、収縮圧測定、筋電図による筋肉の動きを測定、超音波による骨盤底の動きの確認など、客観的に評価する方法がある[2]。

患者と看護師の双方が生理的な筋肉の動きを客観的に知るために、視覚的、聴覚的、または触覚的信号として提示する方法を「バイオフィードバック」と呼ぶ。

### 1）視診

外陰部を露出して、患者に骨盤底筋を動かしてもらう。このとき、収縮力があれば肛門の周囲の筋肉が動いて、肛門や腟口が閉じる様子が観察できる。

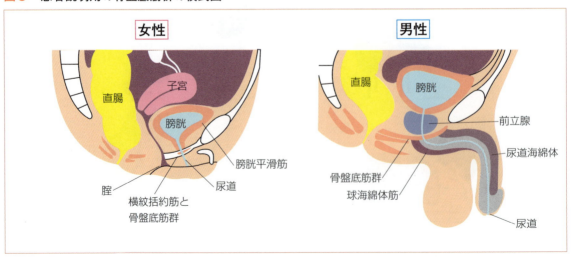

**図6　患者説明用の骨盤底筋群の模式図**

## 2）触診
### ①会陰体表面の触診
外陰部と肛門の間の会陰周囲に指を当てて、筋肉の動きを確認する。

### ②経腟あるいは肛門からの指診
女性であれば腟内、男性であれば肛門内に指導者の指を挿入し、収縮する力と筋肉の動きを評価する。骨盤底筋群の筋力評価（Oxford scale）などを用いて評価する（p.120，**表1**参照）。

## 3）収縮圧測定
女性であれば経腟的に、男性であれば肛門内にプローブを挿入し（**図7**）、骨盤底筋を弛緩させた圧をゼロ値に設定し、収縮した圧の値の差を評価する。ただし、怒責して腹圧が強くかかる場合には、測定値を純粋な収縮圧とはみなさない。

## 4）筋電図測定
筋肉の動きを測定する方法には、会陰部に表面電極を貼付する方法（主に膀胱内圧測定機器を使用）、あるいは専用のプローブを用いた骨盤底筋測定機器を使用する（**図8～10**）。以前は針筋電による測定が行われていたが、最近は、侵襲の少ない体内挿入プローブを用いた方法で行うのが主流である。

## 5）超音波測定（2D）
外陰部にプローブを当てて測定する方法と、下腹部にプローブを当てて測定する方法がある（**図11**）。

＊

上記の方法のうち、患者の羞恥心や診察の抵抗や痛みなどを観察しながら身体状況に応じた方法を選ぶ。誤った方法とは、腹部や殿部、大腿四頭筋など骨盤底筋以外の筋肉を動かすことや怒責をかけている場合であり、患者に注意を促し再指導を行う。

# 4．個人に適したプログラムを作成し評価する

訓練開始時に日々のプログラムを提示し、指導を行うたびに「回数」「実施方法」「気持ち」を評価して修正する。

## 1）実施する回数のプログラム作成
初回の評価をもとにプログラムを作成する。疲れや痛みを感じない回数から開始する。正しい方法で行えるようになったら回数を増やして筋力を強化する。
- 例：（早い収縮5回）＋（5～10秒程度締め続ける5回）を1セットとして、1日に10セットを朝、排尿後、入浴時、寝る前など、分散して行う。

## 2）客観的指標を用いた評価
訓練実施前に行った評価をもとに日々の計画を提示し、数回の指導後に収縮力の増強の程度を査定して、失禁症状や失禁量と合わせた評価を行う。

図7　収縮圧計の例
　　（左：経腟用プローブ、右：経肛門用プローブ）

Peritron Perineometer（Peritron™ BIOMATION）

図8　筋電図測定機器の例

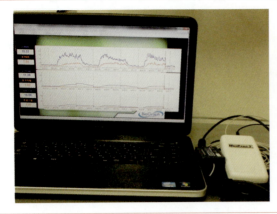
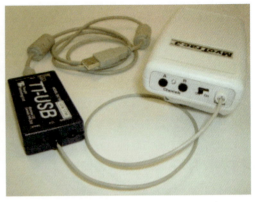

図9　経肛門用プローブ（男性・女性）

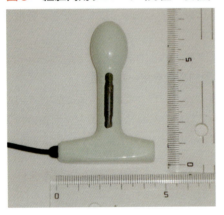

図10　経腟用プローブ（女性）

## 5．生活に適した工夫のアドバイス

　実施方法は、忙しい人向けの「分散」「ながら式」と、日々忘れないための「集中型」など、日常生活の様式にも合わせて、患者と一緒に「いつ行うと忘れずに行いやすいか」を検討するとよい。例として、「分散」は「トイレに行った後に10回ずつ行う」、「ながら式」は、家事や入浴中、または「信号やレジを待つ間は行う」など待ち時間を活用する、「集中型」は「朝と夕方5分ずつ行う」などである。いずれの実施方法でも、日々継続して行うことにより効果は現れる。

　また、患者が骨盤底筋訓練を続けていく自信があるかどうかを確認する。このような自信を、ある特定の行為を続ける「自己効力感」という。骨盤底筋訓練の自己効力感には、効果を期待する気持ちと先々続ける見込みがあり、質問票を用いて評価することもできる。患者が、「これからも続けることができる」という気持ちになることが重要である。続ける気持ちがあり、正しい方法が習得でき、腹圧性尿失禁の症状が消失していれば、指導を終了する。

引用文献
1. Dumoulin C, Hay-smith J. Pelvic floor muscle training versus no treatment, or inactive control treatments, for urinary incontinence in women. Cochrane Database Syst Rev 2010;20(1): CD005654. doi: 10.1002/14651858. CD005654. pub 2
2. Bø K, Berghmans B, Morkved S, et al. Based Physical Therapy for the Pelvic Floor, 2nd edition. Elsevier, 2007：43-48.

図11 2Dエコーを用いた画像

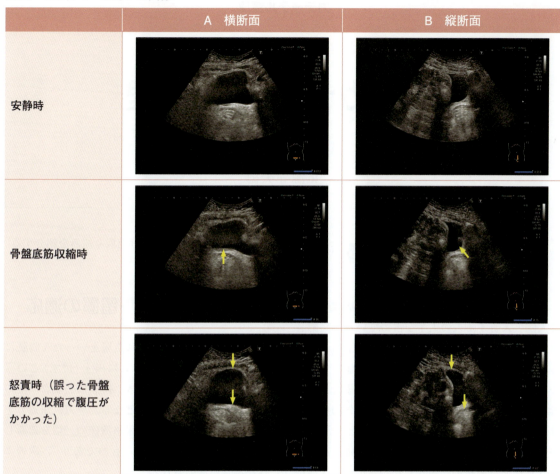

[ 治療・ケア ]

カテーテル管理

# 留置カテーテル管理

正源寺美穂

## 超高齢社会における看護師の役割

　日本は超高齢社会を迎え、高齢者が病院や施設に入院・入所する人の大半を占めている。高齢者の割合は年々高まり、日常生活動作（activity of daily living：ADL）が困難な人、認知症をもつ人などが入院・入所時から増えている。また、高齢者は入院・入所中に疾病や障害など部分的変化だけでなく、ADL、意欲、認知機能など生活機能が低下しやすい[1,2]。そのため看護師には、高齢者の残存機能を積極的に生かしながら治療と生活機能の維持・拡大を両立する視点が求められている[3]。

　なかでも排泄は、差恥心や自尊心にかかわり、生活するうえで欠かせない営みである。自立して排尿をするには一連の動作（「問診の進め方」p.97、図1参照）が必要となる。しかし、高齢者の場合、身体機能だけでなくさまざまな要因が排尿の自立を妨げやすい（表1）[4]。そのため、排尿自立支援には、下部尿路症状の予防や治療だけでなく、生活をマネジメントするケアを含み、多職種が協働して幅広く全体をとらえてかかわる包括的ケアを特徴とする[5,6]。

　これまで筆者は、急性期病院における高齢患者に対して、実践者と協働して早期排尿自立支援に取り組んできた[7-9]。本稿では、尿道カテーテル留置管理について取り上げ、次項に尿道カテーテルの抜去支援として、尿道カテーテル留置からの離脱と排尿行動の自立に向けた取り組みを紹介する。

## 尿道カテーテル留置の適応

　排尿は、腎臓でつくられた尿をいったん膀胱に溜め（蓄尿）、意図したときに出す（排尿）という下部尿路機能が正常に働き、排尿に必要な一連の動作ができることで可能となる。一方、尿道カテーテル留置管理は、下部尿路機能の一切を遮断して人工的に尿を流出させるものであり[10]、次のような場合に適応される[11]。

①尿道カテーテル留置の**絶対的な適応**患者
- 厳密な尿量測定が必要な場合：重症者、術後患者など。
- 尿による汚染を防ぐために局所管理が必要な場合：陰部の手術、仙骨部の皮弁術など。

②尿道カテーテル留置の**相対的な適応**患者
- 上記①に含まれず、尿道カテーテル留置以外の排尿管理ができる場合。
- 本人や家族の意思などにかかわらず、医学的に尿道カテーテル抜去が可能な場合。
- 適切な排尿ケアを行うことで、尿道カテーテル抜去および排尿自立が可能な場合。

　看護師には、不用意な長期留置を避けるため、尿道カテーテル留置開始（挿入）時に抜去時の状況や時期を予測しておき、タイミングを逃さない判断が求められる。

### 表1　排泄の自立を妨げる要因

| 要因 | 主な原因 |
|---|---|
| 排尿・排便機能の低下 | 膀胱・直腸の疾患や老化、脳神経系の疾患、廃用性障害 |
| 移動能力の低下 | 下肢筋力・身体バランス能力の低下、呼吸循環系の疾患、廃用性障害、視力低下、薬の影響 |
| 治療による行動の制限 | 治療に伴う安静、拘束、点滴・ライン類の存在 |
| 必要なときに適切に援助要請ができない | 認知機能の障害（認知症、失語症など）<br>介護を受けたくない気持ち（遠慮、気兼ね、恐怖、自尊心を脅かされるなど） |
| トイレに行く意欲が起きない | 苦痛が生じる症状（痛み、倦怠感、呼吸困難、めまいなど）、歩行時痛、不安 |
| 介護・看護力不足 | スタッフ不足（病院や施設の夜間の人手不足、在宅での日中独居状態、介護者の支える力の不足、サービスを受けていないなど）<br>モラルの低下（介護意欲低下、知識・技術不足など） |
| トイレ移動に不利な物理的環境 | トイレまで遠い、廊下が広い、手すりがない、トイレのドアが開けにくい、ドア・トイレが狭すぎる |
| 社会的規制 | 事故予防を優先する、高齢者は安静がよいという既成概念 |

後智子：トイレでの排泄に向けた援助とスタッフ教育．桑田美代子、湯浅美千代編．高齢者のエンドオブライフ・ケア実践ガイドブック 第2巻 死を見据えたケア管理技術．中央法規出版、東京、2016：112．より引用

## ［尿道カテーテル留置の合併症］

　尿道カテーテル留置の合併症には、尿路感染症（urinary tract infection：UTI）、膀胱萎縮、尿管結石、尿道カテーテル抜去後の尿閉や頻尿など下部尿路症状の出現などがある。

　なかでも尿路感染症は、院内感染において最も多い感染症であり、尿道カテーテル留置関連尿路感染症（catheter-associated urinary tract infection：CAUTI）が大部分を占める[12]。

　尿道カテーテルを30日以上留置すると、患者のほぼ100％に細菌尿が検出され、CAUTIの発症リスクは留置日数に比例して増加する[12]。CAUTIを予防するには、重症者や術後患者などの絶対的な適応を除き、看護師等医療従事者が治療上不要になった尿道カテーテルを早期に抜去して自然な排尿を促すことが最も効果的である。そこで、管理者・スタッフを含むすべての医療従事者が、感染経路（図1）の理解、感染率の把握、およびスタッフ全体が統一して実践できる感染防止対策を確立することが求められる。

　尿路感染以外には、尿路結石、膀胱萎縮、尿道の損傷や狭窄などが合併症として生じやすい（図2）。

　なお、尿路感染に加え便秘を生じている場合、蓄尿バッグが紫色に変色する**紫色尿バッグ症候群**（purple urine bag syndrome：PUBS）を呈することがある。原因は、便秘で腸内細菌が異常繁殖し、トリプトファンが分解されてインドールに変わり、肝臓を通ってインジカンとなった後、尿中に排泄された尿インジカンが蓄尿バッグ内で細菌産生するサルファターゼにより紫色のインジゴに変色するためである[13]。紫色尿バッグ症候群は変色自体に問題はなく、尿路感染と便秘への対処が必要となる。

## 図1　CAUTIの感染経路

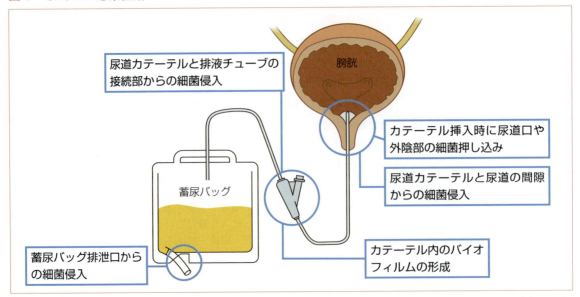

川上悦子：重症患者の尿管理ストラテジー いま現場は 第4回 もっとも新しい重症患者への尿路感染の影響とその対策．月刊ナーシング 2016；36(7)：109．より引用

## 図2　尿道カテーテル留置管理により生じる尿路感染以外の合併症

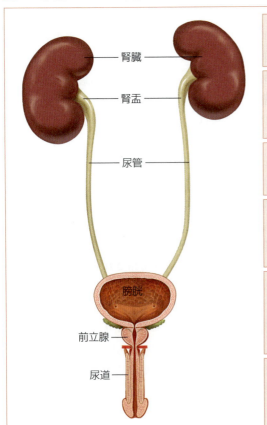

### 尿路結石
尿路結石は、尿中に排泄された物質が結晶化して生じる。尿路感染症を発症した場合、尿はアルカリ性となり結石を生じやすくなる。

### 尿道損傷
カテーテル挿入時に尿道内でバルーンを膨らませたり、挿入困難時に無理にカテーテルを押し込むなどの操作により、尿道損傷が起こる。

### 尿道狭窄
カテーテル挿入時の尿道内操作により尿道に断裂や裂傷を生じると、治癒過程で瘢痕化が起こり、狭窄を生じる。

### 尿道皮膚瘻
男性のカテーテル留置が長期化した場合、尿道内の血行障害が生じ、尿道皮膚瘻が形成されることがある。血行障害を防止するため、カテーテルは尿道の屈曲に合わせて腹部に固定することが原則となる。

### 膀胱刺激症状
尿道カテーテルによる尿道や膀胱粘膜への刺激、細菌感染などが膀胱の無抑制収縮を誘発し、膀胱刺激症状やカテーテル周囲からの尿漏れを生じる。対処法は、カテーテルの屈曲・閉塞の有無や固定・挿入位置を確認し、粘膜刺激の少ない材質に変更する。

### 膀胱萎縮
膀胱萎縮の主な原因は、膀胱結核や間質性膀胱炎、治療のための放射線照射である。しかし、長期間カテーテルを留置した場合も、膀胱容量が小さくなることがある。

小林陽子, 加納江利子：尿道留置カテーテルの管理. 東京都健康長寿医療センター看護部編著, 写真でわかる高齢者ケア 高齢者の心と体を理解し、生活の営みを支える. インターメディカ, 東京, 2010：70. より改変

# 尿道カテーテル留置管理の基本的手順

## 1．挿入時

| 手順 | ポイント |
|---|---|
| ●準備する<br>①必要物品：尿道カテーテル留置セット、固定用テープ、バスタオル、処置用シーツ、手袋、ビニールエプロン、手指消毒剤、陰部洗浄セット。<br>※交差感染の防止：カテーテル挿入部や尿に触れる可能性がある場合、必ずマスク、手袋、ビニールエプロンなどを装着し、前後の手指衛生を行う<br><br>②患者の羞恥心に十分配慮する：患者にわかりやすく目的と方法を説明して理解と協力を得る。環境を整え露出は最小限にする。 | 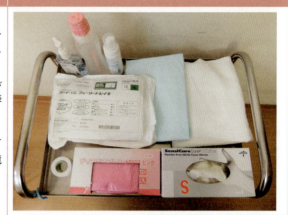 |
| ●カテーテルを挿入する<br>③カテーテルセットを開封して滅菌手袋を装着する。綿球に消毒液をかけ、トレーに水溶性潤滑剤を入れる。カテーテルに滅菌水を注入し、バルーンが正常に均一に膨らむこと、液漏れがないかを確認する。 | 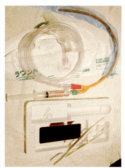 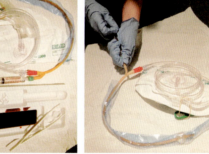 |
| ④消毒する<br>【女性の場合】利き手と反対の手で陰唇を開き、外尿道口から肛門側に向かい消毒する。<br>【男性の場合】外尿道口から外側へ円を描くように消毒する。 | 【女性の場合】　【男性の場合】<br>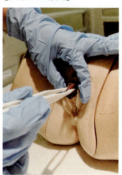  |

| 手順 | ポイント |
|---|---|
| ⑤挿入する：利き手でカテーテルを持ち、先端から5cmに潤滑油を塗布する。<br>【女性の場合】4～5cm挿入し尿の流出を確認後、さらに2cm程度進める。<br>【男性の場合】陰茎が90度になるよう把持し15cm程度挿入し、抵抗を感じたら60度にして5cm程度進め、尿が流出してきたらさらに2cm程度挿入する。<br>※下腹部の緊張を解く：口呼吸を促すことで、腹圧がかからずカテーテルが挿入しやすい<br>※患者に異常な疼痛や出血がある場合は尿道を傷つける恐れがあるため、ただちに中止する | 【女性の場合】　【男性の場合】<br> |
| ●カテーテルを固定する<br>⑥カテーテルが抜けないよう押さえつつ、必要量の滅菌水をゆっくり注入してバルーンを膨らませる。カテーテルを軽く引き、抜けないことを確認後、バルーンが膀胱を圧迫しないよう1～2cm挿入する。<br>※患者に異常な疼痛や出血がある場合は尿道の途中でバルーンを膨らませて傷つける恐れがあるため、ただちに中止する |  |
| ⑦大腿部内側（女性）、陰茎（男性）を頭側に向け下腹部に固定する。テープはまず土台用を貼り、次にカテーテルを包み込むように2枚目を貼る。<br>※男性の場合、大腿部内側に固定するとカテーテルが陰茎陰嚢各部を圧迫することによる潰瘍や裂傷の恐れがある | 【女性】　【男性】<br> |
| ⑧蓄尿バッグを取りつける<br>尿が逆流しないよう蓄尿バッグは膀胱より低い位置で、床につかないよう取りつける。後片づけをし、患者の寝衣・寝具を整える。 | 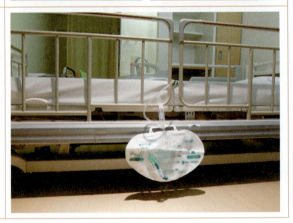 |

## 2. 留置管理中の援助

尿道カテーテル留置管理が避けられない場合、看護師は尿路感染症など合併症の予防に努め、尿流の停滞なく維持することが重要である（表2、図3）。

カテーテルまたは蓄尿バッグの交換時期については個人差があり、定期交換によるCAUTI予防のエビデンスはなく[12]、閉塞した場合や閉塞する兆候がある場合に交換する。

### 表2　尿道カテーテル留置管理中の合併症予防の留意点

| | |
|---|---|
| カテーテル挿入部の消毒[17] | 毎日の外尿道口の消毒や陰茎・亀頭部に巻きつけるガーゼ交換は必要なく、毎日の陰部洗浄、シャワー浴など通常の身体保清で対応する |
| 交換頻度[18] | 定期的なカテーテル交換の際に、尿道粘膜を損傷するリスク、細菌を膀胱内に押し込むことによる尿路感染症発生リスクなどもあり、基本的にカテーテルの閉塞が疑われたときに交換を行う。尿の混濁具合にもよるが、結石の発生やランニングチューブ内におけるバイオフィルム形成といったリスクもあるので、状況をみながら交換する |
| 水分摂取[18,19] | 心不全管理などによる水分制限がない限りは1日1,000mL以上の尿量が得られるように水分摂取を勧める。対象に適した水分摂取は尿流を保ち、尿路感染予防や尿路結石予防に有効である |
| 留置カテーテルのテープ固定方法[20] | 解剖学的に尿道に圧力がかからないよう、カテーテルに若干のゆるみをもたせ、カテーテルが屈曲しないことが重要であり、男性の場合は腹部に、女性の場合は大腿に固定するのが基本である。また、テープによる腹部・大腿への刺激は潰瘍を形成する可能性があるので、刺激性が少ないテープの使用、毎日固定位置をずらすなどの対応が必要である |
| 膀胱洗浄の必要性[18,21] | 膀胱洗浄は血塊等によるカテーテルの閉塞や、尿混濁により頻回にカテーテル閉塞が生じている場合以外は実施を避ける。長期留置に対する膀胱洗浄の感染予防効果は明らかではなく、むしろ尿道カテーテルと導尿チューブの連結部を外すことは尿路感染症を助長する可能性がある |
| 予防的抗菌薬服用の必要性[18,21] | 持続的な抗菌薬の使用は、耐性菌を発生させ、重症感染症の併発や院内感染の問題となる可能性がある。定期的な検尿と細菌学的検査を行いながら経過観察し、急性増悪時に対応することが望ましい |

阿部桃子, 岡本充子, 小泉美佐子, 他：Step5 自然な排尿を取り戻すための援助方法. 中島紀惠子, 石垣和子監修, 高齢者の生活機能再獲得のためのケアプロトコール 連携と協働のために. 日本看護協会出版会, 東京, 2010：122. より改変

### 図3　停滞のない尿流を維持する蓄尿バッグの管理

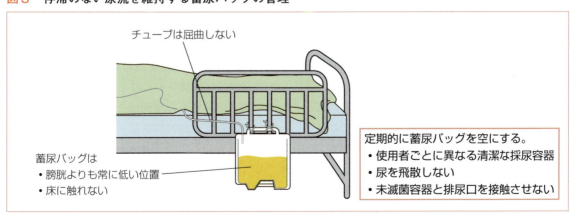

西村かおる：第36講 排尿障害への対処⑥ 適切な留置カテーテル管理をしよう. 新・排泄ケアワークブック 課題発見とスキルアップのための70講. 中央法規出版, 東京, 2013：176. より引用

## 3. 抜去時

下記に尿道カテーテルの抜去手順を示す。

排尿行動の自立に向けたアセスメントなどは次稿「留置カテーテルの抜去支援」(p.176)に詳細を示す。

| 手順 | ポイント |
|---|---|
| ●準備する<br>①必要物品：処置用シーツ、手袋、シリンジ、ペーパー、清浄綿、廃棄物入れ。<br>※交差感染の防止（挿入時と同様）<br>・カテーテル内に残る尿は蓄尿バッグに流しておく | |
| ●カテーテルを抜去する<br>②滅菌水の注入口にシリンジを優しく差し込み、滅菌水が自然に抜けるのを待つ。シリンジが止まったら、軽く陰圧をかけすべて抜く（注入口に記載されている容量を参考にする）。 | 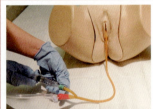 |
| ③陰部をペーパーなどで抑え、カテーテル内の尿が逆流しないよう圧迫しながら、ゆっくり抜去し、ビニール袋に入れる<br>・清浄綿などを用いて陰部を清拭する。後片づけをし、患者の寝衣・寝具を整える。 |  |

## 4. 尿道カテーテル留置管理が長期化する悪循環

病院における尿道カテーテル留置管理の頻度は16.8％であり、理由は「一時留置（重症、手術）」が60％を占める。一方、「尿失禁のため」が14.8％など安易な理由での尿道カテーテル留置管理が報告されている（図4）[14]。

老人保健施設や特別養護老人ホームにおいて、尿道カテーテル留置管理の頻度は5.7％、うち入所前から尿道カテーテル留置が59％を占めていた[15]。理由は、「トイレでの排尿は可能だが尿失禁があるため」が38.9％、「予防的な使用」が15.3％[14]であった（図4）。

訪問看護ステーションを利用する在宅療養者では、尿道カテーテル留置管理は11.8％であり、病院を退院する際に尿排出障害（尿閉や残尿）のため尿道カテーテル留置管理となった者が80％を占めていた[15]。

尿道カテーテル留置管理について、ガイドラインでは「術後3日間程度であれば尿道カテーテルを留置してもよい（Grade B）が、これを超える場合には間欠的導尿を推奨する（Grade C）」[16]、「カテーテルの適応がある術中患者では、使用を継続するような適応がない限り術後できる限りすみやかに、可能な限り術後24時間以内にカテーテルを抜去する（推奨レベルⅠB）」[12]とある。これまで尿道カテーテルの早期抜去が推奨されてきたにもかかわらず、**急性期病院での尿道カテーテル留置をきっかけに、そのまま施設や在宅へ移行し、長期化している現状がうかがえる**。今後、不用意な長期留置をなくすためには、病院・施設間の連携を図り、排尿自立支援を推進させることが喫緊の課題である。

## 図4　病院、施設における尿道カテーテル留置の使用理由

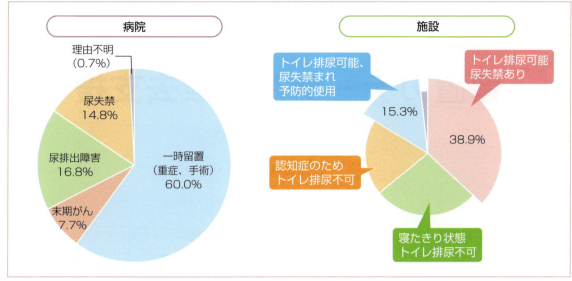

後藤百万：高齢者排尿ケアの現状．WOC Nursing 2014；2(8)：10．より引用，参考に作成

引用文献
1. 鳥羽研二監修：高齢者総合的機能評価ガイドライン（第1版）．厚生科学研究所，東京，2003：14-15．
2. 相川みづ江，泉キヨ子，正源寺美穂：一般病院に入院中の高齢患者における生活機能の変化に影響する要因．老年看護学　2012；16(2)：47-55．
3. 湯野智香子，正源寺美穂，泉キヨ子：ステップ3 フレイルを予防する7．病院でのフレイルのケアと対処．島田裕之編，フレイルの予防とリハビリテーション．医歯薬出版，東京，2015：130-135．
4. 桑田美代子，湯浅美千代編：高齢者のエンドオブライフ・ケア実践ガイドブック第2巻 死を見据えたケア管理技術．中央法規出版，東京，2016：104-176．
5. 西村かおる：トータルに考えるコンチネンスケア─排尿障害を中心として─．日本ストーマ・排泄リハビリテーション学会誌　2007；23(3)：117-124．
6. 谷口珠実：ナースが担うコンチネンスケア～明日からの実践に向けて～．日本ストーマ・排泄リハビリテーション学会誌　2008；24(1)：184．
7. 正源寺美穂，湯野智香子，中田晴美，他：急性期病院における高齢患者に対する早期排尿自立支援プログラムの効果─尿道カテーテル留置からの離脱と排尿行動の自立にむけた取り組み．日本創傷・オストミー・失禁管理学会誌　2015；19(3)：336-345．
8. 平松知子，正源寺美穂：転倒と排尿障害．WOC Nursing 2014；2(8)：66-73．
9. 正源寺美穂，湯野智香子：事例をとおした骨折高齢者の再転倒予防対策．臨牀看護　2013；39(13)：1860-1864．
10. 中島紀恵子，石垣和子監修：高齢者の生活機能再獲得のためのケアプロトコール 連携と協働のために．日本看護協会出版会，東京，2010：108-133．
11. 一般社団法人日本創傷・オストミー・失禁管理学会編：平成28年度診療報酬改定「排尿自立指導料」に関する手引き．照林社，東京，2016：18-39．
12. 矢野邦夫監訳：カテーテル関連尿路感染の予防のためのCDCガイドライン．メディコン，大阪，2009．
13. 西村かおる：新 排泄ケアワークブック─課題発見とスキルアップのための70講─．中央法規出版，東京，2013：172-177．
14. 後藤百万：高齢者排尿ケアの現状．WOC Nursing 2014；2(8)：7-13．
15. 吉田正貴，野尻佳克，大菅陽子，他：高齢者排尿障害に対するケアの現状．日本老年泌尿器科学会誌　2013；26：115-118．
16. 日本整形外科学会／日本骨折治療学会監修：日本整形外科学会診療ガイドライン 大腿骨頚部／転子部骨折診療ガイドライン 改訂第2版．南江堂，東京，2011：179．
17. 戸ケ里泰典：尿路感染予防のための尿路カテーテル管理─外尿道ケアに関する文献検討─．日本看護研究学会雑誌　2004；27(1)：115-123．
18. 後藤百万，渡邉順子編：徹底ガイド 排尿ケアQ＆A．総合医学社，東京，2006：102-127．
19. 小野武年：標準生理学 第3版．医学書院，東京，1993：368-370．
20. 新谷寧世：主に尿道カテーテルについて．泌尿器ケア　2008；13(3)：25-32．
21. 鈴木康之，小野寺昭一：排尿障害患者の尿路感染症・カテーテル留置例．Geriatric Medicine 2004；42(3)：310-314．

参考文献
1. 桑田美代子，湯浅美千代編：高齢者のエンドオブライフ・ケア実践ガイドブック第1巻 死を見据えた日常生活のケア．中央法規出版，東京，2016：59-76．
2. 田中秀子，溝上祐子監修：失禁ケアガイダンス．日本看護協会出版会，東京，2007：280-291．
3. 川口孝泰，佐藤蓉子，宮腰由紀子，他：リンクで学ぶ看護基本技術ナビゲーション 排泄の援助技術．中央法規出版，東京，2005：36-42．
4. 後藤百万，渡邉順子編：徹底ガイド排尿ケアQ＆A 全科に必要な知識のすべて！．総合医学社，東京，2006：102-127．
5. 東京都健康長寿医療センター看護部編著：写真でわかる高齢者ケア 高齢者の心と体を理解し，生活の営みを支える．インターメディカ，東京，2010：68-75．
6. 西畑利恵子，操華子：尿道留置カテーテルの留置に関連する合併症予防─カテーテル関連尿路感染とカテーテル閉塞─．月刊ナーシング 2016；36(8)：70-74．

Part 2 排尿機能障害へのアプローチ

[ 治療・ケア ]

カテーテル管理

# 留置カテーテルの抜去支援

正源寺美穂

本稿では、筆者（看護研究者）と実践者が協働し、尿道カテーテル留置からの離脱と排尿行動の自立に向けた取り組みをはじめたきっかけや、実際のかかわりを紹介していく。

## 急性期病院における高齢患者に対する早期排尿自立支援をはじめたきっかけ

急性期病院では高齢化に伴い、高齢患者が大半を占め年々増加している。平均在院日数は18日以内（7対1基準）と短く、治療が最優先されることから、生活機能への支援が置き去りにされやすい。その1つに尿道カテーテル留置が挙げられる。

尿道カテーテル留置の合併症には、尿路感染、膀胱萎縮、尿管結石、尿道カテーテル抜去後の尿閉や頻尿など下部尿路症状の出現などがある。さらに先行研究から、内科疾患の高齢患者では「ベッド上生活日数」が退院時の歩行能力低下に影響し、「尿道カテーテル留置日数」との強い相関が報告されている（図1）[1]。したがって、看護師には治療上不要になった尿道カテーテルを早期に抜去し、自然な排尿を促していく対策が急務であった。

図1 高齢患者が退院時に歩行能力が低下する要因

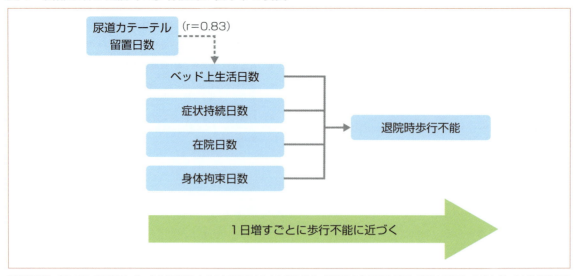

湯野智香子, 泉キヨ子, 平松知子, 他：急性期病院における内科疾患を有する高齢患者の退院時の歩行能力低下に影響する要因. 金沢大学つるま保健学会誌 2009；33(2)：81-87. より引用

# 尿道カテーテル留置からの離脱と排尿行動の自立に向けた取り組みの実際

看護師が尿道カテーテル留置管理中の高齢患者に対して、下部尿路機能評価にもとづき、安全かつ効果的に尿道カテーテルを抜去し、リハビリテーションも含む早期からの排尿自立支援として、各ステップの主な内容とポイントを表1にまとめた。

表1　排尿行動自立へのステップとポイント

| ステップ | 主な内容 | ポイント |
|---|---|---|
| ①排尿行動に関する初期アセスメント | 病棟看護師が尿道カテーテル留置管理中の高齢患者に対し、排尿行動に関して初期アセスメントを行う<br>・評価時期：原則として入院時や転棟時、もしくは離床可能な状態に回復したとき<br>・情報収集：看護師が排尿関連患者背景シートをもとに、身体機能や既往歴、使用中の薬剤、入院前の下部尿路症状や排尿方法などを把握する（図2）<br>・判断：尿道カテーテル抜去の可能性と抜去後起こりうる下部尿路症状のリスクを評価する | ・急性期の高齢患者は、疾患ごとに下部尿路機能や排尿行動に関連するADLなど生活機能の程度が異なる<br>・治療経過とともに変化する<br>・看護師は高齢患者が治療をはじめる急性期の早い段階から個別の下部尿路機能や生活機能をアセスメントし、排尿行動の自立に取り組む |
| ②排尿自立に向けた看護計画の立案 | 初期アセスメントをもとに、排尿自立に向けた看護計画を立案する（表2）<br>・看護師間でカテーテル抜去日、抜去後の排尿方法を検討し、患者・家族へ排尿ケア計画を提案し、同意を得る | ・患者・家族の排尿方法に対する意向や理解度、経済的負担感などを確認する<br>・抜去後、下部尿路機能や排尿行動に困難が予測される場合、主治医や泌尿器科医師、理学療法士等とあらかじめ連携を図る |
| ③安全で効果的な尿道カテーテル抜去時の看護 | 治療経過に沿って、安全で効果的に尿道カテーテルが抜去可能な時期を同定した後、尿道カテーテルを抜去する<br>・ドレーン類の抜去、全身状態の安定を確認し、主治医に確認したうえで抜去する | ・疾患それぞれの特徴や治療経過に応じた判断が必要となる |
| ④排尿日誌と膀胱内尿量および残尿の測定によるモニタリング | 抜去後、原則として3日間、排尿日誌（図3）と機器を用いた膀胱内尿量および残尿の測定を行う<br>・膀胱内尿量および残尿の測定には、携帯型超音波膀胱容量測定器を用い、排尿時または尿意を看護師に伝えるのが難しい場合は2時間ごとに測定し、排尿パターンを把握する | ・携帯型超音波膀胱容量測定器は、簡便に膀胱内尿量および残尿を評価でき、排尿ケアのアセスメントに有効である<br>・残尿や頻尿など下部尿路症状を伴う場合は、主治医を通じて泌尿器科医師に内服薬の処方および変更などを相談する |

（次頁につづく）

| ステップ | 主な内容 | ポイント |
|---|---|---|
| ⑤排尿自立に向けた看護介入とその評価 | 下部尿路機能評価から各自の下部尿路機能に合った排尿ケアを選択する<br>・尿失禁を有する高齢患者には、各自の排尿パターンに則して失禁が生じる前に誘導した。尿排出障害が認められた高齢患者には、膀胱過伸展を防ぐため膀胱内尿量が400mLを超えないように排尿へ誘導した<br>・膀胱内尿量および残尿が200mL以上ある場合は1日3回をめやすに間欠導尿を実施した<br>定期的な看護師間でのカンファレンスにより、治療経過とともに変化する下部尿路機能に則した排尿自立に向けた看護介入とその評価を実施する<br>・急性期は治療に伴い下部尿路機能や排尿行動に関連するADLが変化するため、毎日評価した | ・必要時は理学療法士が移動能力をBarthel Index（BI）またはFunctional Independence Measure（FIM）で評価し、ベッドとポータブルトイレの高さ調整などを実施、排尿に関連する動作訓練<br>・着脱しやすい衣類や紙パンツへの変更、就寝前に膀胱内尿量および残尿を測定して排尿誘導するなど、夜間の排泄に伴う転倒予防を考慮した<br>・介入を判断する膀胱内尿量および残尿量は疾患や治療経過、看護体制などを考慮した<br>・目標とした排尿行動の自立が獲得できたと判断された場合には、介入終了とし、統一してかかわれるようスケール化を試みた（図4）<br>・疾患それぞれの特徴や治療経過に応じた評価が必要となる |

### 表2 排尿自立に向けた看護計画の立案例

| 主な疾患 | 目標 | 具体例 |
|---|---|---|
| 循環器疾患（心不全）の高齢患者 | 心不全に伴う症状が悪化することなく、トイレまたはポータブルトイレで自立して排尿ができる | 下部尿路機能と生活機能に加え、心不全症状や利尿薬による影響を考慮し、「頻尿がなく夜間睡眠がとれる」「ふらつかず転倒の危険がない」「呼吸状態および全身状態の悪化がない」「浮腫の改善がみられる」ことを観察した |
| 整形外科疾患の高齢患者 | 禁忌動作を守りながら、トイレまたはポータブルトイレで自立して排尿ができる | ●認知症を伴う場合、排尿へ誘導するときのていねいな声かけ<br>●転倒による大腿骨骨折患者に対しては再転倒を予防する支援<br>●人工関節置換術に伴う関節可動域制限などによる排尿に関連する動作訓練など |
| 脳外科疾患の高齢患者 | 尿道カテーテル留置から離脱し、尿路感染なく自排尿を獲得する | 尿閉や頻尿など下部尿路症状、意識障害や片麻痺など運動機能障害のため排尿に関連する動作が困難であったため、急性期はまず自排尿を目標とし、回復期でのトイレ動作獲得につなげる |

図2 独自に作成した排尿関連患者背景シート(入院前)

## 排尿関連患者背景シート (計画書の1ページ目に相当)

(＿＿＿病棟；＿＿＿号室) ID：＿＿＿＿＿＿＿＿ 名前：＿＿＿＿＿＿＿＿

評価日　年　月　日　記載者（　　　　　）

注意：尿道カテーテル留置の絶対的な適応患者（下記）については適応外となるため記載しない
- 厳密な尿量測定が必要な場合：重症者、術後患者など
- 尿による汚染を防ぐために局所管理が必要な場合：陰部の手術、仙骨部の皮弁術など

|  |  |
|---|---|
| 年齢・性別・入院日 | (　　　歳)・男：女　・　　年　月　日 |
| 入院の契機となった疾患 | (　　　　　　　　　　　　　　　　　　) |
| カテーテル挿入開始 | 　月　　日　・　来院時より　・　不明 |
| カテーテル挿入目的 | □尿閉　□残尿が多い　□手術　□救急医療センターより<br>□不明　□全身状態悪化　□その他（　　　　　） |
| カテーテル抜去歴 | □なし　□あり　（ありの場合、再挿入：□なし　□あり） |
| 適応患者の抽出<br>【①か②の選択】 | ①□今後抜去した場合に下部尿路障害が予想される<br>　（□尿閉／排尿困難　□尿失禁）<br>②□抜去後の下部尿路障害あり（抜去24時間後の評価）<br>　（□尿閉　□残尿が多い（100mL以上）　□尿失禁<br>　□15回/日以上の頻尿） |
| 1日尿量（平均的な） | (　　　　　) mL |
| 日常生活動作 | (　　　　　　　　　　　　　　)<br>(　　　　　　　　　　　　　　) |
| 意思疎通の可否 | □正常、普通　□いくらか困難<br>□困難：《困難である理由　□意識障害　□発語障害<br>　　　　□その他（　　　　　　　　）》 |
| 家族のかかわり | □問題なさそう　□問題あり（下記も記載）<br>：問題になりそうなこと：□家族環境　□施設<br>　□その他（　　　　　　　　　　） |
| リハビリテーションの有無 | □なし　□あり（□ベッドサイド　□機能訓練室） |
| 泌尿器科受診歴 | □なし　□あり（□当院　□他施設）　□不明 |
| その他（排尿やケアに関して気づいた点など） | (　　　　　　　　　　　　　　)<br>(　　　　　　　　　　　　　　)<br>(　　　　　　　　　　　　　　) |

排尿ケア委員会/2016/09

### 図3 独自に作成した排尿日誌

## 排尿日誌

ID：　　　　　　　名前：

排尿状況：①トイレ　②尿器　③ポータブルトイレ　④おむつ

　　月　　日

| 時間 | 尿意 | 失禁 | 尿意(mL)/自排尿 | 膀胱内尿量および残尿計測値 | 導尿量(mL) | 水分摂取 | 排尿状況 | 血尿や膀胱症状あれば |
|---|---|---|---|---|---|---|---|---|
| 00：( ) | ○ | × | 250/○ | 100−97−98 | 90 | ○ | ③ | 排尿時痛 |
| 01：( ) | | | | | | | | |
| 02：( ) | | | | | | | | |
| 03：( ) | | | | | | | | |
| 04：( ) | | | | | | | | |
| 05：( ) | | | | | | | | |
| 06：( ) | | | | | | | | |
| 07：( ) | | | | | | | | |
| 08：( ) | | | | | | | | |
| 09：( ) | | | | | | | | |
| 10：( ) | | | | | | | | |
| 11：( ) | | | | | | | | |
| 12：( ) | | | | | | | | |
| 13：( ) | | | | | | | | |
| 14：( ) | | | | | | | | |
| 15：( ) | | | | | | | | |
| 16：( ) | | | | | | | | |
| 17：( ) | | | | | | | | |
| 18：( ) | | | | | | | | |
| 19：( ) | | | | | | | | |
| 20：( ) | | | | | | | | |
| 21：( ) | | | | | | | | |
| 22：( ) | | | | | | | | |
| 23：( ) | | | | | | | | |
| 1日合計 | | | | | | | | |

失禁＿＿＿＿g ＋ 自排尿＿＿＿＿mL ＋ 導尿量＿＿＿＿mL ＝ 1日排尿量＿＿＿＿mL/日

| 排尿に関連して工夫したことや考えたこと | |
|---|---|

排尿ケア委員会/2016/10

図4 独自に作成した残尿測定・導尿スケール

**残尿測定・導尿スケール**（残尿測定のめやす）

1）自尿があるとき

まず初回の残尿"計測値"（携帯型超音波膀胱容量測定器にて）より当面の導尿回数を判断する。

| "計測値" | : | 導尿回数 |
|---|---|---|
| 100mL未満 | : | 導尿不要 |
| 100〜149mL | : | 1日1回 |
| 150〜199mL | : | 1日2回 |
| 200〜249mL | : | 1日3回 |
| 250〜299mL | : | 1日4回 |
| 300mL以上 | : | 排尿ごと |

それぞれ測定時刻、排尿量、"計測値"、導尿量を 排尿日誌 に記録、失禁や血尿、混濁の有無や排尿症状など気がついた点も記録する。

2）自尿がないとき

抜去後6時間経過しても自尿がないときはまず導尿開始。

回数のめやすとして、カテーテル抜去前や日ごろの1日尿量を参考にする。

| おおよその1日尿量 | : | 導尿回数 |
|---|---|---|
| 1200mL未満の場合 | : | 1日3回（おおよそ8時間ごと） |
| 1200〜1800mL未満 | : | 1日4回（おおよそ6時間ごと） |
| 1800mL以上 | : | 1日5回（おおよそ5時間ごと） |

それぞれ尿意の有無、導尿時刻、導尿量を 排尿日誌 に記録、失禁や血尿、混濁の有無など気がついた点を記録する。

必ずしも等間隔でなくてもよいが、"計測値"で500mL以上にはならないよう配慮する。

＊前日の成績をみながら、次の日の残尿測定や導尿の回数を決めていく。

1〜2週間はしっかりと間欠的導尿や残尿測定で推移をみていく。

2週間経過した段階で全く自尿がない場合は尿導カテーテル留置とする。

排尿ケア委員会／2016／10

## 早期排尿自立支援がもたらす効果

　急性期病院の尿道カテーテル留置管理となった高齢患者に対して、看護師が医師やリハビリテーションスタッフと協働し早期排尿自立支援[3]を実施した結果、尿路感染症の発生率が10.9％から約半数の5.0％まで減少した。さらに、尿道カテーテル留置日数やベッド上生活日数を短縮する効果を認めた。

> 早期排尿自立支援による尿路感染症発生の予防効果を費用対効果として換算すると、
> - 平均在院日数は尿路感染症を発生した場合約45日であり、非発生の約2倍に延長していた
> - 日本の包括医療費支払い制度方式（入院日数23日以上）によると入院費用は1日あたり16,100円となる
> → 尿路感染症発生に伴い在院日数が約20日延長と換算すると、1人あたり約32万円の追加医療費がかかる

　先行研究では、尿道カテーテル留置や下部尿路症状と転倒発生との関係が報告されている[4,5]。
　本介入では、転倒の発生抑制の効果は認められなかった[3]。しかし、看護師が排尿日誌と膀胱内尿量および残尿測定から排尿パターンを把握し、尿意をきっかけに1人で動いてしまう高齢患者に先回りしてかかわることで、再転倒予防を図り自宅退院へとつなげることができた[6]。

## 事例にみる早期排尿自立支援の効果

### 1．事例の概要

　80歳代、男性、妻と2人暮らし、要介護2。主疾患は大腿骨頸部骨折、きっかけは転倒と思われるが本人は認知機能低下があり記憶なし。

### 2．排尿行動に関する初期アセスメント

- **入院前の排尿自立度**：昨年も転倒・骨折して入院し、尿閉のため、尿道カテーテル留置管理のまま自宅へ退院した。その後、自宅で尿道カテーテルを自己抜去し、トイレでの排尿が自立していた。
- **入院前の排尿場所・回数**：伝い歩きで洋式トイレを使用。排尿回数は1日8～10回（うち夜間3～4回）。コーヒーを好み、排尿回数と同じくらいよく飲んでいた。
- **排尿に関連する既応歴**：神経因性膀胱のため近所の泌尿器科へ通院していた。
- **家族の希望**：本人には認知機能低下があり、排泄ケアへの意向は確認できず。妻は「こんな状況で家に帰れるかね？　私だけじゃトイレの介助はできない」と排尿自立を希望された。

### 3．排尿自立に向けた看護計画の立案
　　～排尿自立に向けた看護介入とその評価

#### 1）目標
　高齢夫婦暮らしの自宅退院に向けた排尿に関連する動作の自立。

#### 2）排尿ケア内容
- **介入当初**：ポータブルトイレ（移乗介助・紙パンツ）。
- **退院時**：トイレでの排尿に関連する動作が自立し、自宅退院を目標とした。

#### 3）主な経過
- 看護師が排尿日誌と携帯型超音波膀胱容量測定器を用いてモニタリングした結果、1日目は尿意・自尿がなく、間欠導尿にて1日尿量303mLであった。看護師間でカンファレンスし、初期アセスメントの情報から水分摂取としてコーヒーを促した結果、1日尿量は2日目776mL、3日目1,117mLと増加した（図5）。
- 主治医を通じて受診した泌尿器科医師より、尿

図5　排尿日誌と膀胱内尿量および残尿測定（抜去後の膀胱内尿量および残尿の推移）

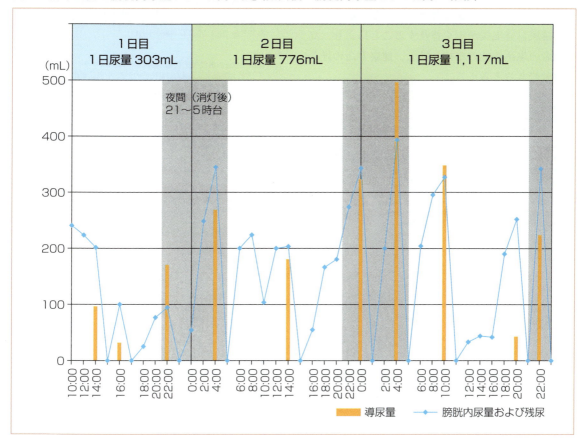

閉のため間欠導尿（3回/日）が指示された。看護師はさらに理学療法士と連携し、術後2日目より車椅子移乗を開始した。しかし、本人は尿意がないためトイレに行きたがらず、モニタリングと間欠導尿を継続した。

- 術後6日目、排便をきっかけにトイレで自尿があった。そこで看護師は、ベッドサイドにポータブルトイレを設置し、排尿パターンに則して誘導を開始した。
- 術後18日目ごろより尿意・自尿が少しずつ出はじめた。そのため、看護師は27日目には間欠導尿を中止した。その後、トイレでの排尿に関連する動作が確立し、本人と家族の希望どおり、自宅退院することができた。

## 排尿自立に向けたチームとしての取り組み

　高齢者の場合、尿道カテーテル留置管理が長期化すると、特に合併症のリスクが高まる。そのため、看護師には、高齢患者の残存機能を積極的に活用しながら、治療と生活機能の維持を両立する視点で、治療早期から排尿自立支援に取り組むことが求められる。その際、看護師が泌尿器科医師や理学療法士らと連携し、尿道カテーテル留置からの離脱と排尿行動の自立支援への理解を深め、よりよい方法をチームとして取り組み、確立していくことが求められる。

　排尿ケアは個別性が高く、エビデンスの確立が難しい反面、高齢者の生活機能に直結し、QOL

に大きくかかわる。今後、看護師が医師やリハビリテーションスタッフ等とチームとして取り組む早期排尿自立支援が広く普及することにより、高齢患者の生活機能の維持・拡大、健康寿命の延長に貢献できると考える。

引用文献
1. 湯野智香子, 泉キヨ子, 平松知子, 他：急性期病院における内科疾患を有する高齢患者の退院時の歩行能力低下に影響する要因. 金沢大学つるま保健学会誌 2009；33(2)：81-87.
2. 後藤百万：高齢者排尿ケアの現状. WOC Nursing 2014；2(8)：7-13.
3. 正源寺美穂, 湯野智香子, 中田晴美, 他：急性期病院における高齢患者に対する早期排尿自立支援プログラムの効果—尿道カテーテル留置からの離脱と排尿行動の自立にむけた取り組み. 日本創傷・オストミー・失禁管理学会誌 2015；19(3)：336-345.
4. Landi F, Cesari M, Onder G, et al. Indwelling urethral catheter and mortality in frail elderly women living in community. Neurourol Urodyn 2004；23(7)：697-701.
5. Nakagawa H, Niu K, Hozawa A, et al. Impact of nocturia on bone fracture and mortality in older individuals：a Japanese longitudinal cohort study. J Urol 2010；184(4)：1413-1418.
6. 正源寺美穂, 湯野智香子：事例をとおした骨折高齢者の再転倒予防対策. 臨牀看護 2013；39(13)：1860-1864.

参考文献
1. 桑田美代子, 湯浅美千代編：高齢者のエンドオブライフ・ケア実践ガイドブック第1巻 死を見据えた日常生活のケア. 中央法規出版, 東京, 2016：59-76.
2. 田中秀子, 溝上祐子監修：失禁ケアガイダンス. 日本看護協会出版会, 東京, 2007：280-291.
3. 川口孝泰, 佐藤蓉子, 宮腰由紀子, 他：リンクで学ぶ看護基本技術ナビゲーション 排泄の援助技術. 中央法規出版, 東京, 2005：36-42.
4. 後藤百万, 渡邉順子編：徹底ガイド排尿ケアQ&A 全科に必要な知識のすべて!. 総合医学社, 東京, 2006：102-127.
5. 東京都健康長寿医療センター看護部編著：写真でわかる高齢者ケア 高齢者の心と体を理解し, 生活の営みを支える. インターメディカ, 東京, 2010：68-75.
6. 西畑利恵子, 操華子：尿道留置カテーテルの留置に関連する合併症予防—カテーテル関連尿路感染とカテーテル閉塞—. 月刊ナーシング 2016；36(8)：70-74.

[ 治療・ケア ]

カテーテル管理

# 間欠自己導尿

田中純子

　間欠自己導尿とは、清潔間欠導尿（clean intermittent catheterization：CIC）として、1972年にLapidesによって提唱された排尿方法である。その後CICは、多くの医療従事者らによって臨床研究が行われ、間欠的に導尿を行うことによって膀胱内圧を低圧に維持し、腎機能の保持と膀胱機能の回復に役立つことが立証されてきた。同時に、失禁や頻尿、排尿困難などの下部尿路症状を改善し、患者のQOLを高めることが明らかにされている。

　しかし、CICによってQOLを向上するためには、患者自身が、カテーテル操作の技術や暮らしのなかで継続していくための応用力を身につけていかなくてはならない。そこで、本稿では、CICの基本的な考え方と患者指導のポイントについて解説する。

## CICの適応

　CICは、膀胱内の尿を自然に排出することが困難な場合に適応が考慮される。尿排出障害をきたす疾患としては、前立腺肥大症、糖尿病や脊髄損傷、二分脊椎などの脊髄疾患、子宮全摘除術や人工肛門造設術などの手術に起因する神経因性膀胱が挙げられる。しかし、たとえ高度な尿排出障害が認められても、カテーテルを把持することが困難な場合やCICの方法を理解するための認知機能に障害が認められる場合には、CICの導入が難しい場合がある。そのため、**CICの導入を検討する場合は、下部尿路機能だけでなく、身体機能や認知機能などを十分考慮する**ことが求められる。

## 患者指導の実際

### 1．CICの必要物品

　CICの必要物品を**図1**に示す。カテーテルには、消毒液を用いてくり返し使用する再利用型のものと、使用ごとに破棄する使い捨て型のものがある（**図2**）。使い捨て型は、洗浄や消毒の手間はないが、導尿の回数分のカテーテルを携帯しなくてはならない。また、男性の場合は、汚物入れが設置されている公衆トイレは少ないため、使用したカテーテルを持ち帰らなくてはならないことも多い。医療費の負担額も、使い捨て型を使用する場合は、再利用型を使用する場合よりも自己負担額が高くなる（**表1**）。そのため、使用するカテーテルを選択する際は、患者の経済状況も考慮することが望ましい。

### 2．CICの回数と時間設定

　**CICのスケジュールは、個々の患者の膀胱容量と膀胱コンプライアンスの状態、生活時間を熟慮して設定する**。膀胱内圧が高圧になると、膀胱内

### 図1　CICの必要物品

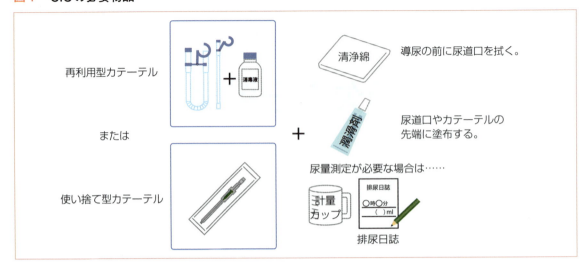

### 表1　CICの費用（2020年診療報酬改定）

| | 点数 | 自己負担割合 | | |
| --- | --- | --- | --- | --- |
| | | 1割 | 2割 | 3割 |
| 在宅自己導尿指導管理料 | 1400点 | 1400円 | 2800円 | 4200円 |

| | 点数 | 1割 | 2割 | 3割 |
| --- | --- | --- | --- | --- |
| 特殊カテーテル加算 | | | | |
| （1）再利用カテーテル | 400点 | 400円 | 800円 | 1200円 |
| （2）間歇導尿用ディスポーザブルカテーテル<br>　イ　親水性コーティングを有するもの | | | | |
| 　　①60本以上の場合 | 1700点 | 1700円 | 3400円 | 5100円 |
| 　　②90本以上の場合 | 1900点 | 1900円 | 3800円 | 5700円 |
| 　　③120本以上の場合 | 2100点 | 2100円 | 4200円 | 6300円 |
| 　ロ　イ以外のもの | 1000点 | 1000円 | 2000円 | 3000円 |
| （3）間歇バルーンカテーテル | 1000点 | 1000円 | 2000円 | 3000円 |

※（1）（2）（3）は主たるもの1つのみ算定する。
注）在宅自己導尿を行っている入院中の患者以外の患者に対して、再利用型カテーテル、間歇導尿用ディスポーザブルカテーテルまたは間歇バルーンカテーテルを使用した場合に、3か月に3回に限り、第1款（＝在宅自己導尿指導管理料：1400点）の所定点数に加算する。
　→3か月に1回受診し、3か月分のカテーテルを給付した場合は、特殊カテーテル加算を前もってまとめて算定することが可能。

の尿が尿管を逆流し水腎症や腎盂腎炎を引き起こす要因となる。そのため、膀胱を低圧に維持するために、膀胱内圧が上昇する前にCICによって尿を排出しなければならない。図3では、高コンプライアンスで膀胱容量が300〜400mL程度の成人患者の例を示す。しかし、CICの導入が検討される場合、低コンプライアンスで膀胱容量が200mL以下の患者も少なくないため、CICのスケジュール立案の際は専門医の診療を受けることが必要である。

### 図2　CICに用いるカテーテル

再利用型カテーテル

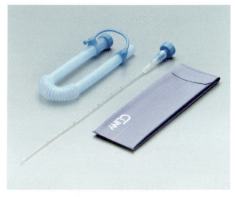
セフティカテ（クリエートメディック）

ピュールキャス®（クリエートメディック）

使い捨て型カテーテル

親水性コーティングなし（特殊カテーテル①）
サフィード®ネラトンカテーテル（テルモ）

親水性コーティングあり（特殊カテーテル②）
スピーディカテ® コンパクト（コロプラスト）

間欠式バルーンカテーテル

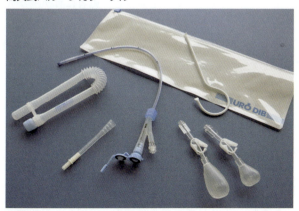
特殊カテーテル③
間欠式バルーンカテーテル®（ディヴインターナショナル）

間欠自己導尿

図3 CICのスケジュール

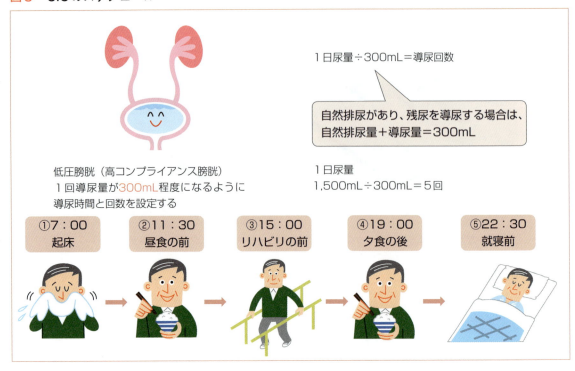

## 3．患者指導の進め方

具体的なCICの手順を図4に示す。

患者は、CICの前に水道水で手を洗う。手洗いが難しい場合は、手指用消毒剤で消毒を行う。衣類を下げ、CICのための姿勢をとる。尿道口の周囲に汚染が考えられる場合には、CICの前に陰部洗浄を行うか清浄綿で汚れを拭きとる。カテーテルの先端に潤滑油をつけ、尿道口からカテーテルを挿入して尿を排出する。再利用型カテーテルを使用した場合は、カテーテルを水道水で洗浄した後、消毒液の入っているケースに入れる。消毒液は1日1回交換することが望ましい。使い捨て型カテーテルを使用した場合は「燃えるゴミ」として廃棄する。患者指導は、自宅や外出先でもCICを行うことを考慮し、可能な限りトイレで行うことが望ましい。また、簡単かつ迅速にCICを行えるように、**患者の身体機能やCICを行うトイレの環境などを考慮し、物品の配置やカテーテルの選択、導尿姿勢の工夫、トイレ環境の整備などを行うことが求められる。**

### 1）女性患者への指導（図5）

正しく尿道口にカテーテルを挿入するためには、尿道口と腟の違いを体得することが必要である。最初に、腟に患者自身の指を挿入させ、腟の位置を理解してもらう。次に、指導者が尿道口にカテーテルを挿入し、患者にカテーテルが挿入された尿道口を指で触ってもらい、腟と尿道口の位置の違いを理解できるようにくり返し指導する。尿道口の位置を患者が指で触って理解できることにより、鏡を用いることなく容易にカテーテルを尿道口に挿入できるようになる。

### 2）男性患者への指導（図6）

男性の場合、尿道をまっすぐに伸ばすイメージで、陰茎を上方に向けて引っ張りながら、ゆっくりカテーテルを挿入していく。カテーテルが、球部尿道と前立腺部を通る際に抵抗を感じるため、深呼吸をして身体の力を抜いてから、さらにカテ

図4　CICの手順

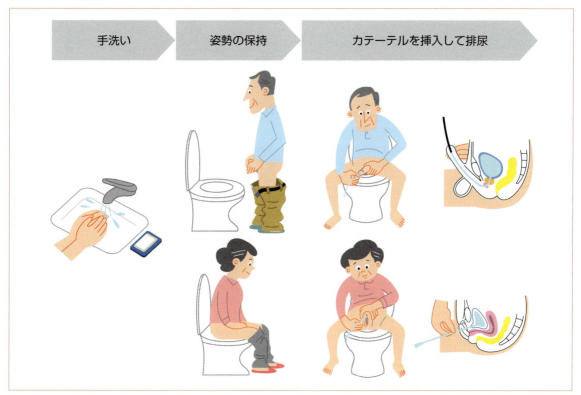

図5　女性患者への指導

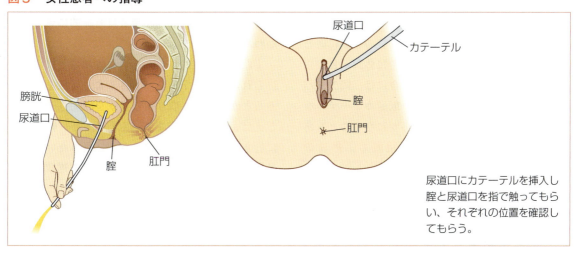

尿道口にカテーテルを挿入し腟と尿道口を指で触ってもらい、それぞれの位置を確認してもらう。

ーテルを挿入していくようアドバイスする。ただし、前立腺部から出血をしたり、尿道損傷を引き起こしたりする可能性もあるため、無理にカテーテルを挿入してはならない。

## 4．CICの長期管理

在宅において、CICを安全に継続していくためには定期的に尿検査や超音波検査などを行い、尿路感染症や水腎症などの有無や程度を評価すると

### 図6　男性患者への指導

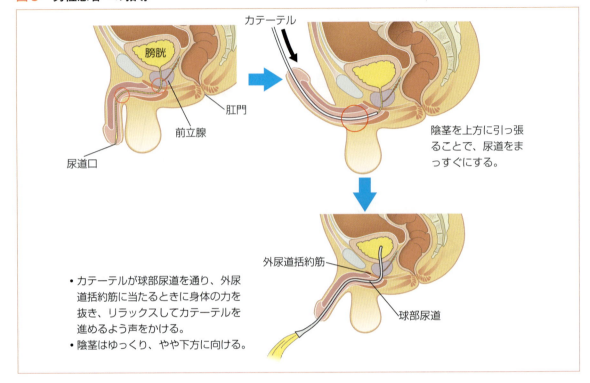

- カテーテルが球部尿道を通り、外尿道括約筋に当たるときに身体の力を抜き、リラックスしてカテーテルを進めるよう声をかける。
- 陰茎はゆっくり、やや下方に向ける。

---

ともに、CICの手技や回数、時間などが適切かどうかを評価していくことが必要である。患者が学校や職場、外出先でもCICを実施することができるように、医療従事者が患者や家族の相談に応じることが求められる。また、患者に体調不良が生じCICの継続が困難になった場合には、間欠式バルーンカテーテルを用いたり、尿道カテーテルを留置したりするなどの処置が必要になることもある。そのため、**CICを安全に継続し、患者のQOLを向上していくためには、医療従事者による長期管理が必須**といえる。

## 患者が主体的に取り組めるような支援

CICは、患者自身がくらしのなかでくり返し行う排泄行為である。たとえ災害時であっても、その場の状況に合わせてCICを実施することが必要になる。そのため、患者が主体的にCICに取り組むことができるよう支援することが重要である。

いつ、どこで、何を使って、どのようにCICを行うのか、患者自身が言語化し、実際に行動に移すことができるように、指導者は意識的に患者にかかわることが望ましい。

また、患者自身がCICを習得することによって得られるメリットを実感できるよう目標を設定することが、CICに取り組む意欲を向上させる。たとえば、CICの技術を習得し「家族と一緒に旅行に行きたい」「友人とレストランに行きたい」など、具体的な目標を言語化し、その目標を達成できるように支援する。目標を達成することによって、患者は自信をもち、主体的にCICを継続することが可能になるのである。

**参考文献**
1. 田中純子, 萩原綾子編著：すぐにわかる! 使える! 自己導尿指導BOOK. メディカ出版, 大阪, 2012.
2. Lapides J, Diokno AC, Silber SJ, et al. Clean intermittent self-catheterization in the treatment of urinary tract disease. J Urol 1972；107(3)：458-461.
3. Lapides J, Diokno AC, Gould FR, et al. Further observations on self-catheterization. J Urol 1976；116(2)：169-171.
4. 後藤百万監修：泌尿器ケア冬季増刊 今日からケアが変わる排尿管理の技術Q&A 127. メディカ出版, 大阪, 2010.

[ 治療・ケア ]

カテーテル管理

# 小児の間欠自己導尿

鎌田直子

清潔間欠導尿（clean intermittent catheterization：CIC）は、下部尿路機能障害を有する患児の排尿管理に必要不可欠なものとなっており、小児泌尿器科領域において確立された治療法の1つである。乳幼児の間欠導尿は、養育者、一般的には母親の手によって行われ、学童期ごろになると本人が行う**清潔間欠自己導尿**（clean intermittent self catheterization：CISC）へと変更される。

小児は身体的、心理的、精神的発達段階にあり、成長発達に伴い生活環境も変化する。**小児がCISCを適切に行うには、小児の特性をふまえた援助が必要**である。

## CICの導入

高圧蓄尿や高圧排尿など上部尿路の危険因子をもつ児では、上部尿路が正常なうちからの予防的間欠導尿が勧められており、生後早期からの開始が望ましい。

導入時期が乳幼児期であれば、養育者、一般には母親への導尿手技の指導が行われる。指導するにあたり導尿の目的を家族に十分理解してもらうこと、そして導尿は医療行為ではあるが、児の排泄行為であることを強調することが必要である。

乳児期～幼児期前半は本人の協力が得られないため、他者、父親などの協力を得られる時間帯に実施する、おもちゃやテレビを用いて注意を逸らすなどの工夫が必要になる。また、母親の不安を軽減するために話を聞き、相談できる窓口を明確にすることも必要である。

## CISCの準備

幼児期後半ごろになりCICに興味が出てきたら、児のできること、興味のあることから参加させる。例えば、物品の準備、片づけ、潤滑剤を出す、カテーテルを抜去するなど、できることから始める。そして、できたことは言葉と態度で十分褒めるようにし、徐々に手技のステップアップを図る。そしてCIC時には「今はお母さんがしているけど、もう少ししたら練習して自分でできるようにしようね」と声をかけ、気持ちの準備を整えていく。CIC時に座位がとれれば座って、または立位（男児）でCICを行い、カテーテルが尿道口に入っていく様子、導入手技を本人が見る機会をつくることも必要である。

本人が興味を示したときに、「まだ無理だから」「カテーテルが不潔になるから」などといってCICに参加させないことは、児の意欲を消失させCICに対して自分でするものではないと考えさせてしまう危険性がある。このようになると、実際CISCを始める時期になっても導入がスムーズにいかず苦労することもあるので、CISC導入前のステップとして患者・家族への指導が必要である。

## CISCの導入時期

　CISCの一般的な導入の時期は、小学校入学前（5歳ごろ）である。CICは医療行為とされ、入学時にCISCを習得していることが望まれる。しかし、ほかの障害をあわせもつ児が少なくないため、単純に年齢でセルフケアが可能かどうかを決定することは望ましくない。開始するにあたって、技術の習得に必要な手先の器用さが備わっているか、清潔観念という概念を理解できるか、自己管理能力が備わっているかを知る必要がある。これは、洗面や歯みがき、入浴などの日常行為が習慣化しているかどうかで推測する。時間の概念が乏しければ養育者の誘導が必要となる。

　これらの要素をどの程度かねそなえているか判断が難しい場合は、指導開始前にIQをはじめ、記憶能力、判断能力などを臨床心理士などの専門家に査定してもらうこともある。

　CISCの手技はくり返しの練習でマスターできるものである。しかし、CISCを行う目的や清潔不潔の観念を理解しない場合や判断力の伴わない場合は、CISC治療の目的を達成することができず、かえって合併症を引き起こしてしまう危険性がある。

　児自身にそのような能力がない場合は、家庭では養育者が、学校では養護教諭がサポートできればCISCは指導可能である。家族の支援体制や入学後のCISCがどのように行われるのか、具体的な情報収集も必要となる。個々に合った目標設定が大切である。

## CISCを行うために必要な知識

　CISCを継続させるために必要な知識で一番大切なのは、「なぜ導尿しなければならないのか」である。膀胱の正常な機能、そして児の膀胱がどのように機能していないかを児の理解度に合わせてくり返し説明する。また、「導尿しなければどうなるのか」についても説明しておく必要がある。これらの知識は、CISCを行う動機づけにもなるので重要である。

　尿の性状や量の変化、カテーテルの挿入痛、出血などがある場合には、母親らに報告しなければならないことを指導する。

## CISC指導の実際（図1）

　CISCの練習を開始したら、毎日継続し忍耐強く行うことが大切である。入院してCISCの手技や知識の確認をする場合もある。その際、技術面での習得度を判定しながら進めるために、操作の各要素のチェックリスト（図2）を作成し指導を行う。

　手技指導時に、女児では直視下に尿道口を確認することが困難なため、はじめは鏡を使用し尿道口の確認（図3）をする。最終的には尿道口の位置を見ずに、感覚でカテーテルが挿入できるように練習をする。また、導尿実施表（図4）を作成し、導尿が成功すればシールを貼るなどの工夫をすると、児のがんばりが目で確認でき、児が達成感を味わうことに役立つ。導尿の実施場所については、最終的には洋式便座などトイレでできるように進めていくが、姿勢の保持が難しい場合などは、まず安定して座位の確保ができる場所（床に直接座って）からはじめる。

　CICを自分で試みることは、児にとって新しい排泄行為の取得であり排泄の自立につながる。セルフケアに向けて一歩ずつ前進することは、本人にとってトイレットトレーニングの意味合いをもつ。

## カテーテルの選択

　カテーテルの選択は、小児の尿道の太さに合ったものを選択する。乳幼児に開始する場合は、ディスポーザブルタイプの8 Fr（ときに6 Fr）のカ

### 図1　CISC指導のパンフレット

**導尿の方法**

①物品を準備する。
　カテーテル
　ゼリー
　消毒綿
　尿を受ける容器（トイレにおしっこをすてるときはいりません）

②石けんで、手を洗う。

③消毒綿の準備をする。
　すぐに出せるように、袋をあけておこう

④カテーテルの準備をする。
　＊使い捨てカテーテルの場合は、カテーテルの袋を半分くらい開けて、ゼリーを出しておこう。
　＊再使用型カテーテルの場合は、消毒綿を出してゼリーを出しておこう。
　→自分の手の届きやすいところに準備しよう。

⑤導尿しやすい姿勢をとる。

⑥利き手の指を消毒綿で拭く。

⑦尿道口を確認し、消毒する。

⑧カテーテルを持って、先端にゼリーをつける。

⑨カテーテルを入れ、おしっこが出てきたら、もう少し（2cm）カテーテルを入れ、固定する。

⑩おしっこが出なくなったら、ゆっくりカテーテルを抜いていく。
　途中でおしっこが出てきたら、そこで止めておしっこが出なくなるまで待つ。

⑪おしっこの量、性状を観察する。

⑫後片づけをする。再使用型カテーテルの場合は、
　カテーテルを流水で洗い、消毒薬の入った容器にしまう。

テーテルからスタートする。成長に合わせて太いものに変更していき、最終的には成人のように12～14Frのものになる。経過中、生活に応じて再使用型のものや潤滑剤つきのディスポーザブルカテーテルなどを併用する場合もある。

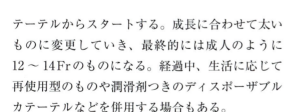

## CISCに伴う問題点

手技の習得や必要性についての知識や理解は十分であるのに、学校生活のなかで導尿など医療的処置を嫌がる児は少なくない。集団のなかで他児と異なる行動が精神的負担につながり、友人関係が最優先され適切な管理ができないのである。

**適切にCISCが実施されていないときには、なぜできないのか、何が問題なのか詳細に確認をする。**CISCの時間と実施状況、導尿の知識、導尿の実施場所、ごみの処理方法、物品の携帯方法、他児との関係、学校での様子や支援状況などを聞き取り、それらを問題別に対処することが必要で

## 図2 CISCの各要素のチェックリスト

### CISCチェックリスト
○：できる　△：どちらでもない　×：できない

●月▲日

| | 時間 | 物品の準備 | 手洗い | 配置 | カテーテルの袋を開ける | ゼリーを出す | 消毒 手 | 消毒 陰部 | カテーテルを持つ | ゼリーをつける | 陰部の固定 | カテーテルの挿入 | カテーテルの抜去 | 後片づけ | 清潔操作 |
|---|---|---|---|---|---|---|---|---|---|---|---|---|---|---|---|
| 深夜 | 7:40 | ○ | ○ | △ | ○ | ○ | ○ | ○ | ○ | ○ | ×(NS介助) | △ | ○ | △ | △ |
| 深夜 | コメント | 7:40　清潔操作への意識はできてきている。物品の配置が悪く、物品がとりづらそう。左利きのため、カテーテルを左手で持つが、右手での陰部の固定が悪く、尿道口が見えずあきらめてしまう。尿道口が確認できればカテーテル挿入はスムーズ。次回、カテーテルを持つ手を右にしてみる。 ||||||||||||||
| 日勤 | 10:00 | ○ | ○ | △ | ○ | ○ | ○ | ○ | ○ | ○ | ×(NSで) | ○ | ○ | ○ | △ |
| 日勤 | 15:00 | ○ | ○ | △ | ○ | ○ | ○ | ○ | ○ | ○ | ○ | ○ | ○ | ○ | ○ |
| 日勤 | コメント | 10:00　自分で準備はできるが、配置が定まらずむずかしそう。陰部固定は左手ではしにくいと、右手でするがうまくできず、NSサイドで介助する。<br>15:00　少量血液まじっていたため恐怖心大きく施行するまでに時間かかる。やり始めると自分でしっかり陰部固定でき、カテーテル挿入もスムーズにできる。物品の配置が定まらず、物品が取りづらい状態。 ||||||||||||||
| 準夜 | 17:00 | ○ | ○ | △ | ○ | ○ | ○ | ○ | ○ | ○ | × | ○ | ○ | △ | ○ |
| 準夜 | 19:30 | ○ | ○ | △ | ○ | ○ | ○ | ○ | ○ | ○ | × | ○ | ○ | △ | ○ |
| 準夜 | コメント | 開放したカテーテルを置く位置を次の行動を考えて行っていないため、遠すぎたり近すぎたりしている。<br>陰部の固定は、広げることも固定することもできず介助を要する。 ||||||||||||||

図3　鏡を使用した尿道口の確認

指導者は児の後ろ側に位置し、児と同じ目線で鏡を見ながら指導を行う。

図4　導尿実施表

図5　導尿の道具を小さくまとめる

図6　潤滑剤つきカテーテルを小さくまとめる

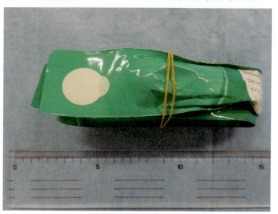

ある。対処法の例として、導尿に時間がかかる場合は再使用型カテーテルを使い捨てカテーテルに変更する、カテーテルサイズをアップする、手洗いや消毒を最低限にするなどの工夫を行う。物品の携帯が負担であるなら物品を小さくまとめる（図5〜6）、携帯性のよい物品を選択する（図7〜8）、ボトムスの内側などに物品を収納できる隠しポケットを作成するなどの工夫を行う。導尿の実施場所には、本人が負担なく行うことができ落ち着いて導尿ができる場所を選択する。

医療者は、導尿をしている児に対し、導尿の大変さ、わずらわしさに共感し、導尿を実施していることを褒め、労う気持ちが大切である。適切な管理ができない理由や患者の気持ちを受け止め、適切に管理ができるよう十分に話し合い、本人が納得できる解決策をともに考えていく。

学校関係者のCISCへの理解や協力度はさまざまであるが、家族や医療者が連携を図り、児の成長発達に応じた支援や、学校生活での配慮をお願いする。

指導にあたる医療者は、**CISCが排泄にかかわるプライベートな行為であるということを十分に理解し、児との信頼関係を築き、患児のケアにあたる必要がある**。さらに、本人が導尿を排泄行為

小児の間欠自己導尿　195

**図7** 携帯性のよいカテーテルの例

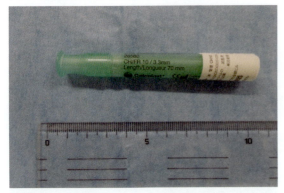

スピーディカテ® コンパクト（コロプラスト）

**図8** 携帯性のよい潤滑剤の例

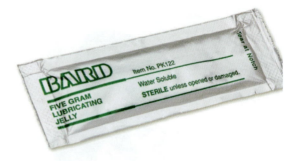

カテゼリー（メディコン）

として受容できるかどうかの精神的問題には個別の対応が必要となる。排泄管理を継続できるよう支援していくためには、プライバシーに配慮した定期的なフォローアップを実施する。

参考文献
1. 鎌田直子：間歇的自己導尿のケア．小児のストーマ・排泄管理の実際．へるす出版，東京，2003：82-88．
2. 鎌田直子：小児の神経障害による排泄ケア．月刊ナーシング 2012：32（1）：56-61．
3. 鎌田直子：間歇的自己導尿の手技習得に関する聞き取り調査．日本小児泌尿器科学会雑誌 2003：12（2）：3-5．
4. 兼松明弘，鎌田直子：小児の自己導尿指導どう教える？ どう支える？．泌尿器ケア 2010：15（3）：40-45．

[ 治療・ケア ]

# 薬物療法

鈴木基文、本間之夫

下部尿路の機能は、**蓄尿機能**（尿を膀胱に溜める機能）と**排尿機能**（尿を排出する機能）に分けられ、これを総称して**下部尿路機能**という[1]。下部尿路機能障害は、典型的には下部尿路症状（lower urinary tract symptom：LUTS）として現れる。LUTSは、国際禁制学会（International Continence Society：ICS）の分類によれば、蓄尿症状（頻尿、多尿、膀胱充満症状、尿失禁症状、過活動膀胱症候群）、排尿症状（排尿遅延、腹圧性排尿、尿勢減弱、尿閉など）、排尿後症状（残尿感、再排尿、排尿後尿失禁、排尿後尿意切迫感）に分けられる[2]。

薬物治療の評価は、実際にはLUTSの改善効果でなされる。しかし、障害と症状とは対応していない。たとえば、排尿障害によって蓄尿症状も排尿症状も起こりうるし、蓄尿症状の原因として排尿障害も蓄尿障害もありうる。この混乱を解消するには、疾患の病態と薬剤の作用機序をよく理解しておくことが肝要となる。その理解のために、主な疾患である過活動膀胱と前立腺肥大症の病態をまず解説し、続いて代表的な薬剤について述べる。

なお、悪性腫瘍（膀胱がん、前立腺がん）、尿路結石、尿路性器感染症（膀胱炎、尿道炎、前立腺炎）、間質性膀胱炎などでもLUTSは起こる。これらの疾患の診断や治療に関しては別の成書を参考にされたい。

## 主な疾患の病態

### 1．過活動膀胱[3]

2019年のICS reportによれば、過活動膀胱（overactive bladder：OAB）とは「尿路感染症やその他の検出可能な疾患がないにもかかわらず、尿意切迫感を主症状とし、通常は昼間頻尿もしくは夜間頻尿またはその両方を伴う病態で、尿失禁を伴う場合をOAB-wet、尿失禁を伴わない場合をOAB-dryと称する」と定義されている[2]。過活動膀胱は、神経因性過活動膀胱と非神経因性過活動膀胱に分けられる。神経因性過活動膀胱とは、脳や脊髄の中枢神経もしくは膀胱を支配している末梢神経に、明らかな背景疾患があるものを指す。脳梗塞、パーキンソン病、多系統萎縮症、正常圧水頭症、多発性硬化症、脊髄損傷などが典型的である。非神経因性過活動膀胱では、これらの神経系の異常が明らかでない。この病態としては、膀胱より下流の尿路の通過障害（前立腺肥大症や高度の膀胱瘤など）、膀胱の血流障害、自律神経系の活動亢進、膀胱の炎症、中枢における膀胱知覚処理の異常などが想定されている。血流障害、自律神経亢進、炎症は全身性の加齢性変化であり、メタボリック症候群で変化がより強く現れる。事実、過活動膀胱は高齢者やメタボリック症候群を有する患者で明らかに頻度が高い。膀胱機能検査

では、膀胱排尿筋や膀胱知覚の活動性の亢進が観察される。

過活動膀胱に対する薬剤の作用点としては、膀胱排尿筋過活動の抑制、膀胱知覚亢進の抑制、下部尿路の通過障害の改善、膀胱血流の改善などが挙げられる。

## 2．前立腺肥大症[4]

前立腺肥大症とは「前立腺の良性過形成による下部尿路機能障害を呈する疾患で、通常は前立腺腫大と下部尿路閉塞を示唆する下部尿路症状を伴う」とされる。LUTSとしては、排尿症状だけではなく蓄尿症状（過活動膀胱症状）や残尿感もみられる。前立腺が腫大をきたす理由は不明であるが、男性ホルモンと女性ホルモンの相互作用、炎症、アドレナリン作動性神経の刺激などが関与していると想定される。前立腺が腫大すると、尿流抵抗が大きくなる（膀胱出口部閉塞）。これは、①前立腺が物理的に尿道を押しつぶすこと（機械的閉塞）、もしくは、②前立腺や膀胱頸部の緊張が亢進するか、弛緩が不十分なこと（機能的閉塞）の2つに分けて考えられている。閉塞が起これば尿流が停滞するので、排尿症状が生じる。あわせて、閉塞は膀胱の血流障害、酸化ストレスの亢進などをもたらす。その結果、神経や平滑筋および尿路上皮からの伝達物質の放出などに変化が生じ、蓄尿症状を引き起こす。尿道の伸展や前立腺の炎症も膀胱の機能障害を誘導する。これらが前立腺肥大症に伴う過活動膀胱の発生機序と想定される。また、前立腺肥大症患者は一般に高齢者であり、前項で述べた加齢性の変化も共存する可能性が高い。

前立腺肥大症に対する薬剤の作用標的としては、膀胱出口部閉塞の解除（機械的閉塞と機能的閉塞の解除に分類できる）、二次的に発生もしくは併存している過活動膀胱の治療が挙げられる。

# 過活動膀胱に対する薬物療法[3]

## 1．抗コリン薬・抗ムスカリン薬[3-5]

過活動膀胱治療における抗コリン薬は、膀胱のムスカリン受容体を阻害する薬剤の意味で使われており、抗ムスカリン薬と呼ぶのがより正確である。ムスカリン受容体は、副交感神経から放出されるアセチルコリンに対する受容体の1つである。脳、心臓、消化管、唾液腺、膀胱、血管、眼などに存在し、$M_1$〜$M_5$の5種類のサブタイプが知られている。膀胱で特に重要なものは$M_2$と$M_3$で、膀胱の排尿筋の収縮を促進している。抗ムスカリン薬は膀胱の排尿筋の収縮を抑制し、過活動膀胱に伴う尿意切迫感や切迫性尿失禁を軽減する。しかし最近の研究では、抗ムスカリン薬は排尿筋ではなく膀胱上皮に存在するムスカリン受容体を阻害して膀胱の知覚を抑制しており、この機序のほうが薬効のうえでは重要ではないかとされている。

副作用は、ムスカリン受容体が存在する部位に特徴的に現れる。口内乾燥（唾液腺）、便秘（腸管）、霧視（眼）、残尿量の増加（膀胱）、尿閉（膀胱）などである。それに伴い尿閉、閉塞隅角緑内障、重篤な心疾患、腸閉塞、麻痺性イレウス、胃・腸アトニー、重症筋無力症、授乳婦などは投与禁忌となっている。脳内のサブタイプは$M_1$、$M_4$、$M_5$など膀胱とは異なるが、脳内に薬剤が移行すると認知機能障害をきたす可能性がある。

### 1）オキシブチニン塩酸塩
①ポラキス®錠

抗ムスカリン作用に加え、平滑筋の直接的な弛緩作用と麻痺作用を有する。有効性は高いが、脳血管関門を通過し中枢神経系への副作用発現（認知機能低下、せん妄）が懸念され、高齢者への投与は慎重さが求められる。

②ネオキシ®テープ

オキシブチニン塩酸塩の経皮吸収型製剤で、体表に貼付することで投与する剤型となっている。適用部位の皮膚炎の発現頻度が46.6％と高いが、貼る場所を移動させるなどの工夫を行えば、多くの場合に対応可能である。利点としては、血中濃度の上昇がゆるやかなので口内乾燥の頻度は低く、経口摂取が困難な症例や多数の内服薬を使用している症例には利便性がある。

2）プロピベリン塩酸塩（バップフォー®錠・細粒）

抗ムスカリン作用とカルシウム拮抗作用を有する薬剤である。有効性はオキシブチニン塩酸塩と同等であるが、口内乾燥の頻度は有意に低い。

3）酒石酸トルテロジン（デトルシトール®カプセル）

世界ではじめて過活動膀胱治療薬として承認された薬剤である。ムスカリン受容体サブタイプへの選択性は低い。唾液腺に比較して膀胱組織への移行性と結合親和性が高く、口内乾燥の副作用が出にくい。脂溶性が比較的低いため中枢神経への影響も少ない。

4）コハク酸ソリフェナシン（ベシケア®錠・OD錠）

日本で創薬された抗コリン薬で、唾液腺に比べて膀胱に選択性が高い。半減期は50時間と長いため1日1回の投与でよい。夜間多尿のない夜間頻尿患者への有効性も報告されている。高齢者や重症例に対する有用性や、認知機能への影響が少ないことも確認されている。

5）イミダフェナシン（ウリトス®錠・OD錠、ステーブラ®錠・OD錠）

同じく日本で創薬された抗コリン薬で、唾液腺に比べて膀胱に選択性が高い。半減期は2.9時間と短く、通常1回0.1mgを朝夕で内服（0.2mg/日）するが、薬効を得る時間帯を調整するなど、患者の症状に合わせることもできる。軽度認知機能障害患者において、認知症への移行率が低かったという報告もある。

6）フェソテロジンフマル酸塩（トビエース®錠）

活性代謝物は酒石酸トルテロジンと同じ5-ヒドロキシメチルトルテロジンである。患者の代謝能の影響を受けにくい点で、酒石酸トルテロジンよりも安定した活性代謝物濃度を得られる。膀胱選択性が高く、中枢神経への影響が少ないなど、酒石酸トルテロジンの薬剤プロファイルを引き継いでいる。高齢の過活動膀胱患者やフレイル症例への有用性も報告されており、同系の薬剤ではJAPAN-FORTA (Fit fOR The Aged) listのclass B（高齢者において有効性が証明されているまたは有効性が明らかであり、効果／安全性の懸念が限定的な薬剤）に唯一分類されている[6]。

## 2．$\beta_3$アドレナリン受容体作動薬[3-5]

膀胱の排尿筋は交感神経の支配も受けている。交感神経の終末からはノルアドレナリンが分泌されるが、これに対する受容体は$\alpha_1$、$\alpha_2$、$\beta$の3種類があり、さらにこれらがおのおの3つのサブタイプに分かれている。$\beta$に話を絞ると、$\beta_1$は主に心臓に、$\beta_2$は主に気管支や血管、子宮に、$\beta_3$は主に脂肪細胞に分布している。わが国の研究者により、膀胱の排尿筋にも$\beta$受容体があり、そのサブタイプのほとんどが$\beta_3$であることがわかった。$\beta_3$アドレナリン受容体を刺激すると排尿筋は弛緩することから、この$\beta_3$アドレナリン受容体作動薬が過活動膀胱症状を軽減することが期待される。一方で、心臓や血管に対する副作用には注意が必要である。

1）ミラベグロン（ベタニス®錠）

日本で創薬された過活動膀胱治療薬で、世界に先駆けて発売された選択的$\beta_3$アドレナリン受容体作動薬である。抗コリン薬に特徴的な副作用（口内乾燥や便秘、尿閉など）がほとんど認められない。高齢者でも副作用は軽微とされているが、心血管系の副作用に注意が必要である。投与禁忌には、重篤な心疾患、妊婦および妊娠している可能性のある女性、授乳婦、重度の肝機能障害などがある。

### 2）ビベグロン（ベオーバ®錠）

米国で創薬された過活動膀胱治療薬で、日本では2種類目となる選択的$\beta_3$アドレナリン受容体作動薬である。ミラベグロンと同様に抗コリン薬に特徴的な副作用がないほか、禁忌とされる疾患はない。投与注意事項として、重篤な心疾患、重度の肝機能障害、妊婦および妊娠している可能性のある女性、授乳婦が挙げられている。

# 前立腺肥大症に対する薬物療法[4]

## 1．$\alpha_1$アドレナリン受容体遮断薬[4]

前立腺・精嚢・膀胱頸部には交感神経が分布しており、射精の際にはこの交感神経から放出されるノルアドレナリンがこれらの組織を収縮させる。上述したように、ノルアドレナリンに対する受容体は$\alpha_1$、$\alpha_2$、$\beta$の3種類がある。このうち、前立腺などで重要なのは$\alpha_1$受容体でその3つのサブタイプ（$\alpha_{1A}$、$\alpha_{1B}$、$\alpha_{1D}$）のなかでも、$\alpha_{1A}$と$\alpha_{1D}$が特に重要とされる（$\alpha_{1B}$は血管に分布して血管を収縮させる）。したがって、$\alpha_1$アドレナリン受容体を遮断すれば、前立腺や膀胱頸部は弛緩しLUTSが改善する。前立腺肥大症の項で説明した機能的閉塞が解除されるわけである。加えて、骨盤内の血管の平滑筋を弛緩させ血流を増加させることで、虚血による臓器の機能障害を改善するということも示唆されている。

主な副作用としては、起立性低血圧（血管の収縮を抑制するため）、めまい、易疲労性、射精障害、鼻づまり、頭痛、眠気などがある。そのほか、術中虹彩緊張低下症候群（虹彩にある$\alpha_1$アドレナリン受容体が阻害されるため安定した散瞳が得られない）があり、白内障の手術を受ける際には注意する必要がある。

### 1）タムスロシン塩酸塩（ハルナール®D錠）

$\alpha_{1A}$アドレナリン受容体に比較的親和性の高い薬剤であり、前立腺肥大症に伴う排尿困難などの排尿症状だけではなく、尿意切迫感や頻尿などの蓄尿症状を改善させる効果もある。

### 2）ナフトピジル（フリバス®錠・OD錠）

$\alpha_{1D}$アドレナリン受容体に比較的親和性の高い薬剤である。$\alpha_{1D}$アドレナリン受容体が前立腺のみならず膀胱や脊髄に発現していることから、前立腺肥大症に伴う蓄尿症状を改善させる効果が高いという研究結果もある。逆行性射精の副作用発現頻度は比較的低い。

### 3）シロドシン（ユリーフ®錠・OD錠）

$\alpha_{1A}$アドレナリン受容体に特に親和性の高い薬剤であり、前立腺肥大症に伴う排尿症状（尿勢低下、残尿感など）に効果があるが、蓄尿症状を改善させる効果も高い。逆行性射精の副作用発現頻度は高い。

### 4）ウラピジル（エブランチル®カプセル）

上記の3薬は前立腺肥大症だけに適応があるが、本薬は高血圧症と神経因性膀胱に伴う排尿障害にも適応がある。神経因性膀胱のために尿道の弛緩が得られない（したがって、排尿症状が現れる）場合に適応となる。

## 2．ホスホジエステラーゼ5阻害薬[4]

### 1）タダラフィル（ザルティア®錠）

一酸化窒素（nitric oxide：NO）は平滑筋を弛緩する作用をもつ。タダラフィルはホスホジエステラーゼ5という酵素の活性を阻害してNOの作用を維持するので、結果的に平滑筋を弛緩させる。その作用から、肺高血圧症（肺動脈を拡張して血圧を下げる）や勃起不全（海綿体への流入動脈を拡張して勃起を誘導する）に有効性がある。下部尿路に分布する副交感神経の一部はNOを放出し、膀胱頸部を弛緩させ骨盤内の血管を拡張している。したがって、タダラフィルは機能的閉塞や血流を改善する作用が期待され、これらの機序により前立腺肥大症に伴うLUTSを改善させる。

副作用の点では、心血管系に特に留意が必要で

ある。投与禁忌には、硝酸薬またはNO供与剤を投与中の患者、リオシグアト（アデムパス®）を投与中の患者、心血管系障害を有する患者（不安定狭心症、重度の心不全、コントロール不良の不整脈・低血圧、コントロール不良の高血圧、最近3か月以内の心筋梗塞、最近6か月以内の脳梗塞・脳出血）、重度の腎障害のある患者、重度の肝障害のある患者などが含まれる。

なお、ほかの同効の薬剤（シルデナフィル、バルデナフィルなど）には前立腺肥大症に伴う下部尿路症状に対する適応はない。

## 3．5α還元酵素阻害薬[4]

### 1）デュタステリド（アボルブ®カプセル）

主要な男性ホルモンであるテストステロンは、前立腺細胞内に取り込まれた後に5α還元酵素によってジヒドロテストステロンに代謝される。このジヒドロテストステロンは前立腺細胞の活動や増殖を強く促進する。また、5α還元酵素には主要な2種類のサブタイプがある。デュタステリドは5α還元酵素を2種類とも阻害して、テストステロンからジヒドロテストステロンへの代謝を抑える。その結果、前立腺体積が約30％縮小し機械的閉塞が解除される。この機序により、デュタステリドは前立腺肥大症に伴うLUTSを改善する。作用機序から推定されるように、ある程度の大きさの前立腺（30cc以上）に対して、ある程度の長期間の服用（月単位）が有効性に必要とされる。

使用上の注意点としては、前立腺がんのスクリーニングとして血清中の前立腺特異抗原（prostate-specific antigen：PSA）を測定することが多いが、本剤内服中はPSA値が半減するため、実測値を2倍換算して評価する必要がある。男性ホルモンの動態に影響があるので、女性、小児、重度の肝機能障害などは禁忌である。

なお、本薬の類似薬（フィナステリド）は、5α還元酵素の1つのサブタイプ（type 2）だけに阻害作用を有する。海外では前立腺肥大症に適応があるが、わが国では臨床効果が明確でなかったために適応がない。ただし、男性の脱毛症に使用されることがあり、その場合には多少とも前立腺に対する作用があることが推定される。上記のPSA評価に関する注意点も同様である。

## 4．抗アンドロゲン薬[4]

### 1）クロルマジノン酢酸エステル（プロスタール®）、アリルエストレノール（パーセリン®）

これらは合成黄体ホルモン薬で、視床下部に対して作用し、精巣からのテストステロン分泌を抑制して前立腺を縮小させる。臨床研究での有効性の証明が不十分である、肝障害の危険性がある、高頻度に性機能障害を引き起こすなどの理由で、現在ではあまり使用されていない。

## 5．植物製剤・漢方薬[4]

### 1）エビプロスタット®、セルニルトン®、パラプロスト®、八味地黄丸、牛車腎気丸

これらの薬剤は、いずれも作用機序が不明確で、有効性の証明も不十分である。副作用は少ない。

# ［その他の薬剤］

## 1．$\beta_2$アドレナリン受容体作動薬（適応症：腹圧性尿失禁）[5]

### 1）クレンブテロール塩酸塩（スピロペント®錠・顆粒）

$\beta_2$アドレナリン受容体作動薬は気管支拡張作用があり、気管支喘息の治療薬として用いられている。合わせて外尿道括約筋の収縮を増強させる効果があり、腹圧性尿失禁に適応がある。ただし効果は限定的であり、副作用として手指振戦、頻脈などがある。下部尿路閉塞のある症例には投与禁忌である。

## 2．コリンエステラーゼ阻害薬（適応症：低活動膀胱による排尿困難）[4,5]

### 1）ジスチグミン（ウブレチド®）

本薬は、副交感神経から分泌されるアセチルコ

リンを分解する酵素であるコリンエステラーゼを阻害する。その結果、アセチルコリンの作用を高めて、膀胱の排尿筋の収縮力を増強することが期待される。しかし、臨床効果は明確に示されておらず、コリン作動性クリーゼ（発汗、縮瞳、呼吸困難、ショック）、狭心症発作など重篤な副作用がある。

## 3．フラボキサート塩酸塩（ブラダロン®）（適応症：神経性頻尿、慢性前立腺炎、慢性膀胱炎による頻尿・残尿感）[3-5]

カルシウム拮抗作用、排尿反射の抑制作用、平滑筋の弛緩作用などから上記の疾患に適応があるが、過活動膀胱に適応はない。副作用は少ないものの、効果も限定的である。

## 4．抗うつ薬（イミプラミン、アミトリプチリン）（適応症：夜尿症、遺尿症）[3-5]

セロトニン・ノルアドレナリンの取り込み阻害、抗コリン作用、カルシウム拮抗作用、平滑筋の弛緩作用などがある。これらの作用から、過活動膀胱に対する効果が示唆されるが、明確にそれを証明した研究はない。副作用として不整脈、眠気、注意力低下、発汗などがある。

## 5．脳下垂体ホルモン剤（男性における夜間多尿による夜間頻尿）[7]

### 1）デスモプレシン酢酸塩水和物（ミニリンメルト®OD錠）

夜間頻尿の原因には過活動膀胱や前立腺肥大症などの下部尿路機能障害があるが、これらの疾患の精査・治療を行ったうえで、夜間頻尿が夜間多尿にのみ原因することを確認する必要がある。夜間多尿指数（24時間の尿排出量に対する夜間の尿排出量の割合）が33％以上かつ夜間排尿回数が2回以上の場合にのみ適応がある。現在のところ女性には適応がない。

発現頻度の高い副作用には、頭痛、下肢の浮腫、嘔気、めまい、低ナトリウム血症（水中毒）がある。低ナトリウム血症（水中毒）の発現頻度は7.6％との報告があるが[8]、生理機能の低下している65歳以上の高齢者では発現しやすいほか、投与1週間以内に生じることが多く注意が必要である。年齢、体重、血清ナトリウム値、心機能等の状態から低ナトリウム血症を発現しやすいと考えられる場合には、デスモプレシン酢酸塩水和物として25μgから投与を開始することを考慮する。

禁忌は9項目と多いため、より慎重な投与が必要である（表1）。

表1　デスモプレシン酢酸塩水和物の禁忌

1. 低ナトリウム血症の患者またはその既往歴のある患者
2. 習慣性または心因性多飲症の患者（尿生成量が40mL/kg/24時間を超える）
3. 心不全またはその既往歴、あるいはその疑いがある患者
4. 利尿薬による治療を要する体液貯留またはその既往歴のある患者
5. 抗利尿ホルモン不適合分泌症候群の患者
6. 中等度以上の腎機能障害のある患者（クレアチニンクリアランスが50mL/分未満）
7. 本剤の成分に対して過敏症の既往歴のある患者
8. サイアザイド系利尿薬、サイアザイド系類似薬、ループ利尿薬を投与中の患者
9. 副腎皮質ステロイド薬（注射薬、経口薬、吸入薬、注腸薬、坐薬）を投与中の患者

## 具体的処方

表2（p.204）に主な薬剤の一般名と用法・用量を一覧にして示した。ただし、実臨床においては主な対象である高齢者の特殊性に配慮し[6,9]、各薬剤の添付文書も参照する必要がある。

また、本文中の薬剤の商品名は代表的なものに限っており、多数の後発品もあることに注意願いたい。

引用文献
1. 穴澤貞夫, 後藤百万, 髙尾良彦, 他編：排泄リハビリテーション—理論と臨床. 中山書店, 東京, 2009.
2. D'Ancona C, Haylen B, Oelke M, et al：The international continence society (ICS) report on the terminology for adult male lower tract and pelvic floor symptoms and dysfunction. Neurourol Urodyn 2019；38(2)：433-477.
3. 日本泌尿器科学会過活動膀胱診療ガイドライン作成委員会編：過活動膀胱診療ガイドライン［第2版］. リッチヒルメディカル, 東京, 2015.
4. 日本泌尿器科学会編：男性下部尿路症状・前立腺肥大症診療ガイドライン. リッチヒルメディカル, 東京, 2017.
5. 日本排尿機能学会, 日本泌尿器科学会編：女性下部尿路症状診療ガイドライン［第2版］. リッチヒルメディカル, 東京, 2019.
6. Pazan F, Gercke Y, Weiss C, et al：The JAPAN-FORTA (Fit fOR The Aged) list：Consensus validation of a clinical tool to improve drug therapy in older adults. Arch Gerontol Geriatr 2020；91：104217.
7. 日本排尿機能学会, 日本泌尿器科学会編:夜間頻尿診療ガイドライン［第2版］. リッチヒルメディカル, 東京, 2020.
8. Rembratt A, Riis A, Norgaard JP：Desmopressin treatment in nocturia；an analysis of risk factors for hyponatremia. Nuerourol Urodyn 2006；25(2)：105-109.
9. 日本老年医学会, 日本医療研究開発機構研究費・高齢者の薬物治療の安全性に関する研究研究班編：高齢者の安全な薬物治療ガイドライン2015. メジカルビュー社, 東京, 2015.

### 表2　主な排尿機能障害治療薬とその処方例

| 分類 | 一般名 | 用法・用量 |
|---|---|---|
| 抗コリン薬 | オキシブチニン塩酸塩 | 1回2～3mg、1日3回、経口投与 |
| | オキシブチニン塩酸塩経皮吸収型製剤 | 貼付剤1枚（オキシブチニン塩酸塩73.5mg/枚含有）を1日1回、1枚を下腹部、腰部、または大腿部のいずれかに貼付 |
| | プロピベリン塩酸塩 | 1回20mg、1日1回、経口投与<br>20mgを1日2回まで増量可 |
| | 酒石酸トルテロジン | 1回4mg、1日1回、経口投与 |
| | コハク酸ソリフェナシン | 1回5mg、1日1回、経口投与<br>1日10mgまで増量可 |
| | イミダフェナシン | 1回0.1mg、1日2回、経口投与<br>1日0.4mgまで増量可 |
| | フェソテロジンフマル酸塩 | 1回4mg、1日1回、経口投与<br>1日8mgまで増量可 |
| $\beta_3$アドレナリン受容体作動薬 | ミラベグロン | 1回50mg、1日1回、経口投与 |
| | ビベグロン | 1回50mg、1日1回、経口投与 |
| $\alpha_1$アドレナリン受容体遮断薬 | タムスロシン塩酸塩 | 1回0.2mg、1日1回、経口投与 |
| | ナフトピジル | 1回25mg、1日1回、経口投与<br>1日75mgまで増量可 |
| | シロドシン | 1回4mg、1日2回、経口投与 |
| | ウラピジル | 1回15mg、1日2回、経口投与<br>1日90mgまで増量可 |
| ホスホジエステラーゼ5阻害薬 | タダラフィル | 1回5mg、1日1回、経口投与 |
| 5α還元酵素阻害薬 | デュタステリド | 1回0.5mg、1日1回、経口投与 |
| 抗アンドロゲン薬 | クロルマジノン酢酸エステル | 1回25mg、1日2回、経口投与 |
| | アリルエストレノール | 1回25mg、1日2回、経口投与 |
| 植物製剤・漢方薬 | エビプロスタット® | 1回1錠、1日3回、経口投与（配合錠DB）<br>1回2錠、1日3回、経口投与（配合剤SG） |
| | セルニルトン® | 1回2錠、1日2～3回、経口投与 |
| | パラプロスト® | 1回2カプセル、1日3回、経口投与 |
| | 八味地黄丸 | 6.0g、7.5g、9.0g、18錠/日、2～3回分服、経口投与 |
| | 牛車腎気丸 | 7.5g/日、2～3回分服、経口投与 |
| 脳下垂体ホルモン剤 | デスモプレシン酢酸塩水和物 | 1回50μg、1日1回就寝前、経口投与 |

[ 治療・ケア ]

# 手術療法

宮嵜英世、本間之夫

　薬物療法や清潔間欠自己導尿、理学療法などで十分な効果が得られない場合には、手術療法が考慮される。手術対象となる主な疾患は、前立腺肥大症、骨盤臓器脱、重度な過活動膀胱、腹圧性尿失禁などである。

## 前立腺肥大症に対する手術[1]

### 1．根治的手術（開放的・経尿道的）

　薬物治療による効果が不十分で自覚症状が強い場合、膀胱結石や血尿、尿閉などの合併症がある場合には、根治的手術が考慮される。前立腺肥大症に対する手術は、従来は開腹して行う前立腺被膜摘除術であった。しかし、侵襲性が高いことから、現在では特に大きな前立腺に限って行われている。これに代わって現在最も広く行われているのは、経尿道的前立腺切除術（trans-urethral resection of the prostate：TUR-P）である。尿道から内視鏡を挿入し、電気メスで前立腺の内腺を切除する方法で治療効果は高い。しかし、合併症として出血による輸血のリスク、TUR症候群（還流液が体内に吸収されることによる低ナトリウム血症）などがある[2]。これらの合併症を減らすために、還流液を生理食塩水にしたTURis（TUR in saline）や機械的な剥離操作およびループによる切開・凝固を併用した経尿道的バイポーラー前立腺核出術（transurethral enucleation with bipolar：TUEB）も行われている。

　また、最近では、各種レーザーを用いた手術が広まりつつある。レーザー治療のうち、経尿道的ホルミウムレーザー前立腺核出術（holmium laser enucleation of prostate：HoLEP）は、ホルミウムレーザーを用いて前立腺内腺を核出した後、細切吸引機（モルセレータ）により細かくして回収する手技である。出血が少ないうえに生理食塩水を使用するため、TUR症候群の心配もない。大きい腺腫でも施行可能であり、TUR-Pより優れた短期成績が報告されている。ただし、技術習得に比較的時間がかかり、術後の尿失禁が多いという報告もある。

　光選択的前立腺蒸散術（photoselective vaporization of the prostate：PVP）も有効で、出血が少なく入院期間もTUR-Pに比較して少ないが、前立腺体積が大きい場合には手術時間が長くなり治療効果も下がるといわれている。

　また、接触式前立腺蒸散術（contact laser vaporization of the prostate：CVP）は半導体レーザーを用いた比較的新しい術式である。蒸散効率が非常に高く、止血性が高い手術として評価されている。他にはツリウムレーザーも蒸散、蒸散切除、蒸散核出、核出とさまざまな術式が報告されている。これらの新しい手術は今後のエビデンスの集積が待たれる。

## 2. 姑息的手術・処置

全身状態などから手術が難しい場合などには、一般には尿道カテーテルや間欠自己導尿が行われるが、尿道ステント留置術も代用となる。侵襲が少なく外来でも施行でき、うまく留置できると長期間交換は不要となる。ただし、ステントの移動・脱落、肉芽形成などのリスクがあり、追加処置が必要となる場合も少なくない。

## [ 骨盤臓器脱に対する手術[3] ]

### 1. 経腟メッシュ手術

骨盤臓器脱とは、腟壁や周囲組織の脆弱化により、膀胱、子宮、小腸、直腸などが腟口からヘルニアとなって脱出してくる状態である。その程度により、さまざまな下部尿路症状を呈する。軽度では腹圧性尿失禁や切迫性尿失禁などが、重症では尿勢低下や残尿感などがみられる。従来の手術療法としては、膀胱瘤や直腸瘤に対しては腟前後壁形成術、子宮脱にはManchester手術や子宮全摘術が行われてきた。しかし、高い術後再発率（約30％）、腟が浅く狭くなり性生活が困難になるなどの問題があった。

現在では、メッシュで腟側から補強する経腟メッシュ手術が広く行われている。膀胱瘤に対するanterior TVM（前腟壁を切開、腟と膀胱の間にメッシュのシートを留置して子宮頸部に固定し膀胱をハンモック状に支える）、子宮脱・直腸瘤に対するposterior TVM（後腟壁を切開、メッシュを子宮・腟の後面、直腸の全面に留置し、子宮頸部に固定する）、子宮摘除後の腟断端脱に対するtotal TVM（前方・後方用のメッシュを一体型として挿入）などがある。治療成績は良好であるが、手術合併症として周囲臓器（膀胱、尿管、腸管など）の損傷、一過性の排尿困難、出血、創感染、メッシュの露出による腟びらん、疼痛などがある。2011年に米国で経腟メッシュ手術の合併症に関する勧告があり、その影響によりわが国でも合併症の全例報告や講習会の受講義務などが適用されるようになった。

なお、膀胱瘤の術後では、膀胱の位置を正常に戻すことで、潜伏していた腹圧性尿失禁が明らかとなることがあるので注意が必要である。

### 2. 腹腔鏡下仙骨腟固定術（LSC）

上記の経腟メッシュ手術は、脱出臓器を下から支えようとするものである。これに対して、上方から釣り上げようとするのが腹腔鏡下仙骨腟固定術（laparoscopic sacrocolpopexy：LSC）およびロボット支援仙骨腟固定術（robot-assisted sacrocolpopexy：RSC）である。すなわち、メッシュを使用して腟壁を仙骨前面の前縦靱帯に縫合固定する。結紮・縫合操作が多くやや難度が高いが、経腟式手術と比較して術後の性機能は良好とする報告が多く、開腹手術に比べて侵襲も低い[4]。経腟メッシュ手術後には尿勢低下や残尿増加などが生じやすいのに対し、これらの手術ではそれが少ない。ただし、術後新たに腹圧性尿失禁を生じる可能性があることには、同じく注意が必要である。

## [ 重度な過活動膀胱に対する手術 ]

過活動膀胱の多くは薬物治療で管理可能であるが、一部の症例では難しいこともある。その場合は、電気刺激療法、磁気刺激療法なども試みられるが、それでも困難な場合は手術的治療の適応となる。

### 1. ボツリヌス毒素膀胱壁内注入療法

膀胱鏡観察下にボツリヌス毒素を、膀胱壁内の複数箇所に総量で100〜200単位を注入する。ボツリヌス毒素は、副交感神経と排尿筋との接合を阻害し、排尿筋の収縮を抑制する。膀胱容量や膀胱コンプライアンスの増大が得られるが、一過性の排尿困難がみられ、効果の持続時間も半年程度

であることが多い。難治性の過活動膀胱、排尿筋過活動に対して行われる。2020年より、日本でも保険診療として認められた。

## 2．仙骨神経刺激療法

仙骨神経刺激療法（sacral neuromodulation：SNM）とは、手術により留置されたリード（一側のS3神経孔から留置する）を介して、植込み型刺激装置によりS3神経を持続的に刺激する治療法である。陰部神経叢を刺激して、外肛門・尿道括約筋や骨盤底筋群の運動、直腸・膀胱の知覚に作用すると想定されている。

## 3．膀胱拡大術

膀胱容量の極度な低下に対しては、腸管を利用して膀胱の拡大を図る。通常は、膀胱を大きく切開して、そこに脱管腔化した回腸を縫いつける。膀胱容量は拡大し低圧蓄尿が可能になる。しかし、手術侵襲は大きく、術後に清潔間欠自己導尿が必要になる症例が多い。また、術後の尿路感染、結石形成のリスクなどがあり、術後も注意深い管理が必要となる。

# 腹圧性尿失禁に対する手術

## 1．中部尿道スリング手術[2]

腹圧性尿失禁に対しては、まず骨盤底筋体操、生活指導（減量など）、薬物治療を行うが、中等症から重症の症例には外科的治療を考慮する。これまで各種の手術方法が用いられてきたが、現在では、ポリプロピレンテープをスリングとして用いて尿道中部を支えるTension-free Vaginal Tape（TVT）手術や、Trans-Obturator Tape（TOT）手術が最も一般的である（図1）。術後の合併症には排尿困難やテープの露出などがある。

## 2．人工尿道括約筋埋込術[5]

重度の腹圧性尿失禁で適応となる。主に、男性の経尿道的前立腺切除術や前立腺全摘術後の合併症として生じた重度尿失禁が対象である（図2）。尿道周囲にカフを巻きつけ、手動コントロールポンプでその開閉を操作するもので効果は高い。合併症として感染、カフやポンプの故障などがある。

図1　TVT手術とTOT手術の概念

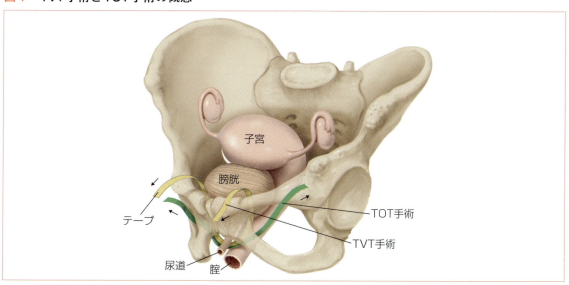

巴ひかる：手術治療のup to date. 泌尿器外科 2014；27(7)：1069. より引用

図2　人工尿道括約筋の概念図

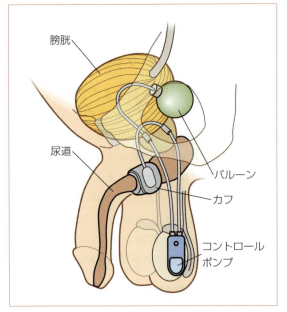

荒木勇雄, 小林英樹, 武田正之：尿失禁に関連した手術 男性尿失禁の手術 人工尿道括約筋(AMS800)手術. 臨床泌尿器科 2008；62(11)：852. より引用

# その他の手術

## 1. 膀胱摘出と尿路変向術

　きわめて重度な膀胱機能の廃絶により、著しい頻尿、膀胱尿管逆流や水腎症など上部尿路の障害が起こる場合は、やむなく膀胱摘出と尿路変向術を行うことがある。侵襲が大きく適応には慎重を要する。

## 2. 尿道括約筋切開術

　高位の脊髄損傷、多発性硬化症、二分脊椎症などが原因となった神経因性膀胱では、排尿時に弛緩すべき尿道括約筋が弛緩しないことがある。これを排尿括約筋協調不全といい、膀胱内が高圧になり上部尿路障害をきたす。これに対しては、尿道括約筋を内視鏡的に切開することがある。

### 引用文献
1. 日本泌尿器科学会編：前立腺肥大症診療ガイドライン. リッチヒルメディカル, 東京, 2011.
2. Okamura K, Nojiri Y, Seki N, et al. Perioperative management of transurethral surgery for benign prostatic hyperplasia：a nationwide survey in Japan. Int J Urol. 2011；18(4)：304-310.
3. 日本排尿機能学会女性下部尿路症状診療ガイドライン作成委員会：女性下部尿路症状診療ガイドライン. リッチヒルメディカル, 東京, 2013
4. 三輪好生, 平川倫恵, 野村昌良：腹腔鏡下仙骨腟固定術(LSC)と下部尿路機能障害. 臨床泌尿器科 2015；69(3)：291-297.
5. 荒木勇雄, 小林英樹, 武田正之：尿失禁に関連した手術 男性尿失禁の手術 人工尿道括約筋(AMS800)手術. 臨床泌尿器科 2008；62(11)：850-855.

[ 治療・ケア ]

# 電気・磁気刺激療法

山西友典

　『過活動膀胱診療ガイドライン（第2版）』によると、神経変調法（neuromodulation）とは、膀胱・尿道機能を支配する末梢神経を種々の方法で刺激し、神経機能変調により膀胱・尿道機能の調整を図る治療法であると定義される[1]。これらには、干渉低周波を含む電気刺激療法、磁気刺激療法、仙骨神経電気刺激療法（sacral nerve stimulation：SNS）などがある（表1）[2,3]。

　本稿では、排尿機能障害、特に蓄尿障害に対する電気・磁気刺激療法につき、その作用機序、二重盲検試験の成績を中心とした治療成績および長期効果について概説する。

## [ 電気刺激療法 ]

　電気刺激療法は、腹圧性尿失禁にも切迫性尿失禁にも効果がある[2,3]。腹圧性尿失禁に対する効果は、骨盤底筋群における収縮性を増強させるためとされ、切迫性尿失禁（過活動膀胱）に対する電気刺激療法の作用機序は、主に仙髄領域の求心路刺激が骨盤神経（副交感神経）遠心性神経の抑制反射、あるいは下腹神経（交感神経）の刺激により排尿筋の収縮を抑制するためと考えられている。家庭で行える小型の刺激装置を用いた骨盤底電気刺激装置は、（日本では保険適用となっている装置はないが）欧米では最も多く行われている方法である（図1）。刺激電極としては、肛門電極、腟電極、表面電極がある。

### 1．電気刺激療法の有効な刺激条件

　腹圧性尿失禁に対する電気刺激療法の刺激条件では、刺激周波数や強度が増すに従い収縮強度が増すが疲労も生じる。20 Hz以下は筋収縮が起こ

表1　各刺激装置の特徴

|  | 利点 | 欠点 |
|---|---|---|
| 骨盤底電気刺激法 | ポータブルのため家庭で毎日使用可 | 皮膚や腟、肛門の刺激や痛み（日本で保険適用の機種はない） |
| 干渉低周波法（保険適用） | 皮膚や腟、肛門の刺激がなく、深部を刺激 | 機械は比較的小さいが通院が必要（週1～2回） |
| 磁気刺激法（保険適用） | 非侵襲的（刺激痛がない）、刺激強度が強くできる、着衣のまま刺激可能 | 機械が大がかり、通院が必要（週2回） |
| 仙骨神経電気刺激法（保険適用） | 常時刺激、効果は確立 | 埋め込み手術（侵襲的）が必要 |

#### 図1 骨盤底電気刺激装置

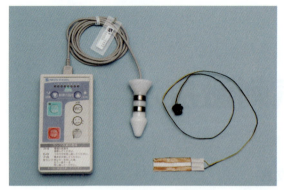

ポータブル式骨盤底電気刺激装置（左）、肛門あるいは腟に電極を挿入（中）、または陰茎、陰核などに表面電極（右）を貼付する。

りにくく、50 Hz以上では筋収縮は起こりやすいが、筋疲労も起こりやすくなる。したがって、一般に20〜50 Hz、duration 1〜5 msの条件が最も有効な収縮が得られると報告されている[2,3]。

また、疲労を予防するために、on：offのduty cycleを1：2、2：5などに設定し、間欠的に刺激するほうが疲労は少ないと報告されている。切迫性尿失禁、すなわち排尿筋収縮抑制の有効な刺激条件としては、筋収縮が起こりにくくなる20 Hz以下（5〜20 Hz）がよいとされるが、5 Hzのような低周波数では刺激痛が強くなるので、一般に10〜20 Hz程度の周波数が効果的と報告されている[2,3]。耐えうる最大刺激で、1日2回行うのが効果的である。骨盤底電気刺激療法の刺激電極は、肛門、腟電極も同様に使用されているが、肛門への電極挿入の不快感、衛生面の問題から、表面電極が好まれ（transcutaneous electro neuro stimulation：TENS）、陰茎背部や陰核、頸骨神経や大腿四頭筋、第3仙椎孔の上部に電極を貼付する方法が報告されている（図1）。最近欧米では、後脛骨神経に直接針を挿入し電気刺激する方法として、経皮的（後）脛骨神経刺激法（percutaneous tibial nerve stimulation：PTNS）の有効性も報告されている[3]。

刺激条件は、患者が耐えられる範囲内での最大刺激を、1日2回、20〜30分間毎日行う。しかし、1日おきや週に1〜2回でも有効であったという報告もあり、また持続的に刺激しても有効であったという報告もあるので、確立した条件はない。

先述のように、骨盤底電気刺激法は20〜30分の刺激を1日2回行うのみで効果があるので、非刺激時にも持ち越し効果（carry over effect）がみられることになる。また、刺激の終了後も数か月間から数年間効果が持続すると報告されている[2,3]。長期効果の機序は、腹圧性尿失禁では骨盤底筋の筋肥大や訓練効果による収縮力の増強、速筋から遅筋への変化や疲労しにくい筋単位（fatigue-resistant motor units）の増加が考えられている。過活動膀胱（切迫性尿失禁）に対しては、脊髄の介在ニューロンを刺激し、オピオイド、グリシン、GABAなどの神経伝達物質を放出する、あるいはβ-アドレナリン受容体を刺激するためと報告されている[2,3]。

骨盤底電気刺激療法の効果は、腹圧性尿失禁、切迫性尿失禁ともに治癒率は約30〜50％、改善率は約60〜70％とされている[2,3]。電気刺激における無作為比較試験では、無治療との比較、プラセボとの比較、ほかの治療法との比較（磁気刺激、薬物）などにより、その有効性が証明されている[2,3]。

## 2. 干渉低周波療法（interferential therapy）（図2）

干渉低周波の原理は、皮膚電気抵抗の低い2種の中周波電流（約4,000 Hz）を通じ、これら中周波電流が体内で交差することによって、うなり様に発生する干渉波により体内深部にある対象器官を刺激することである。一般に、低い周波数（1〜100 Hz）は筋収縮を起こしやすいが、通電時の痛みを伴うため筋の収縮が思うようにいかない。高い周波数（1,000 Hz以上）では通電時の痛みはほとんどなくなるが、筋収縮は起こらない。

したがって、皮膚への浸透性が優れた中周波電流を用いて、2つの異なる周波数の中周波電流（例えば4,000 Hzと4,010 Hz）を体内で合成させ、その合成電流＝干渉電流の低周波成分（10 Hz）で神経・筋組織の刺激を行う方法は、通電時の痛みがなく筋収縮を起こす。

### 図2　干渉低周波刺激装置と干渉低周波の原理

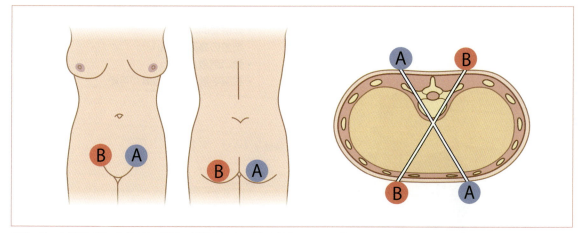

特徴：唯一の保険適用。皮膚や腟、肛門の刺激がなく、深部を刺激できる。電極は、A-A、B-Bのように前後左右をクロスさせるように4つの皮膚電極を装着し、目的とする骨盤底を中心とするように電流を流す。
診療報酬：処置（泌尿器科的処置）J070-2、干渉低周波による膀胱等刺激法、6回/3週を限度。その後は1回/2週を限度。
原理：低い周波数（1～100Hz）は筋収縮を起こしやすいが通電時の痛みを伴うため筋の収縮が思うようにいかない。一方、高い周波数（1,000Hz以上）では通電時の痛みはほとんどなくなるが筋収縮は起こらない。皮膚電気抵抗の低い2種の中周波電流（約4,000Hz）を通じ、これら中周波電流が体内で交差することによってうなり様に発生する干渉波（低周波）により体内深部にある対象器官を刺激する。

　尿失禁に対する効果は、日本ではプラセボ（ダミー刺激）を用いた二重盲検試験で証明され、その長期成績も証明された。電気刺激療法としては、日本で保険適用が認められた唯一のものである。適応症は神経因性膀胱、不安定膀胱、神経性頻尿、ならびに腹圧性尿失禁に伴う頻尿・尿意切迫感および尿失禁の改善である。ただし、保険上は3週に6回を限度とし、その後は2週に1回を限度としている。

## 磁気刺激療法

　磁気刺激療法は電気刺激と刺激原理が同じである。すなわち、コイルに電流を流すことによりそのコイルに磁場が生じる。磁場の方向は、「右手の法則（右手の示指を電流方向に向け、親指を立てると親指の方向）」で得られる。磁場の性質には、磁場の変化速度に比例した大きさの電場が誘導されるので、コイルを生体表面に当て変動磁場を与えると、生体内部に電流が誘起される。この電流が筋や神経を刺激することになる（図3～4）[2,3]。

　磁気刺激療法は、衣服、皮膚、骨などを貫通してしまうので、肛門や腟電極を挿入することなく着衣のまま治療することができる。さらに、電気刺激のような皮膚や粘膜などの刺激痛を伴わないので、非侵襲的に神経、筋を刺激することができる。刺激する標的としては、仙髄根神経か陰部神経である[2,3]。

　連続磁気刺激装置における動物実験での排尿筋過活動の抑制および尿道括約筋の収縮、正常成人での尿道内圧の上昇、尿流動態検査を用いての過活動膀胱への有効性が報告された[2,3]。最近、日本において薬物療法抵抗性の（あるいは薬物が使用できない）、尿失禁を伴う女性過活動膀胱患者を対象とした大規模無作為化比較試験が行われ、Sham刺激に対する1週間あたりの平均尿失禁回数の変化量（主要評価項目）、1回平均排尿量の変化量、尿意切迫感回数、IPSS QOLスコア（副次評価項目）における優越性が証明された[4]。この結果により、2014年に日本では、尿失禁を伴う成人女性の過活動膀胱患者に対して保険が適用された。この保険適用における対象患者は、尿失禁を伴う成人女性の過活動膀胱患者で、尿失禁治療

### 図3　磁気刺激装置

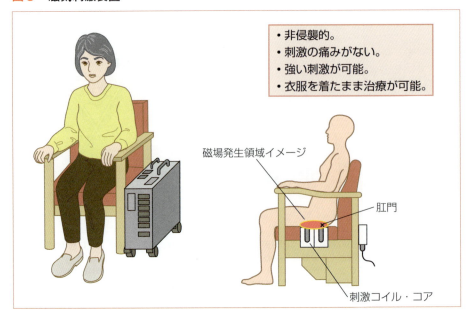

### 図4　磁気刺激療法の原理

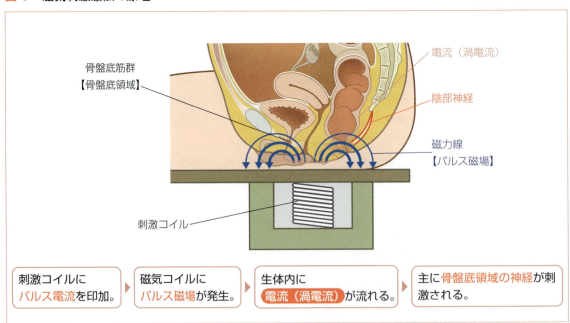

体表面上に置いたコイルにパルス電流を流すと、変動磁場が生じ、磁場の変動速度に比例した電場が生体内に誘導される。この誘導電場により変動磁場を打ち消す方向に生体内に渦電流が生じる。この渦電流が神経や筋を刺激する。神経や筋を刺激する作用は、電流刺激であり、電気刺激と同じである。

薬を12週間以上服用しても症状改善がみられない患者、あるいは副作用などのために尿失禁治療薬が使用できない患者となっている。

また、「5年以上の泌尿器科の経験または5年以上の産婦人科の経験を有する常勤の医師が、合わせて2名以上配置されていること」という施設

### 図5　仙骨神経電気刺激療法（SNS）

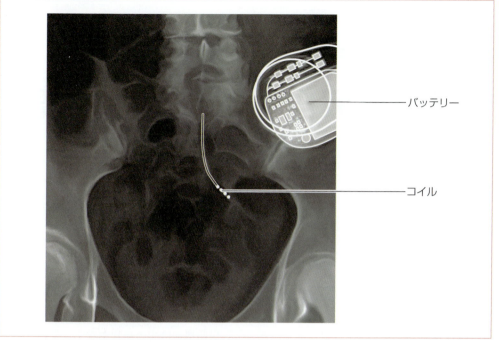

仙髄根神経（通常S3）に電極を埋め込み、バッテリーで常時刺激する。

基準がある。治療回数は、「1週間に2回まで、6週間を限度とし算定できる。ただし、6週間を一連とし、1年間に2回までを限度とする」となっている[1,5]。

## 仙骨神経電気刺激療法

仙骨神経電気刺激療法（sacral nerve stimulation：SNS）とは、体内電気刺激装置を仙骨孔（通常はS3）に埋め込み持続電気刺激することにより、排尿反射を抑制する方法である（図5）。仙骨神経刺激療法は侵襲性が高いので、保存的治療が無効であった難治性過活動膀胱（切迫性尿失禁）に適応がある。また、装置の埋め込みの適応を決定するために、通常、一時的に経皮的テスト刺激でその効果を評価し、効果の期待できるものに対して永続的な埋め込み術を行う[2,3]。2017年9月に保険適用となった[5]。

引用文献
1. 日本泌尿器科学会 過活動膀胱診療ガイドライン作成委員会編：過活動膀胱診療ガイドライン［第2版］. リッチヒルメディカル, 東京, 2015.
2. Yamanishi T, Kamai T, Yoshida K-I. Neuromodulation for the treatment of urinary incontinence. Int J Urol 2008；15(8)：665-672.
3. Yamanishi T, Kaga K, Fuse M, et al. Neuromodulation for the treatment of lower urinary tract symptoms. Low Urin Tract Symptoms 2015；7(3)：121-132.
4. Yamanishi T, Homma Y, Nishizawa O, et al. Multicenter, randomized, sham-controlled study on the efficacy of magnetic stimulation for women with urgency urinary incontinence. Int J Urol 2014；21(4)：395-400.
5. 日本排尿機能学会, 日本泌尿器科学会編：女性下部尿路症状診療ガイドライン［第2版］. リッチヒルメディカル, 東京, 2019.

[ 排尿自立へのアプローチ ]

# 排尿自立支援加算・外来排尿自立指導料の概要

吉田美香子

2020年度の診療報酬改定において「排尿自立支援加算」の新設、「外来排尿自立指導料」への変更（旧・排尿自立指導料）が行われた（図1）。2016年の排尿自立指導料の算定に始まり、これら排尿自立に向けた技術の保険収載は、「排尿の自立」は一度失われても適切なケアにより取り戻すことができる可逆的なものであり、"排尿ケア"が、日常生活を支援する基本的な技術から専門的な技術であると認められたことを意味する。

## 排尿自立支援加算

### 1．排尿自立支援加算とは

排尿自立支援加算は、基本診療料のなかの「入院基本料等加算」であり、保険医療機関に入院している患者のうち、尿道カテーテルを抜去した患者あるいは留置管理中の患者に対して、病棟の看護師等と排尿ケアチームが、下部尿路機能の回復のために「包括的な排尿ケア」をすることを評価する。算定可能な入院料が拡大され、「一般病棟入院基本料」など従来の算定可能な入院料のほか、「地域包括ケア病棟入院料」「回復期リハビリテーション病棟入院料」「精神科救急入院料」「精神療養病棟入院料」等で、12週／週1回、1回200点の算定が可能である。

### 2．算定要件

#### 1）対象患者

算定の対象となる患者は以下のいずれかである。
①尿道カテーテル抜去後に尿失禁、尿閉等の下部尿路機能障害の症状を有するもの
②尿道カテーテル留置中の患者であって、尿道カテーテル抜去後に下部尿路機能障害を生ずると見込まれるもの

『「排尿自立支援加算」「外来排尿自立指導料」に関する手引き』[1]によると、厳密な尿量測定が必要な患者や尿汚染を防ぐ必要がある患者、治療上必要な尿道カテーテル管理をしている患者は、絶対的な適応とみなし本技術の対象外となる。それ以外の理由で尿道カテーテル管理となっている患者は、「尿道カテーテル留置の相対的な適応」（表1）であり、本技術の対象とされる。これは、米国疾病予防管理センター（CDC）による尿路感染症予防ガイドライン（2009）[2]とほぼ一致している。

#### 2）「排尿ケアチーム」と病棟看護師による取り組み

算定は、当該患者の診療を担う医師、病棟看護師等が、排尿に関するケアにかかわる専門的知識を有した多職種からなる「排尿ケアチーム」と連携して、直接的な指導・援助を行った場合に限られている。上記のいずれか片方しか行われなかった週、排尿が自立し指導を終了した後は算定できない。

## 図1　排尿自立支援加算・外来排尿自立指導料の概要

令和2年度診療報酬改定 Ⅲ-1 医療機能や患者の状態に応じた入院医療の評価-⑲

### 排尿自立指導料の見直し

**入院における排尿自立指導の見直し**

▶ 入院患者に対する下部尿路機能の回復のための包括的な排尿ケア（排尿自立指導料）について、入院基本料等加算において評価を行い、算定可能な入院料を拡大する。併せて、算定期間の上限を12週間とする。

**(新) 排尿自立支援加算　200点（週1回）**

[算定要件]
入院中の患者であって、尿道カテーテル抜去後に下部尿路機能障害の症状を有する患者又は尿道カテーテル留置中の患者であって、尿道カテーテル抜去後に下部尿路機能障害を生ずると見込まれるものに対して、包括的な排尿ケアを行った場合に、週1回に限り12週を限度として算定する。

[施設基準]
(1) 保険医療機関内に、医師、看護師及び理学療法士又は作業療法士から構成される排尿ケアチームが設置されていること。
(2) 排尿ケアチームの構成員は、外来排尿自立指導料に係る排尿ケアチームの構成員と兼任であっても差し支えない。
(3) 排尿ケアチームは、排尿ケアに関するマニュアルを作成し、当該医療機関内に配布するとともに、院内研修を実施すること。
(4) 下部尿路機能の評価、治療及び排尿ケアに関するガイドライン等を遵守すること。

〈新たに算定可能となる入院料〉
・地域包括ケア病棟入院料
・回復期リハビリテーション病棟入院料
・精神科救急入院料
・精神療養病棟入院料　等

**外来における排尿自立指導の評価**

▶ 退院後に外来においても継続的な指導を行うことができるよう、排尿自立指導料について、入院患者以外を対象とした評価に変更し、名称を「外来排尿自立指導料」に見直す。

現行
排尿自立指導料　200点
[算定要件]
入院中の患者であって、別に厚生労働大臣が定めるものに対して、包括的な排尿ケアを行った場合に、患者1人につき、週1回に限り6週を限度として算定する。

→

改定後
外来排尿自立指導料　200点
[算定要件]
入院中の患者以外の患者であって、別に厚生労働大臣が定めるものに対して、包括的な排尿ケアを行った場合に、患者1人につき、週1回に限り、排尿自立支援加算を算定した期間と通算して12週を限度として算定する。ただし、区分番号C106に掲げる在宅自己導尿指導管理料を算定する場合は、算定できない。

※別に厚生労働大臣が定めるもの及び施設基準は排尿自立支援加算と同様

①下部尿路機能障害の症状（尿失禁、尿閉等）を有する患者の抽出
　排尿自立の可能性の評価
→
②下部尿路機能評価のための情報収集
　・排尿日誌
　・残尿測定　等
→
③下部尿路機能障害を評価し、排尿自立に向けた計画策定
　包括的排尿ケアの計画
→
④包括的排尿ケアの実施、評価
　・排尿誘導
　・生活指導
　・排尿に関連する動作訓練
　・薬物療法　等

（外来への継続・変更の必要性）
病棟の看護師
病棟の看護師等＋排尿ケアチーム

厚生労働省：令和2年度診療報酬改定の概要（入院医療），令和2年度診療報酬改定について Ⅲ-1 医療機能や患者の状態に応じた入院医療の評価⑲排尿自立指導料の見直し．https://www.mhlw.go.jp/content/12400000/000607188.pdf
厚生労働省：平成28年度診療報酬改定の概要．手術等医療技術の適切な評価⑧下部尿路機能障害を有する患者に対するケアの評価．https://www.mhlw.go.jp/file/06-Seisakujouhou-12400000-Hokenkyoku/0000115983.pdf
以上2文献を参考に作成

## 表1　排尿自立指導料の対象患者

①尿道カテーテル留置の絶対的な適応患者
　・厳密な尿量測定が必要な場合：重症者、術後患者　など
　・尿による汚染を防ぐために局所管理が必要な場合：陰部の手術、仙骨部の皮弁術など
②尿道カテーテル留置の相対的な適応患者

上記①、②に含まれず、尿道カテーテル留置以外の排尿管理方法が検討できる場合を指す。本人や家族の意思などにかかわらず、医学的に尿道カテーテル抜去が可能な患者をいう。適切な排尿ケアを行うことで、カテーテル抜去または排尿自立ができる可能性がある

## 3. 施設基準

### 1）排尿ケアチームの設置

排尿ケアチームには、医師、看護師、理学療法士または作業療法士が携わる必要があり、医師と看護師にはその専門性を担保するための要件が決められている。

- 医師：3年以上の勤務経験を有する泌尿器科の医師、または排尿ケアにかかわる適切な研修を修了した医師。他の保険医療機関を主たる勤務先とする医師（3年以上の勤務経験を有する泌尿器科の医師、または排尿ケアにかかわる適切な研修を修了した医師に限る）が対診等により当該チームに参画してもよい。
- 看護師：下部尿路機能障害を有する患者の看護に従事した経験を3年以上有し、所定の研修を修了した専任の常勤看護師。
- 理学療法士または作業療法士：下部尿路機能障害を有する患者のリハビリテーション等の経験を有する、専任の常勤理学療法士または常勤作業療法士。

### 2）排尿ケアマニュアルの作成と院内研修

排尿自立指導は、排尿ケアチームと病棟看護師等が協働して行う。そのため、患者抽出のためのスクリーニング、下部尿路機能評価のための情報収集方法や排尿ケアに関するマニュアルを作成し、保険医療機関内に配布するとともに、院内研修を実施することが求められている。

## 4. 具体的な内容

排尿自立支援には、4つの段階「①下部尿路機能障害の症状（尿失禁、尿閉等）を有する患者の抽出」「②下部尿路機能評価のための情報収集」「③下部尿路機能障害を評価し、排尿自立に向けた計画策定」「④包括的排尿ケアの実施・評価」が含まれる。

### 1）下部尿路機能障害の症状（尿失禁、尿閉等）を有する患者の抽出

排尿自立の障害となる下部尿路機能障害は、大きく分けて「尿閉／排尿困難」、「尿失禁」「重度の頻尿」の症状がある。既往歴や排尿習慣等から尿道カテーテル抜去後に「尿閉／排尿困難」あるいは「尿失禁」が出現する可能性が高い場合、尿道カテーテル抜去後に「尿閉／排尿困難」、「尿失禁」「重度の頻尿」がある場合は、排尿ケアチームに相談することになる。

### 2）下部尿路機能評価のための情報収集

下部尿路機能を評価するためには、排尿時刻、1回排尿量、尿失禁の有無や失禁量、残尿量などの情報を収集する必要がある。そこで、病棟の看護師が24時間の排尿日誌と最低1回の残尿測定を行う。残尿測定には、超音波画像診断装置での測定が推奨されている[1]。

### 3）下部尿路機能障害の評価と排尿自立に向けた計画策定

①下部尿路機能障害の評価（図2）

排尿の自立を障害する要因として、下部尿路機能障害と排尿動作に関連する問題（認知機能や運動機能など）があり、この2点について評価を行うべきである。

下部尿路機能障害は、尿意の自覚、尿失禁、24時間排尿回数、平均1回排尿量、残尿量から蓄尿障害と尿排出障害を評価する。排尿動作に関連する問題は「移乗・移動」「トイレ動作」「排泄用具（収尿器、おむつ、カテーテル）の使用」が自力でできるかの排尿自立度を評価する。

②排尿自立に向けた計画（表2）

排尿自立とは、「排尿管理方法は問わず、自力で排尿管理が完結できること」である。そのため、下部尿路機能障害の治療も大事であるが、今の認知機能や身体機能の範囲内で、できるだけ自立した排尿ができるように環境調整や排尿行動の介助を行う。

## 図2 下部尿路機能障害の評価

| | スコア | 0 | 1 | 2 |
|---|---|---|---|---|
| 排尿自立 | 移乗・移動 | 自立 | 一部介助 | ほぼすべて介助 |
| | トイレ動作 | 自立 | 一部介助 | ほぼすべて介助 |
| | 収尿器の使用 | なし／自己管理 | 一部介助 | ほぼすべて介助 |
| | おむつ使用 | なし／自己管理 | 一部介助 | ほぼすべて介助 |
| | カテーテル使用 | なし／自己導尿 | 導尿（要介助） | 尿道留置カテーテル |
| 下部尿路機能 | 尿意の自覚 | あり | 一部なし | ほぼすべてなし |
| | 尿失禁 | なし | 一部失禁 | ほぼすべて失禁 |
| | 24時間排尿回数（日） | ～7回 | 8～14回 | 15回～ |
| | 1回排尿量（mL） | 200～ | 100～199 | ～99 |
| | 残尿量（mL） | ～49 | 50～199 | 200～ |

排尿自立（　　　）点＋下部尿路機能（　　　）点＝合計（　　　）点

## 表2 包括的排尿ケアのマトリックス

| | 留意する項目 | | 計画の内容 |
|---|---|---|---|
| 看護計画 | 排尿自立 | | 排尿用具の工夫、排尿しやすい姿勢の工夫、衣類の工夫、トイレ環境の工夫、移動・排尿意欲への支援、寝具の素材の工夫 |
| | 下部尿路機能 | 頻尿・尿失禁 | 生活指導、膀胱訓練、骨盤底筋訓練 |
| | | 尿閉/排尿困難 | 間欠導尿、自己導尿/間欠式バルーンカテーテル |
| | | 尿意の問題 | 排尿誘導<br>超音波補助下排尿誘導 |
| リハビリテーション | | | 運動機能訓練（関節可動域拡大、座位保持、排泄に関する動作訓練）、動作に合わせた補助用具の選択・環境整備、介助方法の工夫 |
| 薬物療法 | | | 排尿機能へ影響を与える薬剤の検討<br>適切な薬剤の選択と処方<br>有熱性尿路感染症への抗菌薬の処方 |
| 泌尿器科による精査・治療 | | | 画像検査、尿流動態検査 |

### 4）包括的排尿ケアの実施・評価

計画した包括的排尿ケアは、排尿ケアチームと病棟看護師等が協働して実施する。専門的なケアについては、排尿ケアチームが病棟看護師へ教育する。

包括的排尿ケアの実施後は、定期的に排尿自立と下部尿路機能の評価を行い、その有効性を検討するとともに、改善が認められない場合は、画像検査、尿流動態検査等、泌尿器科での詳しい下部尿路機能の検査を行い、治療を再検討する。

## 5．施設基準の申請方法

排尿自立支援加算を算定する施設は、当該指導料の施設基準にかかわる届出（図3）を行う必要がある。ここでは、施設基準を満たしていることを証明する必要があるため、医師や看護師が排尿ケアチームの要件を満たしていること、マニュアルを作成し院内研修を実施していることを示す。

## 図3　排尿自立支援加算の施設基準に係る届出

様式40の14

# 排尿自立支援加算の施設基準に係る届出書添付書類

1　排尿自立支援に係るチームの構成員
　　（□には、適合する場合「✓」を記入すること）

| 区分 | 氏名 | 備考 |
|---|---|---|
| ア　医師 | | □泌尿器科<br>　□3年以上の経験<br>　　□自院<br>　　□他院<br>□その他の診療科<br>　（　　　　　　　　　　　　　）<br>□研修受講<br>　□自院<br>　□他院 |
| イ　専任の常勤看護師 | | □研修受講<br>□3年以上の経験 |
| ウ　専任の常勤理学療法士又は<br>　　専任の常勤作業療法士 | | □経験（有・無） |

2　排尿ケアに関するマニュアルの作成
　　（□には、適合する場合「✓」を記入すること）

| 作成／周知 | マニュアルに含まれている内容 |
|---|---|
| □作成<br>□周知 | □スクリーニングの方法<br>□膀胱機能評価の方法 |

3　職員を対象とした院内研修の実施
　　（□には、適合する場合「✓」を記入すること）

| 実施 | 内容 |
|---|---|
| □実施<br>□実施予定 | 実施日　　（　　　　　　　　　　　　　）<br>実施予定日（　　　　　　　　　　　　　） |

「記載上の注意」
1　「1」については、備考欄の該当するものに「✓」を記入すること。アに掲げる医師が、泌尿器科以外の医師の場合は担当する診療科を（　　）内に記載し、適切な研修を修了したことが確認できる文書を添付すること。イに掲げる看護師については、所定の研修を修了したことが確認できる文書を添付すること。ウについては、下部尿路機能障害を有する患者のリハビリテーション等の経験の有無を記載すること。
2　「3」については、予定されている場合の記載でもよい。

# 外来排尿自立指導料

## 1. 外来排尿自立指導料とは

入院中「排尿自立支援加算」を算定されていた患者で、退院後に継続的な包括的排尿ケアの必要があると認められた患者に対し、排尿ケアチームおよび当該患者の診療を担う医師または看護師等が協働して、入院中に策定した包括的排尿ケアの計画に基づいて実施するものである。「排尿自立支援加算」の算定した期間と通算して12週を限度として算定が可能である。

## 2. 具体的な内容

### 1) 対象患者

算定の対象となる患者は、「排尿自立支援加算」の要件①あるいは②を有し、退院後に継続的な包括的排尿ケアの必要があると認められた患者である。

### 2)「排尿ケアチーム」と病棟・外来看護師による取り組み

排尿ケアチームは、外来診療を担当する医師、外来看護師と協働しながら、入院中に策定した包括的排尿ケアの計画に基づいて、ケアの実施・評価・見直しをする。

①退院後に継続的な包括的排尿ケアの必要がある患者の把握

病棟排尿ケアチームは、入院中の評価から包括的排尿ケアの継続の必要性を判断する。外来排尿自立指導料の対象となる患者には、病棟排尿ケアチームと病棟看護師等が、外来受診時に必要な下部尿路機能に関する情報(例:排尿日誌)や検査(例:残尿測定)、外来受診後に継続が必要な包括的排尿ケアを計画する。

②下部尿路機能評価のための情報収集

外来看護師は、患者が持参した排尿日誌の確認や、外来での残尿測定を実施する。残尿測定を行う場合は、排尿自立支援加算とは別に算定が可能である。

③下部尿路機能障害と包括的排尿ケアの評価、実施、計画の見直し

排尿ケアチームは、排尿自立度と下部尿路機能障害の改善状況や包括的排尿ケアの効果を評価し、必要に応じて包括的排尿ケアの継続や見直し(中止・修正・追加)を行う。見直し時は、外来診療を担当する医師、外来看護師と協働して患者への指導を行う。

### 3) 算定時の注意点

自己導尿が開始された場合、在宅自己導尿指導管理料と外来排尿自立指導料を二重に取ることはできない。

## 3. 施設基準の申請方法

排尿ケアチームの構成員は、排尿自立支援加算に規定する病棟排尿ケアチームの構成員と兼任であってもよい。ただし、排尿自立支援加算と異なるチームであれば、届出書(図4、p.220)を提出する必要がある。

引用文献
1. 日本創傷・オストミー・失禁管理学会編:「排尿自立支援加算」「外来排尿自立指導料」に関する手引き. 照林社, 東京, 2020.
2. Gould CV, Umscheid CA, Agarwal RK, et al: Guideline for Prevention of Catheter-Associated Urinary Tract Infections. Healthcare Infection Control Practices Advisory Committee (HICPAC), 2009.

## 図4　外来排尿自立指導料の施設基準に係る届出

様式13の4

### 外来排尿自立指導料の施設基準に係る届出書添付書類

1　排尿自立支援加算のチームとの関係
　（該当する□に「✓」を記入すること。）

□排尿自立支援加算と同一のチームであり、届出済み
　（※2の記載は不要）
□排尿自立支援加算と同一のチームであり、排尿自立支援加算も同時に届出
　（※2の記載は不要であり、排尿自立支援加算の届出様式に記載すること）
□排尿自立支援加算とは異なるチームを届出
　（※2に記載すること）

2　外来における排尿自立指導に係るチームの構成員
　（□には、適合する場合「✓」を記入すること。）

| 区分 | 氏名 | 備考 |
|---|---|---|
| ア　医師 | | □泌尿器科<br>　□3年以上の経験<br>　　□自院<br>　　□他院<br>□その他の診療科<br>　（　　　　　　　　　　　）<br>　□研修受講<br>　　□自院<br>　　□他院 |
| イ　専任の常勤看護師 | | □研修受講<br>□3年以上の経験 |
| ウ　専任の常勤理学療法士又は<br>　　専任の常勤作業療法士 | | □経験（有・無） |

「記載上の注意」
1　「1」において「排尿自立支援加算とは異なるチームを届出」に「✓」を記入した場合に限り、「2」を記載すること。
2　「2」については、備考欄の該当するものに「✓」を記入すること。アに掲げる医師が、泌尿器科以外の医師の場合は担当する診療科を（　　）内に記載し、適切な研修を修了したことが確認できる文書を添付すること。イに掲げる看護師については、所定の研修を修了したことが確認できる文書を添付すること。ウについては、下部尿路機能障害を有する患者のリハビリテーション等の経験の有無を記載すること。

[ 排尿自立へのアプローチ ]

# 排尿自立支援・指導への
# 取り組みの実際

吉田美香子

　排尿自立支援加算・外来排尿自立指導料を算定していくには「排尿ケアチーム」を中心に、院内全体での排尿ケアの標準化を進め、実際にチーム医療として排尿ケアを進めていくことが大切である。なかでも、排尿ケアチームに加わる看護師は、排尿自立支援加算・外来排尿自立指導料を導入する準備段階から、実際の運用、評価の中心を担うことが期待される。

## 導入に向けた準備

### 1．排尿ケアチームメンバーの決定

　排尿ケアチームには、医師、看護師、理学療法士または作業療法士が携わる必要があり、医師と看護師にはその専門性を担保するための要件が決められている。看護師の要件は、「下部尿路機能障害を有する患者の看護に従事した経験を3年以上有し、所定の研修を修了した専任の常勤看護師」とされ、要件を満たす看護師が院内にいない場合は研修（表1）を受ける必要がある。

　排尿自立支援・指導を円滑に進めるにはチーム内だけでなく、他部署や病棟間の調整が必要である。そのため、排尿ケアチームに参画する看護師は、皮膚・排泄ケア認定看護師や病棟管理者といった調整能力に長けた看護師とすることが望ましい。

### 2．排尿ケアの標準化

#### 1）マニュアルと「排尿自立支援に関する診療の計画書」の作成

　排尿自立指導の流れは、「排尿自立支援加算・外来排尿自立指導料の概要」（p.214）で述べたように、大まかなことは決まっている。これを実施できるように、日本創傷・オストミー・失禁管理学会編集の『「排尿自立支援加算」「外来排尿自立指導料」に関する手引き』[1]などをもとに、院内共通のマニュアルを作成する。

　排尿自立支援加算の算定には、「①下部尿路機能障害の症状（尿失禁、尿閉等）を有する患者の抽出」「②下部尿路機能評価のための情報収集」「③下部尿路機能障害を評価し、排尿自立に向けた計画策定」「④包括的排尿ケアの実施・評価」を行う必要がある。また、下部尿路機能評価のための情報収集には、排尿日誌や残尿測定をすること、排尿ケアチームと病棟看護師等の双方が支援を行うことが求められている。これらの内容は、「排尿自立支援に関する診療の計画書」（図1）に盛り込まれている。これを用いて排尿ケアチームと病棟看護師等が協働して排尿自立支援を実施したことを記録するシステムを、電子カルテあるいは紙カルテにつくっておかなければならない。

　外来排尿自立指導料の算定には、入院中に「排尿自立支援加算」を算定されていた患者であって、退院後に継続的な包括的排尿ケアの必要があると

### 表1　排尿ケアチームにおける看護師の研修

[看護師の適切な研修]
1. 日本看護協会認定看護師教育課程
    ① 「皮膚・排泄ケア」の研修
    ② 「脳卒中リハビリテーション看護」の研修
    （平成28年度以降の脳卒中リハビリテーション看護認定看護師教育課程修了者は算定可能。平成21年度～27年度の脳卒中リハビリテーション看護認定看護師教育課程修了者は「脳卒中リハビリテーション看護認定看護師教育課程　排尿自立支援に関するフォローアップ研修」の修了証と併せて算定可能）
2. 日本創傷・オストミー・失禁管理学会、日本老年泌尿器科学会、日本排尿機能学会「下部尿路症状の排尿ケア講習会」
3. 日本慢性期医療協会「排尿機能回復のための治療とケア講座」
    なお、特定非営利活動法人日本コンチネンス協会が行っている「コンチネンス中級セミナー」及び認定特定非営利活動法人愛知排泄ケア研究会が行っている「排泄機能指導士養成講座」は、排尿自立支援加算にある所定の研修の内容としては不十分であり、所定の研修とは認められないが、「コンチネンス中級セミナー」と併せて、「コンチネンス中級セミナー追加研修」を終了した場合又は「排泄機能指導士養成講座」と併せて「下部尿路機能障害の排尿自立支援指導講習」を終了した場合には、必要な研修内容を満たすものとなるため、排尿自立支援加算にある所定の研修とみなすことができる。

---

認められたことが要件となる。そのため、実践する外来排尿自立指導が算定要件の内容を満たしていることを診療記録に記載する必要がある（図1）。

### 2）実際の運用方法の制定（図2）

実際の排尿ケアは、医療機関や病棟・外来の間で大きく異なる。そのため、マニュアルで基本的な排尿ケアの標準化を図っても、運用のなかでは個別の対応が必要となる。そこで、対象病棟の管理者やスタッフにヒアリングを行い「現場（病棟・外来）で実施可能な方法」を確認し、なるべく手間がかからず混乱なく導入できる運用方法を制定する。

### 3）排尿ケアチームと病棟・外来看護師との連携システム

排尿自立支援では、尿道カテーテル抜去後に下部尿路機能障害の症状がある患者をすばやく同定し専門的な排尿ケアへつなげること、作成された排尿ケアを適切に提供し、すみやかに患者の排尿自立を再獲得させることが大きなポイントである。そのためには、排尿ケアチームと病棟看護師等が連携できるシステムをつくる。リンクナースを病棟や外来に置き、情報を一元化し排尿ケアチームと病棟・外来が情報共有できるようにするとともに、排尿ケアチームが立てたケア計画を遵守できるように、病棟や外来の看護師の教育や実践のサポートを行うようにする。このリンクナースは、排尿ケアに一定の実践力がある臨床経験3～5年以上の看護師とすることが推奨されている[1]。

### 4）「排尿自立支援加算」「外来排尿自立指導料」導入に関連する院内研修会の実施

排尿ケアは1人で行えるものではない。排尿は1日に数回行うものであり、排尿ケアは1日を通じて行うものである。また、排泄動作能力などは短期間に改善するわけではないので、ある程度の期間をかけて実施していくことになる。そのため、排尿ケアチームや病棟看護師だけでなく、施設全体で排尿ケアの必要性を理解し、排尿自立支援・指導に取り組む土壌づくりが重要である。「院内全職員を対象とした研修」や「看護師全体を対象とした研修」を通じて排尿ケアの重要性を認識し、協働できる体制をつくる。排尿自立支援・指導にかかわる看護師には、超音波画像診断装置等を用いた残尿測定や、排尿日誌による下部尿路機能障害の評価などについて、実際の実習を含めた研修を行う。

## 図1　排尿自立支援に関する診療の計画書(案)

| 氏名　　　　　　　殿　男　女　病棟　　　記入看護師　　　　　　計画作成日　・　・ |
|---|
| 年齢　　歳　尿道カテーテル留置日　・　・　　　主疾患 |
| 留置の管理状況　1. 絶対的な適応(尿量測定・局所管理)　3. 相対的な適応 |
| ※留置の管理状況が「2. 相対的な適応」であった場合のみ、以下のアセスメントを行う。 |

### ①下部尿路機能障害の症状を有する患者の抽出

〈尿道カテーテル抜去後に下部尿路機能障害が予想される場合〉

| 尿閉/排尿困難(残尿量100mL以上) | ある　ない | 「ある」が1つ以上の場合、排尿ケアチームに相談する |
|---|---|---|
| 尿失禁 | ある　ない | |

〈尿道カテーテル抜去後に下部尿路症状がある場合〉

| 尿道カテーテル抜去日 | ・　・ | 「ある」が1つ以上の場合、排尿日誌と残尿量測定後に、排尿ケアチームに相談する |
|---|---|---|
| 尿閉 | ある　ない | |
| 重排尿困難(残尿量100mL以上) | ある　ない | ### ②下部尿路機能評価のための情報収集 |
| 尿失禁 | ある　ない | 排尿日誌記録日　・　・ |
| 重度の頻尿(15回以上/日) | ある　ない | 残尿量　　　　　　mL |

### ③-1. 下部尿路機能障害の評価

〈排尿ケアチーム(　　　　　　　)による評価〉日付　・　・

| | スコア | 0 | 1 | 2 |
|---|---|---|---|---|
| 排尿自立 | 移乗・移動 | 自立 | 一部介助 | ほぼすべて介助 |
| | トイレ動作 | 自立 | 一部介助 | ほぼすべて介助 |
| | 収尿器の使用 | なし/自己管理 | 一部介助 | ほぼすべて介助 |
| | おむつ使用 | なし/自己管理 | 一部介助 | ほぼすべて介助 |
| | カテーテル使用 | なし/自己導尿 | 導尿(要介助) | 尿道留置カテーテル |
| 下部尿路機能 | 尿意の自覚 | あり | 一部なし | ほぼすべてなし |
| | 尿失禁 | なし | 一部失禁 | ほぼすべて失禁 |
| | 24時間排尿回数(　/日) | ～7回 | 8～14回 | 15回～ |
| | 1回排尿量(　　mL) | 200mL～ | 100～199mL | ～99mL |
| | 残尿量(　　mL) | ～49mL | 50～199mL | 200mL～ |

排尿自立(　　)点 + 下部尿路機能(　　)点 = 合計(　　)点

### ③-2. 排尿自立に向けた計画策定

〈排尿ケアアセスメント〉

○原因・病態
排尿自立　：認知機能障害(　なし　・　あり：　　　　　　　　　　　)
　　　　　　運動機能障害(　なし　・　あり：　　　　　　　　　　　)
下部尿路機能：蓄尿機能障害(　なし　・　あり：　　　　　　　　　　　)
　　　　　　排尿(尿排出)機能障害(　なし　・　あり：　　　　　　　　　　　)
○今後の見通し

〈包括的排尿ケア計画〉

| | 項目 | 計画 |
|---|---|---|
| 看護計画 | 排尿自立 | |
| | 下部尿路機能 | |
| リハビリテーション | | |
| 薬物療法 | | |
| 泌尿器科による精査・治療 | | |

### ④評価：日付　・　・

包括的排尿ケアの継続の必要性：　なし　・　あり(次回評価日：　・　・　　　)
包括的排尿ケアの継続・変更点
患者・家族への依頼：　　例：排尿日誌の持参等
医療者への依頼事項：　次回評価日に、(排尿ケアチームへコンサルする前に)確認しておくべきこと

図2 コンサルトの流れ

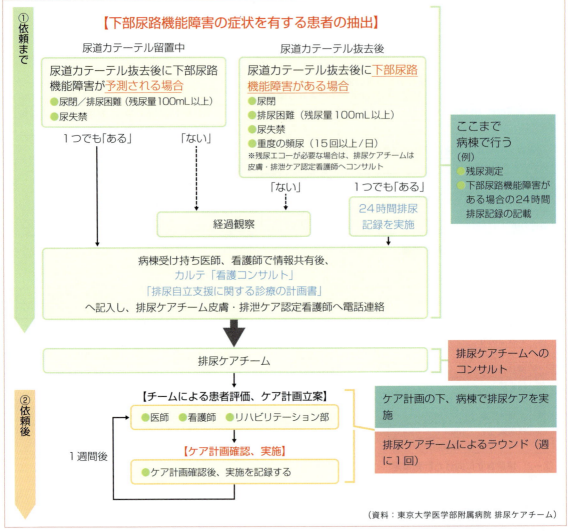

（資料：東京大学医学部附属病院 排尿ケアチーム）

真田弘美編：TOPIC特集 排尿ケアが変わる！「排尿自立指導」の病棟での進め方．Part3 取り組みの実際"排尿自立指導"の具体的な進み方．エキスパートナース 32(11)；2016：93．より引用

## 排尿自立支援・指導の実践

### 1．排尿自立支援・指導での留意点

　病棟看護師による「下部尿路機能障害の症状を有する患者の抽出」と、排尿日誌と残尿測定を用いた「下部尿路機能評価のための情報収集」を受けて、排尿ケアチームが下部尿路機能障害の「評価と計画策定」を行う。急性期病院など在院日数が短い病院であれば、尿道カテーテルの抜去から退院までが短いため、排尿ケアを実施するには、カテーテル抜去から患者の抽出、排尿ケアチームへのコンサルテーション、下部尿路機能障害の評価までをいかにすみやかに行うかが鍵となる。

　定期的に、行った排尿ケアについて排尿動作と下部尿路機能の視点から評価する。排尿動作や下部尿路機能は経過とともに変化することもある。例えば、脳血管疾患の場合、発症直後（72時間以内）は尿閉となりやすいが、その後は排尿筋過活動による頻尿や尿意切迫感がみられることが多い。したがって、排尿ケアチームを中心に、病態などの

表2 排尿自立支援・外来排尿自立指導の効果指標

| 全患者 | ・尿道カテーテル留置患者率 |
|---|---|
| 尿道カテーテル留置が行われた患者 | ・尿道カテーテル留置の延日数<br>・有熱性尿路感染症発症率 |
| 排尿自立支援・外来排尿自立指導が行われた患者 | ・尿道カテーテル離脱患者率<br>・排尿自立に至った患者率<br>・排尿動作が自立に至った患者率<br>・下部尿路機能障害が治癒した患者率<br>・排尿自立度・下部尿路機能の改善効率 |

変化を予測しながら、下部尿路機能と排尿自立について評価を行い、必要時には包括的排尿ケアの計画を修正する。改善が認められない場合は、泌尿器科による精査を検討する。

排尿自立支援加算や外来排尿自立指導料の算定には、排尿ケアチームと病棟看護師の協働による患者の抽出から包括的排尿ケアの実施、退院後の包括的排尿ケアの継続の必要性、外来での下部尿路機能の評価や包括的排尿ケアの実施について証明することが求められる。そのため、病棟や外来の看護師への計画書の記載方法の説明と記載状況の確認、徹底も排尿ケアチームの看護師にとって重要な役割となる。

## 2. 病棟看護師への支援

排尿日誌や残尿測定、計画されたケアなど、大半の業務を担うのは病棟看護師である。病棟によってすでに超音波画像診断装置を用いた残尿測定や骨盤底筋訓練などを行っているところもあれば、そうでないところまで、排尿ケアのレベルは病棟ごとにさまざまである。そこで、排尿ケアチームは、病棟管理者やリンクナースと連携を取りながら、病棟で排尿自立支援の啓発や実施がスムーズにできるよう支援する。部署単位での勉強会へのサポートや、病棟からの相談に適宜応じることができる体制をつくる。

## 3. 排尿自立支援・指導の普及に向けた活動（ネットワークづくり）

施設によっては、病棟の特徴に合わせて排尿自立指導の内容に違いがあったり、導入が難しい場合もある。そこで、病棟間で活動内容を共有できる体制をつくり、院内全体で排尿自立指導が円滑に進むようにする。

# 評価

## 1. 実践の評価

開始前にどれだけ綿密に計画しても、排尿自立支援がうまく回らないことが出てくることもある。そこで、排尿ケアチームと病棟側とで定期的にカンファレンスを開き、排尿自立支援について病棟や外来との連携を評価し、問題点に対し改善方法を検討する。必要時にはマニュアルの変更を行い、院内に通知、教育を行う。

## 2. 効果評価

排尿自立支援・指導の評価は、実践で述べた排尿自立指導を受けた患者個人における効果評価と、施設全体の効果評価がある。施設全体での効果評価のために、①全患者、②尿道カテーテル留置が行われた患者、③排尿自立支援・外来排尿自立指導が行われた患者に分けてデータを収集する（**表2**）。

引用文献
1. 日本創傷・オストミー・失禁管理学会編：「排尿自立支援加算」「外来排尿自立指導料」に関する手引き. 照林社, 東京, 2020.

# Part 3

# 排便機能障害への
# アプローチ

[ アセスメントとそのポイント ]

**問診の仕方と注意点**

# 問診の進め方

積美保子

## 問診の目的

問診の目的は、排便障害を訴える患者が何に困っているのか、実際の排便状況をできるだけ正確に把握し、何が問題点か整理することである。排便困難で困っているのか、便失禁か、または両方混在した状況なのか、困難症状が発症した状況を把握することで、これらの症状発現の要因をある程度想定することが可能となる。排便障害を有効に治療するためには、その病態を的確に診断する必要がある。問診によって得られる情報により原因を絞り込んでいくことが可能である。どのようなときにどのような症状を伴って便失禁が起こるのかなど、病態を推察することが問診の目的となる。

具体的な内容については、質問票（図1）の項目に沿って聴取する。この質問表は53項目あり、詳細な内容で構成されている。患者は比較的訴えがはっきりしていることもあるが、いつ、どのように便が漏れるのかなど、患者自身に病歴が乏しい場合もあるので、系統立てて聴取するためにこの質問票は有用である。当院では、より正確に記載するため、検査予約の際に質問票を患者に渡し、自宅で記載し、後日の受診時に持参してもらっている。

質問票の情報から、現在問題となっている排泄状況のアセスメントを行う。そして、排便障害の原因をアセスメントすることが重要である。

**図1　質問票**

1．今、困っている症状について具体的に記入してください。

2．いつからその症状がはじまったのか経過を記入してください。

3．初診時の排便状況を記入してください。数字を記入し、該当するところに○をつけてください。
- 普段の排便パターン（回数）：　　　　回/日、週
- 排便にかかる時間（便が出始めてから出るまでの時間）：5分以内／5～15分／15分以上
- 現在、排便コントロールのための薬を飲んでいたら、記入してください。当院で処方されていれば、内服後の排便性状の変化を記入してください。
  　下剤　　　なし／あり（　　　　　　　　　　　　　　　　　　　　　　　　　　　　）
  　　　　　　内服の結果（　　　　　　　　　　　　　　　　　　　　　　　　　　　　）
  　止痢剤　　なし／あり（　　　　　　　　　　　　　　　　　　　　　　　　　　　　）

（次頁につづく）

　　　　　　　内服の結果（　　　　　　　　　　　　　　　　　　　　　　　　　　　　）
　　整腸剤　なし／あり（　　　　　　　　　　　　　　　　　　　　　　　　　　　　　）
　　　　　　　内服の結果（　　　　　　　　　　　　　　　　　　　　　　　　　　　　）
- 特異的に便通が悪くなる食品がありますか。食品名を記入してください。
  なし／あり（　　　　　　　　　　　　　　　　　　　　　　　　　　　　　　　　　）
- 最近の排便の状態について、下の図を見て最も似ている番号に1個○をつけてください。
  便の固さ（ブリストル便性状スケール）：　1／2／3／4／5／6／7

| ①コロコロ便 | ②硬い便 | ③やや硬い便 | ④普通便 | ⑤やや軟らかい便 | ⑥泥状便 | ⑦水様便 |
|---|---|---|---|---|---|---|

- 排便時に血液がつきますか。
  ない／ある（程度：　　　　　　　　　　　　　　　　　　　　　　　　　　　　　　）
- 排便時に粘液がつきますか。
  ない／ある（程度：　　　　　　　　　　　　　　　　　　　　　　　　　　　　　　）

4．便失禁がありますか。
　　ない／ある（いつからですか？：　　　　　　　　　　　　　　　　　　　　　　年前）

5．症状出現のきっかけについて、思い当たることがありますか？
　　経腟分娩／肛門手術／子宮手術／虫垂切除術／その他（　　　　　　　　　　　　　）

6．知らない間、気づかないうちに便が漏れることがありますか？　該当するものに○をつけてください。
　　いいえ／はい

7．知らない間に漏れるものはどんなものがありますか？　該当するものに○をつけてください。
　　ガス／粘液／便

8．知らない間に漏れる便の状態について、下の図を見て最も似ている番号に○をつけてください。

| ①コロコロ便 | ②硬い便 | ③やや硬い便 | ④普通便 | ⑤やや軟らかい便 | ⑥泥状便 | ⑦水様便 |
|---|---|---|---|---|---|---|

9．知らない間に漏れる量は、どのくらいの量ですか？　最も近いところに○をつけてください。
　　しみ状／すじ状／小さじ1杯／大さじ1杯／たくさん

10．知らない間に漏れるのは、どのくらいの頻度ですか？　該当する空欄に数字を記入してください。
　　年に　　　　回／月に　　　　回／週に　　　　回／毎日

（次頁につづく）

11. いつ、どのようなときに便が漏れますか？
    いつでも／排便前のみ／排便後／運動時／その他（　　　　　　　　　　　　　）

12. 夜間の睡眠中に便失禁がありますか？　該当する空欄に数字を記入してください。
    ない／年に　　　回／月に　　　回／週に　　　回／毎日

13. 日常的にパッド等を使用していますか？　該当する空欄に数字を記入してください。
    ない／年に　　　回／月に　　　回／週に　　　回／毎日

14. どのようなパッド等を使用していますか？　該当するものに○をつけてください。
    ティッシュ・トイレットペーパー／おりものシート／生理用ナプキン／尿取りパッド／おむつ／ペリスティーンアナルプラグ／その他／併用

15. 便の汚染でパッドを交換する頻度は1日に何回ですか？　空欄に数字を記入してください。
    （　　　　　回／日）1日にパッド等が便で汚れて交換する回数を記入してください。

16. 排便後にお尻を拭ききれずに汚れることがありますか？
    ない／年に　　　回／月に　　　回／週に　　　回／毎日

17. 肛門洗浄器は使用していますか？　空欄に数字を記入してください。
    ない／年に　　　回／月に　　　回／週に　　　回／毎日　　　回

18. 洗浄時の水圧の強さはどのくらいですか？　該当するものに○をつけてください。
    弱／中／強／

19. 浣腸のように中まで洗浄使用していますか？　該当するものに○をつけてください。
    はい／いいえ

20. 急に便意を催してトイレまで駆け込むことが何回位ありますか。該当する空欄に数字を記入してください。
    ない／年に　　　回／月に　　　回／週に　　　回／毎日

21. どのくらいがまんできますか？　該当するものに○をつけてください。
    がまんできない／5分以内／5～15分／15分以上

22. 便意を催してからトイレまで間に合わずに便が漏れることがありますか？　該当する所に○または空欄に数字を記入してください。
    ない／年に　　　回／月に　　　回／週に　　　回／毎日

23. トイレまで間に合わずに漏れる便の状態について、下の図を見て最も似ている番号に○をつけてください。

| ①コロコロ便 | ②硬い便 | ③やや硬い便 | ④普通便 | ⑤やや軟らかい便 | ⑥泥状便 | ⑦水様便 |
|---|---|---|---|---|---|---|

（次頁につづく）

24. トイレまで間に合わずに、どのくらいの量の便が漏れますか？ 該当するものに○をつけてください。
    しみ状／すじ状／小さじ1杯／大さじ1杯／たくさん

25. ガス（おなら）をがまんできますか？ 該当するものに○をつけてください。
    できる／できない

26. ガス（おなら）と便の区別がつきますか？ 該当するものに○をつけてください。
    できる／できない

27. ガスが漏れる頻度はどのくらいですか？ 空欄に数字を記入してください。
    年に　　　回／月に　　　回／週に　　　回／毎日

28. 今までに便失禁について、検査や治療を受けたことがありますか？ 該当するものに○または空欄に
    記入してください。
    ある／ない
    直腸肛門内圧検査／肛門超音波検査／下痢止め／整腸剤／下剤／整腸剤
    肛門用タンポン／手術／その他（　　　　　　　　　　　　　　　　　　　　　　）

29. 現在、治療中の持病がありますか？ 問30. に発病年齢と治療内容を記入してください。

30. 今までに治療を受けた病気がありますか？
    ・内科系
    ・外科系
    ・精神科系

31. 現在、服用している薬がありますか？
    ない／ある（内服薬名と用法・容量を記入してください：　　　　　　　　　　　　　　）

32. 出産はしていますか？
    ない／ある

| 子どもの人数 | 1番目 | 2番目 | 3番目 | 4番目 |
|---|---|---|---|---|
| 現在の子どもの年齢 | | | | |
| 経腟分娩 | はい／いいえ | はい／いいえ | はい／いいえ | はい／いいえ |
| 出生体重 | g | g | g | g |
| 吸引分娩 | はい／いいえ | はい／いいえ | はい／いいえ | はい／いいえ |
| 鉗子分娩 | はい／いいえ | はい／いいえ | はい／いいえ | はい／いいえ |
| 会陰切開の有無 | はい／いいえ | はい／いいえ | はい／いいえ | はい／いいえ |
| 会陰裂傷の有無 | はい／いいえ | はい／いいえ | はい／いいえ | はい／いいえ |

33. 各出産の前後で尿失禁や便失禁がありましたか？
    ない／ある

34. 嗜好品（アルコール）はどのくらいの頻度でたしなみますか？
    飲まない／つきあい程度／時々／毎日（種類/量：　　　　　　　　　　　　　　　　）

（次頁につづく）

35. 排便の問題があることで、今までに生活上の不都合が生じて、制限することがありましたか？ その程度を選び、空欄に○を記入してください。

|  | なし | わずか | ある程度 | 大きい | 非常に大きい |
|---|---|---|---|---|---|
| 日常の外出 |  |  |  |  |  |
| 旅行 |  |  |  |  |  |
| 夫婦生活 |  |  |  |  |  |
| スポーツ |  |  |  |  |  |

36. 排便が出づらくて困ることがありますか？ 該当するものに○をつけてください。
　　ある／なし

37. いつからか自覚するようになりましたか？ 空欄に数字を記入してください。
　　　　　年前

38. 排泄困難の頻度は何回位ありますか。該当する所に○または空欄に数字を記入してください。
　　年に　　　回／月に　　　回／週に　　　回／毎日

39. 自然に便意がありますか？
　　ある／なし／下剤補助にてある（下剤名／使用頻度　　　　　　　　　　　　　　　　　　　　）

40. 排便時に出づらいのは、どのような便のときですか？ 下の図を見て最も似ている番号に○をつけてください。

| ①コロコロ便 | ②硬い便 | ③やや硬い便 | ④普通便 | ⑤やや軟らかい便 | ⑥泥状便 | ⑦水様便 |
|---|---|---|---|---|---|---|

41. いきむ力の程度はどのくらいですか？ 該当するものに○をつけてください。
　　ない／わずか／やや／強く／とても強く

42. 排便後に便がまだ残っているような感じがありますか？ どのくらいの頻度でありますか？
　　ない／年に　　　回／月に　　　回／週に　　　回／毎日

43. 肛門に指を入れて便をかき出すことがありますか？ 該当する空欄に数字を記入してください。
　　ない／年に　　　回／月に　　　回／週に　　　回／毎日

44. 排便時に腟に指を入れたり、押さえると排便が出しやすいことはありますか？ どのくらいの頻度でありますか？ 該当する空欄に数字を記入してください。
　　ない／年に　　　回／月に　　　回／週に　　　回／毎日

45. 会陰を指で押さえると便が出しやすいですか？ 該当する空欄に数字を記入してください。
　　ない／年に　　　回／月に　　　回／週に　　　回／毎日

（次頁につづく）

46. 排便時や腹圧がかかると、肛門から腸が脱出することがありますか？　どのくらいの頻度でありますか？　該当する空欄に数字を記入してください。
   ない／年に　　　回／月に　　　回／週に　　　回／毎日

47. 脱出した場合、指で戻せますか？　該当するほうに○をつけてください。
   戻せる／戻せない（常時脱出している）

48. 常時、腹部が腹満していますか？　該当するものに○をつけ、症状を記入してください。
   なし／ある（　　　　　　　　　　　　　　　　　　　　　　　　　　　　　　　）

49. 排便後に腹満感が続きますか？　該当するものに○をつけ、症状を記入してください。
   なし／ある（　　　　　　　　　　　　　　　　　　　　　　　　　　　　　　　）

50. 腹部に痛みがありますか？　該当するものに○をつけ、症状を記入してください。
   なし／ある（　　　　　　　　　　　　　　　　　　　　　　　　　　　　　　　）

51. 尿失禁がありますか？　それはどのような症状ですか？　該当するものに○をつけてください。
   ・尿意を感じてからトイレまで間に合わなくて尿が漏れる（　　　）
   ・尿意を感じたと同時に尿が漏れる（　　　）
   ・くしゃみや咳をすると同時に尿が漏れる（　　　）
   ・排尿後にたらたら尿が漏れる（　　　）

52. どのくらいの頻度で漏れますか？　該当する空欄に数字を記入してください。
   ない／年に　　　回／月に　　　回／週に　　　回／毎日

53. 排尿が出づらくて困ることがありますか？　該当する空欄に数字を記入してください。
   ない／年に　　　回／月に　　　回／週に　　　回／毎日

## 問診を行う環境

　排泄に関連すること、便秘や便失禁などの患者にとって羞恥心を伴い、排泄という人の尊厳にもかかわるデリケートな内容の問題を取り扱うため、問診を行う環境は、患者が気がねなく、安心し、落ち着いて話ができる環境が望ましい。当院では、静かな個室で声が外部に漏れず、部屋の表示もあえて行っていない部屋を用意している。必要物品は、質問票のほかに排便の機構などの説明に使用する直腸・肛門部の模型やイラスト、食物繊維やプロバイオティクス製品などの見本、食事指導や骨盤底筋訓練の説明用パンフレット、スキンケア用品や便失禁管理製品などの見本・使用サンプルなどを整備している。

## 問診の内容

### 1. 排便状態のアセスメント

#### 1）主訴

　患者が、現在最も困っていることは何か、外来に受診した目的は何か、現状をどのように考え、どのようにしたいと考えているのかを聴取する。これは、患者がどのように便失禁症状を感じたり、とらえているかを具体的に知るためである。また、患者がどのようにしたいと思っているのか、最も求めている治療について、患者の希望を具体的に

知ることも必要である。症状がいつから出現しているのか、病悩期間も把握する。

### 2）排便状況

普段のありのままの排便状況について把握する。

まず、排便は1日に何回あるのか、頻便なのか、または週に何回かなどの排便パターンを把握する。排便回数が多い場合は、排便が集中する時間帯があるのかを把握する。定期的か不規則なのか、毎日排便がないといけないと思い込んで、便意がなくても無理に排便しているのかなど、個人の習慣も知ることができる。排便が実際になくてもトイレに通っている回数を排便回数ととらえている場合があるので、あくまでも実際の排便の回数と区別して把握する。

次に、1回の排便にかかる時間である。排便動作に移ってから即座に排便しており、肛門へ怒責による負担がかかっていないか、また、長時間いきみ続けているかなど、肛門や骨盤底への怒責による負荷の程度を把握し、排便困難の有無を推察する。

次に、排便をコントロールする薬剤の使用について聴取する。排便が毎日ないといけないと考え、毎日下剤を服用していたり、下剤を服用しないと便意が感じられないなどさまざまな排便習慣が訴えとして聞かれる。また、下剤の服用がきっかけで下痢状態が継続し、止痢剤を服用していたり、整腸剤を服用している場合もある。

次に、普段の食事のなかで排便に影響する食物がないかどうかを聴取する。乳糖不耐症の患者は、牛乳を飲むと腸内にガスが貯留し下痢症状をきたす。これは、牛乳中の糖質である乳糖を消化するラクターゼが少ないか、機能が低下しているために起こる症状である。また、油物、香辛料などの刺激物による下痢なども比較的多く認められる症状である。普段より便意を制限するために、外出する前には食事制限をしていることがある。便性を整えるために食物繊維を多く摂るように心がけていたり、ヨーグルトなどの乳酸菌を多く含む食品を毎日摂取している場合もある。

次に、普段の排便の性状や1回の量を聴取する。水様便か形のない泥状の軟便か、はじめは固形で後から軟便になる半固形便か、はじめから終わりまで粘液にコーティングされているような固形便か、ごつごつした岩状の硬い便か、兎糞状のコロコロした便かなど、さまざまな便性状を詳細に聴取する。ブリストル便性状スケールを参照すると、患者と便性状を共通認識できる。便性状は、液状に近いほど漏出しやすくなるため、普段の便性状を把握することは重要である。

さらに、便に血液の付着がみられる場合や排便時の出血、粘液付着の有無について確認する。出血は腫瘍性疾患や炎症性腸疾患、痔疾患が存在する可能性や粘液の付着は粘膜脱や直腸脱の可能性を考慮する必要がある。

# 便失禁のアセスメント

## 1．便失禁の有無について

漏出性便失禁の症状について聴取する。

まず、発症のきっかけと病悩期間とを聴取する。例えば、経腟分娩、肛門手術、子宮などの骨盤内手術の既往の後に発症している場合には、これらが要因と考えられる場合がある。便意を感じることなく自然に漏れるのかどうかを知ることで、内肛門括約筋の機能の程度をおおよそ把握することができる。漏れるのは水様便か、軟便か、有形・普通便か、たとえ硬い便でも漏れるのかどうかを把握する。液状の便性状のほうが漏出しやすいが、硬い便でも漏れる場合は、内肛門括約筋だけでなく外肛門括約筋の機能不全や直腸感覚の鈍麻、便排出障害、直腸切除などの既往歴の影響も考えられる。

失禁の程度を推定するために、どの程度の量が漏れるのか（かすれる程度なのか、すじ状に便が付着するのか、小さじ1杯程度の量か、大さじ1杯程度の量か、多量の便汚染があるのかを具体的に）を聴取する。また、排便前に間に合わずに漏

れるのか、排便後に残ったものが漏れるのか、排便前後にかかわらずいつでも漏れるのかなど、どのようなときに漏れるのかを聴取する。

排便前に間に合わずに漏れることに関しては、内外肛門括約筋不全だけでなく、便意をもよおしてからトイレに行くまでに時間がかかるために間に合わないという環境要因や、衣服が上手く着脱できないために間に合わないことも含まれるため、場合によっては、機能的な障害がないか、環境要因も含めて把握することが必要である。排便後に漏れることに関しては、排便の性状が要因となる場合がある。軟便の場合は一度に排泄されず、直腸の残便が漏出するものである。排便前後にかかわらずいつでも漏れるのは、この両者が考えられる。

また、具体的な回数を聴取し、夜間睡眠中に無意識の便失禁の有無を確認する。睡眠中の無意識の漏出は、より重症度が高い可能性がある。睡眠中の便失禁は内外肛門括約筋不全の可能性が高く、排便コントロールも不良で、便意も鈍く、直腸に便が貯留していることが考えられる。

次に、便意促迫の有無を聴取する。急に便意をもよおしてトイレに駆け込むことがあるかどうかは便意切迫感についての質問であり、トイレに間に合わずに漏れてしまうことがあるかどうかは切迫性便失禁の質問である。切迫性便失禁がある場合は、いつ、どんなときに起こるのか（食事中か、食後数時間の間か、外出時に起こるのか）、頻度など、具体的な情報を確認する。どの程度の間便意をがまんできるのか、随意筋である外肛門括約筋機能を把握する。

また、促迫性便失禁の有無と便失禁の量、程度を具体的に聴取する。漏出する量によって外肛門括約筋を随意収縮させることができるのか、持続力などを推察することができる。

## 2．サンプリング機能について

ガスをがまんできるかどうか、ガスと便の識別が可能かどうかを聴取する。固形便か液状便なのかの感覚があるか、肛門のサンプリング機能について把握ができる。

## 3．スキンケア・対処行動について

排便後のスキンケアや後処理の動作について、肛門を拭くことが困難かどうかを聴取する。また、肛門洗浄機の使用状況を確認する。使用している場合は水圧についても把握する。内外肛門括約筋不全では、洗浄時の肛門への刺激によって、反射で肛門括約筋が弛緩し直腸肛門内に水が注入され、それが失禁の要因となっている場合がある。なかには、肛門洗浄機の刺激がないと排便できないという排泄習慣の人もいる。肛門を拭いてもなかなかきれいにならない要因の1つには、便性状が泥状で残便があり、排便の切れが悪いためにべたべたした軟便が肛門周囲に残ってしまうことがある。粘膜脱や直腸脱があり、常に粘膜が露出している場合には、肛門周囲皮膚が粘液で汚染されるため、肛門周囲が常時湿った状態となる。そのため、肛門周囲を必要以上に洗浄したりするようになり、肛門周囲皮膚炎を起こしていることもあるため、どのような清潔習慣をもっているのかを聴取する必要がある。

また、失禁を不安に思うあまりに、必要以上の容量のおむつやパッドを使用していたり、ティッシュペーパーやトイレットペーパーなどを独自に工夫し肛門に当てている場合がある。不適切な使用法になると、肛門周囲皮膚炎を起こしている場合もある。適切なスキンケア用品を選択するために、いままでどのような衛生材料をどのように使用し、交換頻度はどの程度であるかを具体的に聴取する必要がある。

## 4．既往歴について

現在までの失禁に対する治療歴を聴取する。受けたことがある場合には、どのような治療を受けたか、保存的治療で内服薬や外用薬の使用と効果について聴取する。外科的治療の場合は、術式や効果を聴取する。また、現在治療中の疾病の有無と服薬などの治療内容を詳細に確認する。その他、特に外科治療歴や精神疾患についても詳しく聴取

する。女性の場合は分娩歴（分娩回数、経腟分娩の有無、出生児の体重、遷延分娩、鉗子分娩などの有無、会陰切開・会陰裂傷の有無、その他産前産後の異常）を聴取する。

排便障害を起こす要因となる疾患については、表1、2を参照されたい。

## 5．日常生活における制限や影響度について

嗜好ではアルコール摂取の有無を確認する。飲酒の頻度や量による排便への影響の度合いを聴取する。また、排便障害による生活の質や生活様式への制限の有無については、日常の外出や旅行、性生活、スポーツなどの排便障害による日常生活への制限や影響がどの程度あるのかを客観的に表現してもらい、影響の度合いや困窮度を把握する。

### 表1　禁制にかかわる生理的要因・危険因子、併存疾患

| | |
|---|---|
| 腸管運動の変化に影響 | 下痢、便秘、腸炎、過敏性腸症候群、糖尿病、胆嚢摘出後 |
| 直腸感覚の機能に影響 | 分娩時の神経過伸展、脊髄神経疾患、慢性便秘、肛門奇形術後、糖尿病、認知症など |
| 肛門括約筋機構の異常 | 分娩時の神経過伸展、脊髄神経疾患、慢性便秘、肛門奇形術後、糖尿病、認知症など |
| 直腸容量および伸展性の変化 | 直腸肛門がん、放射線治療歴、炎症性腸疾患、骨盤内手術後、便秘など |
| 便を排出する能力が低下 | 脳梗塞等による体動制限、加齢による全身筋力低下、認知症など |
| 手術歴・放射線治療歴 | 子宮摘出、肛門手術、直腸手術に加えて胆嚢摘出などの手術歴や骨盤領域への放射線治療歴 |
| 脊椎・脊髄疾患および骨盤外傷歴 | 脊椎・脊髄疾患（脊髄損傷、二分脊椎、脊柱管狭窄症など）、脊髄手術歴、骨盤および仙尾骨外傷など |
| 糖尿病 | 血糖コントロール不良に関連 |
| 神経・筋疾患 | パーキンソン病、多発性硬化症、側索硬化症、強皮症など |
| その他、病因と考えられている疾患 | 痔核、痔瘻、直腸脱、直腸重積、直腸や会陰の炎症、糞便塞栓、各種投薬の副作用、過敏性腸症候群など |

### 表2　慢性便秘症をきたす基礎疾患

| | |
|---|---|
| 内分泌・代謝疾患 | 自律神経障害を伴う糖尿病や、甲状腺機能低下症、慢性腎不全、尿毒症では慢性便秘症状 |
| 神経疾患 | 脳血管障害、多発性硬化症、パーキンソン病、ヒルシュスプルング病、脊髄損傷、脊髄病変、二分脊椎、精神遅滞 |
| 膠原病 | 全身性硬化症、皮膚筋炎 |
| 精神疾患 | うつ病や心気症 |
| 大腸の器質的異常 | 裂肛や痔核などの肛門病変による排便困難や排便時 |
| その他、病因と考えられている疾患 | 直腸脱、直腸瘤、骨盤臓器脱や大腸腫瘍による閉塞 |

# 排便困難のアセスメント

## 1．排便困難の症状について

　排便困難については、排便がスムーズに行えず困ることがあるか確認する。排便困難症状がある場合はいつからなのか、病悩期間を確認する。さらに、自然に便意が起こるのか、下剤補助にて起こるのかを確認する。

　また、便が出にくいときの便性状（硬便で出にくいのか、軟らかい便でも出にくいのか）についても確認する。軟らかい便でも出にくいと訴えるときは、機能性便排出障害を疑う。排便困難がまったくなく、いきむことなく排便しているのか、わずかにいきむのか、ややいきむのか、強くいきむのか、脂汗をかくほどとても強くいきむのか、排便時のいきみ方の程度を詳細に聴取する。このいきみ方の程度を知ることで、肛門部への負担の度合いを知ることができる。

　排便困難の頻度（毎日の排便のたびにあるのか、週に数回あるのか、月に数回あるのか、年に数回程度か）を把握し、どの程度の怒責がどの程度くり返されているのかを聴取する。また、排便後にすっきりしない未了感や、肛門部に便が残った感じがするという残便感があるかどうかを聴取する。まったくなくすっきりしているのか、毎日残った感じがあるのか、週に数回あるのか、月に数回あるのか、年に数回あるのかなどの頻度を把握する。肛門部に残った感じがある場合に、自分の指を肛門に挿入し便の摘出を行うかどうか、行うとすれば毎日のように摘便を行うのか、週に数回行うのか、月に数回行うのか、年に数回行うのか、その頻度を把握する。

## 2．排便困難時の対処行動について

　排便時、腟に指を挿入して押さえながら排便することはないかを確認する。これは、前方の括約筋が薄く弱いことから起こる排便障害であり、直腸瘤の有無を疑う場合の質問項目である。また、会陰部を押さえながら排便するかどうかを確認する。これは、会陰下降の症状がある場合、肛門部を支えながら排便するため、その症状と程度を把握するためである。

# その他の聴取内容

　肛門括約筋不全では本人の自覚症状が乏しいことがあるので、直腸の脱出があるかどうかの確認が必要である。たいていは怒責時のみ脱出し診察時には所見がないことが多いため、脱出がある場合はどのようなときに脱出するのかを詳細に聴取する。また、脱出するとすればその頻度（毎日か、週に数回か、月に数回か、年に数回か）と、どのようなときに脱出するのかを詳細に聴取する。例えば、排便時の怒責時に毎回脱出するのか、散歩時や外出時など歩行するたびに脱出するのかなどを詳細に聴取する。あわせて、腹部症状（腹部膨満の有無、痛みの有無、その他肛門周囲のスキントラブル）がないかなどを把握する。

# 排便障害の重症度評価について

　排便障害状況の経時的変化や治療の効果を点数化して評価できるよう、重症度スコアを使用することで治療前後の比較ができるようになる。現在当院で使用している便失禁と便秘の重症度スコアを紹介する（表3～4）。

# 問診を行う際に注意すること

　排便は、健康で快活な生活を維持していくためには欠かせない日常的な営みであり、排便の不調、特に便失禁は患者にとって身体的・精神的な負担となり、QOLを損なう大きな要因となる。便失禁を訴える患者は、下着の汚染や臭いのために日常生活が制限される場合がある。それまでの自立

## 表3 便失禁重症度評価：Wexner score

| 失禁タイプ | 頻度 | | | | |
|---|---|---|---|---|---|
| | ない | めったにない<br>1回/月以内 | ときどき<br>1回/週以内<br>1回/月以上 | いつも<br>1回/日以内<br>1回/週以上 | 常に<br>1回/日以上 |
| 固形 | 0 | 1 | 2 | 3 | 4 |
| 液状 | 0 | 1 | 2 | 3 | 4 |
| ガス | 0 | 1 | 2 | 3 | 4 |
| パッドの使用 | 0 | 1 | 2 | 3 | 4 |
| 日常生活の変化 | 0 | 1 | 2 | 3 | 4 |

0＝完璧、20＝完全に失禁。
Jorge JM, Wexner SD. Etiology and management of fecal incontinence. Dis Colon Rectum 1993；36(1)：77-97. より引用

## 表4 便秘重症度スコア：Constipation Scoring System（CSS：0～30点）

| | 0 | 1 | 2 | 3 | 4 | H 年 月 日 |
|---|---|---|---|---|---|---|
| 排便回数 | 1～2回/<br>1～2日 | 2回/週 | 1回/週 | 1回未満/週 | 1回未満/月 | |
| 排便困難：<br>痛みを伴う<br>排便努力 | 全くない | 1回未満/月 | 1回/月以上<br>だが1回/週<br>未満 | 1回/週以上<br>だが1回/日<br>未満 | 1回/日以上 | |
| 残便感 | 全くない | 1回未満/月 | 1回/月以上<br>だが1回/週<br>未満 | 1回/週以上<br>だが1回/日<br>未満 | 1回/日以上 | |
| 腹痛 | 全くない | 1回未満/月 | 1回/月以上<br>だが1回/週<br>未満 | 1回/週以上<br>だが1回/日<br>未満 | 1回/日以上 | |
| 排便に要する時間 | 5分未満 | 5～9分 | 10～19分 | 20～29分 | 30分以上 | |
| 排便補助の有無 | なし | 下剤 | 用指介助または浣腸 | — | — | |
| 排便しようとしても出なかった回数/24時間 | 0 | 1～3回 | 4～6回 | 7～9回 | 10回以上 | |
| 便秘の病悩期間（年） | 0 | 1～5年 | 6～10年 | 11～20年 | 21年以上 | |
| 合計 | | | | | | |

Agachan F, et al. A constipation scoring system to simplify evaluation and management of constipated patients. Dis Colon Rectum 1996；39(6)：681-685. より引用

した生活で培われてきた自尊心が、便失禁を起こしたことで低下してしまったり、便失禁を気にして外出や旅行を控えたり、人とのつき合いを控えるなどの社会生活に影響を及ぼしている場合がある。

患者自身が羞恥心をもっている場合が多いことや、高齢などの理由で仕方ないものとあきらめて医療機関を訪れることが少ないことがある。また、どの診療科に相談してよいかわからず、家族にも相談できずに1人で悩み、ひた隠しにしている場合が多いのが現状である。逆に、数多くの医療機関に受診しているが、高齢などの理由で特に治療もされず、その後も症状に悩まされている場合もある。医療者側にも、保存的治療や外科的治療で失禁症状の改善や治癒が得られるということが周知徹底されておらず、専門外来も数少ないという現状がある。

このような患者に対して問診を行う際には、患者の悩みや不安な思いを表出できる場となり、排泄の悩みを抱える人々に適切な評価や治療、排泄ケアのアドバイスが行えることが必要と考える。患者の多くは、少しでも失禁症状を改善しようとして、自分なりにさまざまな工夫を凝らして対処している。この場合、たとえ患者の対処行動に問題があったとしても、頭ごなしに否定せず、まずは患者の言葉をありのままに受け止めることが必要である。患者が実際に行っている方法を話してもらうことが、失禁症状をアセスメントするうえでも重要な情報となる。そのうえで、患者とともにどうすればよいかを考える。したがって、受診時には患者の話を十分に聞き、症状を理解し、患者の思いを否定しない姿勢が必要である。特に、1人で思い悩んでいた人にとっては、詳しく話を聞くことで精神的安定をもたらすことができると考える。

便失禁には排泄習慣が関連していることがある。患者によっては、すでに確立された生活習慣や排泄習慣を、変更・改善していくことが非常に困難と感じることもあり、排泄機能の回復には時間を要することが多く、経過観察の途中で中断してしまうこともある。したがって、問診の際には、まず、患者の言葉を受け止め、共感的に患者を理解しようとすることが必要である。それがうまくいけば、患者は、どうすれば失禁症状が改善されるのかをともに考えられる方向に変化する。**医療者が、患者の心理状況をいかに理解し共感できるように努められるかという姿勢をもつことが大切である。**

参考文献
1. 田中秀子, 溝上祐子監修：失禁ケアガイダンス. 日本看護協会出版会, 東京, 2009：199-212.
2. 山名哲郎編：読んだら変わる！ 排便障害患者さんへのアプローチ 便秘・下痢・便失禁のアセスメントとケア. メディカ出版, 大阪, 2007：48-59.
3. 穴沢貞夫, 後藤百万, 高尾良彦, 他編：排泄リハビリテーション―理論と臨床. 中山書店, 東京, 2009：225-231.
4. 西村かおる：アセスメントに基づく排便ケア. 中央法規出版, 東京, 2008：52-62.
5. Chritine N. Nurshing for continence, second edition. Beaconsfield Publishers, United Kingdom, 1996：226-257.
6. Dorothy BD. Urinary and fecal incontinence nursing management second Edition. Mosby, USA, 2000：325-383.
7. Jorge JM, Wexner SD. Etiology and management of fecal incontinence. Dis Colon Rectum 1993；36(1)：77-97.
8. Agachan F, Chen T, Pfeifer J, et al. A constipation scoring system to simplify evaluation and management of constipated patients. Dis Colon Rectum 1996；39(6)：681-685.
9. 日本大腸肛門病学会編：便失禁診療ガイドライン2017年版. 南江堂, 東京, 2017：18-24.
10. 日本消化器病学会関連研究会, 慢性便秘の診断・治療研究編：慢性便秘症診療ガイドライン2017. 南江堂, 東京, 2017：28-29, 42-46.

[ アセスメントとそのポイント ]

問診の仕方と注意点

# 排便チャートのつけ方と指導法

積美保子

## 排便チャートとは

　排便チャートは、患者の排便状況を把握するうえで非常に重要な情報源となる。内容は、排便の時間、排便の回数、便性状、1回の排便の量、便失禁の有無、便失禁の程度、便失禁時のエピソード（切迫性か漏出性か）、下剤などの服用の有無を患者に記載してもらう。2〜4週間程度の期間を観察することで、排便パターンや排便障害のタイプ、すなわち便秘なのか便失禁なのか、また便失禁の起こるパターンなどを読み取ることができる（図1）。さらに、排便チャートの内容や質問票をもとに便失禁の原因をアセスメントする。

## 排便チャートを活用した排便習慣指導

　排便チャートを活用した排便習慣指導の例を紹介する。
　便失禁を訴える患者のなかには、過去に便秘で苦しんだという経緯があり、「毎日排便がなければいけない」という認識から、便意の有無にかかわらず刺激性下剤を毎日使用し強制的に排便をくり返している場合がある。このため、頻回に下痢が持続し、がまんできずに便が漏れることがあり、便失禁が心配で外出もままならない状況になっている場合がある。また、便失禁が起こるのは自分の肛門が締まっていないのではないかと不安に思い、便失禁外来を受診するケースもある。このような場合、直腸肛門内圧検査や肛門管超音波検査などの直腸肛門機能検査の結果は異常が認められないことが多い。
　このケースの問題行動は、患者自身の「毎日排便がなければいけない」という歪んだ認知にもとづく刺激性下剤の常用による強制排便と考えられる。刺激性下剤服用の影響で切迫性便失禁を起こしていると考えられる。直腸肛門の生理機能には異常がないので刺激性下剤を中止することが望ましいが、変更できなければ緩下薬に変更し、下剤による切迫便意を誘発しないようにする。
　また、食事内容では、食物繊維を1日20〜25g摂取するよう食生活を改善することで、便性を有形便に整えれば失禁はなくなるであろうと仮説を立てることができる。しかし、このときに「毎日排便がなければいけない」という患者自身の認知が問題行動を強化していることを忘れてはいけない。また、この不合理な考え方や歪んだ認知が変われば失禁が解決するわけではない。そこで患者には、排便チャートをつけることによりセルフモニタリングを行うように指導し、その結果を患者とともに分析する。便性状はブリストル便性状スケールを使用して客観的に表現できるようにし、硬便で便秘がちなのか、水様便で下痢なのか、その両方が混在しているのかを把握できるようにする。すると、患者自身が刺激性下剤を内服した後

## 図1　排便チャート記入例

起床時間：　月　　日（　　）午前・午後　　時　　分
就寝時間：　月　　日（　　）午前・午後　　時　　分　氏名

| 回数 | 時刻 | 排便記録 ||||| 便失禁記録 ||||| その他 |
|---|---|---|---|---|---|---|---|---|---|---|---|
| | | 排便の有無（○印） | 便意の有無（○印） | 排便性状 ①から選択 | 排便量 ②から選択 | 切迫感 ③から選択 | 便漏れの有無（○印） | 排便後便漏れの有無（○印） | 漏便性状 ①から選択 | 漏便量 ④から選択 | 止痢剤・下剤・整腸剤の内服、特記事項等 |
| 1 | 7:30 | ○ | ○ | 5 | 4 | 4 | | | | | |
| 2 | 8:15 | | | | | | ○ | ○ | 6 | 1 | 電車内で肛門がヒリヒリした |
| 3 | 13:30 | ○ | ○ | 6 | 5 | 5 | | | 6 | 4 | 昼食後、トイレに駆け込んだ |
| 4 | 14:30 | | | | | | ○ | | 6 | 1 | 排尿時に下着についていた |
| 5 | 19:00 | ○ | ○ | 5 | 3 | 4 | | | 6 | 1 | 夕食後下痢止めを飲んだ |
| 6 | : | | | | | | | | | | |
| 7 | : | | | | | | | | | | |
| 8 | : | | | | | | | | | | |
| 9 | : | | | | | | | | | | |
| 10 | : | | | | | | | | | | |
| 合計 | | 排便　3　回 ||||| 便漏れ　3　回 ||||| |

①ブリストル便性状スケール：1／2／3／4／5／6／7

| ①コロコロ便 | ②硬い便 | ③やや硬い便 | ④普通便 | ⑤やや軟らかい便 | ⑥泥状便 | ⑦水様便 |
|---|---|---|---|---|---|---|

②排便量
　1）極少量　　　2）うずら卵位の量　　　3）鶏卵位の量　　　4）バナナ大の量　　　5）たくさん

③便意切迫感
　1）15分以上がまんできる　　2）10分がまんできる　　3）5分がまんできる
　4）1分がまんできる　　　　　5）全くがまんできない

④漏便量
　1）しみ状　　　2）すじ状　　　3）小さじ1杯　　　4）大さじ1杯　　　5）たくさん

に限って失禁していることに気づくことになるので、患者が実行可能な内容から取り組めるように試みる。

　刺激性下剤を突然中止することを躊躇する場合は、量の調整・減量（1回量を減らす、回数を減らす）を試みる。また、食物繊維のサプリメントを摂取したり、食生活の改善を行うことで便性が有形化し、その結果、便失禁が消失することもできる。定期的に排便が行えるようになれば便秘への恐怖心も緩和され、刺激性下剤も中止することができる。

　対処行動が改善することで切迫性便失禁が消失し、定期的な排便が起こるようになれば行動を継続させる推進力となる。排便方法についても、自然便意が起こったときにスムーズに排便するという適切な排便スタイルに変容することができるのである。

　排便チャートをつけた結果は、改善するまで必ず患者とともに分析する。くり返し分析することによって患者自身が便失禁の原因に気づくことになる。そこで、患者が実行可能な対処方法から取り組めるようにアドバイスする。その結果、便失禁を消失することができ、定期的に排便が行えるようになれば、適切な対処行動を継続させる推進力となる。問題を同定して行動を分析し、目標を設定して実行に至るまで、経過を長期にわたってフォローアップする必要がある。このように、排便チャートは治療やケアの効果を確認することにも役立つ。排便習慣の行動変容の結果、得られた効果をフィードバックして実感でき、患者自身の自己効力感が高められるようにアプローチを行う。

参考文献
1. 田中秀子, 溝上祐子監修：失禁ケアガイダンス. 日本看護協会出版会, 東京, 2009：199-212.
2. 山名哲郎編：読んだら変わる！ 排便障害患者さんへのアプローチ 便秘・下痢・便失禁のアセスメントとケア. メディカ出版, 大阪, 2007：106-108.
3. 穴沢貞夫, 他編：排泄リハビリテーション―理論と臨床. 中山書店, 東京, 2009：230-231.
4. 西村かおる：アセスメントに基づく排便ケア. 中央法規出版, 東京, 2008：64-67.
5. Chritine N. Nurshing for continence, second edition. Beaconsfield Publishers, United Kingdom, 1996：226-257.
6. Dorothy BD. Urinary and fecal incontinence nursing management second edition. Mosby, USA, 2000：325-383.
7. Jorge JM, Wexner SD. Etiology and management of fecal incontinence. Dis Colon Rectum 1993；36(1)：77-97.

## [ アセスメントとそのポイント ]

### 問診の仕方と注意点

# 質問票

積美保子

　当院での問診内容は、53項目に及ぶ質問票を用いて行っている（「問診の進め方」p.228〜233、図1）。質問票の内容に沿って、通常の排便の性状、頻度などの現状のほか、便失禁の頻度や量、便失禁のタイプなどの状況、下剤や整腸剤の使用状態、排便障害の原因となるような肛門手術などの既往歴、分娩歴、排便障害が日常生活に与えている影響の程度、排便困難の状況、排尿に関する状況なども詳細に十分な時間をかけて聴取する。

　患者の多くは、通常の便性状について尋ねられると「普通の硬さ」と答える。患者はいままで、他者よりこのようなことを聞かれたことがない場合が多いので、多少の戸惑いが生じ、うまく表現できない場合もある。あるいは、質問されても、いままで便性状を意識しておらず、答えられない場合もある。

　**当院では、あらかじめ質問票を患者に渡しておき、自宅で記載後、外来当日に持参してもらい質問票を見ながら記載されている内容を確認している**。便の性状に関しては、形のある便なのか、まとまった塊のある便なのか、兎糞状の便なのかをブリストル便性状スケールを見ながら答えてもらい、客観的な情報を把握している。

　排泄はきわめてプライベートな事柄であるので、排泄している本人以外には排便状況や困っている状態について表現できないため、できるだけ具体的に答えてもらう必要がある。そのため、質問票は具体的に回答しやすいように数値化するなど、あいまいな表現にならないよう意識して作成している。

参考文献
1. 田中秀子, 溝上祐子監修：失禁ケアガイダンス. 日本看護協会出版会, 東京, 2009：199-212.
2. 山名哲郎編：読んだら変わる! 排便障害患者さんへのアプローチ 便秘・下痢・便失禁のアセスメントとケア. メディカ出版, 大阪, 2007：48-59.
3. 穴沢貞夫, 後藤百万, 高尾良彦, 他編：排泄リハビリテーション—理論と臨床. 中山書店, 東京, 2009：225-231.
4. 西村かおる：アセスメントに基づく排便ケア. 中央法規出版, 東京, 2008：52-62.

[ アセスメントとそのポイント ]

ヘルスアセスメント

# ナースが行うヘルスアセスメント

積美保子

## 直腸肛門部の診察

便失禁の診断においては、問診や、視診、指診、触診、聴診、打診、直腸指診といった理学的検査や診察により、身体所見を正確に把握し、さらに直腸肛門内圧検査や肛門管超音波検査等の画像診断の結果を統合させて診断を行う必要がある。しかし、直腸肛門部の診察は、患者にとって陰部を露出しなければならないため羞恥心を伴うことや、患者が未体験の場合には、診察をどのように行うのかわからないため、診察の際に痛みを伴うのではないかなどの恐怖心を抱くことがある。診察をするにあたっては、どのような手順で診察するのかなどを患者の不安を解きほぐすようにして十分に説明し、患者自身の納得と医療者に対する信頼を得る必要がある。

患者の準備としては、事前に排尿を済ませ、便意がある場合には排便を済ませておくように説明する。診察はプライバシーの保てる個室で行い、過度の羞恥心や緊張感、不安感を抱かせないような配慮も必要である。下半身の不必要な露出は避け、バスタオルや穴あきシーツで保温や保護を行う。

患者の体位は左側臥位で、前屈位のように曲げた体位を基本として行う。患者の殿部を診察者の手前に引いて、患者の体幹をベッドの長軸に対して約45度に横たわるようにし、ベッドの反対側には頭部がくるようにする。下肢は、大腿を屈曲させ、屈曲したまま膝を胸に近づけて抱え込むようにする。このときの膝の屈曲角度は約120度程度とする（図1）。または、シムス位で患者の身体の緊張をとり、全身の力を抜いて口で呼吸し、リラックスするように説明する。

診察の際に必要な物品は、肛門診のためのゴム手袋や指のう、肛門鏡、潤滑剤、バスタオルや穴開きシーツ、オーバーヘッドの照明燈や携帯ライトなどである。

## 肛門部の視診

視診では、安静時の肛門部やその周囲皮膚を観察する。まず、肛門周囲皮膚の炎症所見をみる。片方の手で殿部を持ち上げて、両方の手で静かに広げるようにする（図2）。

便失禁を訴える患者では、肛門周囲皮膚炎を抱えていることがある。肛門周囲皮膚が便や粘液の付着や排泄物の付着による化学的刺激によって、びらんや発赤が生じていないかをみる。患者によっては、便の付着による汚染や臭いを気にするあまり、頻回に肛門部皮膚を洗浄したり、こすったりしている場合がある。

また、消毒綿で清拭しており、化学的・機械的刺激によって肛門周囲皮膚炎を起こしている場合もある（図3）。さらに、下着の汚染防止のため

## 図1 診察時の体位

左側臥位で診察台に対して45度外側に肛門部（殿部）を突き出すようにする。

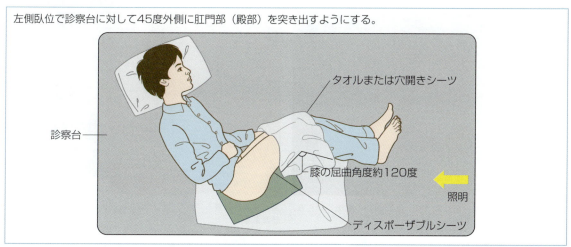

積美保子：フィジカルアセスメント 便失禁．田中秀子，溝上祐子監修，失禁ケアガイダンス．日本看護協会出版会，東京，2007：222-225．より引用

## 図2 肛門部の視診

直腸脱の有無、粘液・便の漏れ、会陰下垂、子宮、腟脱の有無を観察する。

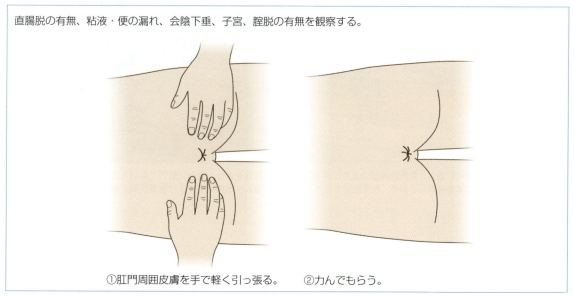

①肛門周囲皮膚を手で軽く引っ張る。　②力んでもらう。

J. ニコラス，R. グラス著，寺本龍生，武藤徹一郎監訳，丸田守人訳：2章診察 直腸肛門の診察．大腸肛門病学 診断および外来における処置．シュプリンガー・フェアラーク東京，東京，1987：13．より改変して引用

パッドやティッシュペーパー、トイレットペーパー等を常時当てている場合があり、皮膚の浸軟や細菌繁殖による感染、皮膚炎を誘発する原因となる。したがって、どのような失禁対策、用品を普段使用しているか、スキンケア方法の実際を患者に質問しながら状況を観察する必要がある。

次に、肛門手術後や会陰裂傷後の瘢痕や変形、対称性、擦過傷、ひきつれの有無、肛門の開大状態、肛門のゆるみをみる。特に、女性で経腟分娩の既往がある場合、分娩時の会陰裂傷が疑われる場合は、会陰切開の瘢痕創が肛門にかかっていないかどうかをみる。さらに、肛門反射を観察する。肛門からの痔核等の脱出や、粘液で常に肛門周囲が濡れる等の訴えがある場合には直腸脱や粘膜脱の疑いがあるため、怒責による脱出の有無の確認をする。腹圧がうまくかけられず直腸の脱出の鑑

### 図3　肛門周囲皮膚炎

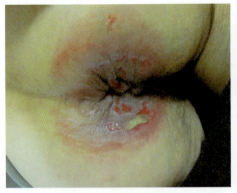

常時便汁が付着しており、肛門周囲の紅斑、びらん、潰瘍を呈している。

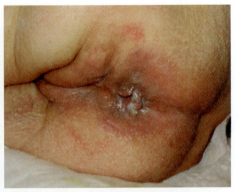

常時粘液が付着しており、肛門周囲の紅斑を呈し掻痒感がある。

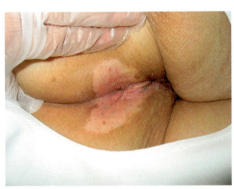

過剰な洗浄をくり返し、肛門掻痒感のために長期間ステロイド外用薬を使用しており、色素脱出を呈する。

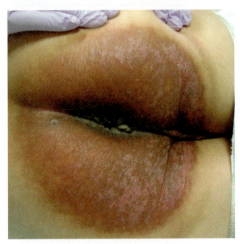

排便困難があり、過剰に肛門を熱いお湯に浸すことをくり返し、低温熱傷により色素沈着と著明な乾燥を呈する。

別がつかない場合は、実際にどの程度脱出を認めるのか、粘膜脱なのか、または完全に直腸脱であるのか怒責診にて再現してもらい診断を行う。

また、脱出しているのは痔核か粘膜か、もしくは直腸なのかを観察する。さらに、いきませることにより異常な会陰下降がないか確認する。女性の場合は子宮や腟の脱出の有無を観察する。排便・排尿困難、腟壁の突出の訴えがある場合は、直腸瘤、小腸瘤、膀胱瘤等の可能性があるので、腹圧をかけた状態で突出があるかを観察するとよい。あわせて、腹部においては膨隆、手術瘢痕の有無を確認する（図4～6）。

## 肛門周囲の触診

肛門周囲の触診では、肛門周囲の皮膚に触れ、硬結などの腫瘤を触れないか、その他の腫脹や圧痛がないかを触診にて確認する。

肛門周囲の皮膚を指先で軽く圧迫し、肛門周囲の知覚の有無を確認する。さらに、肛門周囲の皮膚を軽くつまみ、外肛門括約筋を不随意に収縮させるが、これは刺激した側と同じ側の肛門周囲の皮膚が動くことで反応が示される。反射については、肛門の左右両側で行い観察する。反射の減弱

図4　直腸脱・性器脱

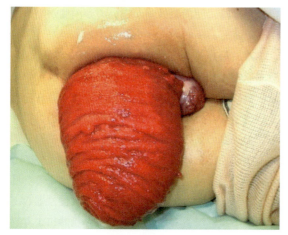

図5　粘膜脱

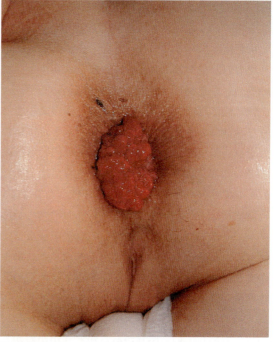

排便困難で毎日3～5回、数時間にわたり怒責をくり返し、常時粘膜が脱出している。

図6　直腸脱と肛門周囲皮膚炎

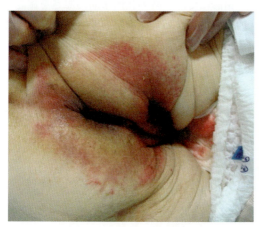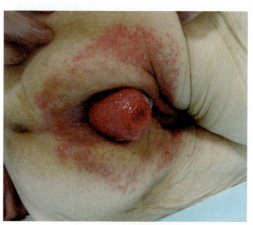

怒責に関係なく常時直腸の脱出がある。常時肛門周囲皮膚に粘液が付着し、おむつを常用しており肛門周囲の接触性皮膚炎を呈する。

もしくは欠損は、肛門皮膚の知覚受容体から第2～4仙髄を経由し、外肛門括約筋の筋線維に至る反射弓の間に病変があると考えられる。肛門周囲の皮膚は第3～5仙髄の知覚神経支配である。この領域の麻痺は、脊髄または馬尾神経の病変を疑わせる。神経学的疾患が疑われるときには、神経系の一般的診察を行う必要がある。

## 直腸指診

　直腸指診を行うにあたっては、まず声かけにより患者の緊張をとるとともに、何をみようとしているのかを説明し、患者の同意を得る必要がある。左側臥位またはシムス位で患者の身体の緊張をとりリラックスさせる。口呼吸で、できるだけ体の力を抜いてリラックスしてもらう。肛門管は収縮しているので、無理に挿入するとさらに括約筋が収縮して診察が困難になり、疼痛を伴ったりする。

　診察時は、潤滑剤をつけた指を肛門に当て数回タッピングした後、肛門括約筋の緊張が緩むまで待ってからゆっくり静かに示指を挿入する。緊張がとれない場合はいきむようにすると肛門括約筋の緊張がゆるみ挿入しやすくなる。このとき、指挿入時の肛門管の緊張度がわかる。示指全周に、均等に収縮している感覚があるかどうかがわかる（図7〜8）。

　挿入後は、肛門・直腸の指が届いて触れる範囲、全周囲をゆっくり触診する。直腸指診にて、まず便塊の存在の有無が確認できる。直腸糞便塞栓がある場合には、これが原因で溢流性便失禁となっている可能性がある。肛門痛の訴えがある場合には、指診時に肛門の外側が痛いのか内側が痛いのかを確認し、圧痛の有無を観察する。

　また、静止時の肛門括約筋の緊張や咳嗽反射、随意収縮、挙筋緊張度、括約筋欠損部の有無の確認、会陰部の厚み、腫瘍の有無、硬便の存在などを観察する。外肛門括約筋の収縮が弱い場合は切迫性便失禁の要因の1つであり、内肛門括約筋の収縮が弱い場合は漏出性便失禁の要因の1つでもあるので、症状に合わせて注意深く観察する。肛門・直腸疾患だけでなく、前立腺や女性性器などの疾患の鑑別にも有用である。直腸指診により異常疼痛がある場合は、痔核、ダグラス窩膿瘍、腹膜炎などが疑われる。

　また、指を抜いた後、出血や血便が付着していないか確認する。そのほか、指に付着する便の性状や色、粘液などの確認も必要である。

## 骨盤底のアセスメント

　指診にて静止時の肛門挙筋の厚さを確認し、肛門管の静止圧の程度を推察することができる。さ

### 図7　指診による骨盤底筋群の認識

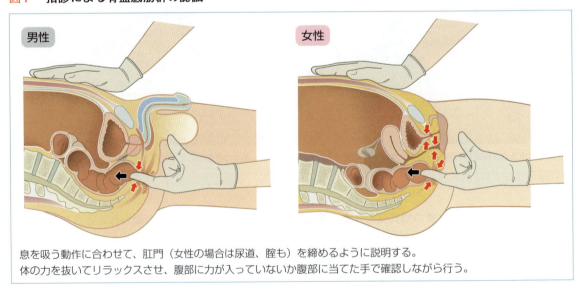

息を吸う動作に合わせて、肛門（女性の場合は尿道、腟も）を締めるように説明する。
体の力を抜いてリラックスさせ、腹部に力が入っていないか腹部に当てた手で確認しながら行う。

積美保子：骨盤底筋体操．山名哲郎編著，読んだら変わる！排便障害患者さんへのアプローチ　便秘・下痢・便失禁のアセスメントとケア．メディカ出版，大阪，2007：110．より引用

らに、随意収縮時の恥骨直腸筋や外肛門括約筋の強さが推定できるので、骨盤底筋群の全体の強さを推察できる。指診によって骨盤底の神経障害、例えば神経疾患や加齢等による特発性の神経障害であるのか、分娩外傷や肛門手術などによる外傷性の肛門直腸輪の限局性の断裂があるのかなどが鑑別できる。骨盤底の神経障害の場合、肛門管の静止圧と随意収縮圧は減弱しているか消失している。

また、反射の減退や消失を伴うので、問診では便意の感覚が減退または消失していることがある。肛門直腸輪の限局性の断裂の場合は、筋力や収縮力は正常であることが多いが、瘢痕の位置や外傷のために十分な肛門管の閉鎖が行えない場合がある。特に女性の場合は、怒責によって会陰部の下降を認めたり、直腸脱や性器脱を認める場合は、骨盤底が弛緩している可能性がある。問診で症状を十分に把握したうえで、直腸肛門部だけでなく骨盤底全体の評価を行う必要がある。骨盤底筋群の筋力評価の方法は、客観的には直腸肛門機能検査を行うが、指診による骨盤底筋の筋力評価が行える。評価の指標には、Oxford scale（p.120、**表1**参照）を使用するとよい。筋力評価の際には、収縮力に加え、最大収縮力で何秒間収縮を保つことができるか、すばやい収縮と弛緩が何回行えるかも評価する。

**参考文献**
1. J. ニコラス，R. グラス著，寺本龍生，武藤徹一郎監訳：大腸肛門病学 診断および外来における処置. シュプリンガー・フェアラーク東京, 東京, 1987：11-18, 48-54.
2. 藤崎郁：フィジカルアセスメント完全ガイド. 学習研究社, 東京, 2001：121-133.
3. 田中秀子, 溝上祐子監修：失禁ケアガイダンス. 日本看護協会出版会, 東京, 2007：222-225.
4. 山名哲郎編著：読んだら変わる!排便障害患者さんへのアプローチ 便秘・下痢・便失禁のアセスメントとケア. メディカ出版, 大阪, 2007：60-62.
5. 穴沢貞夫, 後藤百万, 高尾良彦, 他編：排泄リハビリテーション 理論と臨床. 中山書店, 東京, 2009：55-62, 231, 308.
6. 西村かおる：アセスメントに基づく排便ケア. 中央法規出版, 東京, 2008：72-79.
7. 小峰光博：Nurse's Clinical Library 消化器. 医学書院, 東京, 1988：35.
8. 小板橋喜久代編：カラーアトラス からだの構造と機能 日常生活行動を変える身体システム. 学習研究社, 東京, 2001：200-203.
9. 中村薫：グラフィックセミナー：「排泄」におけるヒトの器官・臓器の働き. 臨牀看護 1996；22(1)：145-151.
10. 金澤トシ子：フィジカル・アセスメントの進め方⑧直腸・肛門. 月刊ナーシング 1997；17(5)：114-117.

**図8** 骨盤底筋体操の指導方法

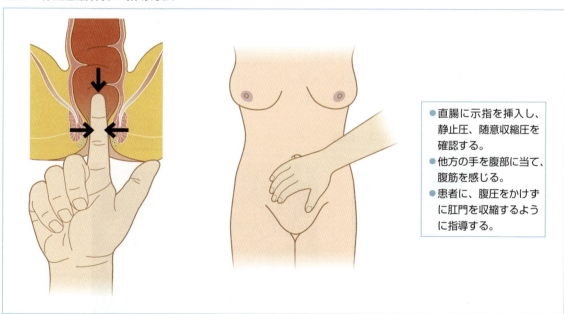

- 直腸に示指を挿入し、静止圧、随意収縮圧を確認する。
- 他方の手を腹部に当て、腹筋を感じる。
- 患者に、腹圧をかけずに肛門を収縮するように指導する。

安田耕作, 山西友典, 村山直人, 他：尿失禁の運動療法. 泌尿器外科 1990；3(1)：16. より改変

Part 3 排便機能障害へのアプローチ

[ アセスメントとそのポイント ]

ヘルスアセスメント

# エコーを用いた便貯留のアセスメント

松本　勝

## 腹部エコーによる大腸便貯留の観察

　超音波診断装置（エコー）を用いることで、非侵襲・リアルタイムに身体内部を観察することが可能である。腹部エコーではコンベックス型プローブを用い、通常腹部の臓器として胆囊、肝臓、膵臓、脾臓、腎臓、胃、腸、大血管などを観察する。この際、エコーで大腸を観察することで便貯留状況を評価することができる。通常、腹部エコーは検査室で据置型のエコー装置を使用して実施されているが（図1）、携帯型のエコー装置（ポータブルエコー）を使用することにより、多職種が日常のベッドサイドでのアセスメントとして実施することも可能である（図2）。腹部エコーでは、

図1　超音波画像診断装置の例

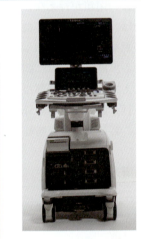

ARIETTA 850
（富士フイルムヘルスケア）

図2　ポータブルエコーの例

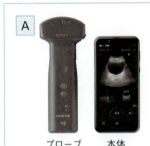

A　プローブ　　本体
　　　　　　（ディスプレイ）
iViz air コンベックスプローブ
（富士フイルムメディカル）

A：プローブと本体（スマートフォン）はWi-fiによりワイヤレス接続されている。
B：訪問看護で使用されている様子。

図3　結腸・直腸の位置と描出時のランドマーク（カッコ内）

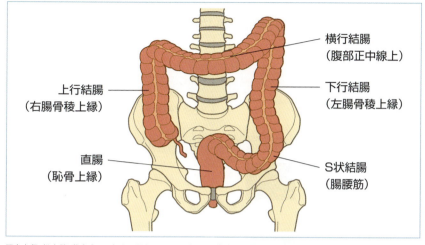

田中志保, 松本勝, 藪中幸一：便秘の評価. 役立つ！使える！看護のエコー. 照林社, 東京, 2019：56. より引用

図4　結腸の便貯留の見え方（下行結腸の例）

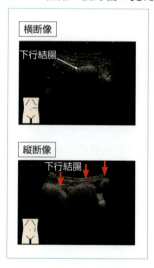

図5　直腸の便貯留の見え方

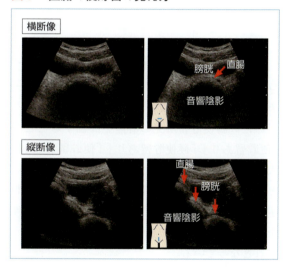

結腸・直腸をそれぞれ観察する（図3～5）。便貯留がある場合、便の表面で超音波が反射することで音響陰影（画面では黒色）を伴う高エコー域（画面では白色）が観察される。横断走査で観察されるこの高エコー域は、半月～三日月型の形状として描出される。特に、結腸に便が過度に貯留しているときは、縦断走査でハウストラ（結腸のふくらみ）の形状が見えることがある（図4）。

## フローチャートに基づいたエコーを用いた直腸便貯留の観察

エコーを用いることで直腸診のような侵襲的なアセスメントを行うことなく、非侵襲・簡便に直腸便貯留の状態をアセスメントすることが可能であり、直腸糞便塞栓を発見することもできる。ポータブルエコーを用いた観察に基づく排便ケアにより、便秘症状の改善や下剤の量の減少につながることがすでに明らかにされている[1]。

**図6　エコーを用いた直腸便貯留の観察のフローチャート**

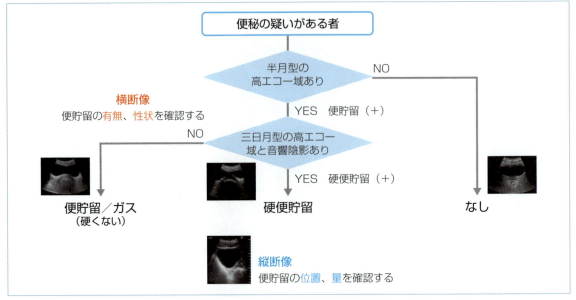

便秘の疑いがある者に対してエコーで直腸便貯留の有無と性状、位置、量を確認し治療やケアを選択する。

　エコーを用いた直腸便貯留の観察は、図6のフローチャートに基づいて実施する[2]。このフローチャートは、便秘の疑いがある者に対しエコーを用いた直腸便貯留所見の有無を評価することで「便貯留あり」「硬便貯留あり」「便貯留なし」に大別し、その後の治療や排便ケアを検討できることを目的としている。「直腸硬便貯留あり」と判定された場合は、必要に応じエコーで直腸縦断像を描出し、硬便貯留の位置と量を確認するという流れとなっている。

## 1．機器とプローブの選択

　エコープローブは、深層の観察に適したコンベックス型とする。エコープローブの周波数は2～5MHzと帯域幅を備えていればさらによい。機器の解像度/分解能としては、以下の条件を満たしていることが望ましい。

- 膀胱内の尿が無エコー域として描出される
  ・尿成分を黒く（無エコーに）描出する
  ・多重反射が多く発生しない
- 組織の境界や辺縁が均一に描出される
  ・直腸内容物や腸管との境界を明瞭に描出する
- 膀胱壁の境界を鮮明に描出する

## 2．プローブ走査

　横断走査および縦断走査によるエコーを用いた観察では、エコープローブを恥骨の上縁に当て、超音波ビームを尾側に10～30度傾けて膀胱を描出する。膀胱を音響窓として使用し、膀胱より深部に直腸を描出させる（図7～8）。

## 3．典型的なエコー画像

### 1）直腸便貯留を示すエコー画像（横断像）

　直腸の横断像をエコーで描出することにより、直腸便貯留の有無と便性状を評価することができる。直腸内腔に内容物（便貯留）があると、膀胱よりも深い位置にある内容物の表面からエコーが反射し、横断像では半月型の高エコー域が描出される（図9）。また、硬便が貯留している場合では、音響陰影（強い反射体で超音波の大部分が反射し、それより遠位側には超音波が届かず、その結果、反射体の後方で無エコーまたは低エコーに観察される現象）を伴う三日月型の高エコー域が描出される[3]。

### 図7　横断走査でのプローブの当て方

恥骨上縁に横断走査でプローブを当て、
- 超音波ビームを尾側に10～30度傾け膀胱を描出させる
- 膀胱を音響窓とし、膀胱より深部に直腸を描出させる

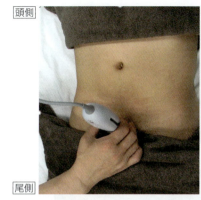
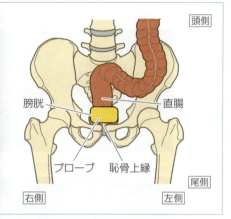

### 図8　縦断走査でのプローブの当て方

恥骨上縁に縦断走査でプローブを当て、
- 超音波ビームを尾側に10～30度傾け膀胱を描出させる
- 膀胱を音響窓とし、膀胱より深部に直腸を描出させる

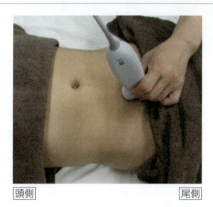
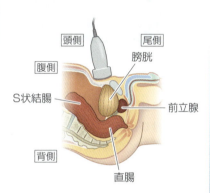

### 図9　直腸に便貯留がある場合のエコー画像（横断像）

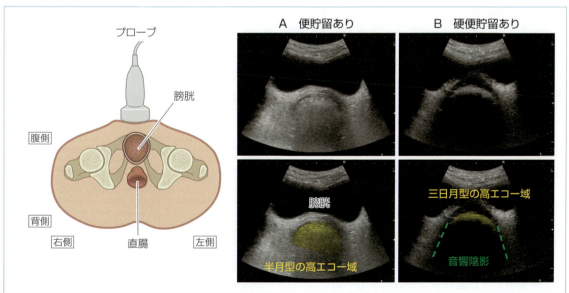

A：便貯留を示す半月型の高エコー域。
B：硬便貯留を示す音響陰影を伴う三日月型の高エコー域。

図10 直腸に便貯留がない場合のエコー画像（横断像）

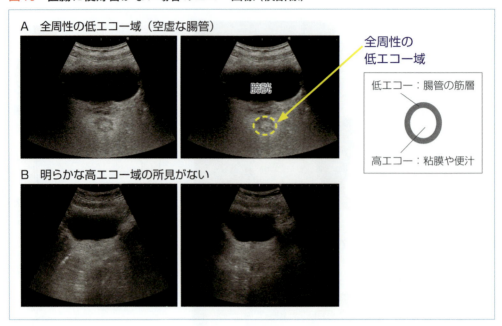

直腸内に便やガスがない場合には、明らかな高エコー域は描出されない。エコー横断像では、空虚な腸管として全周性の低エコー域が観察できることもある（図10）。

## 2. 直腸便貯留を示すエコー画像（縦断像）

直腸の縦断像をエコーで描出することにより、直腸便貯留の位置と量を評価することができる。縦断像からは、便貯留が直腸の上部にあるのか、下部にあるのか、あるいは両方にあるのかの情報が得られる。図11に健康な成人の排便前と排便後の直腸縦断像を示す。排便前は上下の直腸の両方に便貯留がみられるが、排便後はどちらの直腸にも便貯留がみられない。

## 経臀裂アプローチによる直腸便貯留の観察

ここまで紹介したエコーを用いた経腹アプローチによる直腸便貯留の観察では、膀胱に尿が貯留していないとき、腸管ガスが貯留しているとき、尿道留置カテーテル挿入時、対象が肥満体型であるときなど、観察が困難なケースがたびたびある。このようなケースにおいては、オプションとして経臀裂アプローチを選択することができる[4]。対象者の体位は側臥位（続けて排便ケアを行う場合があれば左側臥位がよい）とし、膝関節を屈曲させる。エコープローブは尾骨下縁と肛門の間に置き、下部直腸の便貯留を確認する。下部直腸に便貯留がある場合は高エコー域が観察されるが、便貯留がない場合は直腸前壁・後壁を示す高エコーラインと、その間にもう1本の高エコーラインが観察される（図12、p.256）。

引用文献
1. Matsumoto M, Yoshida M, Yabunaka K, et al：Safety and efficacy of a defecation care algorithm based on ultrasonographic bowel observation in Japanese home-care settings: a single-case, multiple-baseline study. Geriatr Gerontol Int 2020；20（3）：187-194.
2. 日本創傷・オストミー・失禁管理学会，看護理工学会編：エコーを用いた直腸便貯留観察ベストプラクティス．照林社，東京，2021．
3. Tanaka S, Yabunaka K, Matsumoto M, et al：Fecal distribution changes using colorectal ultrasonography in older people with physical and cognitive impairment living in long-term care facilities：a longitudinal observational study. Healthcare (Basel) 2018；6（2）：55.
4. 佐野由美，武藤真希子，浦田克美，他：超音波検査による便性状評価の検討－経臀裂アプローチ走査法における下部直腸評価の有用性－．超音波検査技術 2020；45（2）：168-174.

図11 直腸に便貯留がある場合（A）とない場合（B）のエコー画像（縦断像）

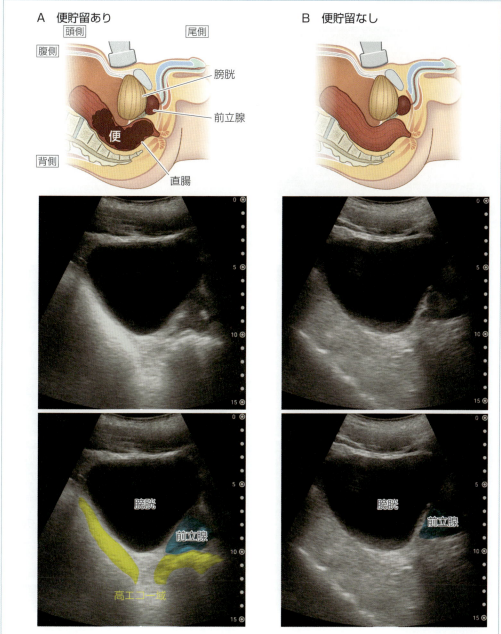

### 図12　経臀裂アプローチでのエコープローブの当て方とエコー画像（縦断像）

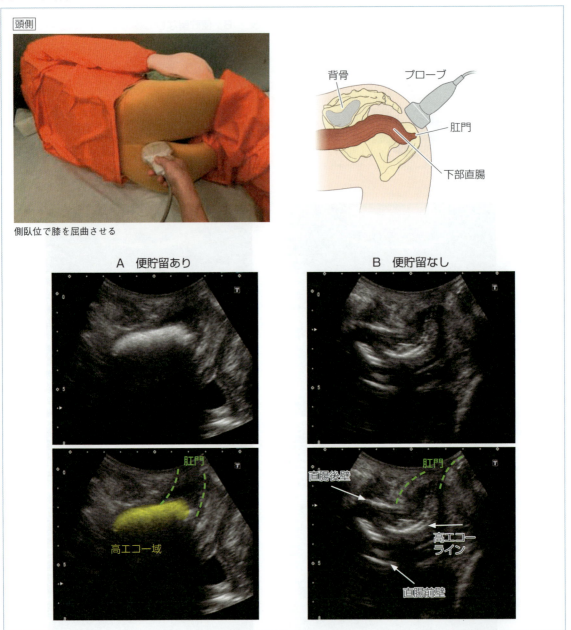

256　Part 3 ▶ 排便機能障害へのアプローチ

[ アセスメントとそのポイント ]

排便機能検査

# 肛門内圧検査、肛門管エコー検査、排便造影検査、大腸・小腸通過時間検査

山名哲郎

## 排便機能検査とは

排便機能検査とは、排便にかかわる器官である肛門括約筋、直腸、大腸、小腸のさまざまな機能的パラメーターを評価する検査である。これらの検査は、患者個々の排便機能障害の病態や原因を見つけ出し、より効果的な治療法を選択する役割を担っている。また、排便機能障害の治療法について、治療前後の変化を客観的に評価するための検査としても用いられる。排便機能検査の多くは特殊な検査装置を必要とするため、現在これらの検査を施行している施設がまだ少ない。実際にたずさわる機会があまりない検査かもしれないが、排便機能障害の患者にかかわる際には必要な知識であるので、各検査の意義や適応を理解しておく必要がある。

## 肛門内圧検査

肛門内圧検査とは、静止時（リラックスしたとき）や随意収縮時（意識的に肛門を締めたとき）の肛門管内圧を圧カテーテルにより測定し、肛門括約筋機能を客観的・定量的に評価する検査である[1]。この検査は、主に便失禁患者の初期評価や便失禁に対する治療効果の評価などに利用される。便秘患者においては、直腸肛門抑制反射の有無を確認

するために利用することもある。

肛門内圧検査装置は圧カテーテル、圧トランスデューサー、増幅器、記録器から構成される。最近の装置では、記録器の代わりに内圧検査用ソフトが組み込まれたパソコンをモニターとして使用する場合が多い。圧カテーテルにはwater-perfusion typeやmicro-balloon type、microchip-transducer typeなどがある。圧カテーテルの測定センサーには、1チャンネルで引き抜きながら肛門管全域を測定するタイプと、マルチチャンネル（8～264チャンネル）で留置したまま肛門管全域を測定するタイプがある（図1）。

### 1．肛門管静止圧測定

1チャンネルの圧カテーテルの場合、カテー

図1 肛門内圧検査装置

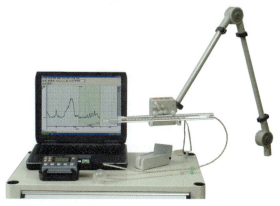

Starlet ano（スターメディカル）

### 図2　肛門管静止圧

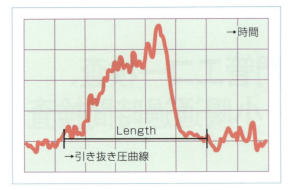

### 図3　肛門管随意収縮圧

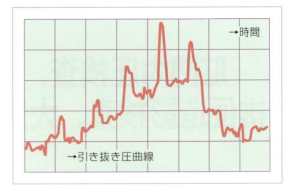

ルの先端部が肛門管を越えて直腸膨大部に到達するように肛門縁から5～6cm奥まで挿入する。そして、左側臥位で肛門に力が入らないようにリラックスしてもらい、自動引き抜き装置を用いて圧カテーテルを1秒間に1mmの一定速度で引き抜きながら、肛門管内の圧を測定してモニター上に記録する。8～264のマルチチャンネルの圧カテーテルを使用する場合は、留置したままで肛門管全域を測定できるのでカテーテルの引き抜きは必要ない。

　測定された静止圧の最大値を肛門管最大静止圧（maximum resting pressure：MRP）、圧が上昇する幅（昇圧帯）の長さを機能的肛門管長（functional length of the anal canalまたはhigh pressure zone：HPZ）と呼び、いずれも内肛門括約筋機能の指標とされる。肛門管最大静止圧の正常値は40～100mmHg、機能的肛門管長の正常値は2.5～4.5cmである。知らないうちに便が漏れる症状を訴える漏出性便失禁の患者では、肛門管最大静止圧や機能的肛門管長の測定値が正常値よりも低い傾向にある（図2）。

### 2．肛門管随意収縮圧測定

　肛門管を越えて直腸膨大部まで圧カテーテルを挿入し、1秒間で1mmの一定速度で引き抜きながら5秒間隔で肛門を締めてもらい、肛門管全域の随意収縮圧を5mm間隔で測定する。測定された随意収縮圧の最大値は最大随意収縮圧（maximum squeeze pressure：MSP）と呼ばれ、

### 図4　肛門管超音波検査装置

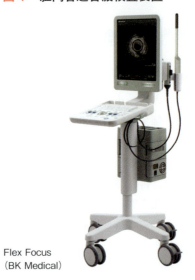

Flex Focus
(BK Medical)

外肛門括約筋機能の指標とされる。最大随意収縮圧の正常値はおよそ80～200mmHgである。便意をがまんできないで漏らしてしまう症状を訴える切迫性便失禁の患者では、最大随意収縮圧が正常値よりも低い傾向にある（図3）。

## 肛門管超音波検査

　肛門管超音波検査は内外肛門括約筋の描出に優れているため、肛門括約筋の損傷の有無や程度を評価するのに用いられる[2,3]（図4）。便失禁を主訴とする患者のなかでも分娩外傷（出産時の会陰裂傷）や肛門手術後、直腸肛門外傷の患者が適応

## 図5 エコー正常

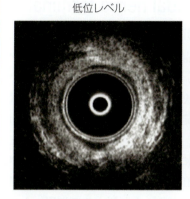
低位レベル

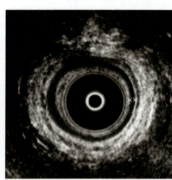
中位レベル

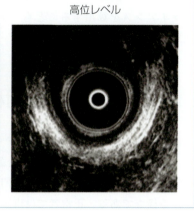
高位レベル

## 図6 分娩外傷例

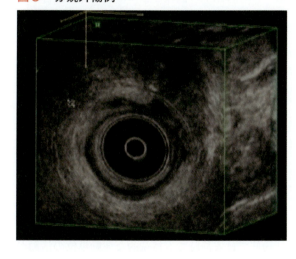

となる。

正常な肛門管の超音波像はその画像的特徴から3つのレベルに分けられる。最も外側にある肛門管低位レベルは肛門縁から約1cmぐらいのレベルで、外肛門括約筋の皮下層だけが輪状の高エコー（画面では白色）として見え、低エコー（画面では黒色）である内肛門括約筋は描出されない。肛門管中位レベルは肛門縁から約2〜3cmの肛門管の中程にある歯状腺前後のレベルで、内肛門括約筋が厚さ2〜4mmの低エコー（画面では黒色）の輪状構造として鮮明に描出され、その外側に外肛門括約筋が高エコー（画面では白色）の輪状構造として描出される。肛門管高位レベルは肛門縁から3〜4cmのレベルで、低エコーの輪状構造である内肛門括約筋と、その外側に恥骨直腸筋と外肛門括約筋の一部が癒合したU字型の筋組織が高エコーとして描出される（図5）。

分娩時の第3度・第4度会陰裂傷の既往歴がある便失禁の患者では肛門前方の内外括約筋の欠損所見が認められるので、欠損範囲を同定するのに有用である。また、分娩時に明らかな会陰裂傷を伴わなくても潜在的に肛門括約筋が損傷される場合もある（図6）。

複雑痔瘻の手術も肛門括約筋に大きな損傷が及ぶと術後の便失禁の原因になる。肛門管超音波検査では、手術瘢痕を中心とした広範囲の内・外肛門括約筋の欠損所見を認める。

## 直腸感覚・容量検査

直腸の感覚や容量を調べる検査法である。耐圧カテーテルの先端部にラテックスバルーンを取りつけて直腸内に挿入し、水または空気を注入する。直腸内にガスが溜まるような感覚が生じた時点を直腸感覚閾値（sensory threshold of the rectumまたはfirst sensation）、便意をもよおした時点を便意発現最小量（call to stoolまたはurgency）、便意をがまんするのが困難になった時点を直腸最大耐容量（maximum tolerable volume of the rectum）とする。バルーン内圧を同時に測定することにより、直腸の伸展性の指標である直腸コンプライアンスを算出することもできる（容量の増加分÷圧の増加分）。

## 直腸肛門抑制反射検査

直腸バルーンと肛門管内圧カテーテルを挿入し、直腸内に挿入したバルーンを約50ccの水か空気で急速に膨らませたときの肛門管静止圧を測定する検査である。正常者では直腸の壁内神経叢の反射により静止圧が瞬間的に低下してすみやかに元の値まで復帰する直腸肛門抑制反射と呼ばれる生理的な反射がみられる。

先天的に直腸の壁内神経叢が欠損しているヒルシュプルング病では、この反射がみられない。壁内神経叢が欠損している範囲では直腸壁が伸展しないため、ヒルシュプルング病の患者のほとんどは新生児期に腸閉塞として診断されるが、まれに難治性の慢性便秘として小児期や成人になってからヒルシュプルング病やその類似疾患と診断される場合がある。

成人の難治性重症便秘症の患者で巨大直腸や巨大結腸がみられる場合は、この成人型ヒルシュプルング病を疑い直腸肛門抑制反射検査を施行する。直腸肛門抑制反射が陰性であれば組織学的な確定診断のための直腸生検を行う。

## 肛門管感覚検査

肛門管の上皮や粘膜の感覚をみる検査である[4]。カテーテル先端を肛門管内に留置しその先端から微弱な電流（mA）を0から少しずつ上昇させていき、軽い痛覚が生じた時点を感覚閾値として測定する（肛門管粘膜電流感覚閾値検査）。また、温度刺激を利用した方法もある。肛門管感覚検査は研究目的に利用される報告がみられるが、臨床的な検査としては普及していない。

## 陰部神経終末運動潜時測定検査（pudendal nerve terminal motor latency：PNTML）

検査用に製品化された特殊な刺激電極（セントマークス電極）を指のうに装着し、肛門管内の左右の陰部神経を刺激することで得られる誘発電位との潜時を測定する検査である[5,6]。S2-S4の仙骨神経からなり、外肛門括約筋と恥骨直腸筋を支配する陰部神経に障害がある場合はこの潜時が遅延するので、外肛門括約筋機能の低下が陰部神経障害に起因するかどうかを評価するのに用いられる検査である[7]。潜時の正常値は2.2±0.2ミリ秒であり、これ以上の値のときには陰部神経障害がある可能性があるが、再現性などに問題があることや臨床的な意義が不十分であることから、現在でも臨床的な検査としてはあまり普及していない。

## 筋電図検査（electoromyography：EMG）

肛門括約筋に針電極（concentric needle electrode）を刺入し運動単位電位（motor unit potential：MUP）を測定する検査である。外肛門括約筋では安静時でも持続的な運動単位の活動がみられるが、括約筋断裂後の線維化した部位では減少したり消失したりする。外傷による肛門括約筋の欠損部を同定する括約筋マッピングに利用されたが、針電極の刺入による苦痛を伴うため最近では肛門管超音波検査にとって代わられ、あまり利用されなくなった。

## 排便造影検査（defecography）

排便造影検査は模擬便を用いて直腸から便が排泄されるときの直腸の動きと形をシミュレーションして透視下に観察する検査法である[7,8]。主に便排出困難を愁訴とする便排出障害型便秘（いわゆ

る直腸性便秘）の病態を診断するために利用されるが、直腸脱や便失禁の患者の直腸や骨盤底の動態を観察するために施行する場合もある。

実際の撮影手順としては、まず小麦粉などを混ぜてペースト状にしたバリウム約100ccを24Frの大口径のフォーリーカテーテルを介して直腸内に注入する。バリウムペーストの粘稠度が高くシリンジから押し出すのが困難であるので工具店で市販されているコーキングガンを使用すると便利である。次に、簡易便座の上に座った状態（洋式トイレのスタイル）での安静時から努責と肛門収縮を何度かくり返してもらい、直腸のダイナミックな形態を側面から透視観察しながら各状態のスポット撮影を行う（図7）。動画としてビデオやハードディスクに録画しておけば、後に検証するのに有用である。計測パラメーターとしては安静時、努責時、収縮時の直腸肛門角、努責時の会陰下降の距離などがある。直腸瘤の大きさや直腸脱の長さの測定にも有用である。

排便造影検査の異常所見として最も多くみられるのは女性における直腸瘤である（図8）。これは直腸腟中隔の脆弱化のため排便努責時に肛門管の前方が腟側に突出する状態である。直腸瘤の患者では便排出困難が愁訴となる場合が多く「いきんでも便が出にくい」「腟を指で押さえて排便する」などと訴えることが多い。努責時に直腸が重積する現象（直腸重積、図9）や骨盤底筋群の脆弱化により会陰が大きく下降する現象（会陰下降）も比較的よく観察される。努責時に、恥骨直腸筋や外肛門括約筋が奇異性に緊張して直腸肛門角が鋭角化する現象は奇異性恥骨直腸筋収縮やアニスムスと呼ばれ、便排出困難の原因となる。

### 図7　排便造影検査正常

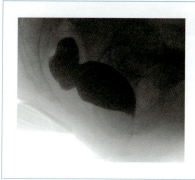
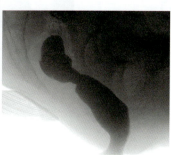
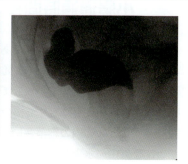

### 図8　直腸瘤

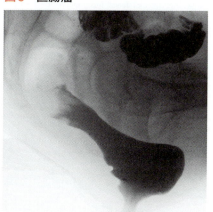

### 図9　直腸重積

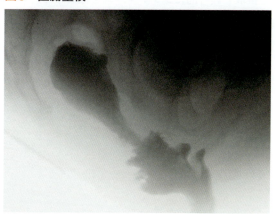

## 大腸通過時間検査

　X線不透過マーカーを用いて大腸の通過時間を評価する検査である[9]。市販されている通過時間検査用カプセル（Sitzmarks®）は、カプセルの中に小さなリング状のX線不透過マーカーが20個入っている。カプセルの服用後に時間をおいて（1日、3日、5日目など）骨盤底まで含んだ腹部単純X線（KUB）を撮影し残存するマーカー数を調べる。正常な大腸の通過時間は24〜72時間と幅があるが、このマーカーを用いた大腸通過時間検査では5日で80％以上の排泄を正常とする1つの基準があり、5日目のX線で20％を越えるマーカー（5個以上）が結腸内に残存している場合は、病的に通過時間が延長している結腸無力症と診断できる（図10）。

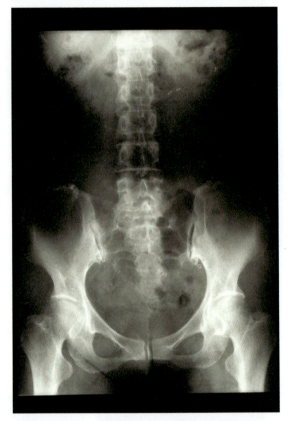

図10　Sitzamrks®を使用した大腸通過時間検査

## 小腸通過時間検査

　小腸の通過時間を調べる検査であり、呼気中水素濃度測定法とRI法がある。呼気中水素濃度測定法はラクツロースを経口摂取して一定時間ごとに呼気中の水素濃度を測定する。ラクツロースが盲腸に達すると大腸内の細菌叢によって分解されるため、呼気中の水素濃度が上昇するまでの時間を測定することで、口から盲腸までの通過時間がわかる。RI法は放射性同位元素を混入した食物を摂取し経時的にシンチグラムを撮影する。コントロール困難な慢性便秘の患者に対して結腸全摘術の適応を考慮する際に、慢性偽性腸閉塞症のような小腸の機能的異常を除外できる意義があるが、日本では臨床的な検査としては普及していない。

引用文献
1. Timmcke AE. Methodology and application of water perfusion anal manometry.In Practical Guide to Anorectal Testing, 2nd Ed. (Edited by Smith LE) Igaku-shoin, New york, 1995 : 27-36.
2. Law PJ, Kamm MA, Bartram CI. Anal endo-sonography in the investigation of faecal incontinence. Br J Surg 1991 ; 78(4) : 448-450.
3. 山名哲郎, 岩垂純一：直腸肛門疾患における各種画像診断. 外科治療 2000 ; 83(2) : 146-152.
4. Komatsu J, Oya M, Ishikawa H. Quantitattive assessment of anal canal sensation in patients undergoing low anterior resection for rectal cancer. Surg Today 1995 ; 25(10) : 867-873.
5. 中島久幸, 小杉光世, 坂下泰雄：筋電図検査. 臨牀看護 1999 ; 25 : 2191-2194.
6. Kiff ES, Swash M. Slowed conduction in the pudendal nerves in idiopathic (neurogenic) faecal incontinence. Br J Surg 1984 ; 71 : 614-616.
7. Mahieu P, Pringot J, Bodart P. Defecography : II.Contribution to the diagnosis of defecation disorders. Gastrointest Radiol 1984 ; 9(3) : 253-261.
8. 東光邦, 隅越幸男, 岩垂純一, 他：Defecographyによる排便障害の診断. 日本大腸肛門病会誌 1989 ; 42(6) : 1025-1030.
9. 大矢正俊, 石川宏, 河野信博, 他. 慢性機能性便秘症例における3種類のX線不透過マーカーを用いた大腸通過時間の検討. 日本大腸肛門病会誌 1994 ; 47(5) : 393-400.

[ 治療・ケア ]

排便コントロール

# 下痢のコントロール

津畑亜紀子

## 下痢とは

下痢とは、便中の水分量が増加し、粥状や水様の便がくり返し排泄される状態をいう。下痢の原因にはさまざまなものがあり、何らかの原因によって大腸の通過時間の短縮、腸管内や便中の水分量が増加して生じる。

## 下痢の分類

持続期間による分類や感染の有無、病態生理による分類などがある。

### 1．持続期間による分類

- 急性下痢：2週間程度でおさまるもの。
- 慢性下痢：3～4週間継続するもの。

### 2．感染の有無による分類

- 感染性下痢：細菌やウイルス、原虫などの感染によって生じる下痢。
- 非感染性下痢：感染性下痢ではない下痢。

### 3．病態生理による分類

- 浸透圧性下痢：腸管内の浸透圧が高まることで水分が引き込まれて生じる下痢。
- 分泌性下痢：腸管壁からの分泌が亢進して生じる下痢。
- 粘膜障害性下痢：腸粘膜からの吸収能が低下して生じる下痢。
- 運動亢進性下痢：蠕動運動が亢進し排泄物の通過時間が短いために生じる下痢。

## 下痢のアセスメント

下痢のアセスメントのポイントを以下に示す。
- 腹痛や嘔吐、下血などの他の消化器症状を認めるか。
- 発熱、全身倦怠感などの全身症状を認めるか。
- 脱水の症状があるか。
- 体重減少を認めるか。
- 海外渡航歴。

下痢は一過性で自然軽快することも多く、その場合には問題とならないことが多い。下痢が問題となるのは、症状が続く場合やくり返す場合、周囲に有症状者が拡大する場合である。一部の感染性下痢は毒素や脱水によって重症となり、命にかかわることもある。また、慢性的な下痢は炎症性腸疾患である可能性もある。いずれにしても、症状の程度や持続期間、随伴する症状を確認し、すみやかに医学的診断を受けられるようにしていくことが必要となる。

# 下痢のケア

　発症の契機や感染の有無など原因によって治療が異なる。ケアは脱水の回避、保温、休息への援助、排泄物の管理、食事指導、日常生活指導が中心となる。

　脱水や電解質異常のリスクを判断するために、回数や量だけではなく嘔吐や腹痛を伴うかなどほかの症状も確認する。水分摂取が可能か、どの程度飲食しているかは重要な情報である。

## 1. 浸透圧性下痢のケア

　浸透圧性下痢は、腸管壁の血液浸透圧300mOsm/Lに比較して、腸管内の浸透圧が高くなった場合に生じる。腸管内の浸透圧を低下させるために腸管粘膜は水分吸収能が低下し、腸粘膜からの水分分泌が促進する。その結果、腸管内の水分量が多くなり下痢となる。

　腸管内の浸透圧が高くなる原因は、浸透圧性下剤、経腸栄養剤、乳糖、胆汁、人工甘味料、アルコール、暴飲暴食がある。これらの原因を排除するか、原因物質の摂取量や機会を減らすなどで対応する。

- ●浸透圧性下剤：下剤の減量、または中止を検討する。
- ●経腸栄養剤：投与速度を遅らせる。浸透圧比の低い製剤へ変更する。希釈して使用する。
- ●乳糖：乳製品をとらないようにする。経腸栄養剤に含まれる場合はタンパク質が大豆由来のものに変更する。
- ●胆汁：朝食の摂取時間を調整する（1～2時間後に排便がある）。朝食の量を減らす。止痢薬は無効である。コレスチミドの内服を検討する。

## 2. 感染性下痢のケア

　感染性下痢の多くは、汚染された食品の摂取が原因となる。発症時期と、その時期に摂取した食品、海外渡航歴、ペットの飼育状況を確認する。また、同じ食品を飲食した同居家族や集団の状況を確認しておくとよい。

　感染性下痢の多くは数日で軽快するものが多いが、嘔吐を伴う場合には脱水となる可能性がある。特に、幼児や高齢者など体力や免疫力が十分ではない対象において、毒素を排出する一部の菌に感染した場合、症状の増悪が生じやすい。口渇や粘膜の乾燥など脱水症状の観察と電解質バランスに注意が必要である。可能な限りスポーツドリンクや経口補水液などを常温で摂取するよう促す。径口摂取が困難な場合は輸液を行う。

　感染性下痢の場合、病原体をすみやかに排出させるため止痢薬は使用しない。また、その旨を患者に説明することが重要である。

　下痢や嘔吐は体力の消耗が著しい。症状が改善した後もしっかりと休養し、食事を摂取し、可能な範囲で水溶性食物繊維をとることが重要である。

　患者は可能な限り個室に収容する。吐瀉物や排泄物を処理する際は、グローブ、マスク、エプロンを着用する。処置後は石けんと流水による洗浄を行う。また、患者が使用している便器などは0.1%次亜塩素酸ナトリウムで清拭する。

## 3. 粘膜障害性下痢

　粘膜障害性下痢は、炎症性腸疾患による炎症が腸管からの分泌亢進や吸収機能の障害を引き起こすことで生じる。炎症性腸疾患によって生じている下痢は、原疾患（クローン病・潰瘍性大腸炎）のコントロールによるところが大きい。

　クローン病や潰瘍性大腸炎は、5-アミノサリチル酸製剤、ステロイド、抗TNF-α抗体製剤の投与によって疾病のコントロールが行われる。急性期は絶食となることが多く、症状が改善すれば成分栄養剤が開始される。常食が開始された後も動物性脂肪やリノール酸の摂取を減らし、脂肪はα-リノレン酸やDHAの摂取を促す。脂肪の摂りすぎや食物繊維による刺激を回避し、低脂肪、低残渣の食事を心がけることが排便管理に重要である。また、ストレスや疲労が症状悪化の要因になるため、生活指導や支援が必要である。

表1　主な止痢薬・整腸薬

| 分類 | 薬剤 |
|---|---|
| 腸管運動抑制薬 | アヘンアルカロイド<br>アヘンチンキ<br>コデインリン酸<br>ロペラミド塩酸塩（ロペミン®）<br>トリメブチンマイレン酸塩（セレキノン®）<br>ブチルスコポラミン臭化物（ブスコパン®）<br>メペンゾラート臭化物（トランコロン®） |
| 収れん薬 | タンニン酸アルブミン（タンナルビン）<br>ビスマス製剤（次硝酸ビスマス、次炭酸ビスマス） |
| 吸着薬 | 天然ケイ酸アルミニウム（アドソルビン®）<br>ポリカルボフィルカルシウム（ポリフル®、コロネル®） |
| 殺菌薬 | ベルベリン塩化物水和物（フェロベリン®） |
| 生菌製剤 | ラクトミン（ビオフェルミン®）<br>ビフィズス菌（ラックビー®）<br>酪酸菌（ミヤBM®、ビオスリー®）<br>耐性乳酸菌（ビオフェルミンR®、エンテロノン®-R、ラックビー®R、レベニン®） |
| 乳糖分解酵素薬 | β-ガラクトシダーゼ（アスペルギルス）（ガランターゼ®）<br>β-ガラクトシダーゼ（ペニシリウム）（ミルラクト®） |
| 選択的セロトニンレセプター拮抗薬 | ラモセトロン塩酸塩（イリボー®） |

## 4．運動亢進性下痢

　消化管の運動が亢進することによって、大腸における便の輸送時間が短縮されるために生じる下痢である。消化管の運動亢進は過敏性腸症候群で生じるが、便秘が主体の症状となる場合もある。ストレスや不規則な生活が増悪因子となるため、生活習慣の改善を試みる。また、食事は高繊維食とし、消化管運動機能を調整する薬剤の投与が行われる。

## 5．止痢薬・整腸薬

　止痢薬・整腸薬は、消化管運動の抑制や収れん作用、吸着作用を利用して腹痛などの苦痛の緩和、脱水の回避を行う薬剤である。しかし、下痢にはさまざまな原因があり、原因に応じた適切な使用が必要である。表1に主な止痢薬・整腸薬をまとめた。

[ 治療・ケア ]

排便コントロール

# 便秘のコントロール

津畑亜紀子

## 便秘とは

排便の回数や量は食事内容で異なり、同一人物であっても日によって変化することはよくある。したがって、排便の回数や量だけでは一概に便秘とはいえない場合もある。

便秘の定義は諸説あるが、①排便回数の減少、②便重量の減少、③便中の水分量の減少、④排便の困難感、で表現されることが多い。しかし、ダイエット中などで食事量が少ないと、つくられる便量の減少につながる。あるいは、大食をした際にはその逆となり便量が多く、ときには回数も多くなるが正常な反応といえる。いずれも大腸の通過時間や糞便中の水分量が適正であれば便秘とする必要はない。**排便回数や量、糞便中の水分量の減少、排便困難や苦痛がある場合、便が排出されないことによる二次的な問題が発生している場合は便秘と判断する。**

## 便秘のアセスメント

便秘のアセスメントは、便秘の背景や原因を探ることと、便秘になりやすい状況を改善するためのケア方法を検討するために行われる。アセスメントすべき内容を項目として以下に示すが、それぞれは密接にかかわっており、多面的にとらえていく必要がある。

### 1．主訴は何か

便秘は、便の出にくさ、便の出る頻度、便の硬さなどのさまざまな状況において「便秘」として表現されている場合がある。そこで、本人が苦痛と感じている状況や、いつもと違うと感じている状況を確認しておく必要がある。

### 2．排便状況

便の硬さや量、排便の頻度などの便性状と、排便姿勢や便意の有無、排便に要する時間などの排便習慣を確認する。便の性状は、大腸の通過状態、食事や水分の摂取量をアセスメントするうえで重要な情報となる。また、排便習慣は慢性的な便秘を生じる原因をアセスメントし、ケア方法を検討するうえで必要な情報となる。

### 3．既往歴・服薬歴

高齢者では、加齢による食習慣の変化や咀嚼不良、筋力低下のほか、既往症や併存疾患、服薬などの影響を受けていることが少なくない。疾病や服薬の状況をふまえてアセスメントしていく必要がある。

### 4．生活状況

生活習慣やライフイベントに関する情報を得る。特に、便秘となる前後で何か変化があったか

を確認する。トイレの環境や調理する人の変化、転職や結婚などのライフイベントが生活習慣や食習慣の変化、心理的な影響となって便秘の原因となる場合もある。

# 便秘のケア

便秘のケアは排便習慣の改善、食習慣の見直し、規則正しい生活習慣を心がけるなど、**薬剤以外の方法を優先的に試みる**。これらの習慣を改善しても便秘が改善しない場合には、薬剤の使用を検討する。**薬剤は、膨張性下剤、浸透圧性下剤、クロライドチャネルなどの順に非刺激性下剤から開始する**。それでも適切な排便が得られなければ、刺激性下剤の使用を検討するなど段階的なアプローチをしていく。便秘時の排便管理の目標は排便に伴う不快感と苦痛の緩和であり、目標を達成するために**ブリストル便性状スケール**（p.229参照）を確認し、便性状の正常化をめざす。

## 1. 排便習慣

起床後、排便に至るプロセスには反射が関与している。起床後は、臥位から立位へと体位が変化することによって起立反射が起こり、大腸の蠕動運動が活発になる。また、空腹時に食物が胃内に入ると胃・結腸反射が生じる。そのため、朝はこの両方の反射が起きやすく、1日のうち最も排便に適した時間である。しっかり睡眠をとった後、ボリュームのある朝食をしっかりとって反射が起きるのを待ち、便意が生じてからトイレに移動し、自然排便で便が排泄される習慣を獲得することが理想である。**便意がないままトイレで排便姿勢をとり続けることは痔の原因になるため習慣化しないようにする**。

**排便は、前かがみの座位姿勢が直腸肛門角を鈍角にするため排便しやすい**（図1）。前かがみの姿勢が安定するよう足裏が床につく便座の高さがよい。小柄な体型の人は足裏が床に接地しない場合もあるので、台座を置くなどの工夫をすると排便姿勢が安定する。

## 2. 食事と水分

### 1) 食物繊維

食物繊維の定義は文献により異なるが、ヒトの消化酵素で消化されない難消化成分とされ、不溶性食物繊維と水溶性食物繊維に分けられる（表1）。これにオリゴ糖などの少糖類を含める場合もある。不溶性食物繊維はセルロースや不溶性ペクチン、リグニンなどがあり、水分を吸収することで便量が増し、大腸が刺激され蠕動運動を活発にする。一方、グアーガムや難消化性デキストリ

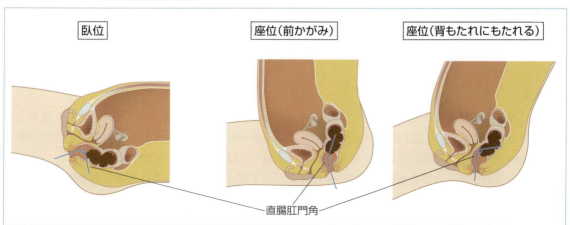

図1　姿勢による直腸肛門角の違い

臥位　　　座位（前かがみ）　　　座位（背もたれにもたれる）

直腸肛門角

表1　食物繊維の種類

| 分類 | 効果 | 主な種類 | 含まれる食品 |
|---|---|---|---|
| 不溶性食物繊維 | 水分を吸収して膨張することで便量を増して大腸が刺激され蠕動運動を活発にする | セルロース<br>ヘミセルロース | 野菜、豆類、小麦<br>海藻類 |
| | | リグニン | 野菜、豆類、ココア |
| | | 不溶性ペクチン | 未熟果実、野菜 |
| | | キチン | エビ、カニの殻 |
| | | キトサン | きのこ |
| 水溶性食物繊維 | 腸内細菌によって発酵することで腸上皮細胞のエネルギー源となる<br>生活習慣病の原因となる物質を吸着し、排出する | グアーガム | グアー豆の胚乳 |
| | | 難消化性デキストリン | ジャガイモ、トウモロコシなどから精製された澱粉 |
| | | ペクチン | 熟した果実 |
| | | 海藻多糖類 | ひじき、わかめ、昆布など |
| | | グルコマンナン | こんにゃく |
| | | イヌリン | ごぼう、菊芋 |

ンなどの水溶性食物繊維は、腸内細菌によって発酵することで短鎖脂肪酸を産生し、大腸から吸収される。そして、腸管粘膜の増殖ホルモンが分泌され上皮細胞のエネルギー源となる[1]とされている。良好な腸粘膜の維持は腸内細菌叢の改善につながるため、排便管理を行ううえでも重要と考えられる。

日本人の食事摂取基準（2020年版）における食物繊維の摂取基準は、成人男性で21g/日以上、成人女性で18g/日以上が目標とされている[2]。食物繊維を摂取することで便の重量が増加するという報告[3]がある一方で、便量の増加が認められても便秘が改善するとはいえないとした報告[4]もあり、十分に効果が検証されているとはいえない。

### 2）水分

通常、小腸で栄養吸収がされ、大腸で水分が吸収され便が固形化する。大腸内の通過に時間がかかると便の水分が過剰に吸収され硬くなる。あるいは、水分摂取が不十分であると大腸での水分の吸収が進み、同様に便が硬くなると考えられる。

一般的に、便秘の予防や改善には水分摂取量を増加すると考えられているが、水分摂取量を増加させても、尿量の増加が認められるだけで排便回数に変化はない[5]。食事内容や発汗量などを検討し、脱水を予防する程度の水分摂取が必要である。

## 3．運動と休息

便秘は、座りがちな生活の被験者でより頻繁であるとの報告[6]があり、身体活動の低下が結腸通過時間を延長させる[7]と考えられる。便秘の改善に必要な運動の量や強度については明らかではないが、適度な運動と良質な睡眠が活動と休息のバランスを改善することにつながり、排便をコントロールする自律神経を整えることになると推測される。

## 4．下剤

排便習慣、食習慣、生活習慣の改善を試みても効果がない場合や、これらの習慣の改善が困難な場合には下剤の投与を検討する。

下剤は主に、非刺激性下剤と刺激性下剤に大別される（表2）。非刺激性下剤とは、大腸を直接的に刺激せずに便の状態を改善することによっ

表2 主な下剤の種類

| | | | |
|---|---|---|---|
| 非刺激性下剤 | 膨張性下剤 | サイリウム（イサゴール®）<br>カルメロース（バルコーゼ®）<br>ポリカルボフィルカルシウム（ポリフル®、コロネル®） | 不溶性食物繊維など吸水してゲル化する成分の性質を利用し糞便量を増やし、排便を容易にする |
| | 浸透圧性下剤 | 酸化マグネシウム<br>クエン酸マグネシウム<br>ラクツロース<br>ソルビトール | 浸透圧比を利用して大腸内に水分を引き込み、便を軟化させ排便を促進する |
| | クロライドチャネル | ルビプロストン（アミティーザ®） | 腸管内の腸液の分泌を上げることで便を軟化させる |
| 刺激性下剤 | 大腸刺激性下剤 | センノシド（プルゼニド®）<br>センナ（アローゼン®） | 大腸内の細菌で活性化され蠕動運動を亢進する |
| | | ピコスルファートナトリウム水和物（ラキソベロン®） | 大腸内で加水分解され蠕動運動を亢進する |
| | 坐薬 | ビサコジル（テレミンソフト®） | 結腸・直腸の粘膜に選択的に作用し蠕動運動を促進する |
| | | 炭酸水素ナトリウム・無水リン酸二水素ナトリウム（レシカルボン®） | 発生する炭酸ガスによって腸蠕動が亢進される |

て、排便を容易にするためのものである。膨張性下剤は、不溶性食物繊維など吸水してゲル化する成分の性質を利用して糞便量を増やし排便を容易にするものである。浸透圧性下剤には、塩類下剤と糖類下剤がある。浸透圧比を利用して大腸内に水分を引き込み、便を軟化させ排便を促進するものである。クロライドチャネルは小腸のクロライドチャネルを活性化し、腸管内の腸液の分泌を上げることで便を軟化させる。いずれも便を軟化させ、増量させることで排便を促進する方法である。

刺激性下剤は、大腸を刺激することで蠕動運動を促進し排便を促す方法である。確実に効果が期待できる反面、下痢や腹痛などの症状を呈することがある。

引用文献
1. 木戸康博, 志塚ふじ子, 中坊幸弘：経腸栄養剤への食物繊維とオリゴ糖添加の有用性. 日本臨牀 2001；59（5）：297-300.
2. 厚生労働省：1-4 炭水化物.「日本人の食事摂取基準（2020年版）」策定検討会報告書. 2019：165.
3. Saito T, Hayakawa T, Nakamura K, et al. Fecal output, gastrointestinal transit time, frequency of evacuation and apparent excretion rate of dietary fiber in young men given diets containing different levels of dietary fiber. J Nutr Sci Vitaminol 1991；37（5）：493-508.
4. Yang J, Wang HP, Zhou L, et al. Effect of dietary fiber on constipation：a meta analysis. World J Gastroenterol 2012；18（48）：7378-7383.
5. Chung BD, Parekh U, Sellin JH. Effect of increased fluid intake on stool output in normal healthy volunteers. J Clin Gastroenterol 1999；28（1）：29-32.
6. Whitehead WE, Drinkwater D, Cheskin LJ, et al. Constipation in the elderly living at home. Definition, prevalence, and relationship to lifestyle and health status. J Am Geriatr Soc 1989；37（5）：423-429.
7. Rao SS, Beaty J, Chamberlain M, et al. Effects of acute graded exercise on human colonic motility. Am J Physiol 1999;276（5 Pt 1）：G1221-G1226.

[ 治療・ケア ]

排便コントロール

# 高齢者（臥床状態）における コントロール

津畑亜紀子

## 高齢者の排泄の特徴

　排便管理は、食習慣、運動習慣、排泄習慣の見直しが基本である。しかしながら、高齢者は加齢による口腔内の状況の変化による食習慣の変化がみられることが多い。また、筋力の低下や疾病による活動性の低下、薬剤の服用が必要な病態など、排便に影響をあたえる多くの要因を有している場合がある。それらの状態は患者個々によって大きく異なるため、個別の事情を勘案しながらケアを行う必要がある。

### 1．消化機能の変化

　胃や小腸の機能は加齢による影響を受けにくいとされている。しかし、高齢者は持病や併存疾患のために服用している薬、食習慣の変化の影響を受けており、栄養障害となっている場合も多い。歯牙の欠損は咀嚼不良を招き、唾液の分泌が減少する。また、ヘリコバクター・ピロリ菌の感染や萎縮性胃炎の罹患率は年齢とともに高くなると報告されており[1]、胃炎による胃酸分泌の低下は腸内細菌叢に影響を及ぼす。大腸は、蠕動運動が低下し、便の排出速度が遅くなる[2]。

### 2．食事内容の変化

　高齢者は味覚や嗅覚の感覚鈍麻のため味つけの濃いものを好むようになり、食欲の低下をまねく。嗅覚の鈍麻は腐敗した食品の識別を困難にし、細菌性腸炎を起こすことがある。歯周病や歯牙の欠損による食事摂取量の減少、食事内容の変化は排便量の減少や便秘の原因となる。

### 3．運動量の変化

　高齢者は生活の自立度によって運動量が変化する。運動量の減少は大腸の蠕動運動の低下につながり、大腸通過遅延型便秘の原因となる。そして、寝たきりの場合には、排泄時の姿勢がとれないため、効果的に腹圧をかけて排便することができなくなる。寝たきりの原因疾患の1つである脳卒中は、運動機能の障害だけでなく認知機能の障害を伴うことがあり、便意を伝達することが困難になる。

### 4．薬剤の影響

　高齢者は、下剤を習慣的に使用している場合や持病のために利尿薬や抗コリン薬、向精神薬、鎮痛薬、抗菌薬など排便に影響を及ぼす薬を内服している場合がある（表1）。

　便意や尿意を訴えない高齢者のなかには、排便が3日なかったら下剤投与など慣習的な投薬を受けている場合もある。その場合、下剤によって必要以上に大腸の通過時間が短縮され水様の排便をくり返すことがある。正常な排便間隔を定義することは難しく、食事の内容や量によって排便の頻度や量は変化する個別的なものである。ブリスト

表1　高齢者で多く服用される便秘の原因となる薬剤

| 利尿薬 | ループ利尿薬、カリウム保持性利尿薬 |
|---|---|
| 抗コリン薬 | ブチルスコポラミン臭化物、チキジウム臭化物 |
| 麻薬・鎮痛薬 | オピオイド |
| 向精神薬・抗うつ薬 | アミトリプチリン塩酸塩、イミプラミン塩酸塩 |
| 筋弛緩薬 | チザニジン塩酸塩、アフロクアロン |
| 抗菌薬 | βラクタム系抗菌薬、マクロライド系抗菌薬 |
| パーキンソン病治療薬 | レボドパ単味剤 |
| 降圧薬 | カルシウム拮抗薬 |
| 抗腫瘍薬 | イリノテカン、エトポシド、フルオロウラシル、メトトレキサート |

ル便性状スケールなどを確認しながら、必要に応じて適正に使用すべきである。

## 5．在宅での問題

在宅において排泄に何らかの介護を必要とする高齢者の場合、排便コントロールの状態は本人・家族のQOLを左右する。高齢者はさまざまな要因により便秘となりやすい。しかし、排便を促すために下剤を使用すると下痢となり、介護負担が大きくなったり、皮膚炎を発生させるなどのトラブルにつながる。規則的で良好な排便へとコントロールすることの困難さ、必要な介護体制を整えることの困難さがある。また、広く普及している紙おむつも、便と尿の両方に対応できる製品は少ないという現状がある。

# 高齢者の便秘

## 1．大腸通過遅延型便秘

大腸通過遅延型便秘は腸の蠕動運動が低下し、糞便を送り出すことができずに糞便の停滞が生じて起こる（図1）。糞便の大腸での停滞時間が長いと糞便中の水分が吸収されるため、便は硬くなる。運動不足や食物繊維の不足、食事量の減少によって生じるため、高齢者で多くみられる便秘である。また、糞便の停滞は腸内のアルカリ化と腸

図1　大腸通過遅延型便秘による糞便の停滞

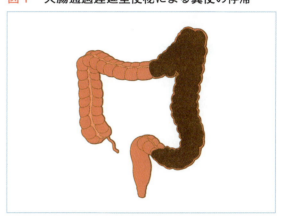

内細菌叢の変化をきたすことにつながる。

大腸通過遅延型便秘の改善には、原因となっている運動不足の解消と食物繊維の摂取や食事量の確保が重要である。寝たきりの高齢者の場合、運動不足を解消することはきわめて困難である。食物繊維の摂取では、献立の作成や調理は家族が行っている場合も多いため、食事内容の確認と指導が必要である。

咀嚼や嚥下に問題があり、十分な食事や食物繊維の量が確保できない場合にはサプリメントを使用してもよい。食物繊維のサプリメントは多様なものが市販されており、便秘に限らず下痢に対しても有効である。粉末や液体、ゼリー状など、形態や味も選択できるため、嚥下の状態や嗜好に合わせた選択が可能である。

### 図2　直腸糞便塞栓の状態

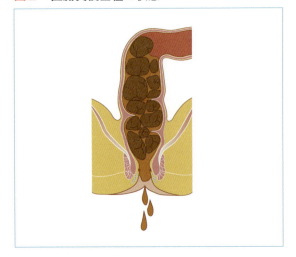

### 2．直腸糞便塞栓

　直腸糞便塞栓は便意の訴えが十分にできない寝たきりの高齢者に多くみられる。大腸通過遅延型便秘を合併していることも多い。大腸通過遅延型便秘によって大腸の通過時間が長くなり、硬くなった糞便が直腸内に蓄積しているものの排便できない状態となる（図2）。

　排便できない理由は、①便意があいまい、ないしは訴えられないため排便の介助を得られない、②慢性的に直腸内に糞便があることによって、直腸性の便秘となり便意を感じにくくなっていることが考えられる。この状態が慢性的に継続することによって、直腸内に便塊が貯留し直腸糞便塞栓の状態となる。この状態になると、排便はまったくないか、便塊の間隙をつたって水様性の便が排泄されることになる。これを宿便性下痢という。また、糞便によって腸炎を起こすことがあり、見かけ上、水様性の便が少量ずつ排泄され下痢であると誤認されることがある。

　患者は、ときに間欠的かつ急速に自覚される腹痛によって大声を上げることがあり、せん妄と判断されてしまうことがある。

　外的刺激などのきっかけもなく声を上げたり、水様の便が少量ずつ頻回に排泄されたりする場合には、肛門より指を挿入して指診すべきである。**直腸糞便塞栓は、肛門内の指診で容易に確認できる。便塊を確認できれば用指的に摘便を行い、直腸内を空虚にする。直腸糞便塞栓は再発しやすいため、定期的な観察が必要である。**

## 高齢者の下痢

### 1．感染性腸炎

　寝たきりの高齢者は、腸内細菌叢の変化や腸粘膜の萎縮をきたしている場合がある。また、免疫力の低下などから細菌性腸炎やウイルス性腸炎などの感染性腸炎に罹患しやすい。感染性腸炎に罹患した場合、嘔吐や下痢のため脱水をきたしやすく、生命にかかわることもある。

　主たる感染経路は接触感染経路で、患者との直接接触やトイレを介した間接接触が多い。また、吐瀉物によって空気中に飛散したウイルスを吸引し感染する場合がある。高齢者が多く入所する施設や病院などでは水平伝播に注意が必要となる。

　感染性腸炎に罹患した患者は可能な限り個室に収容する。吐瀉物や排泄物の処理の際は、グローブ、マスク、エプロンを着用する。擦式消毒薬では効果がない場合も多いため、処置後は石けんと流水による洗浄を行う。また、患者が使用している便器などは、0.1％次亜塩素酸ナトリウムで清拭する。

引用文献
1. Pilotto A, Salles N. *Helicobacter pylori* infection in geriatrics. Helicobacter 2002；7 (Suppl 1)：56-62.
2. Madsen JL, Graff J. Effects of aging on gastrointestinal motor function. Age Aging 2004；33(2)：154-159.

[ 治療・ケア ]

排便コントロール

# 経腸栄養患者におけるコントロール

津畑亜紀子

経腸栄養における下痢や便秘は、消化器に関連した合併症であり、2〜26％にみられる頻度の高い合併症である[1]。原因として、不適切な投与方法や栄養剤の成分の特徴、衛生管理における問題が挙げられる。また、欠食期間や栄養状態など対象者の消化吸収機能上の問題や、現疾患の状態による全身状態の影響、付随する治療内容が原因となる。原因の多くは適切な管理を行うことで回避できるため、排便をコントロールすることが可能である。

## 経腸栄養における下痢や便秘の原因

経腸栄養における下痢や便秘の原因には、以下のものが挙げられる。
①**投与方法**：速度、温度
②**栄養剤**：浸透圧、食物繊維
③**管理方法**：衛生状態
④**身体状況**：吸収機能（乳糖不耐症、脂肪吸収障害）、代謝機能（胆汁酸分泌機能）
各項について、下記に詳述する。

## 1．投与方法

### 1）投与速度

投与速度の上限は、おおむね200〜300mL/時程度とされている。1mL/kcalの栄養剤を1,200mL/1,200kcal投与した場合、1日3回、1回400mLの栄養剤を1〜2時間かけて投与することが標準となる。

しかし、適切な投与速度は注入する部位や腸管の機能によって異なる。通常、胃に注入する場合は、貯留機能があるため一度に注入することが可能である。一方、空腸に注入する場合は、長時間投与によって緩徐に投与する必要があり、急速に注入することでダンピング症状を引き起こすことがある。

栄養不良の状態が長期間あった患者の場合、腸管粘膜の萎縮や腸内フローラの乱れから機能そのものが低下している場合がある。この場合、消化吸収の障害による下痢や偽膜性腸炎による下痢を生じる場合がある。また、栄養不良状態の患者が栄養療法を開始すると、電解質異常や代謝障害を生じるリフィーディング・シンドロームを起こす可能性があるため、少量、長時間投与から開始し、順次投与量や速度を増していくことが推奨される。自然滴下による管理では調節が難しい場合、ポンプ（図1）を使用して投与速度を調節する。

### 2）投与温度

通常は、冷たいものを摂取しても口腔内や胃内で加温され少量ずつ腸内へ流入するが、冷却されていた栄養剤を直接消化管に投与することで栄養剤が寒冷刺激となり腸蠕動が亢進し下痢をきたす場合があるため、栄養剤は常温にして使用する。加温を行っても投与中に室温にもどってしまい効

### 図1　輸液ポンプの例

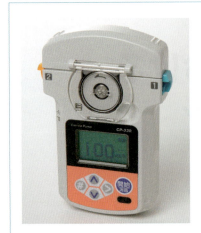
ニプロキャリカ®ポンプ CP-330
（ニプロ）

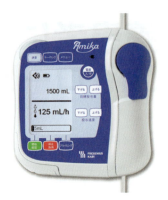
経腸栄養ポンプ Amika®
（ジェイ・エム・エス）

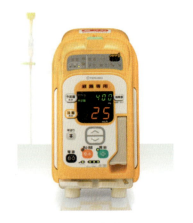
テルフィード®FE-201
（テルモ）

果がないうえに、細菌繁殖をまねく可能性があるため行わない。

## 2．栄養剤

### 1）浸透圧

経腸栄養剤の浸透圧は300〜760mOsm/Lであり、血液浸透圧の300mOsm/Lに比較して高い。高浸透圧の経腸栄養剤は腸管内の毛細血管に対して高張であるため、腸内の浸透圧を低下させ等張にしようと腸管粘膜からの水分吸収が低下し、腸粘膜から水分の分泌が促進する。結果、腸管内の水分量が多くなり下痢となる。投与速度を遅らせ、流入する高張液を少なくすることで腸管からの水分分泌と水分吸収のバランスが整うよう調節することが必要である。また、500mOsm/L以上の高浸透圧の栄養剤を投与する場合には、希釈して使用することを検討する。ただし、希釈のために加水する操作は、栄養剤の汚染をもたらすリスクや投与水分量が多くなる問題があるため注意が必要である。

### 2）食物繊維

食物繊維には、水溶性食物繊維と不溶性食物繊維がある。水溶性食物繊維は、グアーガム、ペクチン、難消化性デキストリンなどがあり、腸内細菌によって発酵し短鎖脂肪酸を放出する。短鎖脂肪酸は腸上皮細胞のエネルギー源となり、消化管機能の維持や改善に効果がある。

不溶性食物繊維はセルロース、リグニン、キチンなどがある。腸粘膜を物理的に刺激し粘膜の増殖を促進する。水分を吸収、保持することで便を軟化、増量させる。また、腸管に吸着することで糖やコレステロールの吸収を抑制する効果がある。

主な経腸栄養剤の食物繊維量・種類を表1にまとめる。

## 3．管理方法

### 1）衛生状態

経腸栄養実施中の下痢の原因の1つに、栄養剤の汚染によって生じる細菌性腸炎がある。経腸栄養剤の投与にあたって、溶解、希釈する製剤を用いる場合には8時間以内に使用することが強く推奨されている[2]。溶解、希釈を行った製剤を25℃に放置した場合、細菌数は8時間目までの増加は少ないが、12時間以上になると1,000倍に達する[3]といわれており、長時間、少量ずつ投与する場合でも残液は破棄し、つぎ足しは行わない。また、栄養ラインや容器は使用ごとに洗浄を行う必要がある[2]。

**汚染を回避する**ためにはディスポーザブルタイ

表1 主な経腸栄養剤の食物繊維

| 製品名 | 食物繊維量（g/100mL） | 食物繊維の種類 | 販売 |
|---|---|---|---|
| MAラクフィア | 0.4 | セルロース<br>難消化性デキストリン<br>グァーガム分解物 | クリニコ |
| CZ-Hi | 1.8<br>0.2 | 難消化性デキストリン<br>セルロース | |
| PRONA | 1.4<br>0.1 | 難消化性デキストリン<br>セルロース | |
| E-7Ⅱ | 1.0 | 難消化性デキストリン | |
| 明治メイバランスRHP | 1.2 | 難消化性デキストリン | 明治 |
| 明治インスロー | 1.5 | 難消化性デキストリン | |
| 明治メイン | 1.8 | 難治性デキストリン<br>ペクチン<br>大豆多糖類 | |
| 明治YH | 1.8 | 難消化性デキストリン<br>ペクチン<br>大豆多糖類 | |
| カームソリッド400 | 1.2 | グアーガム分解物 | ニュートリー |
| アイソカルサポート | 1.5 | グアーガム分解物 | ネスレ日本 |
| アイソカルBag 2K | 1.0 | 難消化性デキストリン | |
| PGソフトEJ | 0.4 | グアーガム分解物 | テルモ |
| F2アルファ | 2.0 | グァーガム分解物<br>セルロース | |
| テルミールミニα | 1.2 | セルロース | |

プの栄養剤（RTH製剤）を用いる。RTH製剤は、栄養剤が投与バッグ内にすでに入っており、ラインも接続された、いわゆるクローズシステムであるため、調剤やライン接続に伴う栄養剤の汚染を回避することが可能である。RTH製剤を用いた場合は24時間を経過しても微生物の増殖がみられない[4]ため、8時間を超えての使用が可能である。

## 4．身体状況

### 1）偽膜性腸炎

偽膜性腸炎とは、抗菌薬の使用を契機に腸内細菌叢の変化が起こりClostridium difficileなどの細菌が異常増殖して生じる感染性腸炎である。主な症状は、下痢、腹部膨満、嘔気などの消化器症状で院内感染症のなかでも頻度が高い。経腸栄養中の患者は、栄養状態が不良で、腸粘膜の萎縮や腸内細菌叢が乱れている場合も多くリスクが高い。栄養療法施行中に下痢・便秘が生じた場合、便の性状、排便回数をモニタリングすると同時に、便中のClostridium difficileをチェックすることが強く勧められる[5]。

### 2）乳糖不耐症

牛乳などに含まれる乳糖は、小腸液中のラクタ

ーゼによって加水分解され栄養として吸収される。乳糖不耐症では、このラクターゼの分泌が悪いために乳糖が分解されないまま大腸に到達することで大腸内の浸透圧が高まり下痢となるため、タンパク源を乳製品ではなく大豆などから精製した製品を選択するようにする。

### 3）脂肪吸収障害

脂肪の分解のためには膵酵素、胆汁酸が必要となる。また、腸内細菌の異常増殖がある場合、胆汁酸の機能が抑制されることがある。その結果、脂肪が分解・吸収されずに大腸へ到達し、糞便中の脂肪量が増加するために下痢となる。脂肪吸収障害が疑われる場合、既往歴などから膵疾患の有無や腸管の機能を確認し、便中脂肪量を測定する。脂肪の消化吸収障害がある場合は、脂肪含有量の少ない栄養剤や中鎖脂肪酸の含有率が高い製剤へ変更する。

### 4）薬剤

経腸栄養中の下痢の原因の1つに、薬剤によるものがある。抗菌薬をはじめ、マグネシウム製剤、ソルビトールなどの消化管運動を促進する薬剤が挙げられる。薬剤の種類、量の変更や中止が可能か検討する。

引用文献
1. Bliss Z, Guenter PA, Settle RG. Defining and reporting diarrhea in tube-fed patients-what amess! Am J Clin Nutr 1992; 55 (3): 753-759.
2. 日本経脈経腸栄養学会編：静脈経腸栄養ガイドライン 第3版. 照林社, 東京, 2013：118.
3. 大熊利忠：経腸栄養法の器材とその取扱い, 管理, 合併症と対策. 日本経脈経腸栄養学会編, コメディカルのための静脈・経腸栄養ガイドライン. 南江堂, 東京, 2000：27-34.
4. Vaughan LA, Manore M, Winston DH. Bacterial safety of a closed-admiistration system for enteral nutrition solutions. J Am Diet Assoc 1988；88 (1)：35-37.
5. 日本経脈経腸栄養学会編：静脈経腸栄養ガイドライン 第3版. 照林社, 東京, 2013：166.

[ 治療・ケア ]

行動療法

# 骨盤底筋訓練・バイオフィードバック

積美保子

## 骨盤底筋訓練

　骨盤底筋訓練とは、米国の産婦人科医であったKegelが1948年に提唱した腹圧性尿失禁や切迫性尿失禁の保存的療法として代表的な行動療法である。この骨盤底筋群の訓練法は、pelvic floor muscle exercise（PFME）、pelvic floor muscle training（PFMT）、pelvic muscle exerciseとも呼ばれている。Kegelは、perineometerという腟内圧測定器を用いたバイオフィードバック療法による骨盤底筋訓練が、女性の腹圧性尿失禁に有効であることも報告している[1]。

　現在、これらは日本でも広く用いられ、多くの方法が行われている。外尿道括約筋を含む恥骨尾骨筋を鍛える方法で、正確に訓練が実行されていれば腹圧性尿失禁に大変有効とされている[2-4]。便失禁患者においては、適切な指導を受けた場合の便失禁に対する骨盤底筋訓練の有効率は、41〜66％との報告がある[5,6]。

　骨盤底筋訓練を強化するために、バイオフィードバック訓練を用いた方法がある。これは、生体の反応を光や音などの形式に変換し、その情報を視覚や聴覚によってフィードバックすることで効果的に訓練を強化する方法である。普段、意識しなくても体が自動的に調整している生理機能も、バイオフィードバック法を使用することにより随意的に自己コントロールすることができる[7]。

## 1．骨盤底筋訓練の目的

　便失禁に対する骨盤底筋訓練の目的は、骨盤底筋群の強化により随意筋である外肛門括約筋の収縮を改善させること、直腸の感覚を改善させること、これらの協調機能を改善させることである。

## 2．骨盤底筋訓練の実際

　まず、訓練を開始するにあたり、訓練の説明と患者の理解を得ることが必要である。患者には、なぜ便失禁が起こるのか、患者自身のどの部分に問題が生じているのかを、患者の直腸肛門機能検査の結果を見せながら説明を行う。この際、骨盤底筋群の便禁制における役割と機能、解剖学的位置が理解できるようにする。

　行動療法を継続させるためには、患者自身のモチベーションの維持も重要である。骨盤底筋訓練は、①訓練の効果が現れるには早くとも数か月はかかるため、根気よく継続する必要があること、②患者自身のモチベーションを維持し、訓練を継続しなければならないため努力を要するが、利点としては副作用や合併症の心配がないこと、費用もかからず経済的であること、③骨格筋は正確な運動により年齢に左右されることなく筋力が増強しうる器官であることから、高齢であるからといって初めから無理だとあきらめないことを十分に説明することが重要である。

## 3. 骨盤底筋群の正確な認識と筋力の評価（図1〜2）

**正確な骨盤底筋群の位置を知ることが最も重要**である。正確な訓練が行われなければ、いくら訓練をくり返したとしても、有効な効果が得られないばかりでなく、患者が努力しても無駄だとあきらめてしまうからである。外肛門括約筋の位置が、患者自身の身体のどの部分なのかという認識が必要である。肛門指診により、外肛門括約筋はどの

図1　筋運動獲得のプロセス

図2　骨盤底筋の位置を自覚する

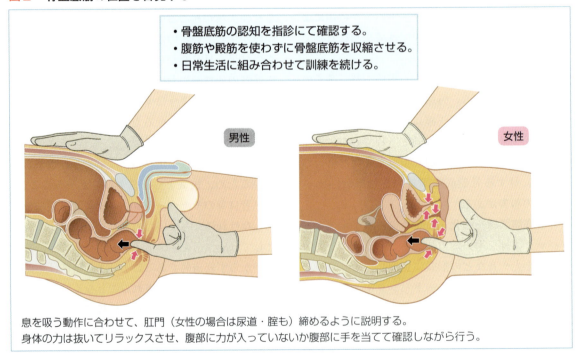

息を吸う動作に合わせて、肛門（女性の場合は尿道・腟も）締めるように説明する。
身体の力は抜いてリラックスさせ、腹部に力が入っていないか腹部に手を当てて確認しながら行う。

積美保子：骨盤底筋体操．山名哲郎編著．読んだら変わる！排便障害患者さんへのアプローチ．便秘・下痢・便失禁のアセスメントとケア．メディカ出版，大坂，2007：110．より引用

部分を運動させるのか正確な位置を指導する（表1）。

正しい収縮の場合と、腹圧や殿筋を使用したときとの違いがわかるように体感することをとおして、自分自身の骨盤底筋の動きや外肛門括約筋の随意収縮の動きを自覚させる。患者が、どの部分を随意収縮させればよいかを体得できるように、随意収縮と弛緩をくり返し練習する。最大収縮力で何秒締められたか、素早い収縮と弛緩で何回反復可能かを評価する。正しい骨盤底筋訓練動作を習得できたら、自宅でトレーニングを毎日継続するように指導する。速筋と遅筋それぞれの運動を組み合わせて行う。最大随意収縮の持続と、短時間の瞬発力の収縮をそれぞれ行う。このように、筋運動獲得のプロセスの段階を経て指導を行う。

### 表1　骨盤底筋訓練の指導方法

| 項目 | 内容 |
|---|---|
| 1．訓練前準備（外来指導時の場合） | ・食事制限はない<br>・直腸に便がないように新レシカルボン®坐剤を1〜2個挿入し、事前に排便を済ませておく |
| 2．ベッド上での体位 | ・左側臥位で、膝を胸のほうに抱え込んだ体位、またはシムス位で行う<br>・下着や洋服は肛門が露出するところまで下ろす。その際に穴あきシーツやバスタオルで覆う |
| 3．視診の後、指診による指導 | ・外陰部、肛門周囲皮膚を観察する<br>・まず、潤滑油ですべりをよくして示指を肛門内に挿入する。この際、肛門括約筋の収縮力の強さを観察する。肛門を締めるように指示し、随意的に収縮できるかどうかを観察する |
| 4．基本の体操を指導 | ・全身の力を抜いてリラックスさせる<br>・骨盤底筋に集中して動かすようにし、呼吸は止めずに肛門を締める。このとき、腹部に手を置いて、腹筋を使わないように意識して締める。そのほか、殿部の筋肉も使わないように指導する<br>・女性の場合は「尿をがまんするときのように」、男性の場合は「ガスをがまんするときのように」と表現するとわかりやすい場合もある<br>・肛門括約筋の収縮時に、指導者の指をどのように感じるかを意識させる。挿入された内診指を、患者が十分知覚できるよう指でどの部分かを刺激したりして合図をするとわかりやすい<br>・締めたまま3〜5秒維持する<br>・ゆるめて元に戻す |
| 5．自宅での訓練プログラム | ・できる限り強く速く締める訓練を10回くり返す<br>・半分くらいの力で締めたまま3〜5秒がまんする訓練を10回くり返し行う<br>・締めたりゆるめたりをくり返す<br>・それぞれ基本の訓練の留意事項を意識して行うが、筋肉が疲れて感覚が薄れ、意識して締められないようであれば休憩する<br>・朝起床後、昼の休憩、夜眠る前など1日3回ぐらいに分けて、日常生活に組み入れながら毎日継続する<br>・はじめは締めやすい体位から行い、徐々にさまざまな体位でできるようにする（図3） |

### 図3　骨盤底筋訓練を行う際の体位

● 仰臥位、座位、立位とさまざまな体位で行い日常生活に結びつけて収縮する訓練を行う。

**①仰向けの姿勢**
仰向けに寝て足を肩幅に開く。膝を少し立て、全身の力を抜いてリラックスする。女性の場合は排尿をがまんするような感じ、男性はガスをがまんするような感じで肛門を締めたら、ゆっくり5つ数え、次に息を吐きながら肛門を緩める。

**②肘と膝をついた姿勢**
床に膝をつき、クッションなどの上に肘を立てて顎を手の上にのせて、①と同様の動作を行う。

**③机に寄りかかった姿勢**
机や台などに手を置き、踵をつけてつま先を外に向けて立つ。腕に体重をかけ、①と同様の動作を行う。

**④座った姿勢**
床につけた足を肩幅に開き、腹部に力が入らないように気をつけながら、①と同様の動作を行う。

## バイオフィードバック

**目に見えない生体の反応を、科学技術を使い、光や音などの形式に変換しその情報を視覚や聴覚によってフィードバックすることで効果的に訓練を強化する方法**である。普段、意識しなくても体が自動的に調整している生理機能も、バイオフィードバック法を使用することにより随意的に自己コントロールすることができる[7]。

### 1．バイオフィードバックの実際

肛門内圧マイクロトランスデューサーなどを用いて、肛門括約筋の実際の動きを患者とともに視覚的に確認しながらトレーニングを行う（図4〜5）。筆者の施設では、肛門内圧マイクロトランスデューサーを使用して皮膚・排泄ケア認定看護師が外来でバイオフィードバック訓練を行っている。指導は予約制で、時間は1回約30分、月に1回のペースで、プライベートが確保された個室を用意している（表2、図6〜7）。

外来でのトレーニングのフォローアップ終了のめやすは、骨盤底筋訓練が理解され自己で継続できること、便失禁症状が軽減することとしている。当施設では切迫性便失禁や括約筋収縮の持続が困難な事例に対して行っている。約80％の患者において、症状の消失、軽減が得られている。このうち約70％の患者では、薬物治療または食物繊維での治療を併用していた。セッションごとに肛門括約筋の収縮力や骨盤底筋訓練法の評価を行い、必要時に訓練方法の修正を行いながら患者のモチベーションを維持できるように働きかけること、便性状のコントロール方法や食事指導をきめ細かくアドバイスすることも重要である。

## 筋電図によるバイオフィードバック

医療用筋電計システムで筋電図のバイオフィードバックトレーニング機器（Myo Trac3）を使用

#### 図4　バイオフィードバック訓練

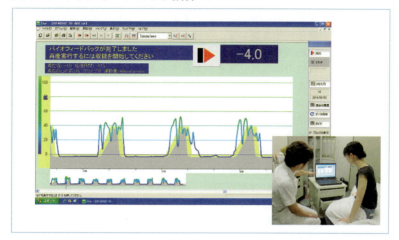

#### 図5　バイオフィードバック機器

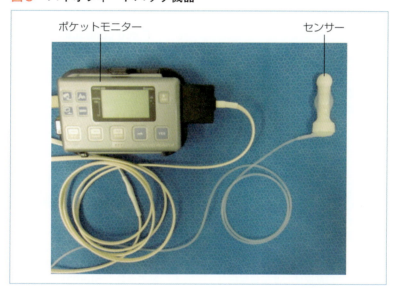

#### 表2　バイオフィードバック訓練による骨盤底筋訓練の指導方法

| 項目 | 内容 |
| --- | --- |
| 1．訓練前準備（外来指導時の場合） | ・食事制限はない<br>・直腸に便がないように、新レシカルボン®坐剤を1〜2個挿入し、事前に排便を済ませる |
| 2．ベッド上での体位 | ・左側臥位で、膝を胸に抱え込んだ体位、またはシムス位で行う<br>・下着や洋服は肛門が露出するところまで下ろす。その際、シーツやバスタオルで覆う |
| 3．視診の後、指診による指導 | ・外陰部、肛門周囲皮膚を観察する<br>・潤滑油ですべりをよくして示指を肛門内に挿入する。この際、肛門括約筋の収縮力の強さを観察する。肛門を締めるように指示し、随意的に収縮できるかどうかを観察する |

（次頁につづく）

| | |
|---|---|
| 4. バイオフィードバック訓練 | ・全身の力を抜いてリラックスさせる<br>・骨盤底筋に集中して動かすようにし、息を止めずに肛門を締める。このとき、腹部に手を置いて、腹筋を使わないように意識して締める。そのほか、殿部の筋肉も使わないように指導する<br>・女性の場合は「尿をがまんするときのように」、男性の場合は「ガスをがまんするときのように」と表現するとわかりやすい<br>・センサーにカバーと潤滑油をつけ肛門に挿入する。このとき、センサーは肛門括約筋の収縮が強い部分に当てる<br>・締めたまま3〜5秒維持する。このとき、括約筋が動いていれば波形が表出され上昇する<br>・ゆっくり息を吐きながらゆるめて元に戻す。力が抜ければ、波形が下降する<br>・モニタ上に波形が現れ、締めたときは波形が上昇し、ゆるめれば下降することで括約筋の収縮力がわかる（図6、7）<br>・正しい骨盤底筋訓練動作が習得できるように、くり返しモニタを見ながら指導を行う |

図6　Rapid contraction

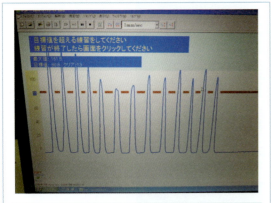

・速筋の運動（すばやい収縮と弛緩のくり返し）。
・画面を見ながら、腹筋や殿筋を使わずに骨盤底筋を力いっぱい収縮させる。

図7　Force contraction

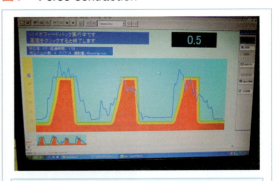

・遅筋の運動（ゆっくりとした収縮と弛緩のくり返し）。
・画面を見ながら、腹筋や殿筋を使わずに骨盤底筋を半分くらいの力で山を越えられるように持続収縮させる。

したトレーニング方法である。骨盤筋は横紋筋であり随意収縮が可能で自律的に機能しているが、通常は骨盤底筋の活動を意識することができない。したがって、骨盤底筋をトレーニングするためには、まず骨盤底筋の働きを意識し、確実に筋収縮を随意的にコントロールさせることが必要となる。骨盤底筋を動かそうとすると腹筋の活動が強く起こるため、腹筋を使わず骨盤底筋を収縮できるようにする必要がある。Myo Trac3は1チャンネルを骨盤底筋に、もう1チャンネルを腹筋に使用し、骨盤底筋の動きと腹筋の表面筋電図を同時に表示、計測することで客観的にとらえることができる。

## エコーを用いた骨盤底筋群の観察方法（図8）

残尿測定にも使用する3.5〜5MHzの2Dコン

### 図8 エコーを用いた骨盤底筋群の観察方法

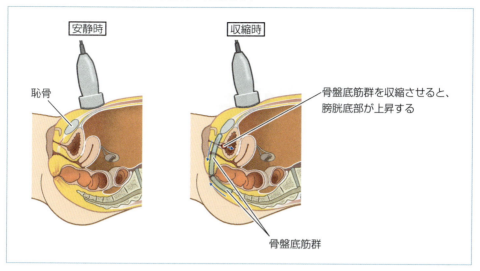

ベックスプローブを使用した骨盤底の評価方法もある[7]。骨盤底筋群を収縮させた際に、膀胱底部の尿管口間隆起から尿道へ移行する膀胱底部が腹部側へ挙上する様子を描出し、骨盤底筋群の動きを間接的に観察する方法である[8]。この方法では膀胱底部を描出するため、膀胱内に尿が溜まっていないと確認しにくいこと、身体は静止している必要があり、身体が動くと骨盤底も容易に動くため骨盤底の収縮による動きなのか区別する必要があること、膀胱に尿を溜めたまま誤った収縮方法で腹筋に力が加わり腹圧が上昇すると、観察中に尿失禁する可能性があるため、注意が必要である。

引用文献
1. Kegel AH. Progressive exercise in the functional restoration of the perineal muscles. Am J Obstet Gynecol 1948;56(2):238-248.
2. 福井準之助, 永田一郎編：女性の泌尿器障害と骨盤底再建. 南山堂, 東京, 2004:111-126.
3. 原行弘:排便障害とリハビリテーション. 排尿障害プラクティス 2003;11(1):39-44.
4. 吉川羊子:あなたの骨盤底筋訓練はまちがっていませんか?. Urological Nursing 2002;7(4):25-30.
5. Heymen S, Scarlett Y, Jones K, et al. Randomized controlled trial shows biofeedback to be superior to pelvic floor exercises for fecal incontinence. Dis Colon Rectum 2009;52(10):1730-1737.
6. Norton C, Chelvanayagam S, Wilson-Barnett J, et al. Randomized controlled trial of biofeedback for fecal incontinence. Gastroenterology 2003;125(5):1320-1329.
7. 黒水丈次：排便機能の客観的評価法とバイオフィードバック療法. 臨牀看護 1999;25(14):2125-2132.
8. 谷口珠実, 武田正之編：泌尿器Care&Cure Uro-Lo別冊 下部尿路機能障害の治療とケア－病態の理解と実践に役立つ. メディカ出版, 大阪, 2019:266-270.

参考文献
1. 山名哲郎編著：読んだら変わる!排便障害患者さんへのアプローチ 便秘・下痢・便失禁のアセスメントとケア. メディカ出版, 大阪, 2007.
2. 前田耕太郎編：徹底ガイド 排便ケアQ&A. 総合医学社, 東京, 2006.
3. 田中秀子, 溝上祐子監修：失禁ケアガイダンス. 日本看護協会出版会, 東京, 2007.
4. Bliss DZ, Whitehead WE, Chiarioni G, et al. Assessment and Conservative Management of Faecal Incontinence and Quality of Life in Adults. Abrams P, et al eds, Incontinence 5th ed. ICUD-EAU, Arnhem, Netherlands, 2013:1443-1485.

[ 治療・ケア ]

行動療法

# 排便行動指導

積美保子

## 行動療法の目的

排便障害に対する行動療法のなかで、骨盤底筋体操やバイオフィードバック訓練が用いられているが、**外肛門括約筋を収縮させる訓練だけを行うのではなく、便性状のコントロールや排泄行動そのものの改善を主眼におき、排便日誌を活用して患者自身が問題に気づき、行動可能な問題から自らセルフケアできるように援助することが重要**である。

行動療法とは一般的に、「現代の学習理論の法則に基づいた有効な方法によって、人間の行動や情動を変える試み」(Eysenck, 1964)であるとか、「不適応行動を変容するために、実験的に確認された学習の諸原理を適用し、不適応行動を減弱・除去するとともに、適応行動を触発・強化する方法」(Wolpe, 1969)と定義されている[1]。行動の形成や変容は学習によるものであって、問題となるような行動や症状は何らかの理由で不適応に学習された習慣であるにすぎず、誤って学習された行動は学習解除でき、再学習することによって行動変容を獲得することであるとされている[1]。つまり、患者が日常生活を送るなかで、問題への対処の方法やセルフコントロールの方法を習得することが行動療法の目的となる。

## 行動療法における問題解決の具体的な方法

行動療法は科学的な心理療法であり、現在、患者が困っている問題が生活のなかでどのように生じているのかということに焦点をあてて、その問題が「なぜ起こっているのか」を追求するのではなく、「いつどのように起こっているのか」というように、生じている問題に着目する。つまり、**問題行動をありのままに受け止めることからはじめる**のである。

行動療法における問題解決の具体的な方法を**表1**にまとめた。改善が得られなかった場合は仮説

表1 問題解決の具体的な方法

| | |
|---|---|
| 1 | 問題行動をありのまま具体的にとらえる |
| 2 | 問題行動と行動時の状況（刺激）との関係を分析し、その行動を引き起こすきっかけやその行動を維持させている条件を明らかにし、仮説を立てる |
| 3 | 効果があり本人が実行可能な方法を試してみる |
| 4 | 実践した結果を確認し、患者の行動が改善して効果が得られた場合は、行動分析と技法の選択は整合性があったと判断する。さらに、患者を褒めて自信をつけさせ、強化する |

が正しくなかったと判断し、再度分析からやり直す必要がある。患者が実践できなかった場合は、なぜできなかったのか、どうしたらできそうかを考えることが必要である。

## 排便行動指導に重要なこと

便失禁には排泄習慣が関連していることが多い。患者によっては、確立された生活習慣や排泄習慣を変化させ、改善していくことは非常に困難なことでもあり、排泄機能の回復には時間を要することが多く、経過観察の途中で中断してしまうこともある。そのため、まず患者の言葉を受け止め、共感的に理解しようとすることが必要である。それがうまくいけば、患者は建設的にどうすれば失禁症状が改善されるのかをともに考えられるような方向に変化する。あせることなく、どれくらい共感できるかという姿勢をもつことが大切である。

排便行動を指導するにあたって重要なことは、患者の排便周期に合ったサイクルでスムーズに排便が行えるよう、排便習慣を確立することである。排便習慣を確立するためには、まず患者の排便周期を把握する必要がある。排便周期には個人差があり、排便が必ず毎日なければならないというわけではない。毎日排便がなくても、3日に1回程度の割合でスムーズにすっきりした快適な排便が行えれば問題ない。便意が起こって排便できるのか、便意が起こらないのか、便意があっても排便困難なのかによって対処方法も変わってくる。便意がある場合は、がまんせずスムーズに排便を行うようにし、便意がないのに無理にいきんで排便を試みることは、骨盤底や肛門部に過剰な負荷をかけるだけで誤った行為である。便意を起こすためには、朝の起床時の起立性結腸反射や食後の胃結腸反射を利用し、結腸の大蠕動を促すことが必要である。そのため、規則正しい生活習慣や排便しやすい食事を摂取することも重要である。

## 患者のありのままを受け止める

前述のとおり、排便障害には患者個々の排泄習慣が関連しており、機能の回復には時間を要することが多い。そのため、経過観察の途中であきらめて中断してしまうこともある。したがって、患者自身のモチベーションを高め、自らが排泄コントロールできるように継続して行えるようなかかわりが重要である。また、患者は数多くの医療機関を受診したり、1人で悩んでいた人も多く、肛門や排便の異常に関して神経質になりやすく、精神的な悩みや不安が大きい人も少なくないため、十分なかかわりを必要としている。

また、患者の多くは少しでも失禁症状を改善しようとして、自分なりにさまざまな工夫を凝らして対処している。この場合、たとえ患者の対処行動に問題があったとしても、頭ごなしに否定せず、まずは患者のありのままの言葉を受け止めることが必要である。患者の行動内容はともかく、努力に対して理解を示したのち、今後どうすればよいかをともに考え、よりよい排便のセルフケアを構築する。排便行動指導の際は、日常生活に及ぼす影響等の相談にも応じ、患者個々のQOLの改善につながるケアの提供が必要と考える。

引用文献
1. 大野裕, 小谷津孝明：認知療法ハンドブック 上巻. 星和書店, 東京, 1996：99-116.

参考文献
1. 足立淑子編：ライフスタイル療法 生活習慣改善のための行動療法. 医歯薬出版, 東京, 2001：6-16.
2. 坂野雄二監修, 鈴木伸一, 神村栄一著：実践 家のための認知行動療法テクニックガイド 行動変容と認知変容のためのキーポイント. 北大路書房, 京都, 2005.
3. 山名哲郎編著：読んだら変わる排便障害患者さんへのアプローチ 便秘・下痢・便失禁のアセスメントとケア. メディカ出版, 大阪, 2007.
4. 前田耕太郎編：徹底ガイド 排便ケアQ&A. 総合医学社, 東京, 2006.
5. 田中秀子, 溝上祐子監修：失禁ケアガイダンス. 日本看護協会出版会, 東京, 2007.

[ 治療・ケア ]

行動療法

# 臭いへの対応

積美保子

## 便・ガスの臭いへの現状での対応

　肛門から出るガスの量は個人差があり、1日あたり平均705mLで、排出する回数は平均10回程度とされている[1]。ガスの成分は99％以上が窒素、酸素、二酸化炭素、水素、メタンなどの無臭性ガスであり、残り1％未満に硫化水素やインドール、スカトール、メチルカプタンなどの硫化系ガスが含まれており、これが臭いのもとになっている。便やガスの臭いは、硫化系ガスの産生を抑制することにより軽減できると考えられるが、科学的根拠の伴った方法は確立されていない。現状では、硫化水素の主な基質となる動物性タンパク質の摂取を控えるようにしたり、シャンピニオンエキスの摂取により腸内腐敗産物の抑制による消臭効果を期待する食品もある。腸内細菌叢のバランスを整えるために、プロバイオティクスを摂取するなどの工夫を紹介している。

## 臭いを気にする患者への対応

　患者のなかには、便失禁はないがガスが自然に漏れることや、便やガスの失禁がないにもかかわらず常時便臭がすることを心配して受診する患者がいる。患者は、肛門から常時ガスが漏れていて、そのため周囲の人に不快感を与えていて他者が嫌な表情をするとか、他者が咳払いをするのは自分の便臭のせいであると思うなど、社会生活や対人関係に困難を感じている場合が多い。そのため、肛門機能に異常があると考えて思い悩み、何とか治したいと思って受診している。他の医療機関を多数受診して、仕方がないなどといわれている場合もある。この場合は、肛門機能の客観的な評価を行い異常がないことを確認後、検査データを説明して肛門機能に異常がないことを伝える。患者は、自分の肛門機能に異常がないことが理解でき、便臭が気になるのは、「神経質になっているだけ」「自分の気のせい」などと納得できる場合もある。
　それでも患者が納得できずに自らの便臭にこだわる場合には、自己臭症も疑われる。自己臭症は、精神疾患の一種で、自分は臭わなくても周囲の人には臭っているなどと思い込み、「自分の臭い」の妄想に悩む。この場合の臭いは、体臭や口臭の場合もあるが、肛門の臭いの場合もある。精神科医の診断が必要であるため、精神科の受診を勧める。

## 患者の話を理解し、多職種との連携を図る

　排泄は、非常にプライベートな問題であり、家族にも相談できずに1人で悩んでいるケースも少なくない。患者の思いを表出できるようにかかわりをもち、精神的ケアを行う必要がある。まず、

患者の話や訴えたいことに耳を傾けることが重要である。患者の話を理解するためには、聴取する側の評価や解釈をまじえずに、無条件に受け入れることが重要である。

そして、わからないと感じたことを患者に尋ねたり、話を確認したり、理解できたことを患者に伝え、対話しながら信頼関係を築いていく必要がある。**排泄の問題の改善には、精神的安定も重要な要素となるため、精神科や心療内科を含め、多職種が連携してサポートできる体制を構築することが理想**である。

引用文献
1. 穴沢貞夫, 後藤百万, 高尾良彦, 他編：排泄リハビリテーション—理論と臨床. 中山書店, 東京, 2009.

参考文献
1. 山名哲郎編著：読んだら変わる!排便障害患者さんへのアプローチ 便秘・下痢・便失禁のアセスメントとケア. メディカ出版, 大阪, 2007.
2. 前田耕太郎編：徹底ガイド 排便ケアQ＆A. 総合医学社, 東京, 2006.
3. 田中秀子, 溝上祐子監修：失禁ケアガイダンス. 日本看護協会出版会, 東京, 2007.

[ 治療・ケア ]

# 強制排便法

溝上祐子、廣部誠一

　強制排便法とは、直腸に到達している便を肛門や直腸を刺激することで、便意または便意に変わる排便感覚を誘発して、排便を誘導することをいう。また、肛門から微温湯や生理食塩水などを多量に注入し洗浄する逆行性洗腸や、腹部に虫垂などを利用して注入口を造設しそこから洗腸する順行性洗腸も、自然に発生する便意による排便と区別するために強制排便法に含める[1,2]。

　**強制排便法の共通目標は、定期的な直腸（結腸全体）の空虚化であり、まとまった量の便を一度に排出し、残便をなくすことである。**肛門括約筋が機能不全であっても、腸管内が空虚であれば失禁は回避できる。本稿では、結腸全体を洗浄する洗腸法について解説する。

## 逆行性洗腸

　逆行性洗腸は、欧米で1996年ごろより二分脊椎症患者に対して行われはじめた強制排便法である。グリセリン浣腸が主に直腸とS状結腸にある便を排泄させることを目的としているのに対して、洗腸療法は肛門から注入した水を盲腸まで到達させ、結腸全体の便を一気に排泄させることを目的としている[3]。

## 適応と不適応

### 1. 適応

　洗腸療法の適応となるものは、肛門括約筋の機能不全が認められるものである。例えば二分脊椎などの神経障害、肛門直腸奇形やヒルシュプルング病など先天性に肛門機能に問題を残すもの、手術や外傷などで肛門括約筋機能低下を認めるものなどである。それらの対象で、表1の適応条件を満たす者は逆行性洗腸を排便管理として選択することができる。

**表1　逆行性洗腸療法の適応条件**

①洗腸療法を行う意思がある（小児においても継続するにはその必要性を理解し、自己の排泄管理として受け止められていることが必要である。本人にとって、つらい処置と認識されるとその経験は長期化するほど精神発達に影響を及ぼす可能性が高い）
②医師の許可を得ている
③消化管に病変がなく、全身状態が安定している
④約1時間程度の座位がとれる
⑤生活のなかで介助を含めて、洗腸療法を行う時間や場所が確保できる

## 2. 不適応

逆行性洗腸療法を行うためには、洗腸に関する知識や技術を身につけることができなければならない。また、洗腸に耐えるだけの体力や気力も要求される。この点で、精神障害者、視力障害者や年齢の低いものは不適応が考えられるが、家族の協力などが得られれば実施は可能である。特に小児の場合は、継続のためには家族の理解と協力が不可欠である。また、物理的条件として1時間程度トイレを使用する必要性が出てくるため、日常生活のなかで可能かどうかの判断も重要となる。

なお、結腸に病変があったり、十分な長さや機能が得られない場合は絶対的禁忌となる。小腸は栄養の吸収という重要な役割を担っており、結腸に長さがない場合は小腸への洗腸液の注入の可能性があり、栄養吸収に影響を及ぼすからである。また、結腸があったとしても、潰瘍性大腸炎や憩室などの病変がある場合は、穿孔や腹膜炎など重篤な合併症を引き起こす可能性があるため、十分な確認を要する。表2に逆行性洗腸療法の不適応条件を示す。

# 逆行性洗腸療法の実際

## 1. 洗腸療法指導開始前の確認事項

洗腸法の指導を開始する際、対象がスムーズに洗腸という排泄管理法を受け入れるためには万全の準備が必要である。なぜなら、当日の体調が思わしくない、あるいは精神的に不安定な場合に苦痛を伴ったり、期待どおりの効果が得られないことがあるためである。こうした初回のマイナスイメージの経験は、ときとして洗腸の習得を阻むことがある。通常、社会生活に支障をきたす便失禁から解放されるという期待感をもって洗腸法に挑むことが多く、初めての試みで失敗するとその落胆は大きい。その失敗を回避するためにも準備を整える必要がある。

**確認事項で最も重要なのは、医師の許可が得られているかどうかである。** 圧をかけて結腸内に洗浄液を注入する処置は身体に負担がかかるものである。特に、消化管の機能や循環動態などに問題がある場合は禁忌となるため、医師の許可は得ておく必要がある。

### 指導開始時の条件

- 体調に問題がない。
- 結腸全体に便が貯留していない（二分脊椎など長期間の便秘で、直腸や結腸全体に便が貯留して腸管の拡大があるものは、腸管の動きが悪く、洗浄液の注入もスムーズに行えないため初回の洗腸で排便に苦痛を伴うことが多い。そのため、下剤などを服用し、腸管の残便量を減らしておくことが望ましい）。
- 1時間程度の座位がとれる。
- 逆行性洗腸療法の習得を希望している。
- 食直後ではない（注水により腹部膨満が起こり、吐き気や腹痛などを起こすことがあるため、食後1時間は経過していることが望ましい）。
- 口渇がみられない（発汗などで口渇があるなど

### 表2 逆行性洗腸療法の不適応条件

①腸穿孔などの危険性がある（結腸に消化管病変がある。例えば炎症性腸疾患や憩室など）
②結腸の切除などで十分な長さがない
③学童期に達しない年少児や体力がない
④洗腸療法を受け入れていない
⑤介助を要する場合、介助を行う家族などに理解力がない、または協力が得られない
⑥精神的に不安定、または知的障害がある
⑦不安が強く、過度に緊張しやすい
⑧生活のなかで介助を含めて、洗腸療法を行う時間や場所が確保できない

水分を欲した状態で行うと、注入した洗浄液を腸管が吸収してしまうことがあり、効果が減弱することがある）。

## 2．必要物品

①洗腸セット

洗腸用具はストーマから行われる灌注排便法（イリゲーション）用に市販されているセットを代用することが多い（図1）。洗腸セットの基本は、洗浄液を入れるバッグとストーマに注入するコーンストッパー（洗腸液注入部品）とこれらを連結するチューブ、および注入速度を調節する流量クランプ、ドレーンスリーブ（洗腸液排出スリーブ）などで構成されている。逆行性洗腸にはドレーンスリーブ以外の物品を使用する。通常、セットされているコーンストッパーはストーマにあてがうことを目的にしているため、肛門に当てて使用するには安定感がないものが多い。そのなかで、肛門ストッパーとして肛門に当てて安定する専用のストッパーが市販されている（図2）。これは、筆者らがアルケア株式会社の協力を得て従来のストーマ用ストッパーを自然肛門に固定しやすいように改良した、肛門専用のストッパーである。腸粘膜を傷つけないよう素材はオールシリコーンで、先端は円錐状となっているが、それは先端がネラトンチューブのように長いものは腸粘膜をつつき、損傷する可能性があるからである。ストッパーの最大直径は6.5cmで、小児から成人に至るまでの肛門最大開口部に合わせるように設定されている。

対象が高学年になると、経肛門的洗腸療法の活用も増えてきているところである［「経肛門的洗腸療法のケア」（p.300）参照］。

②洗浄バッグをかけるフック

自宅では、壁などにとりつけて使用する。病院施設では、点滴スタンドなどを代用する。

③時計やタイマー

## 3．使用手順

①微温湯を準備する

ロールクランプ（流量調節）が閉じていることを確認し、洗浄バッグに微温湯（医師の指示量＋200～300mL）を入れる。

＊腸粘膜の熱傷の原因となるため、使用する洗浄液は36～38℃（人肌程度）にする。夏場は常温の水でもよい。

②洗浄バッグを適切な高さに設定する（図3）

洗浄バッグを目の高さよりやや高め（肛門から

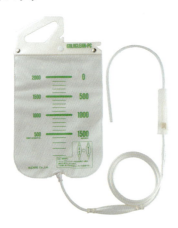

図1　ストーマイリゲーション用洗浄バッグ

人工肛門洗腸セット コロクリン®PC洗浄液バッグ13411（アルケア）（容量2,000mL［ロールクランプ付］）

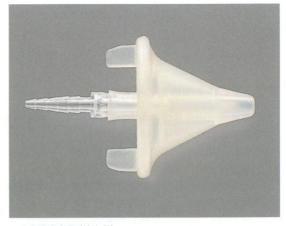

図2　肛門ストッパー

二分脊椎患者用（特注品）
アルケア肛門ストッパー（商品コード691601）

60〜90cm高い位置）になるように設定して、フックやスタンドにかける。

＊洗浄バッグを高く設定しすぎると、高い圧がかかり、多量の液が注入されてしまうため注意する。

③肛門にストッパーを挿入する

肛門にストッパーをゆっくり挿入する。肛門に向かってまっすぐ挿入すると、直腸の壁に当たり注水できなくなるため、挿入したら尾骨に向けるように固定する（図4）。

＊肛門周囲の知覚麻痺がある場合は指で肛門の位置を押さえ、そこにストッパーの先をあてがうとよい。また、知覚がないために強く押さえすぎて、直腸粘膜を傷つけることがないように注意する。

④微温湯を注入する

肛門にストッパーを固定したら、ロールクランプをゆっくり開き、指示量を1分間に100mLくらいの速さで注入する。

＊注入を開始し、漏れる場合はストッパーの位置をさらに尾骨のほうに向かってずらしてみるとよい。液漏れがない場所で注入がスムーズになったところで、クランプを固定する（ドリップチャンバーの滴下が確認できる程度の速さが適している）。

⑤肛門をストッパーで押さえる

指示量の洗浄液注入後、ロールクランプを強く閉め注入を終了する。そのままの状態で保持できれば、肛門をストッパーで3分程度押さえておく。

＊がまんができない場合は、無理をして押さえておかなくともよい。

⑥ストッパーを抜き、排便する

肛門からストッパーを抜き、排便する。便はガスとともに30分程度かけて断続的に排便される。

## 4．留意点

### 1）洗浄液について

注入液については、これまで成人のコロストミーに行われてきた洗腸療法では水道水でまったく問題がないとされてきたが、小児には水中毒などの懸念の声も聞かれてきた。しかし、就学期以降のケースであれば問題はないと考えられている。日本でも水中毒になった報告は1例もない。注入量については、**注腸造影検査の結果から、6歳児では約400mL、成人では約800mLで肛門から盲腸まで達することが判明している**。この量をめやすに1,000mL程度を限度に設定するとよい。なぜなら、肛門からの注入は漏れのロスも多く、予定量よりも少なく注入される可能性が高いからである。

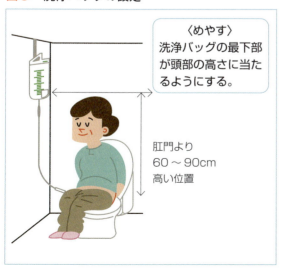

図3　洗浄バッグの設定

〈めやす〉洗浄バッグの最下部が頭部の高さに当たるようにする。

肛門より60〜90cm高い位置

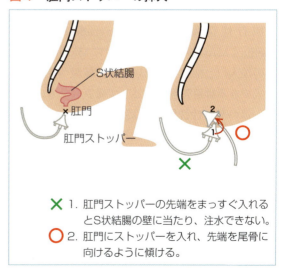

図4　肛門ストッパーの挿入

S状結腸
肛門
肛門ストッパー

× 1. 肛門ストッパーの先端をまっすぐ入れるとS状結腸の壁に当たり、注水できない。
○ 2. 肛門にストッパーを入れ、先端を尾骨に向けるように傾ける。

表3　逆行性洗腸時に起こるトラブルの原因と対策

| 症状 | 原因 | 対策 |
| --- | --- | --- |
| 腹痛 | 注入速度が速い | 注入速度を100mL/分に調節する |
|  | 微温湯の温度が冷たい | 微温湯の温度を36℃程度に調整する |
| 嘔気<br>嘔吐 | 注入量が多すぎて小腸まで到達 | 注入量を減量する |
|  | 食事摂取後に実施 | 食事摂取1〜2時間以降に実施 |
|  | 過度の緊張 | リラックスするよう環境を整える |
| 冷や汗 | 過度の緊張 | リラックスするよう環境を整える<br>バイタルサインを確認する |
| 顔面紅潮<br>顔面蒼白 | 過労、発熱、睡眠不足 | 発熱や倦怠感がある場合は中止 |
|  | 注入速度と微温湯の温度 | 注入速度や微温湯の調整 |
| 注入できない | ストッパーの先が腸粘膜の壁や便塊にあたっている | ストッパーの位置を調整する<br>身体を動かしてみる<br>便塊を摘便する |

## 2) 逆行性洗腸療法でのトラブル

　洗腸法のトラブルで多いのは、腹痛、嘔気、冷や汗などの身体症状に加え、効果がなくなってきたなどである。トラブルの原因と対策を表3にまとめた。これ以外に、洗浄量が多い、注入の圧が高い場合は小腸に逆流し、排便後もしばらく水様便の排出が認められることがある。

## 順行性洗腸

　順行性洗腸（Malone's antegrade continence enema：MACE）とは、1990年にMaloneが、腹部の注入口と結腸をつないで上行結腸へ浣腸液を注入できる排便管理方法として発表したものである。この順行性洗腸には大きな利点が2つある。1つは、直腸やS状結腸などの部分的な腸洗浄ではなく全結腸を洗浄でき、失禁が回避できる点である。2つ目は、逆行性洗腸のように自らが見えない肛門からのアクセスではなく、注入口が腹部で見やすいため、容易に洗浄液を注入できる点である。肛門ストッパーを自ら支えることが困難な症例が逆行性洗腸を継続するには、思春期以降でも養護者の介助を要する。**対象が成長すればするほど養護者の負担は増大し、当人の自立の機会を失うという成長発達上の問題も引き起こされる。そのような対象に対し、腹部に注入口を造設することによって排便管理が自立できるとすれば、それは大きな成果を得ることとなる。**

　近年では、小児領域の泌尿器科や外科医師によってこれらの手術が行われる例が多くなってきた。なぜなら、小児期に治療を要する二分脊椎症は膀胱直腸障害を呈するため、排尿障害だけでなく便失禁が社会的問題となる症例が少なくないためである。また、幸いにも尿失禁や腎機能温存のために腸管を利用した膀胱拡大術などの手術を行う機会があり、その際に、順行性洗腸を作成する手術がオプションとして考慮されるようになったためである。

## 順行性洗腸療法の手術

　Maloneが発表した順行性洗腸療法の手術の原法は、虫垂を盲腸から切り離し、その部分は縫い合わせ、虫垂は逆にし、遠位側を盲腸の粘膜下トンネルを通して縫合する。こうして逆流防止機構

をきかせて、虫垂の一方を腹部に開けられた穴に注入口として造設する。この細い路からカテーテルを通して、結腸にアクセスできることになる（図5）。

　Maloneが手術を発表してから、さまざまな改良が重ねられてきている。その後、簡単な手順として、Squireは虫垂の左にそのままの位置づけで、虫垂の周りに重ねるようにして虫垂瘻を造設した。Ellsworthは、血流を保つために虫垂を元の場所に維持する方法をとった。もし、虫垂が短かったら、盲腸を3〜4cm筒状につくり、虫垂に縫いつけて皮膚まで到達させた（図6）。Fukunagaは、虫垂が利用できなかった場合として、盲腸に移動性をもたせて、決められた位置にもってきてその口にガストロボタンを置き、すぼめるように糸を締めて、そこを注入口とした。このガストロボタンは逆流防止機構があり、便の逆流はみられない。Chaitは腹部にシングルパンチを開け、腹腔鏡を使って盲腸を確かめ、皮膚を介して盲腸瘻を造設した。日本では、虫垂利用の原法や虫垂が使用できないときは盲腸壁フラップで作成した注入路作成が主であるが、スキンレベルでの注入口狭窄の合併症を防止するために、ガストロボタンを利用した方法も行われている。ガストロボタンを使用する施設では、チューブを抜くとその穴が狭窄するためずっと留置したまま3〜6か月ごとに入れ替えられる。

### 図5　順行性洗腸療法（MACE法）

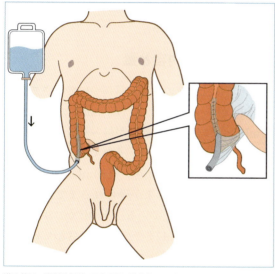

溝上祐子：強制排便法．田中秀子，溝上祐子監修，失禁ケアガイダンス．日本看護協会出版会，東京，2007：307．より引用

## 合併症

　合併症で最も多いのは、注入口（盲腸瘻）からの便の漏れと肉芽組織ができることである。注入口からの漏れや出血には、吸収パッド付きドレッシング材の貼付が必要である。不良肉芽は硝酸銀などで焼灼したり、外科的に切除することが多い。

### 図6　順行性洗腸の手術

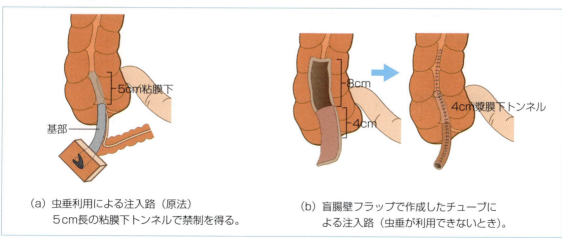

（a）虫垂利用による注入路（原法）
　　5cm長の粘膜下トンネルで禁制を得る。

（b）盲腸壁フラップで作成したチューブによる注入路（虫垂が利用できないとき）。

溝上祐子：強制排便法．田中秀子，溝上祐子監修，失禁ケアガイダンス．日本看護協会出版会，東京，2007：307．より引用

図7 注入口部の狭窄

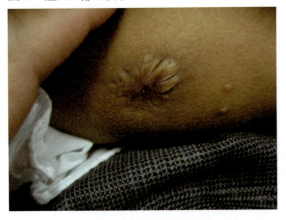

次に好発するのは注入口部の狭窄である（図7）。狭窄はカテーテルの挿入を困難にするが、スキンレベルの狭窄に対しては、その予防として週に数回の洗浄であっても、毎日カテーテルを挿入し拡張することもある。便が逆流して注入口から漏れるという合併症は、瘻孔の穴あけの問題や膿瘍などが原因となって起こることが多いが、ストレスや体重の変化、胃腸炎などが影響して発生することもある。

ほかには、水道水などでは起こりにくいが、グリセリン液などを使用した洗浄液の注入中に激しい腹痛や吐気を伴うことがある。国内での報告はないが、特殊な例として生理食塩水の注入で高ナトリウム血症を呈した症例が報告されている。それは、肛門狭窄があり排出が困難だったため、腸内に貯留した液から塩分が吸収され高ナトリウムへと変動したとされている。

## 適応と不適応

順行性洗腸法の適応と不適応は、前述した逆行性洗腸法と同様である。しかし、順行性洗腸は何よりもまず手術が必要であり、術後の注入口の狭窄など合併症の発生も高率である。

継続に問題をもつものは、施行しないことによってさらに注入口の狭窄をまねき、結果的には不必要な手術であるケースも想定される。まずは逆行性の洗腸を施行し、その効果とQOLを比較したうえで、術前の十分な話し合いのもとに選択されるべきである。

## 順行性洗腸療法の実際

順行性洗腸療法が日本に普及されたとはいいがたく、主に二分脊椎を多く扱う小児外科や小児泌尿器科の施設で選択されている。したがって、各施設がそれぞれの方法で行っているのが現状であるため、症例数や報告数の多い欧米の情報を入れ、指導の実際を紹介する。

### 1．洗浄液の内容と量

欧米では洗浄液の種類、量についてはさまざまな報告がある。例えばTeichmanは、水道水60mLからはじめて、効果が得られるまで増量することを基本としている。それで効果が得られない場合は、50％グリセリン液60mLからはじめ、300mLまでの間で効果が得られるまで洗浄液を増やす方法を提案している。そのほか、生理食塩水を300〜2,500mLまでの間で変更していく場合もある。Squireは、エステルを生理食塩水と同等量追加したものを60mL注入し、その後生理食塩水を50〜1,000mL続けて注入する方法をとっている。結果的には、50％グリセリン液か水や生理食塩水にエステルを加えた洗浄液は、ほかの単独の液よりも時間が早く終わることが報告されている。欧米の患者は、医療者から指導を受けた後も手術後数か月の間、効果的な方法が得られるまで洗浄液の量や内容を変更していくという。

順行性洗腸療法は腸管の動きに順行して注入できるため、逆行性洗腸療法よりも時間が短時間で、洗浄液も少量で効果が得られる。逆行性洗腸法から順行性洗腸法に変更した10例を対象にわれわれが行ったアンケートによると、全例で時間の短縮と満足が得られるとの結果であった。しかし、洗浄液の量や内容の比較検討までは行えていな

い。日本では、洗浄液は各施設によって異なるが、生理食塩水は腸管からの再吸収が起こりやすいため、水道水を洗浄液として選択されることが多い。100〜300mLから開始し効果をみて増量していくが、500mL程度で効果は得られる。順行性であるため少量で済むはずだが、腸管の長さや容量が多いものや、動態が不良なケースは十分な量を要する場合もある。それまでの慢性便秘を呈する期間が長かったものほど腸管の拡大や動態不良が認められるケースが多い。その他の洗浄液としては、50％グリセリン液が選択される。30〜100mLの範囲内で効果をみながら量を決定するとよい。特に、腸管に刺激を与えることができるため、動きの悪いものには効果があるようである。また、洗浄バッグや水道水の準備などが不必要で、物品をコンパクトにできるため、旅行先などで簡便に施行できるメリットもある。

## 2．指導の実際

### 1）指導開始前の確認

手術後7〜14日は、腹部に作成された注入口にフォーリーカテーテルが留置される（図8）。創部の安静を保ち、注入口であるストーマが成熟し完成するのを待つためである。完成したら注入口より注腸造影を行い、吻合部などのリークの有無を確認したうえで指導が開始される。

**図8　手術後のフォーリーカテーテル留置**

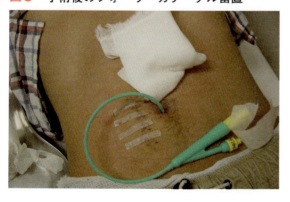

### 2）必要物品

#### ①カテーテル

カテーテルはディスポのネラトンカテーテルを使用することが多い。太さは8〜12Frの間で選択する。腸管に挿入するカテーテルのため、滅菌や消毒の必要はない。また、このカテーテルは基本的には自己負担となるため、使い捨てにする必要はなく、使用後洗浄したら乾燥させ2〜3回の使用は可能である。ただし、材質が塩化ビニール樹脂で粘膜には低刺激性であるが、シリコーンなどに比較すると劣化しやすいので注意を要する。

#### ②洗浄バッグ

選択した洗浄液量が200mLを超えるようであれば、逆行性洗腸で使用した洗浄バッグを使用する。逆行性と比較して圧をかける必要はないため、トイレに着座し洗浄バッグの下端が肩に接する程度の高さの設定でよい。

#### ③シリンジ

洗浄液が50％グリセリンや少量の水道水の場合は、カテーテルチップ型のシリンジを使用しカテーテルに接合させ注入する。

#### ④その他

- 潤滑剤：術後まもなくは、腹部に造設された注入口へカテーテルを挿入する際に、疼痛や戸惑いを感じるケースが少なくない。そのような場合は、挿入の手助けとしてキシロカイン®ゼリーや潤滑効果のあるゼリーなどをカテーテルの先端につけて試みるとよい。
- ドレッシング材：個人差があるが注入口の粘膜から腸粘液が分泌されることもあり、吸収パッドのついたドレッシング材を保護のために必要とすることがある。ガーゼは粘膜を傷つける可能性があるため、非固着性のパッドが望ましい。

## 3．手順

### ①微温湯を準備する

ロールクランプ（流量調節）が閉じていること

#### 図9　注入口へカテーテルを挿入した状況

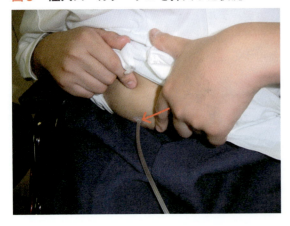

を確認し、洗浄バッグに微温湯（医師の指示量＋200〜300mL）を入れる。
* 腸粘膜の熱傷の原因となるため、使用する洗浄液は36〜38℃（人肌程度）にする。夏場は常温の水でもよい。

②洗浄液バッグを適切な高さに固定する

洗浄バッグを、目の高さよりやや高め（注入口から50〜60cm高い位置）になるように設定して、フックやスタンドにかける。
* 洗浄バッグを高く設定しすぎると高い圧がかかり、多量の液が注入されてしまうため注意する。

③カテーテルを注入口に挿入する（図9）

注入口にカテーテルをゆっくり挿入する。挿入しづらいときは潤滑剤や水でカテーテルの先を湿らせて挿入するとよい。
* 注入口から盲腸部に挿入できたら腸液の逆流がカテーテル内に認められる。その位置で挿入を止める。

④微温湯を注入する

カテーテルの先を洗浄バッグに固定したら、ロールクランプをゆっくり開き、指示量を1分間に100mLくらいの速さで注入する。
* スムーズに液が流れない場合はカテーテルを少しずつ先に挿入する。注入がスムーズになったところでクランプを固定する（ドリップチャンバーの滴下が確認できる程度の速さが適している）。
* 指示量の洗浄液注入後、ロールクランプを強く閉め注入を終了する。

⑤カテーテルを抜去し、排便する

注入口からカテーテルを抜き、排便する。便はガスとともに20〜30分程度かけて、断続的に排便される。

## 順行性洗腸療法のトラブルとは

順行性洗腸療法のトラブルで多いものは、腹痛、嘔気、冷や汗などの身体症状に加え、効果がなくなってきたなどである。原因と対策は逆行性洗腸法とほとんど同様である（表3）。洗浄量が多かったり、グリセリンの量が多い場合は腸管への刺激が残り、排便後もしばらくしぶることがある。

引用文献
1. 溝上祐子：強制排便法. 日本小児ストーマ・オストミー研究会学術委員会編, 小児創傷・ストーマ・失禁（WOC）管理の実際. 照林社, 東京, 2010：137-143.
2. 山崎洋次, 溝上祐子編：小児のストーマ・排泄管理の実際. へるす出版, 東京, 2003：130-134.
3. 橋都浩平：二分脊椎症患児における洗腸療法の有用性. 小児外科 2003；35（12）：1509-1513.

参考文献
1. Crawley-Coha T. A practical guide for the management of pediatric gastrostomy tubes based on 14 years of experience. J Wound Ostomy Continence Nurs 2004；31（4）：193-200.

[ 治療・ケア ]

経肛門的洗腸療法

# 経肛門的洗腸療法の治療

高橋知子

## はじめに

経肛門的洗腸療法（trans-anal irrigation：TAI）とは、経肛門的にカテーテルを挿入し、1ないし2日に1回300〜1000 mLの水を直腸内に注入することにより、直腸から下行結腸の便を排出する強制排便法の一つである[1]。日本では、2016年に経肛門的洗腸療法に使用可能な器具としてペリスティーン®アナルイリゲーションシステムが薬事承認され、2018年より「在宅経肛門的自己洗腸指導管理料」として診療報酬算定が認められ、2021年より材料費加算がつくようになった（表1）。つまり現時点（2021年6月）では、この器具を使用しないと管理料や材料費加算を請求することができない。日本国内では、2020年10月31日現在で約200例に対して使用されている。

## 製品仕様

製品は水を貯留するウォーターバッグ、水を送るためのチューブとポンプが一体となったコントロールユニット、チューブに装着する直腸カテーテルで構成されている（図1）。コントロールユニットのポンプ部にはダイヤルがついており、バルーン部への空気の注入と脱気、水の注入を切り替えることができる。直腸カテーテルは1回使用の使い捨てであり、形状は2種類ある。従来からの棒状のカテーテルは先端にバルーンがついており、コントロールユニットについているバルーンを押すことで膨らませることができる。長さの違

表1　経肛門的洗腸療法の指導管理料および材料加算（令和2年度診療報酬改定）

| 区分番号 | 区分番号 |
|---|---|
| C119 | 在宅経肛門的自己洗腸療法指導管理料　800点<br>注1　別に厚生労働大臣が定める施設基準に適合しているものとして地方厚生局長等に届け出た保険医療機関において、在宅で経肛門的に自己洗腸を行っている入院中の患者以外の患者に対して、経肛門的自己洗腸療法に関する指導管理を行った場合に算定する<br>　2　経肛門的自己洗腸を初めて実施する患者について、初回の指導を行った場合は、当該初回の指導を行った月に限り、導入初期加算として、500点を所定点数に加算する |
| C172 | 在宅経肛門的自己洗腸用材料加算　2400点<br>注　在宅で経肛門的に自己洗腸を行っている入院中の患者以外の患者に対して、自己洗腸用材料を使用した場合に、3月に回に限り、第1款の所定点数に加算する |

令和2年厚生労働省告示第57号, 診療報酬の算定方法の一部を改正する件（告示）, 別表第I（医科点数表）, 第2部在宅医療より引用

図1　ペリスティーン®トランスアナルイリゲーション

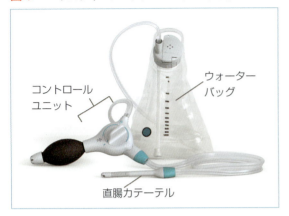

図2　直腸カテーテル

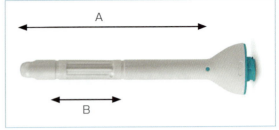

A：有効長（大は93.85mm、小は76.6mm）。B：バルーン部。

いで大人用と小柄な女性や小児用の短いサイズとなっている（図2）。

　脊髄損傷のレベルによっては、肛門部の収縮がなく、水を注入する最中のバルーン脱落が問題であった。そのため、先端部がコーン状となっていて片手で肛門部に押し付けて使用する形状のカテーテルがある。詳細な使用手順については、次稿（経肛門的洗腸療法のケア）を参照されたい。

## 利点・欠点

　経肛門的洗腸療法の利点として、1回の洗腸により直腸から下行結腸までの便を排出することができ、次の糞便が直腸に到達するまで1～2日間かかることから、その間、排便についての心配（排便困難や便失禁）がなくなり、患者自身で排便のタイミングをコントロールすることができる。また、排便にかかわる時間の短縮も利点の一つである。国内の臨床試験では、排便に費やされた時間がTAI導入前に比べて治療導入後には優位に短縮された[2]。特に、脊髄損傷患者にとってはこの傾向が強い。

　欠点としては、器具の準備から水の注入、便の排出、片付けまでの一連の動作に30～60分かかること、2021年より材料費が保険でカバーされたとはいえ、毎月の医療費の自己負担がかかる場合がある。導入を検討する際には上記の利点・欠点をふまえて、患者に対し十分な説明を行う必要がある。

## 適応と禁忌

　2021年6月時点での保険での適応は、「3か月以上の保存的治療によっても十分な改善を得られない脊髄障害を原因とする排便障害を有する患者」とされており、直腸がん術後の排便障害（低位前方切除後症候群）や直腸脱術後など直腸手術の既往がある患者は、大腸穿孔の危惧のため、保険適用から除外されている。

　使用禁忌については、肛門や大腸狭窄、大腸がん、急性の炎症性腸疾患などが出血や腸管穿孔の恐れがあるとされている（表2）。

## 使用上の注意点・重要な基本的注意

　前項記載の適応基準を満たしていても、医療者の指示が守れない場合や、洗腸手順等の理解が困難な場合は、自宅での不適切な手順により重篤な合併症の発生が高率に起こりうるため、この点も導入前に評価が必要となってくる。また、患者側の身体機能の評価も重要である。カテーテルを肛

**表2　経肛門的洗腸療法の適応と禁忌**

| 適応 | ・3か月以上の保存的治療によっても十分な改善を得られない、脊髄障害を原因とする排便障害を有する患者（直腸手術後の患者を除く） |
|---|---|
| 禁忌 | ・既知の肛門狭窄または結腸・直腸狭窄<br>・結腸・直腸がん<br>・急性炎症性腸疾患<br>・急性憩室炎<br>・肛門または結腸直腸の手術から3か月以内<br>・内視鏡的ポリープ摘出手術から4週間以内<br>・虚血性大腸炎 |

門へ注入することができるか、ポンプを十分に押す握力があるのか、約30分間便座に安定して座位を保つことが可能かなど、事前に確認が必要である。成人が対象の場合では、大腸穿孔の可能性を考慮し導入前に大腸内視鏡検査の必要性がある。医療者側については従事する医師や看護師は、関連学会（日本大腸肛門病学会）が定める講習会を受講し、施設基準を満たす必要がある。また、治療を開始する際には、初回は医療従事者によって実際に洗腸の指導を行うことが定められている。

## 副作用・合併症

神経因性排便障害患者における合併症の発現率は29～36％であり、その多くは腹痛、肛門痛、嘔気、発汗や皮膚の発赤、少量の出血、少量の洗浄液の漏れと報告されている[3]。自律神経反射は第5胸髄以上のレベルの損傷患者に対して起こる状態で、傷害部以下の刺激が誘因となり、高血圧や徐脈、発汗、顔面の紅潮などの症状がある。場合によっては重篤な状態を招くこともあり注意が必要である。この自律神経反射はTAIに特有な副反応ではなく、むしろ摘便を行うときよりもTAIのほうが発生率は少ないという報告がある[4]。大腸穿孔は、わが国の研究において32例中3例（9.4％）に認められているが、現在適応としている脊髄神経障害に伴う排便障害の患者では、大腸穿孔は発生していない[2]。海外では、大腸穿孔の確率は5万例に1例（0.002％）であるという報告がある[5]。

## 効果・経過

国内における難治性排便障害に対するTAIの多施設共同研究では、10週間の研究期間後も洗腸を続けたのは32例中25例（成功率78％）、脊髄障害による排便障害に対する研究では14例中12例（成功率86％）が治療の継続を希望している[2,6]。また、市販後調査によると、初回洗腸から10週間以上経過した186例のうち25％が治療の中止を選択した。その理由は、バルーンの脱出、従来の排泄方法がよかった（時間がかかるなど）、手技が困難、であった。

引用文献
1. Christensen P, Olsen N, Krogh K, et al：Scintigraphic assessment of retrograde colonic washout in fecal incontinence and constipation. Dis Colon Rectum 2003；46：68-76.
2. 味村俊樹, 角田明良, 仙石淳ほか：難治性排便障害に対する経肛門的洗腸療法 前向き多施設共同研究. 日本大腸肛門病学会雑誌 2018；71：70-85.
3. Mekhael M, Kristensen OH, Larsen HM, et al：Transanal Irrigation for Neurogenic Bowel Disease, Low Anterior Resection Syndrome, Feacal Incontinence and Chronic Constipation：A Systematic Review. J Clin Med 2021；10：753.
4. Faaborg PM, Christensen P, Krassioukov A, et al：Autonomic dysreflexia during bowel evacuation procedures and bladder filling in subjects with spinal cord injury. Spinal Cord 2014；52：494-498.
5. Faaborg PM, Christensen P, Kvitsau B, et al：Long-term outcome and safety of transanal colonic irrigation for neurogenic bowel dysfunction. Spinal Cord 2009；47：545-549.
6. 乃美昌司, 仙石淳, 味村俊樹, 他：神経因性大腸機能障害に起因する難治性排便障害に対する経肛門的洗腸療法前向き多施設共同研究サブ解析. 日本脊髄障害医学会雑誌 2019；32（1）：2-6.

Part 3 [治療・ケア]

経肛門的洗腸療法

# 経肛門的洗腸療法のケア

小倉美輪

## 経肛門的洗腸療法とは

　経肛門的洗腸療法（図1）は逆行性洗腸法とも呼ばれ、目的は灌注排便法と同じである。2021年6月時点で経肛門的洗腸療法に使用可能な器具は、2016年8月に薬事認証を得ているペリスティーン®のみである。2021年10月に「ペリスティーン®トランスアナルイリゲーション」へリニューアルされた。
　ペリスティーン®トランスアナルイリゲーションを使用した経肛門的洗腸療法の異なる点は、デバイスとそれに伴う手技、直腸内でのバルーン拡張から注水時のカテーテル保持が不要であること、注入水の漏れを軽減し洗腸効果が高まることである。ペリスティーン®トランスアナルイリゲーションによる洗腸実施の流れを図2に示し、以下に詳細に解説する。

図1　経肛門的洗腸療法

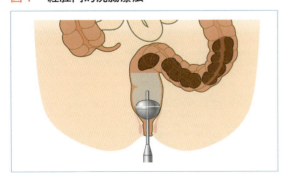

## 洗腸療法の実施手順と方法

### 1．臨床的評価

**1）排便状態**
　日頃の排便状態を把握するために、排便日誌が有用である。排便日誌の評価により注水量や洗腸間隔を決定する。

**2）操作方法の理解度**
　製品を適切に取り扱い、製品に起因する合併症を予防するために、確実で正確な操作方法を理解することが重要である。

**3）運動機能・手指の巧緻性の評価**
　実施には30〜60分の間、トイレで座位を保つことが必要であること、コントロールユニットの操作や直腸カテーテルの肛門への挿入が必要となるため、運動機能と手指の巧緻性の障害の有無と程度を評価することが重要である。障害がある場合は、自助具の使用や工夫、環境調整で実施可能かを実施前に評価する。

### 2．医療従事者による患者トレーニング

● 排便のしくみ、排便の問題、経肛門的洗腸療法の利点やリスク、製品の使用上の注意点についてパンフレット等を使用して説明する。

### 図2　ペリスティーン®トランス アナルイリゲーションによる洗腸実施の流れ

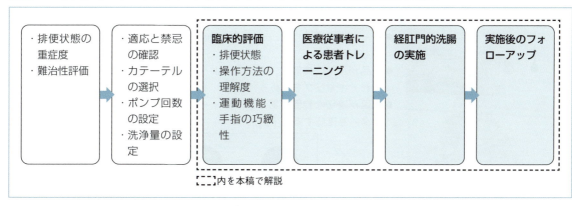

### 図3　コントロールユニットの名称と扱い

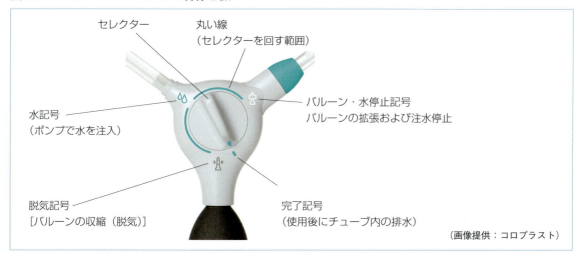

（画像提供：コロプラスト）

- 必要物品を用いながら医療従事者がデモンストレーションを行い、手順と注意点を説明する。説明忘れを防ぐために、チェックリスト等を作成し活用するとよい。
- 必要物品を用いながら患者自身がデモンストレーションを行い、手順を体験する。

## 3．経肛門的洗腸の実施

初めて経肛門的洗腸を行う際には、必ず医療従事者の監督の下で行う。ペリスティーン®トランスアナルイリゲーションは、関連学会が定める指針に従い、指針に定める講習会を受講したうえで使用することが添付文書に記載されている。

### 1）開始前の確認事項

経肛門的洗腸療法開始前は、以下を必ず確認する。
- 直腸カテーテルのサイズ
- 洗浄水の注入量
- バルーン拡張回数

### 2）必要物品

- 直腸カテーテル
- コントロールユニット（図3）
- ウォーターバッグ
- 微温湯

## 3）使用手順

(画像提供：コロプラスト)

### ①ウォーターバッグへの水の充填

- キャップを開けウォーターバッグの中に水道水またはミネラルウォーターを入れる
- 製品が正常に機能し、床に立つように、目盛りの上までいっぱいに水を入れ、キャップを閉める
- 水温が適切な範囲にあるか、ウォーターバッグ全面の丸い適温インジケーターを確認する（下図）

### ②チューブとウォーターバッグの接続

- 灰色のコネクター付きチューブを灰色のスクリュートップに取り付ける（①）
- 太いチューブを大きい穴に、細いチューブを小さい穴に差し込み、コネクターを十字に合わせ、押し込みながらロックされるまでコネクターを時計回りに押しながら回す（②）

### ③バルーンカテーテルの接続

- 水色のコネクター付きチューブの一端をコントロールユニットに取り付ける。その際に、太いチューブを大きい穴に、細いチューブを小さい穴に合わせ、ロックされるまで時計回りに押しながら回す（①）
- カテーテルのパッケージを、カテーテル本体の水色の丸印くらいまで開け、水色のコネクター付きチューブのもう一方の端と接続する。ロックされるまでコネクターを時計回りに押しながら回す（②）

### ④カテーテルの準備

- カテーテルは、シール等で壁に固定するか、パッケージに入れた状態で空のコップ等の容器に立てておく

## ⑤直腸カテーテルバルーンの確認

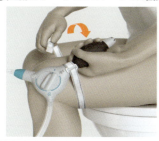

- 操作する際の安定性のため、必要な場合は付属のストラップを使ってコントロールユニットを太ももに取り付ける

## ⑥バルーンカテーテル　親水性コーティングの活性化

- セレクターを水色の水記号（💧）に合わせ、カテーテルのパッケージいっぱいになるまでポンプをゆっくりと押して注水し、カテーテルの親水性コーティングを活性化させる
- セレクターを白色のバルーン記号（♗）に合わせて、水を止める
- 30秒待ち、親水性コーティングが活性化して表面がぬるぬるしたカテーテルをパッケージから取り出し、2分以内に使用する
  ※バルーンを損傷する恐れがあるため、他の潤滑剤をバルーンカテーテルに使用しない

## ⑦バルーンカテーテルの挿入

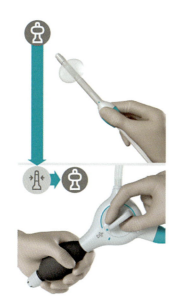

- バルーンカテーテルを挿入しやすいほうの手で持ち、反対の手でポンプを1回押して、直腸に挿入する前にバルーンの膨らみを確認する
- バルーンの膨らみを確認した後、セレクターを時計回りに灰色の脱気記号（♗）に合わせ、バルーンから空気を抜く。その後、セレクターを反時計回りにバルーン記号（♗）に戻す

経肛門的洗腸療法のケア　303

- バルーンカテーテルを水色の丸印の下にあるグリップで保持し、ゆっくりとバルーンカテーテルを直腸に挿入する
  ※抵抗がある場合は、無理に挿入しない

⑧バルーンの拡張

- セレクターを白色のバルーン・水停止記号（ ）に合わせ、医師の指示量でポンプを押しバルーンを拡張させる
- カテーテルをゆっくりと引っ張り、バルーンを直腸壁に密着させる
- 大腸穿孔のリスクを防ぐために、バルーン拡張は洗腸中の漏れを防ぐために必要な最小限にとどめる
  ・カテーテル（大）の場合：1〜3回、最大4回まで
  ・カテーテル（小）の場合：1回、最大2回まで

⑨ポンプによる注水

- 反時計回りでセレクターを水色の水記号（ ）に合わせる
- 医師指示の水量に達するまで、ポンプでゆっくりと腸内に注水する

⑩カテーテルの抜去と破棄

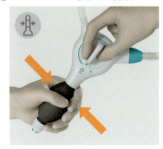

- 指示量の注水が終わったら、セレクターを反時計回りで灰色の脱気記号（ ）に合わせ、バルーンを収縮させ、バルーンカテーテルを直腸からゆっくりと抜く

⑪排便

- すぐに自然と腸管内容物の排出が始まる。便が排出されない場合は、腹圧をかけたり、腹部をさすったり、上体を動かして排出を促す
- 腸から排出するまでに必要な時間には個人差があるが、平均して30分程度要する

## 洗腸療法を行う際の留意点

### 1．保険適用の対象

2021年6月時点の経肛門的洗腸療法の保険適用の対象は、3か月以上の保存的治療によっても十分な改善を得られない、脊髄障害を原因とする排便障害を有する患者（直腸手術後の患者を除く）である。

### 2．患者指導

#### 1）方法

ケアの目標は、在宅で効果的に安全に洗腸を実施できることである。指導効果を高めるためには、理解力・麻痺の程度・自宅のトイレ環境など、対象の状況を把握することが重要であり、チームあるいは同じスタッフが指導することが望ましい。

#### 2）実施の時間

洗腸には30～60分はかかる。早く終わらせたいという思いが急ぎ・焦りとなり、操作間違いを引き起こすことにつながる。したがって、ゆっくりと洗腸ができる時間帯に実施をする。また、深夜等の遅い時間帯は、トラブルが生じた際の対応が手薄になるため避けたほうがよい。

### 3．手技について

#### 1）手技方法の工夫やサポートの調整

運動障害・手指の巧緻性の低下がある場合には、

図4 ストラップを使用したポンプ操作

「できない」のではなく「できる」ように工夫をすることが必要である。カテーテルを挿入しながらのポンプ操作が難しい場合や、麻痺・握力の低下等によりポンプをうまく押せない場合には、付属のストラップを大腿に固定し（図4）、肘や前腕で操作することで注入の安定性を高めることができる。

C7以上の頸髄損傷完全麻痺の患者では、手指の巧緻障害があるため、介助者のサポートを必要とするか、自助具の使用で実施可能とならないか看護師・作業療法士（理学療法士）と連携しながら安全に実施できるよう調整する。

### 4．機器の操作

#### 1）コントロールユニットの操作間違いを防ぐ工夫

バルーンの過剰な拡張は直腸損傷のリスクがあるため、操作間違いを防止することが重要である。

コントロールユニットはアイコンのみの表示であり、慣れるまでは操作間違いをする可能性が高いため、文字表記などを追加するなどの工夫が必要である（図5）。

## 5．直腸カテーテルの挿入時

### 1）座位で直腸カテーテルを挿入することの安全性

座位・立位での浣腸は禁忌とされているが、ペリスティーン®トランスアナルイリゲーションの直腸カテーテルは、①バルーンまでの長さが肛門管長と同等の3〜4 cmであること、②直径が1 cmであること、③適度なコシはあるが硬すぎないこと（図6）、④カテーテルに親水性コーティングが施されていることから、ゆっくりと無理なく挿入すれば、座位でも直腸カテーテルによる直腸損傷を引き起こすリスクは低い。座位での挿入姿勢は、直腸肛門角が鈍角となるように前傾姿勢が望ましい（図7）。

### 2）カテーテルがスムーズに挿入できない場合

直腸に便が貯留していると、直腸カテーテルの挿入困難をきたし、無理な挿入により直腸粘膜を損傷するリスクがある。また、便により直腸カテーテルの注水孔が閉塞してしまうため、普段から摘便をしているケースでは、洗腸前の摘便を勧める。

図5　コントロールユニットの操作間違いを防ぐ工夫

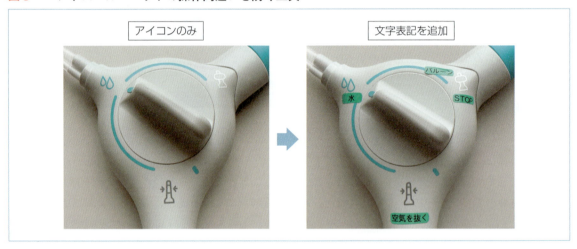

図6　直腸カテーテルの硬さのめやす

図7　カテーテル挿入時の姿勢

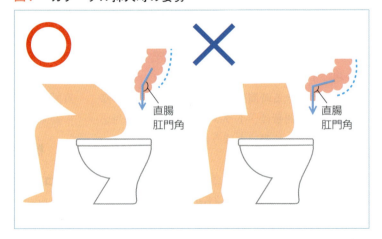

表1　自律神経過緊張反射の症状

| 収縮期血圧が30mmHg以上の発作性高血圧 | 頭痛・悪心・嘔吐 |
|---|---|
| 非麻痺部皮膚の発赤・発汗 | 徐脈 |
| 麻痺部の鳥肌 | 全身違和感（ぞわぞわ） |

## 6．洗腸水の注入時

### 1）洗腸水の温度

水温は30〜40℃とする。熱すぎると腸粘膜を損傷する危険があり、冷たすぎると大腸の過度な蠕動運動に伴う腹痛を生じる危険性がある。

### 2）洗腸水の注入速度

成人の場合、1分間に200〜300mLのペースで注入することが推奨されている。バルーンを1回押すと約50mL注入されるため、10〜15秒に1回のペースでポンプを押す。注入速度が早すぎると、不快や発汗、めまい、腹痛を生じることがある。不快感が生じた際は、バルーンの空気を抜いて直腸カテーテルを抜去し、便とともに注入水を排出させる。それでも症状が改善しない場合は、すぐに医療従事者に連絡する。

### 3）注水中に発生するトラブルと対処方法

胸髄5-6以上の損傷レベルでは、膀胱や直腸などへの刺激が誘因となり、洗腸時の注水による直腸や結腸壁の過伸展によって自律神経過緊張反射症状が引き起こされる場合がある（表1）。ただし、発症は、直腸への注水よりも膀胱における尿貯留の影響が大きいとの報告もあるため、洗腸前には排尿（導尿）を済ませておくことが必要である[1]。

肛門括約筋が弛緩する二分脊椎症では、注水による内圧上昇と蠕動亢進が誘因となり、また、第1仙髄より上位の損傷である反射性大腸のケースでは、注水によって直腸が過剰に収縮すると肛門括約筋が弛緩し、バルーンが膨らんだまま直腸カテーテルが肛門から脱出することがある。

その場合は、ポンプを操作する反対の手でカテーテルを保持して脱出しないように支え、バルー

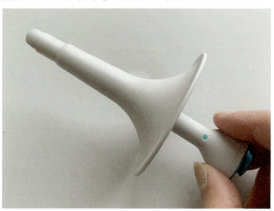

図8　コーンタイプのカテーテル

ンが肛門管上に密着した状態を保つ。あるいはコーンタイプのカテーテルを使用する（図8）。

巧緻性の低下で、自身でカテーテルを保持できない場合は、介助者によるカテーテル保持を考慮する。

## ［実施後のフォローアップ］

### 1．定期的な手技の確認

手技が慣れてくると自己流となり、誤った操作に伴う有害事象を生じる場合がある。外来で定期的に在宅での管理方法を確認し、継続的に安全に実施できるよう、リスクの説明ならびに手技の確認を行うことが必要である。

### 2．連絡体制

経肛門的洗腸療法の効果が十分に確立するのは4〜12週間かかるとされており、問題なく実施できているかは電話等でフォローアップすること

が推奨されている。

## 3．洗腸の効果

評価には排便・洗腸日誌が有用である。排便の状態や洗腸の効果を確認し、洗腸頻度・注水量・バルーンのポンプ回数など、最大の効果が得られるように調整していく。

引用文献
1. 日本脊髄障害医学会，日本大腸肛門病学会，日本ストーマ・リハビリテーション学会，脊髄障害による難治性排便障害に対する経肛門的洗腸療法の適応および指導管理に関する指針作成委員会編：脊髄障害による難治性排便障害に対する経肛門的洗腸療法（transanal irrigation：TAI）の適応および指導管理に関する指針．https://www.jascol.jp/member_news/2020/files/20200331.pdf?v=2（2021/5/24アクセス）

参考文献
1. 日本大腸肛門病学会編：経肛門的自己洗腸の適応及び指導管理に関する指針（経肛門的洗腸療法について）．https://www.coloproctology.gr.jp/uploads/files/news/keikoumontekijikosencho_shishin2.pdf（2021/5/24アクセス）

---

### ペリスティーン®トランスアナルイリゲーションを用いた経肛門的洗腸療法の有用性

味村らによる難治性排便障害に対する経肛門的洗腸療法 前向き多施設共同研究[1]では、32例に経肛門的洗腸を導入した結果、25例（78％）が10週間の治療を完遂し、そのうち本療法の継続を希望したものは23例（72％）であった。10週以降も継続を希望した23例のVisual Analogue Scaleを用いた排便管理に対する満足度は、導入前の中央値2.2から、導入後10週目には7.5と有意に改善した。

ペリスティーン®トランスアナルイリゲーションを用いた排便管理は排便コントロールが可能となり、排便に要する時間の短縮、また、予期しない便失禁への不安解消へとつながり、適応のある患者には有用な治療法といえる。

引用文献
1. 味村俊樹，角田明良，仙谷淳，他：難治性排便障害に対する経肛門的洗腸療法 前向き多施設共同研究．日本大腸肛門病学会誌 2018；71(2)：70-85．

[ 治療・ケア ]

# 薬物療法

山名哲郎

## 便秘に対する薬物療法

### 1．浸透圧性下剤

浸透圧性下剤は刺激性下剤の一つであり、塩類下剤である酸化マグネシウムがその代表である。浸透圧性下剤は浸透圧を高めて腸内に水分を引き出すことで緩下作用を発揮する。投与後効果が出るまで数日かかるが、便がやわらかくなるように1日2gを越えない範囲で投与量を調整する。腎機能が低下している患者ではマグネシウムの貯留により高マグネシウム血症（倦怠感、筋力低下、徐脈性不整脈など）が発症することがあるため投与は控えるべきである。また、高齢者では腎機能が正常であっても定期的に血清マグネシウム濃度を測定しながら慎重に投与することが勧められる。

### 2．刺激性下剤

アントラキノン系（センノシドやアロエなど）とジフェニール系（ビサコジル、ピコスルファートナトリウムなど）がある。大腸の筋層間神経叢に作用して蠕動運動を促進し、また腸管からの水分の吸収を抑制して緩下作用を発揮する。漢方薬系の下剤もアントラキノン系が主成分であるため、刺激性下剤として取り扱う。刺激性下剤の服用量の上限は特に定められていないが、長期連用により耐性が出現して難治性便秘になることがあるため服用法や服用量には十分な注意が必要である[1,2]。

### 3．上皮機能変容薬

上皮機能変容薬（ルビプロストン、リナクロチド）は小腸の腸管内腔側に存在するClC-2クロライドチャネルを活性化して腸管内での浸透圧性の分泌を促進し、分泌された水分によって便をやわらかくして排便を促進する[3,4]。上皮機能変容薬は高齢者においても安全に使用できるが、主な副作用としては悪心があり、特に若年女性に多い。

## 便失禁に対する薬物療法

### 1．ポリカルボフィルカルシウム

ポリカルボフィルカルシウムは高分子吸収ポリマーのカルシウム塩であり、小腸や大腸内で35倍以上の水分を吸収して膨潤・ゲル化することで軟便を固形化する作用がある。軟便性の漏出性便失禁患者では、便性状を固形化して便失禁症状を改善しやすいので、便失禁の薬物療法としては第一選択の薬剤となっている[5]。ポリカルボフィルカルシウムは通常、錠剤3〜6T（1.5〜3.0g）または細粒1.8〜3.6gを1日3回で服用する。服用により便が硬くなりすぎる場合は服用量を減らすか水分摂取を増やすようにする。

## 2．ロペラミド塩酸塩

ロペラミド塩酸塩は小腸や大腸のオピオイド受容体に作用して蠕動運動を抑制して水分や電解質の吸収を促進する強力な止瀉薬である。服用によって排便回数の減少や便を固形化する作用があるため、ポリカルボフィルカルシウムを服用しても便性が軟便、または下痢の便失禁患者に有用である[6]。服用量は便性状が有形になるように0.5〜2mgで適宜調整する。

# 下痢に対する薬物療法

## 1．抗菌薬

感染性腸炎による急性下痢症の治療に用いる。急性下痢症ではまずは初期治療としての脱水治療を行ったうえで、シプロフロキサシン1日1,000mgを2回に分服して3〜5日間投与する。便培養で赤痢菌、カンピロバクター、エルシニア菌が同定された場合はニューキノロン系抗菌薬を5〜7日間投与する。一般に細菌性下痢では止瀉薬の使用はなるべく控えるようにする。出血性大腸炎では止瀉薬は禁忌である。

## 2．止瀉薬

慢性下痢症に対する薬物療法は、止瀉薬の投与と原因となる疾患に対する薬物療法である。ロペラミド塩酸塩に代表される腸管抑制薬は、蠕動の抑制により排便回数を減らして下痢を抑える。1日1〜2mgを1〜2回に分服する。

収れん薬は、腸粘膜タンパクと結合して粘膜面を覆い腸液の分泌刺激を抑制して止瀉効果を示す。タンニン酸アルブミンは1日3〜4gを3〜4回に分服する。ビスマス系収れん薬は消化管に皮膜を形成して蠕動を抑制し、腸内異常発酵で生じる硫化水素と結合してガス刺激を緩和する。次硝酸ビスマスは1日2gを2〜3回に分服する。次炭酸ビスマス1日1.5〜4gを3〜4回に分服する。次硝酸ビスマスは長期連用の副作用として精神神経障害がみられることがあるので、1か月で20日程度（週5日以内）にとどめる。

吸着薬は、腸管内で異常物質や過剰な水分・粘液を吸着して除去することで止瀉効果を示す。天然ケイ酸アルミニウムは、胃および腸管内の異常有害物質、過剰の水分を吸着して除去する。1日3〜10gを3〜4回に分服する。ポリカルボフィルカルシウムは腸管内で水分を吸収して膨潤・ゲル化し、便の水分バランスをコントロールする。1日1.5〜3gを食後3回に分服する。副作用はほとんどないが、まれに嘔気、嘔吐、発疹、口渇などがみられることがある。本剤はカルシウムを約20％含んでいるため腎不全患者では禁忌であり、腎結石の患者への投与も控えたほうがよい。

殺菌（防腐）薬は腸内腐敗や発酵の抑制、腸管蠕動抑制により止瀉作用を示す。塩化ベルベリン1日150〜300mgを3〜4回に分服する。副作用は特にないが、出血性大腸炎は禁忌であり、細菌性下痢も原則禁忌である。

生菌製剤（整腸薬）は、糖分解による乳酸で腸内を酸性に変え病原菌の増殖を阻止する。抗生物質投与時の腸内異常発酵の治療や、菌交代現象の予防としては耐性乳酸菌が適応となり、乳糖不耐による下痢（乳児や経管栄養）には乳糖分解酵素が適応となる。1日3gを3〜4回に分服する。生菌製剤（整腸薬）の副作用は特にないが、耐性乳酸菌は牛乳アレルギー患者には禁忌である。

過敏性腸症候群の下痢型に適応となる選択的セロトニンレセプター拮抗薬（ラモセトロン）は、消化管運動亢進を助長するセロトニンの伝達経路を遮断することで大腸輸送能亢進あるいは大腸水分輸送異常にもとづく排便亢進や下痢症状を改善する。

引用文献
1. Portalatin M, Winstead N. Medical management of constipation. Clin Colon Rectal Surg 2012;25(1):12-19.
2. Bassotti G, Chiarioni G, Germani U, et al. Endoluminal instillation of bisacodyl in patients with severe (slow transit type) constipation is useful to test residual colonic propulsive activity. Digestion 1999;60(1):69-73.
3. Lipecka J, Bali M, Thomas A, et al. Distribution of ClC-2 chloride channel in rat and human epithelial tissues. Am J Physiol Cell Physiol 2002;282(4):C805-C816.
4. Cuppoletti J, Malinowska DH, Tewari KP, et al. SPI-0211 activates T84 cell chloride transport and recombinant human ClC-2 chloride currents. Am J Physiol Cell Physiol 2004;287(5):C1173-C1183.
5. 安部達也, 佐藤ゆりか, 鉢呂芳一ほか：便失禁に対するポリカルボフィルカルシウムの効果. 日本大腸肛門病会誌 2010;63(8):483-487.
6. Markland AD, Burgio KL, Whitehead WE, et al. Loperamide Versus Psyllium Fiber for Treatment of Fecal Incontinence: The Fecal Incontinence Prescription (Rx) Management (FIRM) Randomized Clinical Trial. Dis Colon Rectum 2015;58(10):983-993.

# 手術療法

山名哲郎

## 便秘

便秘の治療はあくまでも保存的治療を徹底することであるが、保存的治療で症状の改善を得ることができない難治性便秘症のなかには、手術療法が適応になる疾患もある。本項では、これらの疾患と手術療法について述べる。

### 1. 直腸瘤 (rectocele)

直腸瘤は、排便の努責時に直腸前壁が腟内へ突出する女性特有の疾患である。大きな直腸瘤は、立位や歩行時の腟の圧迫感や性器脱を愁訴とする場合もあるが、ほとんどの直腸瘤は努責時の直腸の変形によって生じる便排出困難や残便感を主訴とする。下剤で軟便にしても便が出にくかったり、毎日排便があってもそのたびに便が出にくいことが、大腸通過遅延型便秘と異なる点である。

診断は、直腸指診で直腸前壁を圧迫した際に直腸前壁が腟側へ大きく入りこむ場合に直腸瘤を疑う。直腸瘤が疑われた場合は排便造影検査を施行し、透視下で努責時に直腸前壁が腟側へ大きく突出する変形が認められれば直腸瘤と確定診断できる (図1)。

直腸瘤の手術療法の適応は、便秘の主症状が便排出困難であり直腸の腟内への突出の大きさが3cm以上の症例である。なかでも腟内を指で押さえて排便を補助する習慣がある患者や、排便造影で直腸瘤内にバリウムペーストが残存する所見がみられる患者は、手術による改善効果が得られやすいので手術療法のよい適応と考える。

術式は経肛門的術式と経腟的術式があるが、経腟的術式のほうが良好な治療成績であることが報告されている。経腟的術式は、肛門挙筋の縫合によって直腸腟中隔を補強する後腟壁形成術 (posterior colporrhaphy) が一般的であるが (図2)、メッシュを利用した補強手術もある。後腟壁形成術を施行すると80〜90%で排便困難の症状改善が得られる[1]。合併症は比較的少ないが、術後の性交痛、創感染、メッシュ露出、直腸腟瘻などが問題となる。

図1 直腸瘤

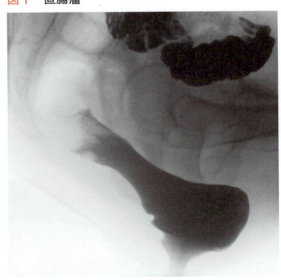

## 2. 結腸無力症（colonic inertia）

結腸無力症は大腸通過遅延型便秘症（いわゆる弛緩性便秘症）の難治例や重症例のなかで、結腸の通過時間が極端に遅延している疾患である。原因は不明であるが、結腸壁内の神経や平滑筋の異常により蠕動運動が極端に低下している病態と考えられている。結腸無力症の特徴的な症状は、下剤を服用しないと5〜7日間以上排便がないこと、下剤の服用量が極端に多いことであるが、腹満感や排便困難を伴う場合も多い。

**結腸無力症の診断には大腸通過時間を評価するシッツマーク（Sitzmarks®）検査が有用**である。X線不透過マーカーが20個入った検査用カプセルを服用し、時間を空けて腹部単純X線写真を撮影して、腸管内に残存しているマーカーを確認する。通常は5日目でマーカーの80％以上が排泄されるが、5日目のX線写真でマーカーが20％以上残存している場合に結腸無力症と診断する（図3）。

結腸無力症による重症便秘症は、患者を慎重に選択すれば手術療法が適応になる。手術療法を考慮する場合は、保存的治療を徹底しても難治性便秘症状が改善せずQOLが非常に悪い場合、排便造影検査で、便排出障害型便秘の原因となる直腸瘤や骨盤底筋の協調障害の所見を伴わない場合、小腸の機能異常である慢性偽性腸閉塞症が否定できる場合などであるが、結腸の機能的な問題だけではなく精神的な要素を有している場合もあるため、個々の症例ごとに慎重に検討したうえで、患者や家族とよく相談して手術を施行するかどうかを決定する[2]。

術式は、結腸全摘＋回腸直腸吻合の成績が最もよい[3,4]。S状結腸切除や左半結腸切除などの結腸部分切除は、結腸全摘に比べて有効でないとする報告が多い。盲腸やS状結腸を残す結腸亜全摘も、結腸全摘に比べると患者満足度が低く症状の再発が多い。

図2　後腟壁形成術

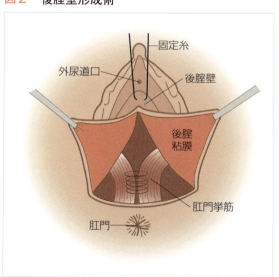

図3　シッツマーク検査

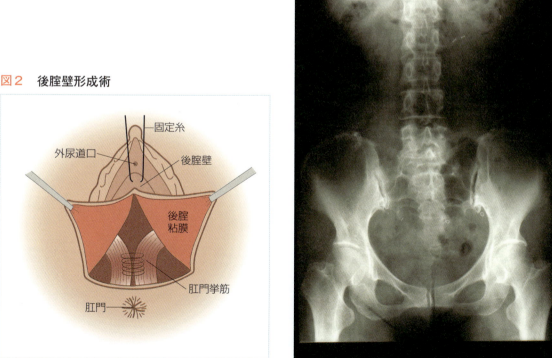

# 便失禁

便失禁の手術療法として、これまで括約筋形成術、大腿薄筋置換術、大殿筋置換術、人工括約筋留置術、仙骨神経刺激療法など多くの術式が試みられてきたが、治療効果の普遍性や合併症の発症率のため、現在に至って普及している術式は限られている。本項では、現時点で比較的多く行われている括約筋形成術と仙骨神経刺激療法について述べる。

## 1．括約筋形成術（sphincteroplasty）

括約筋形成術は、便失禁を主訴とする外傷性肛門括約筋不全に対する手術療法の1つである。括約筋形成術のよい適応は分娩外傷である。分娩外傷では、欠損部が肛門前部に限局しており、形成術が施行しやすく術後成績も良好である。分娩外傷以外の外傷性肛門括約筋不全に対する括約筋形成術の有効性を示した報告は少ないため、これらの外傷では括約筋形成術はあまり行われない。

括約筋形成術の実際は、まず会陰皮膚に弧状の皮切をおき、瘢痕組織の肛門側と外腔側を剥離して瘢痕組織を切離してから、両断端をオーバーラップさせて非吸収糸でマットレス縫合をする（図4）。さらにその外側の浅会陰横筋と球海綿体筋下縁との組織を縫合して会陰小体を再建する[5]。

分娩外傷に対する括約筋形成術は合併症も少なく短期成績は良好であるが、長期的には治療効果が減弱することが報告されている[6,7]。また、分娩外傷から長期間経過している高齢者では、括約筋形成術による効果が得られないことがあるので、後述する仙骨神経刺激療法を選択するかどうかよく検討する。

## 2．仙骨神経刺激療法（SNM）

仙骨神経刺激療法（sacral neuromodulation：SNM）は、刺激電極を仙骨神経の近傍に植え込んで仙骨神経を持続的に電気刺激する治療法である（図5）。作用機序は、体性神経を介する外肛門括約筋や骨盤底筋の収縮や肛門上皮の感覚の改善、および自律神経を介する内肛門括約筋の収縮や直腸感覚の改善など多因子にわたる効果であると考えられている。

SNMは1995年のMatzelらの報告以来[8]、ヨーロッパを中心とした臨床研究で良好な治療成績が報告されており、米国を中心とした120人の患者を対象とした国際的多施設共同研究においても、24か月の時点での週あたりの便失禁の回数が、治療前に比べて50％以上減少した患者の割合が85％であったことが報告された[9]。2011年に実施した、日本での多施設共同研究においても、21例の患者に刺激装置植え込み術を施行し18例（86％）で便失禁の回数が50％以上減少した[10]。

図4　括約筋形成術

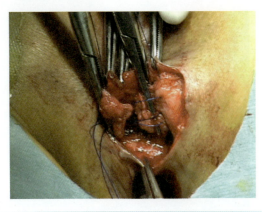
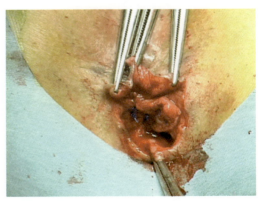

### 図5　仙骨神経刺激療法

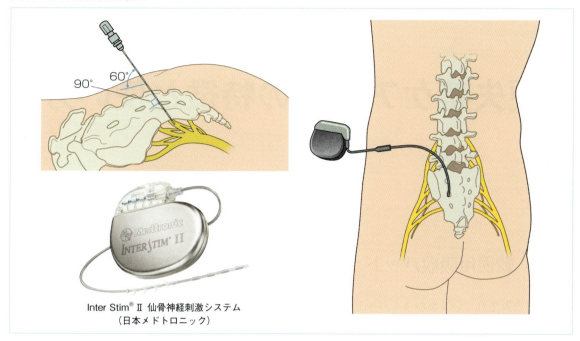

Inter Stim® II 仙骨神経刺激システム
（日本メドトロニック）

　SNMの適応は幅広く、特発性便失禁、分娩外傷、直腸がん術後などの便失禁の症例でその有用性が認められているが、脊髄神経障害の患者の便失禁に対する有用性はエビデンスが少ない。術前に効果の予測をすることは難しいが、刺激電極留置後2週間の試験刺激の効果によって、刺激装置を植え込むかどうか判定することができるのもSNMの大きな特徴である。

　SNMは、現在までにEU諸国および北米において排便・排尿障害の治療法として、すでに15万例以上の実績があり、日本でも2014年に便失禁の治療として薬事承認された。現在、失禁治療の国際的ガイドラインである『5th International Consultation on Incontinence』では、便失禁の治療として、脊髄損傷のない患者に対してはSNMを推奨している。SNMは今後の便失禁手術療法において中心的な役割を担うことが期待されている。

引用文献
1. Yamana T, Takahashi T, Iwadare J. Clinical and physiologic outcomes after transvaginal rectocele repair. Dis Colon Rectum 2006; 49(5): 661-667.
2. 金澤周, 山名哲郎, 森本幸治, 他: Colonic inertia（結腸無力症）における外科治療の適応および有用性の検討. 日本大腸肛門病学会雑誌 2012; 65(5): 253-258.
3. Yoshioka K, Keighley MR. Clinical results of colectomy for severe constipation. Br J Surg 1989; 76(6): 600-604.
4. Wexner SD, Daniel N, Jagelman DG. Colectomy for constipation: physiological investigation is the key to success. Dis Colon Rectum 1991; 34(10): 851-856.
5. 山名哲郎: 外傷性肛門括約筋不全に対する括約筋形成術. 日本大腸肛門病学会雑誌 2015; 68(10): 961-969.
6. Zutshi M, Tracey TH, Bast J, et al. Ten-year outcome after anal sphincter repair for fecal incontinence. Dis Colon Rectum 2009; 52(6): 1089-1094.
7. Glasgow SC, Lowry AC. Long-Term Outcomes of Anal Sphincter Repair for Fecal Incontinence: A Systematic Review. Dis Colon Rectum 2012; 55(4): 482-490.
8. Matzel KE, StadelmaierU, Hohenfellner M, et al. Electrical stimulation of sacral spinal nerves for treatment of faecal incontinence. Lancet 1995; 346(8983): 1124-1127.
9. Wexner SD, Coller JA, Devroede G, et al: Sacral nerve stimulation for fecal incontinence: results of a 120-patient prospective multicenter study. Ann Surg 2010; 251(3): 441-449.
10. 山名哲郎, 高尾良彦, 吉岡和彦, 他: 便失禁に対する仙骨神経刺激療法前向き多施設共同研究. 日本大腸肛門病学会雑誌 2014; 67(6): 371-379.

# 便失禁ケア用品の特徴と使い方

渡辺光子

## [ 軟便用吸収パッド ]

　国内で市販されているおむつ・パッド類のほとんどは尿失禁を対象とした製品であるが、便失禁用に開発された製品もある。それらは、パッド表面が残渣物を含む下痢便であっても、ろ過作用により目詰まりしにくく、水分を吸収しやすい構造となっている（図1）。

## [ 肛門用プラグ ]

　カップ型の多孔性ポリウレタンを肛門内に挿入し、便失禁による汚染を予防する。挿入後、12時間以内にひもをゆっくりと引き抜いて取り出す。肛門括約筋の弛緩により、少量の便失禁をくり返すような場合に有効である。多量の便や下痢便には不向きである（図2）。

## [ 肛門パウチング用装具 ]

　便失禁用装具あるいは人工肛門用装具を肛門部に装着し、便を皮膚に接触させずに回収する方法として、肛門パウチング法がある（図3）[1]。装具の皮膚装着面は疎水性ポリマーと吸水性ポリマーからなる弱酸性の平型皮膚保護剤でできており、皮膚によく密着する。通常は1〜3日以内で装具交換を行うが、耐久性は製品によって多少異なるため、確認のうえ交換する。びらんを生じた殿部にパウチングする場合は、貼付前に粉状皮膚保護剤をびらん面に薄く付着させることで、滲出液がコントロールされて密着しやすくなる（図4）。ただし、びらんが広範囲の場合には、安定した装着が期待しにくいため不向きである。めやすとしては、装具装着面の50％を越える皮膚障害がある場合は、ほかの管理方法を考慮する。なお、装具を剥がす際は、剥離刺激による皮膚損傷を避けるため、皮膚用剥離剤を用いて愛護的に行うことが望ましい（図5）。

## 図1　軟便用パッド・シートの例

ろ過性が向上し、泥状〜水様便の広がりを防いでスポット吸収させる軟便用の吸収パッド。いずれもアウター用おむつと組み合わせて使用する。

● アテントSケア軟便安心パッド／アテントお肌安心パッド軟便モレも防ぐ（大王製紙）

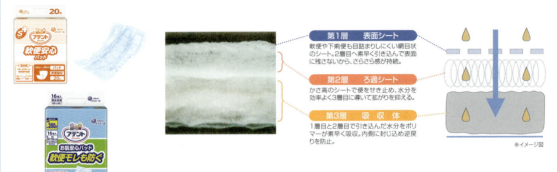

● リフレ 軟便モレを防ぐシート（リブドゥコーポレーション）
※おむつと合わせて使用

パッドのみの場合

便がパッド全体に広がりやすい

軟便モレを防ぐシートを使用すると

軟便モレを防ぐシートを併用した場合

便の広がりが最小限に

※ブリストルスケール7を想定した疑似軟便100mLを注入。疑似軟便を使用した実験であるため、実際の使用時とは異なる場合があります

## 図2　肛門用プラグの使用方法

ペリスティーン® アナルプラグ（コロプラスト）使用方法

多孔性のポリウレタン製。有形便の予期せぬ失禁に対応

潤滑ゼリーをつけて肛門内に挿入し、ひもは体外に出した状態とする

肛門内で水溶性フィルムが溶け、柔らかいポリウレタンがカップ型となって便の漏れを防ぐ。12時間以内にひもをゆっくり引き抜いて取り出す

便失禁ケア用品の特徴と使い方　317

### 図3　肛門パウチングに使用できる装具の例

柔軟な皮膚保護剤が肛門周辺の凹凸に密着して皮膚を保護し、排泄物を皮膚に付着させずにパウチに収容する。いずれも重層構造のパウチで防臭効果がある。

● 装着型肛門用装具
フレックステンド
フィーカル（肛門用）
（ホリスター）

● ストーマ装具
イレファイン® Dキャップフラット
（アルケア）

● ストーマ装具
ポスパック・ライト（アルケア）

### 図4　肛門パウチング法の例

 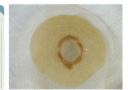
①肛門の大きさや会陰の幅に合わせて面板をカットする。

②ホールカット内縁に用手形成皮膚保護剤をつなぎとして使うことで隙間を埋め、密着が高まる。

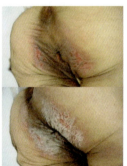
③びらん部に粉状皮膚保護剤を散布し、その後余分な粉状皮膚保護剤を払う。

④しわをのばし、面板が皮膚面に沿うように装具を貼付する。

### 図5　皮膚用剥離剤

ストーマ装具やサージカルテープを剥がす際に使用する皮膚用剥離剤。下記製品はすべてノンアルコールタイプで、脆弱な皮膚にも使用しやすい。陰部のデリケートな皮膚に装着された肛門パウチング用装具を剥がす際は、皮膚用剥離剤を活用して皮膚損傷を予防することが望ましい。

3M™ キャビロン™
皮膚用リムーバー
（スリーエム ジャパン）

アダプトはくり剤
（パック／スプレー）
（ホリスター）

ブラバ 粘着剥離剤
（コロプラスト）

ニルタック™ 粘着剥離剤
（コンバテック ジャパン）

サージカルのり落とし
（ニチバン）

## 下痢便ドレナージチューブ（便失禁管理システム／便失禁ケアシステム）

シリコーンチューブを直腸内に留置して、水様～泥状便を閉鎖的に回収する便失禁の管理方法で、保険償還が可能である（図6～7）。適応と禁忌を確認のうえ、医師の管理下で実施する（図8）。最長29日まで連続使用が可能である[2]。

合併症として肛門裂傷や粘膜損傷が報告されており、これらの予防として、肛門粘膜の保護とスキンケア、毎日観察を行う必要がある。具体的には、留置チューブと肛門の接触部にワセリンまたは油性の皮膚保護クリームを塗布したあと、ポリエステル繊維綿（p.345、図5）で挿入部を全周性に包み込む方法で、粘膜損傷を低減する効果がある（図9）[3]。抜去する際にはバルーンの固定液を十分吸引した後、肛門粘膜を損傷しないようゆっくりと引き抜く。

### 図6　下痢便ドレナージチューブ

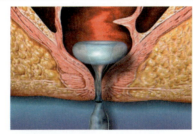

●便失禁管理システム

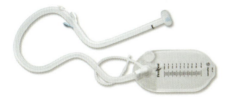

フレキシシール®SIGNAL（コンバテック ジャパン）
バルーン型のシリコンチューブを肛門から挿入、直腸内に留置し、水様便をパウチ内へ回収するシステム。

●便失禁ケアシステム

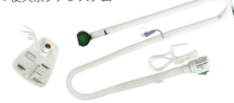

バード®　ディグニシールド®（メディコン）
先端のリテンションカフに潤滑剤を塗布し、肛門から直腸内に挿入する。その後、側管から固定水を注入し、カフを拡張させて固定する。

### 図7　便失禁管理システムの使用方法

フレキシシール®SIGNAL（コンバテック ジャパン）留置方法

①バルーンの空気を抜いた状態で、フィンガーポケットに指を挿入する。

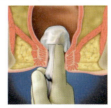

②潤滑剤をつけて、バルーン先端を肛門から静かに挿入し直腸内まで進める。

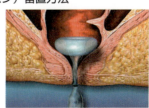

③指は抜かないままで固定液を注入する。バルーンの膨張を確認後、指を静かに抜く。

### 図8　便失禁管理システムの適応基準（フレキシシール®SIGNAL）

**適応**
- 水様便～水様に近い泥状便。
- おむつ交換が1日5回以上で、今後2日以上の下痢が予測される。
- ベッド上安静。
- 宿便がない（除去できる）。
- 医師により肛門括約筋の緊張が確認できる。

**禁忌**
- 素材にアレルギーの既往あり。
- 1年以内に下部大腸または直腸の手術を受けている。
- 直腸または肛門に傷、狭窄、腫瘍（の疑い）がある。
- 重度の痔核。

**強く推奨**
- *Clostridium difficile*、MRSA、緑膿菌など感染性の下痢。
- 肛門周囲に手術創、外傷、熱傷、褥瘡がある。
- 下痢によるスキントラブルを起こしている。

患者・家族への説明と同意を得て、実施へ。

### 図9　肛門粘膜損傷の予防例

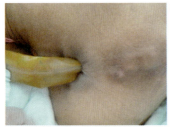

①肛門留置チューブが挿入されている状態。

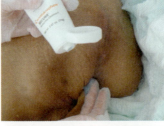

②留置チューブと肛門粘膜の両方に、ワセリンまたは油性の皮膚保護クリームを潤滑剤として塗布する。

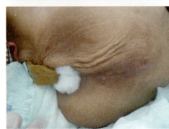

③失禁用ポリエステル繊維綿をチューブと肛門間に全周性に挟みこむことで肛門粘膜の保護や、便漏れ対策になる。

---

引用文献
1. 徳永恵子：失禁に伴う皮膚障害. 日本看護協会認定看護師委員会 創傷ケア基準検討会編著, スキンケアガイダンス. 日本看護協会出版会, 東京, 2002：239-245.
2. フレキシシール®SIGNAL使用説明書, コンバテック ジャパン.
3. 横山千鶴, 倉本雅男, 渡辺光子：便失禁管理システムによる肛門粘膜損傷発症の現状と要因分析. 褥瘡会誌 2002；12（3）：416.

Part 4

# スキンケア
(IAD：失禁関連皮膚炎のケア)

# IAD（失禁関連皮膚炎）と IADのアセスメント

## IAD（失禁関連皮膚炎）とは

### 1．IADの定義

日本創傷・オストミー・失禁管理学会では、失禁関連皮膚炎(incontinence-associated dermatitis: IAD)を以下のように定義している[1]。

> 尿または便（あるいは両方）が皮膚に接触することによって生じる皮膚炎である。この場合の皮膚炎とは、皮膚の局所に炎症が存在することを示す広義の概念であり、その中に、いわゆる狭義の湿疹・皮膚炎群（おむつ皮膚炎）やアレルギー性接触皮膚炎、物理化学的皮膚障害、皮膚表在性真菌感染症を包括する。

症状としては、排泄物が接触する部位に紅斑やびらん、潰瘍などの皮疹が生じ、かゆみや痛みを伴う。皮疹の好発部位は表1に示したとおりであるが、この他にも排泄物が接触しうる大腿部などにも発生することがあるため、意識してこれらの部位を観察することが大切である。

### 2．IADの発生メカニズム

#### 1）正常な皮膚のバリア機能

正常な皮膚は、表皮・真皮・皮下組織の3層構造になっており、表皮の最外層は角質細胞と、細胞間を埋める角質細胞間脂質によって水分等の透過を阻害している。その直下の層では、細胞どうしが強固に結合することで物質や細菌の透過を遮断しており、これらによって皮膚のバリア機能が保たれている。

#### 2）皮膚のバリア機能の破綻とIADの発生

失禁によって皮膚に排泄物（尿や便）が接触すると、排泄物の水分によって皮膚の浸軟が生じる。これは、過剰な湿潤状態による角質細胞が膨潤し、角質細胞間脂質が減少するだけでなく、角質細胞間の間隙が拡大するとともに細胞どうしを連絡する細胞質突起が減少するためである。また、失禁のためにおむつを着用している場合は、おむつ内が高温多湿環境となることで、さらに皮膚の浸軟を招く。

浸軟した皮膚は、皮膚バリア機能を示す指標の1つである経皮水分蒸散量(transepidermal water loss：TEWL)が上昇する。さらに、物理的な強度も低下しているため、摩擦やずれ、頻回な洗浄や拭き取りなどの機械的刺激によって、表

表1　IADにおける皮疹の好発部位

- 会陰部
- 殿部
- 下腹部
- 肛門周囲
- 鼠径部
- 恥骨部
- 臀裂部

## 図1　IADの発生メカニズム

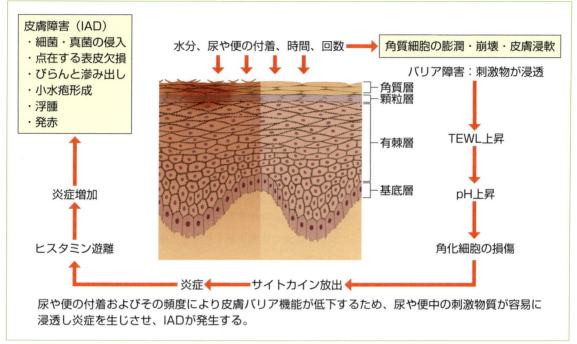

尿や便の付着およびその頻度により皮膚バリア機能が低下するため、尿や便中の刺激物質が容易に浸透し炎症を生じさせ、IADが発生する。

Gray M, Bliss DZ, Doughty DB, et al. Incontinence-associated dermatitis：a consensus. J Wound Ostomy Continence Nurs 2007；34(1)：45-54. より改変

皮に損傷が生じやすい状態となっている。

排泄物自体も皮膚への刺激となる。尿が付着した場合、尿中の尿素が細菌によってアンモニアと二酸化炭素に分解されるため、尿はアルカリ化する。これが皮膚に付着することで皮膚のpHが上昇し、皮膚表面の酸外套による防御機能が低下するため、感染リスクが増大する。便（特に水様便）が付着した場合は、便に含まれる消化酵素により角質層が損傷される。損傷した角質層を通して刺激物がバリアを通過するため、刺激を受けた角化細胞は各種サイトカインを放出し、炎症反応を引き起こす。

近年では、排泄物の付着によって角質層の組織損傷が生じるだけでなく、同時に真皮にも損傷が起きていることが疑われている。浸軟した皮膚ではプロテアーゼ（タンパク質分解酵素）が経皮的に侵入し、真皮で毛細血管壁が分解され赤血球が血管外に漏出していること、同時にそのような皮膚では能動的に細菌が侵入し、凝集塊が形成され、

真皮組織が傷害されていることが動物実験で確認されている。

皮膚表面の炎症と皮膚内部からの組織傷害が複合的に作用することで、IADが引き起こされていると考えられる（図1）。

## 3．IADとの鑑別が必要な疾患

褥瘡は、IADと似たような所見がみられるものの一つである。特に、IADによる殿部の発赤は褥瘡と間違えやすい症状といえる。褥瘡ケアにおいては外力の除去が必要になるが、IADは予防的スキンケアや排泄ケアが重要であるため、鑑別が必要となる。

IADは疾患を示す用語ではなく、あくまでもIADには異種の疾患単位が併存もしくは共存しているという理解が重要である。つまり、IADは一次刺激性接触皮膚炎、アレルギー性接触皮膚炎、皮膚表在性真菌感染症などが包括された概念ととらえるべきで、そのうえで、表2に示したよ

表2　IADとの鑑別が必要な疾患

| | |
|---|---|
| 乳房外パジェット病 | 高齢者の外陰部に後発する紅斑。鱗屑を付す。掻痒を訴える患者も存在する |
| 有棘細胞癌 | 表皮の角化細胞に分化する悪性腫瘍であり、容易に潰瘍化する。熱傷瘢痕、放射線皮膚炎、色素性乾皮表などが誘因となる |
| Queyrat紅色肥厚症 | 亀頭、その他陰門などを中心に境界明瞭な黄色調を呈する、表面ビロード状の局面が出現。粘膜や粘膜移行部に生じる悪性腫瘍 |
| 梅毒 | 初期は外陰部に潰瘍がみられる。感染後約7日間で外陰部に中央が浅く潰瘍化した初期硬結が出現 |
| 軟性下疳 | 感染後数日で外陰部に紅色丘疹を生じ、その後潰瘍化 |
| 単純ヘルペス | 直接接触から7日以内に局所の違和感や熱感を自覚、続いて小水疱やびらんが生じる |
| 壊疽性膿皮症 | 紅斑で始まり、小水疱、小結節などが多発し、次第に潰瘍化。潰瘍性大腸炎、クローン病、骨髄異形成症候群など基礎疾患をもつ |
| 慢性膿皮症 | 殿部から大腿後面にかけて巨大な湿潤局面を形成し、瘻孔、潰瘍、肉芽腫を形成 |
| クローン病 | 肛門周囲に潰瘍が生じることがある。この他に結節性紅斑、壊疽性膿皮症などがみられる |
| 熱傷（化学熱傷を含む） | 水疱ができるものの、弛緩性であることが多い |
| 紅色陰癬 | 細菌感染症であり、ウッド灯による診断が有用 |
| 水疱性類天疱瘡 | 鼠径部のほか上腕や大腿などに掻痒を有する紅斑、緊満性水疱、血疱が多発。水疱は紅斑上に生じることが多く、粘液侵襲の頻度は低い |
| 固定薬疹 | 粘膜皮膚移行部に好発。薬剤内服後紅斑となり、その後色素沈着する |

日本創傷・オストミー・失禁管理学会 編：IAD-setに基づくIADの予防と管理　IADベストプラクティス．照林社，東京，2019：8-10．を参考に作成

うな疾患はIADとの鑑別のために念頭においておく必要がある。

# IADのアセスメント

## 1．IADのリスク因子

IADのアセスメントにあたっては、「全身要因・皮膚の脆弱化」と「殿部・会陰部環境」の2つのリスク因子を考慮する。具体的なアセスメント項目は表3に示したとおりである。リスク因子が1つ以上該当する場合はIADの発生リスクがあると考え、IADが発生した場合は重症化する可能性があると判断する。

## 2．重症度評価スケール「IAD-set」とは

従来、IADを定量的に評価し重症度評価や治癒を可視化しているツールは少なく、信頼性と妥当性の検討も不十分であったため、日本創傷・オストミー・失禁管理学会学術教育委員会（オストミー・スキンケア担当）は、日本での臨床現場でIADのアセスメントができるツールとして、IAD重症度評価スケール「IAD-set」を開発した（図2）。IAD-setは、排泄物が皮膚に付着する状況にある場合に使用し、「Ⅰ．皮膚の状態」と「Ⅱ．付着する排泄物のタイプ」の2つを評価する。

## 3．IAD-setを用いたアセスメント

### 1）皮膚の状態のアセスメント

皮膚の状態は、「皮膚障害の程度」と「カンジダ症の疑い」を評価する。評価する部位は、殿部の

## 表3 IADのアセスメント項目

| 全身要因・皮膚の脆弱化 | ・低栄養状態<br>・血糖コントロール不良な糖尿病<br>・放射線療法中あるいは使用歴（骨盤内腔照射に限る）<br>・免疫抑制薬使用中<br>・抗がん薬使用中<br>・ステロイド剤使用中<br>・抗菌薬使用中<br>・ドライスキン<br>・浮腫 |
|---|---|
| 殿部・会陰部環境 | ・排泄物による浸軟<br>・皮膚のたるみ<br>・関節拘縮などによる股関節の開排制限<br>・膀胱直腸瘻・直腸腟瘻<br>・尿・便以外の刺激物の接触（帯下、下血など）<br>・頭側挙上、座位などの長時間同一体位による圧迫ずれ（排泄物の密着状態）<br>・介護力の不足<br>・患者の拒否によるケアの実施困難<br>・過度な洗浄・拭き取り |

一般社団法人 日本創傷・オストミー・失禁管理学会 編：IAD-setに基づくIADの予防と管理　IADベストプラクティス. 照林社, 東京, 2019：20. より引用

## 図2 IAD-set

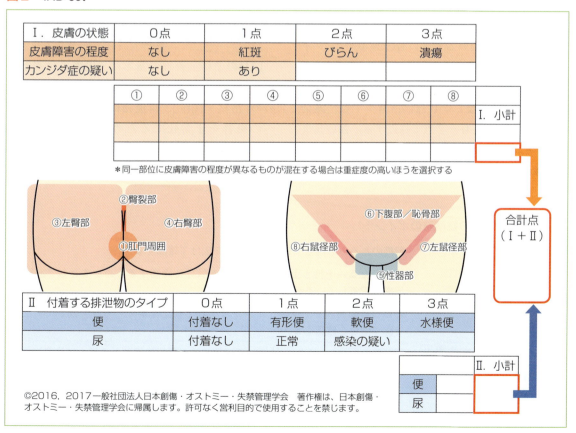

©2016, 2017一般社団法人日本創傷・オストミー・失禁管理学会　著作権は、日本創傷・オストミー・失禁管理学会に帰属します。許可なく営利目的で使用することを禁じます。

観察順に、①肛門周囲、②臀裂部、③左殿部、④右殿部、⑤性器部（陰唇／陰嚢・陰茎）、⑥下腹部／恥骨部、⑦左鼠径部、⑧右鼠径部、の計8部位である。観察時のポイントを表4に示す。

「皮膚障害の程度」は、なし：0点、紅斑：1点、びらん：2点、潰瘍：3点の、0～3点で採点する。1つの部位に複数の症状がみられる場合は、より重症な症状で採点する（例：同一部位に紅斑とびらんがみられた場合は、2点と判断）。

「カンジダ症の疑い」は、なし：0点、あり：1点で採点する。病変部の境界が不鮮明な紅斑とびらんや、ときに鱗屑を伴う状態が主な所見である。疑わしい、専門家のコンサルテーションが必要と考えられる場合、1点と採点する。

### 2）付着する排泄物のアセスメント

付着する排泄物については、「便」と「尿」を評価する。

「便」は、付着なし：0点、有形便：1点、軟便：2点、水様便：3点の、0～3点で採点する。便の固さの見解を統一するためには、ブリストル便性状スケールを用いるとよい（p.229参照）。タイプ5および6が軟便（2点）、タイプ7が水様便（3点）に該当する。

「尿」は、付着なし：0点、正常：1点、感染の疑い：2点の、0～2点で採点する。強い臭気（アンモニア臭）を伴う尿は、感染の疑い（2点）と判断する。

以上の点数を合計し、評価する。記載方法は、「IAD-set Ⅰ（小計点）＋Ⅱ（小計点）＝（合計点）」となり、点数が高いほど重症、点数が減少することで改善と判断する。

## IADの予防と管理：IAD-setケアアルゴリズム

### 1．IAD-setケアアルゴリズムとは

「IAD-setケアアルゴリズム」とは、IAD-setに基づいたケアの指針をアルゴリズムで示したもので、IADの原因となる排泄物の管理の方法を提供し、IADの予防・管理の方法を導くものである（図3）。

排泄の自立度のケア、IADのアセスメント、皮膚のケア、排泄物のケアに大別されており、アルゴリズムに沿ってアセスメントを行うことで、個々の状況に応じた適切なケアを提供することが期待できる。

### 2．IADに対するスキンケアの基本

IADの予防・管理の基本は、皮膚に付着した排泄物（便・尿）を除去し、皮膚を清潔に保つための「清拭・洗浄」、排泄物による皮膚生理機能への影響を正常化するための「保湿」である。IADにおける標準的スキンケアとは「清拭・洗浄」および「保湿」をいう。つまり、①皮膚に付着し

**表4　皮膚の状態の観察時のポイント**

| | |
|---|---|
| ①肛門周囲 | 殿筋のたるみを持ち上げ、殿部皮膚を広げて確認する |
| ②臀裂部 | 殿筋のたるみを持ち上げ、殿部皮膚を広げて確認する。めやすとして、殿部皮膚が密着している範囲が相当する |
| ③左殿部、④右殿部 | おむつの範囲内で、脊柱ラインからそれぞれ③左半分、④右半分で、①と②を除く部位を確認する |
| ⑤性器部（陰唇／陰嚢・陰茎） | 股関節を開排し、しわを伸ばして確認する（関節拘縮がある場合は注意） |
| ⑥下腹部／恥骨部 | おむつの範囲内で確認する |
| ⑦左鼠径部、⑧右鼠径部 | 股関節を開排し確認する（関節拘縮がある場合は注意） |

日本創傷・オストミー・失禁管理学会編：IAD-setに基づくIADの予防と管理　IADベストプラクティス．照林社，東京，2019：14．を参考に作成．

図3 IAD-setケアアルゴリズム

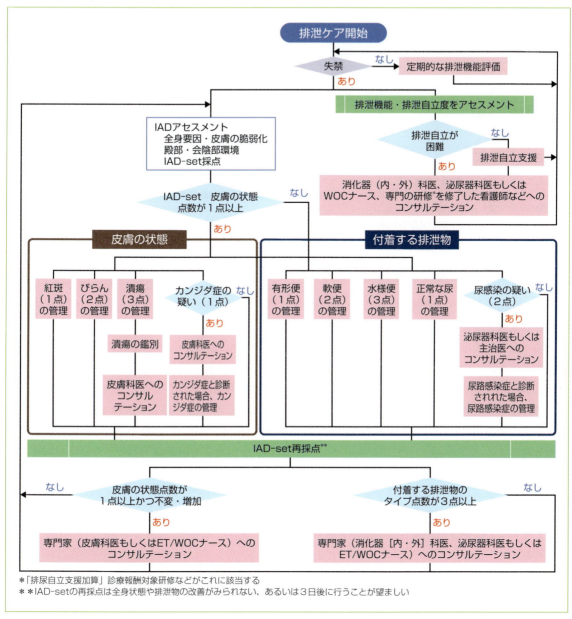

＊「排尿自立支援加算」診療報酬対象研修などがこれに該当する
＊＊IAD-setの再採点は全身状態や排泄物の改善がみられない、あるいは3日後に行うことが望ましい

日本創傷・オストミー・失禁管理学会編：IAD-setに基づくIADの予防と管理IADベストプラクティス．照林社，東京，2019：19．より引用

た排泄物（尿や便）を除去し（清拭）、②皮膚を清潔に保つために排泄物や垢などの汚れを洗い流し（洗浄）、③排泄物による皮膚のバリア機能への影響を正常化してバリア機能を保つために「保湿」を行う。これに加え、撥水機能をもった皮膚保護剤や皮膚被膜剤、ストーマ用皮膚保護剤などを皮膚表面に塗布（貼付）し、できるだけ皮膚に排泄物を付着させないように「保護」することも大切である。

具体的なスキンケアの方法は、「排尿機能障害のスキンケア」（p.329～339）、「排便機能障害のスキンケア」（p.340～349）の各稿に譲る。

表5 付着する排泄物に対するスキンケアの構成要素

| 付着する排泄物（点数） | | 管理方法 | | | |
|---|---|---|---|---|---|
| | | 洗浄 | 保湿 | 保護（撥水） | 収集 |
| 便 | 有形便（1点） | ● | ● | | ● |
| | 軟便（2点） | ● | ● | ● | ● |
| | 水様便（3点） | ● | ● | ● | ● |
| 尿 | 正常（1点） | ● | ● | | ● |
| | 感染の疑い（2点） | ● | ● | ● | ● |

・標準的スキンケアとは、洗浄と保湿を行うこと
・「軟便」、「水様便」、「尿の感染の疑い」（2点以上）では、標準的スキンケアに保護（撥水）を追加する
・排泄物の正常に適した収集方法の選択を行う

日本創傷・オストミー・失禁管理学会編：IAD-setに基づくIADの予防と管理IADベストプラクティス, 照林社, 東京, 2019：21. より引用

## 3．付着する排泄物の状態に応じたケア

　原則として、付着する排泄物の状態を問わず、排泄物と皮膚とが接触する機会を減少させることが大切である。スキンケアは、清拭・洗浄、保湿を行うとともに、殿部・陰部環境を悪化させないよう、おむつをはじめとした排泄物の収集方法を、排泄物の性状に合わせて選択する。

　付着する排泄物に対するスキンケアの構成要素を表5に示す。

　失禁後は可能な限り、ただちにおむつやパッドを交換する。患者によっては便意や尿意を訴えることが困難な場合もあるため、排尿日誌・排便日誌などで排泄パターンを把握し、交換のタイミングを判断する。

　また、軟便、水様便、尿の感染の疑いなどIAD-setで高い得点となる状態の場合は、清拭・洗浄、保湿後に、皮膚保護剤等を用いた皮膚の保護を行う。

　排便ケアにおいては、便性のコントロールも重要である。緩下薬や下剤の使用状況や食事・経腸栄養剤の投与状況、全身状態をアセスメントし、便性が有形に近づくよう医師やNSTと相談することが必要である。感染性の下痢が疑われる場合は、原因検索と医師の指示の下で治療を行う。

文献
1. 日本創傷・オストミー・失禁管理学会編：IAD-setに基づくIADの予防と管理. IADベストプラクティス. 照林社, 東京, 2019.
2. 日本創傷・オストミー・失禁管理学会編：スキンケアガイドブック. 照林社, 東京, 2017.

# 排尿機能障害のスキンケア

樋口ミキ

## 排尿機能障害のスキンケア

スキンケアとは、皮膚の生理機能を良好に維持・向上させるためのケアの総称である。排尿機能障害がある患者には、失禁の原因に対処することを最優先に行いながら、失禁が解決されるまで適切なスキンケアを行うことが重要である。

## 皮膚のバリア機能 (図1)

皮膚の表層にある角質層には、外部からの有害物質の侵入と体の水分蒸発を防ぐための2つのバリア機能がある。1つ目のバリア機能は皮脂膜で、皮脂腺から分泌された皮脂と汗腺から分泌された汗が混ざり合い、皮膚表面をpH4～6の酸性に保つことで有害物質の侵入を防ぎ、バクテリアな

図1 健康な皮膚のバリア機能 (イメージ)

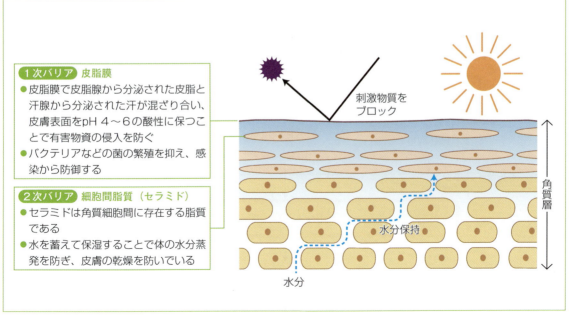

樋口ミキ：スキンケア. 溝上祐子編著, パッと見てすぐできる 褥瘡ケア. 照林社, 東京, 2015：49. より引用

どの菌の繁殖を抑え、感染から防御する働きがある。2つ目のバリア機能はセラミドで、角質細胞間に存在する脂質であり、水を蓄えて保湿することで体の水分蒸発を防ぎ、皮膚の乾燥を防いでいる。

**失禁関連皮膚炎（incontinence-associated dermatitis：IAD）を予防するためには、皮膚本来がもっているバリア機能を保つスキンケアを行うことが重要である。**

質などの侵入リスクが高まることで、炎症や感染を起こしやすくなる。浸軟をくり返している皮膚は、バリア機能が低下した状態が続くことで角質層の水分量が減少しドライスキンとなる。そのため、**頻繁な洗浄や拭き取りなどの機械的な刺激が加わることでさらにドライスキンを悪化させないよう、愛護的なスキンケアを行うことが必要である。**

## ［失禁による皮膚障害の発生原因（図2）］

正常な尿はpH6前後の弱酸性であるが、放置されていると尿素がアンモニアに分解されアルカリ性に変化する。また、尿路感染を起こした尿はアルカリ性であるため、このような尿が皮膚へ付着することで化学的刺激となり、弱酸性に保たれていた皮膚はアルカリ性に傾き、バリア機能は低下する。

失禁によっておむつ内は高温多湿環境となるため皮膚は浸軟（ふやけ）した状態となり、細胞間の結びつきが弱くなる（図3）。そのため、軽度の摩擦で容易に皮膚が損傷しやすく、また有害物

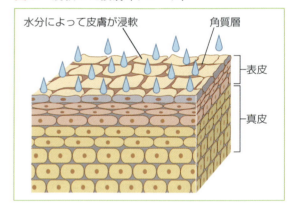

図3　浸軟した皮膚（イメージ）

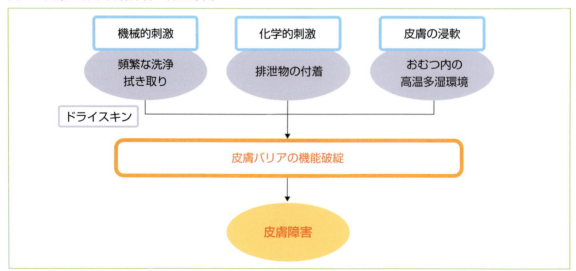

図2　失禁に伴う皮膚障害の発生原因

# 皮膚障害予防のスキンケア

　失禁におけるスキンケアでは、皮膚本来がもっているバリア機能を維持するため、常に皮膚の清潔を保ち、乾燥を防ぐための保湿を行う。また、排泄物などのさまざまな刺激、浸軟から皮膚を保護するケアを行いながら、適切な失禁ケア用品を使用することが重要である。

## 1．清拭・洗浄

　陰部および周囲皮膚は、排泄物や分泌物によって汚染されやすく、おむつ内の適度な湿潤と温度は細菌の繁殖に好都合な環境をつくり出しやすい。尿路感染症の起因菌の約80％は大腸菌であり、肛門周囲に付着する腸内細菌が尿道や腟へ移行しないよう適切な清潔ケアを行い、汚れを除去することで炎症・感染のリスクを少なくすることが重要である。

　失禁がある場合は、おむつ交換ごとの頻繁な洗浄や拭き取りによって皮膚膜を剥ぎ取り、バリア機能を低下させることにつながるため、注意が必要である。**皮膚のバリア機能を保つためには、健常な皮膚のpHに近い弱酸性の洗浄剤を使用し、愛護的なスキンケアを行うことが重要である。**

### 1）清拭剤の選択（表1）

　おむつ交換の際に使用するおしりふきなどの清拭剤は、ノンアルコールタイプのウェットワイプを用いる。オイルが含有されている製品は、すべりがよく皮膚への機械的刺激も軽減できる。皮膚が脆弱な場合は、ヒアルロン酸やアロエエキス、モモの葉エキスなどが配合されたものなどを選択してもよい。なお、殿部清拭の際、痛みや不快な感じがある人のために、殿部をやさしく包み込んで拭き心地を快適にするフォームを用いるとよ

表1　清拭剤の種類と特徴の例

| 主な商品（販売元） | 特徴 |
| --- | --- |
| サニーナ トイレットロール（花王） | ●ノンアルコール<br>●トイレに流せる<br>●天然由来の保湿成分（スクワラン）配合<br>●ひんやりしない、サラッとした肌ざわり |
| オリーブオイルのおしりふき（オオサキメディカル） | ●ノンアルコール<br>●無香料・無着色<br>●天然オリーブ配合<br>●セラミドとスクワランを配合 |
| アテント流せる おしりふき やさしいせっけんの香り（大王製紙） | ●ノンアルコール<br>●パラベン無配合<br>●ヒアルロン酸とアロエエキスを配合<br>●石けんの香り |
| サルバおむつとりかえぬれタオル（白十字） | ●ノンアルコール、無香料<br>●モモの葉エキス配合<br>●1枚でしっかり拭ける大きさと厚みが特徴 |
| 薬用 泡サニーナ（花王） | ●やさしい泡タイプ<br>●消炎剤（グアイアズレン）とスクワラン（基剤）配合<br>●おむつかぶれ・股ずれを防ぐ |

い。
　清拭剤は無香料のものが多いが、おむつ交換の際の不快感を軽減するため、排泄の状況に合わせて石けんの香りや柑橘系の香りのものなどを選択するとよい。

**2）洗浄剤の選択（表2）**
　皮膚が脆弱な場合は、皮膚への刺激を少なくするために弱酸性（pH5.5～7）の洗浄剤を選択するとよい。
　皮膚が乾燥しているドライスキンの患者には、セラミド入りの洗浄剤を使用するとよい。
　患者の負担を最小限にするため処置を短時間で行いたい場合は、泡立て・洗い流しが不要の拭き取るタイプの洗浄剤を用いるとよい。
　陰部および周囲皮膚はカンジダなどの常在真菌や大腸菌などが繁殖しやすい場所であるため、むれや臭いが気になる場合は、汚れとともに「菌」も「臭い」も洗える低刺激性の薬用抗菌石けんを用いるとよい。

**3）方法**
　清拭は、排泄（失禁）ごとに行い、皮膚は強く擦らずに、なでるようやさしく拭き取り、排泄物を除去する。排泄物を吸収したパッドやおむつは皮膚pHへ影響を与えるため、失禁後はすみやかに交換する。
　洗浄剤を用いた洗浄は、基本1日1回とする。1日の排尿回数が多く、汚染がひどい場合でも洗浄剤の使用は1日1回とし、それ以外のときは微温湯のかけ流しのみの洗浄とする。
　洗浄剤はディスポーザブル手袋をはめた手にとり、皮膚は強く擦らずになでるよう愛護的に洗う。洗浄剤はリキッド状、クリーム状、最初から泡で出てくるタイプの泡立て不要の製品はそのまま使用し、液体石けんなどはよく泡立ててから使用する（図4）。
　清拭および洗浄は、尿道側から肛門側の方向で行う。しわやたるみによって皮膚が重なり合う部分は汚れが残りやすいため、皮膚を広げて洗浄す

**図4　洗浄剤はよく泡立てる**

樋口ミキ：創周囲皮膚・創部の洗浄方法．溝上祐子編著，パッと見てすぐできる褥瘡ケア，照林社，東京，2015：41．より引用

る。洗浄剤が残らないよう微温湯で十分に洗い流し、洗浄後は清潔な柔らかいガーゼ、またはクロスなどで、擦らずに押さえ拭きする。

## 2．保湿

　加齢、疾病や治療などの影響で、皮脂膜やセラミドが減少しバリア機能が破綻した皮膚は、体の水分が蒸発しドライスキンになりやすい。さらに、失禁がある患者の皮膚は、浸軟をくり返すことでバリア機能が低下した状態が続き、角質層の水分量が減少するためドライスキンになりやすい。そのため、洗浄後にはドライスキンを予防する保湿ケアを行うことが重要である。**乾燥した皮膚は外部から有害物質が侵入することにより皮膚感染症などを引き起こしやすいため、保湿外用剤を用いる**（図5、p.335）。

**1）保湿剤の選択（表3）**
　保湿剤は、皮膚の状態や用途に合わせて、伸びがよく使いやすいもの、油脂性で皮膚からの水分蒸発をゆるやかにする作用をもったエモリエント成分（ミネラルオイル）が主であるものを選択する。ドライスキンの患者には、セラミド入りの保湿剤を使用するとよい。
　保湿剤を塗布した後に医療用テープなどを貼付したい場合は、セキューラ®MLなどを使用するとよい。

## 表2 洗浄剤の種類と特徴

| | 主な商品（販売元） | 特徴 |
|---|---|---|
| 泡立て不要・洗浄後の拭き取るタイプの洗浄剤 | セキューラ®CL<br>（スミス・アンド・ネフュー）<br>118mL<br>236mL | ●リキッド状<br>●皮膚と同じ弱酸性（pH5.2）<br>●アロエベラ・グリセリンの保湿成分配合<br>●片手で使えるスプレー式 |
| | リモイス®クレンズ<br>（アルケア）<br>レギュラー　プッシュボトル　ハンディ | ●天然オイルで汚れを落とす<br>●オリーブスクワランの保湿成分配合<br>●クリーム特有のべたつきが少なく、さっぱりとした使用感 |
| | シルティ 水のいらないもち泡洗浄<br>（コロプラスト）<br>180mL | ●天然保湿成分（ピュアセリシン™）配合<br>●洗い流し不要の泡洗浄料<br>●無着色・無香料・アルコールフリー |
| | ベーテル®F 清拭・洗浄料<br>（ベーテル・プラス）<br>80mL<br>150mL<br>500mL | ●保湿成分セラミド配合<br>●無香料、無着色 |
| 洗い流し必要 | ソフティ 泡洗浄料<br>（花王プロフェッショナル・サービス）<br>150mL | ●セラミド機能成分を配合<br>●低刺激性洗浄成分配合 |
| | コラージュフルフル泡石鹸<br>（持田ヘルスケア）<br>150mL<br>300mL<br>210mL（つめかえ用） | ●抗真菌（抗カビ）成分「ミコナゾール硝酸塩」を配合<br>●殺菌成分配合<br>●汚れと臭いをしっかり除去 |

表3　保湿剤の種類と例

| 主な商品（販売元） | | 特徴 |
|---|---|---|
| セキューラ®ML<br>（スミス・アンド・ネフュー） | 60mL<br>236mL | ●アロエ配合<br>●伸びがよくべとつかない<br>●塗布後は医療用テープなど貼付可能 |
| ベーテル®保湿ローション<br>（ベーテル・プラス） | 3mL（パックタイプ）<br>300mL（ポンプタイプ）<br>65mL（チューブタイプ） | ●セラミド、天然保湿成分配合 |
| コラージュDメディパワー薬用保湿ジェル<br>（持田ヘルスケア） | 150mL | ●セラミド配合<br>●アトピー体質など乾燥肌のための薬用保湿ジェル |
| シルティ　保湿ローション<br>（コロプラスト） | 180mL | ●ピュアセリシン™とセラミドNPのダブル保湿成分配合<br>●医療用粘着剤の貼付が可能 |
| リモイス®me保湿ローション<br>（アルケア） | 150mL<br>200mL | ●3種のヒト型セラミド配合<br>●2種類のヒアルロン酸により長期的な保湿効果がある |

樋口ミキ：スキンケア．溝上祐子編著，パッと見てすぐできる 褥瘡ケア．照林社，東京，2015：51．より改変

## 2）方法

　保湿は、1日1回以上行う。基剤（ベース）によって使用量が異なる。大人の手のひら両手分の範囲に塗る場合は、軟膏・クリームでは人差し指の先から第1関節分くらい、ローションでは1円玉大くらいが使用量のめやすとなる（図6）。塗布する範囲は、排泄物によって汚染される部位よりも広範囲に塗布するとよい。

　角質層が湿っていると保湿剤の経皮吸収がよいため、洗浄後は皮膚が湿っている間にすみやかに

図5 バリア機能が低下した皮膚（イメージ）

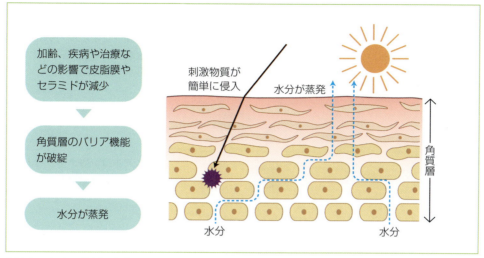

樋口ミキ：スキンケア. 溝上祐子編著, パッと見てすぐできる 褥瘡ケア. 照林社, 東京, 2015：50. より引用

図6 保湿剤使用量のめやす

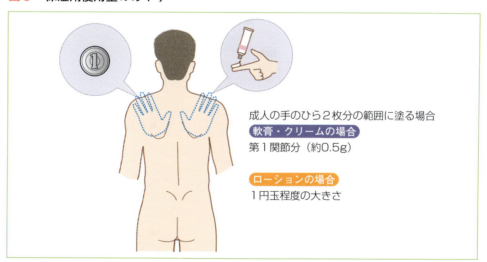

樋口ミキ：スキンケア. 溝上祐子編著, パッと見てすぐできる 褥瘡ケア. 照林社, 東京, 2015：52. より引用

保湿剤を塗布する。保湿剤は手のひらで温めてから使用することで伸びがよくなる。塗布の際は皮膚を擦らないように注意し、摩擦を減らすために手掌全体に保湿剤を広げ、皮膚を軽く押さえながら保湿剤を置いていくように塗布する。

## 3. 保護

失禁がある患者の皮膚は、排泄物が付着することで化学的刺激が加わり、おむつ内は高温多湿環境となるため皮膚が浸軟することにより細胞間の結びつきを弱くし損傷しやすい。皮膚への排泄物付着を避けるために、撥水効果のある皮膚保護剤を使用し、皮膚への刺激や浸軟を予防することが重要である。撥水効果のある皮膚保護剤にはクリームやオイル、非アルコール性皮膚被膜剤などがあり、塗布することで保護膜が形成され、角質層からの水分蒸発も防ぐこともでき、乾燥予防効果も期待できる。

表4　皮膚保護剤の例

| 主な商品（販売元） | | 特徴 |
|---|---|---|
| セキューラ®PO<br>（スミス・アンド・ネフュー） | 70g<br>159g | ●チョウジオイル・ワセリン配合で不快な臭いをカバー<br>●撥水・保護効果が高い |
| リモイス®バリア<br>（アルケア） | レギュラー<br>ミニ<br>ハンディ | ●ヒアルロン酸ナトリウム配合<br>●撥水・保湿効果がある |
| 3M™ キャビロン™<br>ポリマーコーティング クリーム<br>（スリーエム ジャパン） | 2gパウチ<br>28gチューブ<br>92gチューブ | ●保湿成分配合<br>●保護性・保湿性・耐久性がある |
| ソフティ　保護オイル<br>（花王プロフェッショナル・サービス） | 90mL | ●ポリエーテル変性シリコーン配合<br>●むれにくく、潤い保持 |
| セキューラ®DC<br>（スミス・アンド・ネフュー） | 114g | ●ジメチコン（撥水性）シリコンオイル配合<br>●耐久性が高く、保湿効果時間が長い |

樋口ミキ：スキンケア．溝上祐子編著，パッと見てすぐできる 褥瘡ケア．照林社，東京，2015：53．より改変

## 1）皮膚保護剤の選択

　皮膚保護剤は、皮膚の状態と浸軟の頻度に応じて使いやすいものを選択する（表4）。

　撥水しながら保湿効果を期待したい場合は、ヒアルロン酸が配合されているリモイス®バリアを使用するとよい。

　スプレー式タイプのオイルは散布するだけで皮膚に塗布できるため、指で塗布する際に生じる皮膚への機械的刺激を避けることができる。

　皮膚の発赤や軽度のスキントラブルがある部位

表5　皮膚被膜剤の例

| 主な商品（販売元） | | 特徴 |
|---|---|---|
| セキューラ®ノンアルコールスキンプレップ<br>（スミス・アンド・ネフュー）<br>スプレータイプ 28mL<br>スティックタイプ 3mL/本<br>ナプキンタイプ 1mL/枚 |  | ●ノンアルコール<br>●一般医療機器の液体包帯<br>●健康な皮膚および傷んだ皮膚に使用可能 |
| 3M™ キャビロン™<br>非アルコール性皮膜<br>（スリーエム ジャパン）<br>スプレータイプ 28mL<br>スティックタイプ（小）1mL/本<br>スティックタイプ（大）3mL/本<br>ナプキンタイプ 1mL/枚 |  | ●ノンアルコール<br>●一般医療機器の液体包帯<br>●健常皮膚および赤みや肌荒れの皮膚に使用可能<br>●皮膜の耐久性は72時間 |
| リモイス®コート<br>（アルケア）<br>30mL | | ●ノンアルコール<br>●保湿成分配合<br>●微粒子構造でつっぱり感やむれを軽減 |

樋口ミキ：テープ・ドレッシング材の貼り方，剥がし方．溝上祐子編著，パッと見てすぐできる 褥瘡ケア．照林社，東京，2015：45．より引用

に非アルコール性皮膚被膜剤を使用する際は，一般医療機器に分類される製品を使用するとよい（表5）。

## 2）方法

排泄物によって汚染される部位，浸軟が生じやすい範囲に塗布するとよい。

皮膚保護剤は，おむつ交換時に皮膚の撥水・保護効果を確認し，追加して塗布していく（図7）。

## 4．尿失禁ケア用品

ここでは，排尿機能障害がある患者のスキンケアを行ううえで，皮膚に排泄物を付着させない，汚染を広げない視点で使用するとよい失禁ケア用品を説明する［排尿用具および失禁ケア用品の詳細な選択については，「トイレ環境の工夫，排泄用具の工夫，排尿動作支援，排尿誘導」（p.148〜155）を参照］。

図7　撥水・保護効果があるときの皮膚（イメージ）

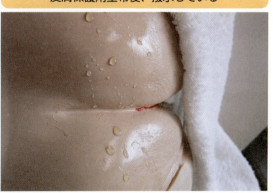

皮膚保護剤塗布後、撥水している

皮膚保護剤は，おむつ交換時に皮膚の撥水・保護効果を確認し，追加して塗布する。

樋口ミキ：スキンケア．溝上祐子編著，パッと見てすぐできる 褥瘡ケア．照林社，東京，2015：54．より引用

### 1）尿取りパッドの使用

尿失禁がある場合、尿取りパッドを併用することがある。男性用と女性用があり、失禁の状態と用途に合わせて使いやすいものを選択する。

尿取りパッドをテープ式のおむつと組み合わせて使用する場合、尿取りパッドの使用は1枚のみとして2枚以上は重ねない。また、尿が殿部側へ流れ込むことでの尿汚染の広がりや皮膚への刺激、広範囲の湿潤環境を予防するために、**排尿口部付近で尿をスポット吸収するよう開発された尿取りパッドを使用するとよい**（図8）。

### 2）ポリエステル繊維綿の使用

失禁の量・回数が多く皮膚が浸軟する場合などは、尿が付着する部位にポリエステル繊維綿（ニュースキンクリーンコットン）を使用するとよい。非吸収性繊維からなるポリエステル繊維綿は水分透過性の機能があるため、尿をすみやかにおむつに吸収させることで、失禁による皮膚障害を予防することができる。

ポリエステル繊維綿は、1回の使用量は2分の1袋（約10g）をめやすに、広げて使用する。尿失禁の場合は、男性は陰茎に覆うように巻きつけ、女性は陰部を覆うように当て、その上に尿取りパッドまたはおむつを当てて使用する（p.345、図5参照）。

### 3）コンドーム型収尿器の使用

脊髄損傷患者や尿取りパッドでは尿失禁量が多く対応が困難な場合は、皮膚・排泄ケア認定看護師やETナース等にコンサルテーションし、おむつ以外にコンドーム型収尿器の使用を検討する。コンドーム型収尿器は陰茎に装着して蓄尿袋へ尿をドレナージするため、尿が皮膚へ接触することなく管理できる（図9～10）。コンドーム型収尿器は、ワンピース型・ツーピース型を選択し、陰茎の清潔と観察を行いながら、適切なサイズのものを使用する。

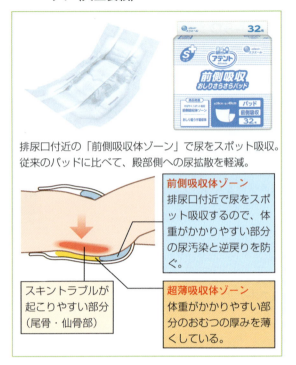

図8　アテントSケア前側吸収おしりさらさらパッド（大王製紙）

排尿口付近の「前側吸収体ゾーン」で尿をスポット吸収。従来のパッドに比べて、殿部側への尿拡散を軽減。

### 4）膀胱留置カテーテルの使用

膀胱留置カテーテルの使用は、術後や重症患者の排尿管理に用いる場合を除き、可能な限り避けることが望ましいが、尿失禁の量が多く二次感染による重篤なIADを生じた場合などは、短期使用を検討することも必要である。

尿感染が疑われる場合は、主治医もしくは泌尿器科医に相談し、医師の指示の下、治療および管理を行う。

カンジダは陰部粘膜の常在真菌であり、鼠径や臀裂部などの皮膚と皮膚が重なる部分やおむつ内など、皮膚の湿度が高い部分で増殖し、病変を形成し、浸軟した膜様の鱗屑を伴う所見を呈する（図11）。皮膚カンジダ症は、湿疹と間違われて適切な処置がされない場合もあるため、疑わしい場合は、主治医もしくは皮膚科医へ相談し、鏡検で仮性真菌の有無を診断してもらう必要がある。

治療は、単に抗真菌薬を外用するだけでは改善しないことが多く、外用後にガーゼなどを皮膚と

図9　コンドーム型収尿器の例

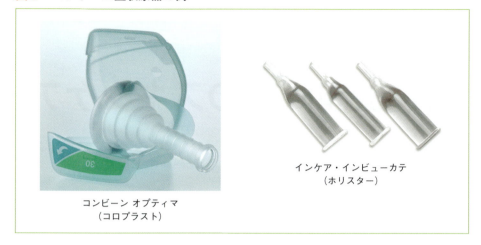

コンビーン オプティマ
（コロプラスト）

インケア・インビューカテ
（ホリスター）

図10　コンドーム型収尿器の使用例

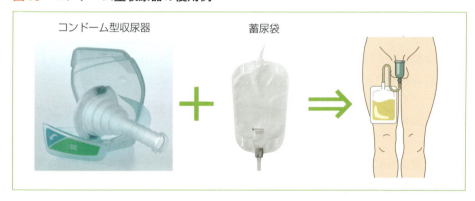

コンドーム型収尿器　　＋　　蓄尿袋　　⇒

図11　カンジダ症

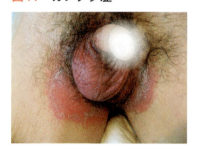

図12　カンジダ症の治療

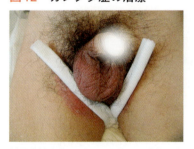

外用薬塗布後はガーゼを挟み、浸軟・多湿を改善する手段を講じる。

皮膚が重なる部分に挟むなどして、浸軟・多湿を改善する手段を講じる必要がある（図12）。また、クリーム製剤の抗真菌薬は、塗布後さらに皮膚を保湿してしまうリスクがあるため、ローションタイプのものを処方してもらう必要がある。

参考文献
1. 落合慈之監修:新版 皮膚科疾患ビジュアルブック. 学研メディカル秀潤社, 東京, 2012：339-341.
2. 赤座英之監修：標準泌尿器科学. 医学書院, 東京, 2014：36-46, 183-195.
3. 溝上祐子編著：パッと見てすぐできる 褥瘡ケア. 照林社, 東京, 2015：48-58.
4. 日本創傷・オストミー・失禁管理学会編：IADベストプラクティス. 照林社, 東京, 2019：20-36.

# 排便機能障害のスキンケア

渡辺光子

## [ 基本的な考え方 ]

排便機能障害のなかでも失禁時には、おむつ着用に伴い皮膚が湿潤しやすい環境となる。失禁による湿潤は皮膚の浸軟を招き、バリア機能を低下させる。さらに、アルカリ性で消化酵素を含んだ便が接触する化学的刺激により、皮膚障害を引き起こしやすい。失禁により排泄物が付着することに起因する皮膚障害を、失禁関連皮膚炎（incontinence-associated dermatitis：IAD、図1）という。IADの発生メカニズムについての詳細は、「IADとIADのアセスメント」（p.322〜328）を参照されたい。

### 図1　失禁関連皮膚炎（IAD）

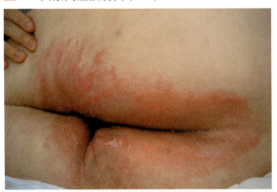

下痢便の頻回な接触が原因で発症した殿部のびらん。便失禁への対策と治療的スキンケアが必要となる。

### 1. 便失禁におけるスキンケアの目標

失禁時には、皮膚の浸軟を予防し、刺激となる排泄物の接触をできる限り回避することが基本である。おむつ交換や保清の際には、過度な洗浄や機械的刺激を避け、皮膚のバリア機能を損なわないようにする。さらに、皮膚障害に伴う苦痛や羞恥心への配慮も必要である（表1）。

### 2. 便性のコントロール

基本的な観察項目として、便の回数や量・性状、皮膚の状態を把握する。スキンケアを行うにあたり、全身状態や下痢の原因をアセスメントし、治

### 表1　便失禁時におけるスキンケアの目標

1. 皮膚の浸軟を予防する
2. 排泄物の接触を回避（最小限に）する
3. 機械的刺激を回避する
4. 排泄物の化学的刺激を緩衝する
5. 苦痛や不快感を最小限にする
6. 感染を予防する

 皮膚障害の予防

療方針をふまえたうえで便性のコントロールを行うことは、局所ケア同様に重要である（「下痢のコントロール」（p.263）参照）。

### 3. IADのアセスメントとケアの流れ（図2）

IADのアセスメントツールとして、日本創傷・オストミー・失禁管理学会が開発した「IAD-set」（p.325、図2参照）がある。IAD-setの採点例を図3に示す。また、IAD-setに基づいたケアの指針として「IAD-setケアアルゴリズム」がある（p.327、図3参照）。これらを活用することにより、排泄物の状態や皮膚症状を客観的にアセスメントしたうえで、アルゴリズムに沿って必要とされるケアを導き出すことが可能となった。

ケア実践後は、IAD-setを定期的に採点することでIADがよくなっているか否かを判断し、ケアの効果を検証することができる。この一連の流れを詳細に解説したテキスト『IADベストプラクティス』[1]がすでに刊行されている。

ここでは、この内容をふまえて、便のスキンケアについての具体的な方法を述べる。

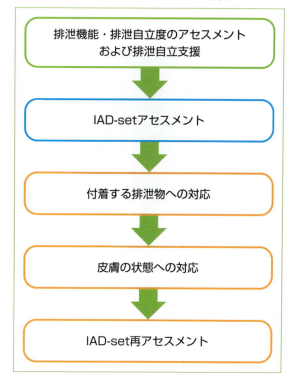

図2　IADのアセスメントとケアの流れ

## 便の性状別スキンケア

### 1. 硬便～普通便の管理
（IAD-set：便の点数 1点）

#### 1）皮膚の保清（清拭・洗浄）

清拭や洗浄時には機械的刺激を避けるとともに、皮脂膜を奪いすぎないよう留意する。
- 排泄ごとの拭き取りには、オイルまたはジメチコン含有のウェットワイプや清拭剤を用いる（表2）。機械的刺激を避けるため、タオルの使用は控える。
- 洗浄は、基本的には1日1回程度とし、皮膚のpHに近い弱酸性の洗浄剤をよく泡立てて愛護的に洗う。泡の立たないタイプもあるが、皮膚を強く擦らないよう注意する。すすぎは体温程度に温めた微温湯を用いて、十分な量で洗い流す。拭き取りの際は皮膚を摩擦せず、押さえるようにして拭き取る（図4、表3）。
- アルカリ性の石けんは洗浄力が強く、皮脂を過度に奪いかねないため、脆弱な皮膚への使用は控える。健常皮膚に使用する場合でも1日1回程度にとどめ、洗浄後は適宜、保湿する。
- 便汚染の頻度が高く1日2回以上の洗浄が必要な場合は、微温湯のみでの洗浄や洗い流し不要の弱酸性の清拭剤などを活用する。洗浄にも清拭にも使用できるタイプもあり便利である（表2～3）。

#### 2）皮膚の保湿

皮膚の洗浄後や入浴後に、1日1回以上保湿剤を塗布する（「排尿機能障害のスキンケア」p.333、表2参照）。

#### 3）便の収集

おむつは体型やADLを考慮したものを選び、失禁後は可能な限りただちに交換する。

## 図3　IAD-setの採点例

8か所の部位について、「皮膚の状態」「付着する排泄物のタイプ」をアセスメントする

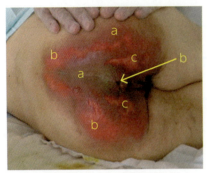
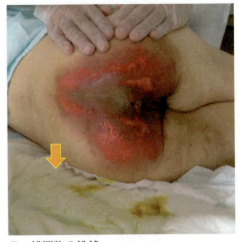

Ⅰ. 皮膚状態のアセスメント
①肛門周囲b（びらん）2点、②臀裂部a（紅斑）1点、③左臀部a・b・c（紅斑・びらん・潰瘍が混在）3点、④右臀部a・b・c（紅斑・びらん・潰瘍が混在）3点
⑤⑥⑦⑧は0点
カンジダ症の疑いなし各0点

Ⅱ. 排泄物の性状
便3点、尿1点

| Ⅰ. 皮膚の状態 | 0点 | 1点 | 2点 | 3点 |
|---|---|---|---|---|
| 皮膚障害の程度 | なし | 紅斑 | びらん | 潰瘍 |
| カンジダ症の疑い | なし | あり | | |

| ① | ② | ③ | ④ | ⑤ | ⑥ | ⑦ | ⑧ | |
|---|---|---|---|---|---|---|---|---|
| 2 | 1 | 3 | 3 | 0 | 0 | 0 | 0 | Ⅰ. 小計 |
| 0 | 0 | 0 | 0 | 0 | 0 | 0 | 0 | |
| 2 | 1 | 3 | 3 | 0 | 0 | 0 | 0 | 9 |

＊同一部位に皮膚障害の程度が異なるものが混在する場合は重症の高いほうを選択する

②臀裂部　③左臀部　④右臀部　①肛門周囲
⑥下腹部／恥骨部　⑧右鼠径部　⑦左鼠径部　⑤性器部

合計点（Ⅰ＋Ⅱ）　13

| Ⅱ 付着する排泄物のタイプ | 0点 | 1点 | 2点 | 3点 |
|---|---|---|---|---|
| 便 | 付着なし | 有形便 | 軟便 | 水様便 |
| 尿 | 付着なし | 正常 | 感染の疑い | |

| | | Ⅱ. 小計 |
|---|---|---|
| 便 | 3 | 4 |
| 尿 | 1 | |

©2016, 2017一般社団法人日本創傷・オストミー・失禁管理学会　著作権は、日本創傷・オストミー・失禁管理学会に帰属します。許可なく営利目的で使用することを禁じます。

●この症例の場合のIAD-setは、Ⅰ（皮膚の状態）9点＋Ⅱ（付着する排泄物のタイプ）4点＝合計13点となる。

記載方法は　IAD-set　Ⅰ9＋Ⅱ4＝13

日本創傷・オストミー・失禁管理学会編：IAD-setに基づくIADの予防と管理 IADベストプラクティス，照林社，東京，2019：16．より引用

表2　清拭剤（拭き取り用）の例

| 商品例（販売元） | 特徴 |
|---|---|
| シルティ　水のいらないもち泡洗浄（コロプラスト） | ●天然保湿成分（ピュアセリシン™）配合<br>●洗い流し不要の泡洗浄料<br>●無着色、無香料、アルコールフリー |
| リモイス®クレンズ（アルケア） | ●オリーブスクワラン・ホホバ油配合<br>●クリーム状で拭き取り後の潤いを保つ |
| セキューラ®CL（スミス・アンド・ネフュー） | ●アロエ・グリセリン配合<br>●液状タイプ<br>●洗浄部にスプレーした後拭き取る |
| サニーナ（花王） | ●グアイアズレン、スクワラン配合<br>●スプレータイプ、泡タイプ、ペーパータイプがある |

図4　皮膚の洗浄

> **ポイント**
> ①洗浄時の機械的刺激を避ける
> ②皮脂膜を必要以上に奪わない

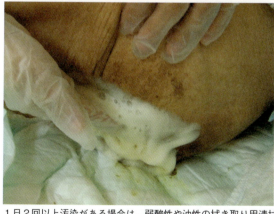

①洗浄は1日1回程度とし、よく泡立て、愛護的に洗う。
②体温程度の微温湯（約500mL）で十分に洗い流す。

1日2回以上汚染がある場合は、弱酸性や油性の拭き取り用清拭剤を活用する。

表3　弱酸性の皮膚洗浄剤の例

| 商品例（販売元） | 特徴 |
| --- | --- |
| ベーテル®F　清拭・洗浄料<br>（ベーテル・プラス） | ● 泡状で、洗浄でも拭き取りのみでも可能<br>● セラミド配合、無香料・無着色 |
| プライムウォッシュ 薬用洗浄料<br>（サラヤ） | ● 殿部などデリケートな皮膚の洗浄用に開発<br>● グリチルリチン酸ジカリウム（抗炎症成分）、アミノ酸系洗浄成分、アミノ酸（保湿剤）配合<br>● 泡質がきめ細かく、すすぎやすい |
| ソフティ　泡洗浄料<br>（花王プロフェッショナル・サービス） | ● 保湿成分配合<br>● 泡切れが早い |
| コラージュフルフル泡石鹸<br>（持田ヘルスケア） | ● 抗真菌（抗カビ）成分「ミコナゾール硝酸塩」配合<br>● 真菌感染症の予防や症状の改善に効果がある |

## 2．軟便の管理<br>　　（IAD-set：便の点数 2点）

前述の「硬便～普通便の管理」に加え、以下を追加する。

### 1）皮膚の保護

皮膚の保湿に加え、撥水効果のある皮膚保護剤や皮膚被膜剤を塗布し、排泄物の付着や皮膚の浸軟を回避する（表4）。

### 2）軟便の収集

失禁の量や回数に応じて軟便用パッドの使用を検討する（「便失禁ケア用品の特徴と使い方」p.317、図1参照）。排泄後は可能な限りただちにパッドを交換する。

### 3）コンサルテーション

緩下薬や刺激性下剤を使用している場合は、主治医に相談して便性状の調整を図る。経腸栄養剤の影響が考えられる場合は、主治医や管理栄養士、NSTに相談して栄養剤の種類や投与方法などについて検討する。

パッド類での対応が困難な場合は、皮膚・排泄ケア認定看護師に相談し、装着型肛門用装具の使用を検討する（「便失禁ケア用品の特徴と使い方」p.316～318参照）。

## 3．水様便の管理<br>　　（IAD-set：便の点数 3点）

前述の「硬便～普通便の管理」「軟便の管理」に加え、以下を追加する。

### 1）便の収集方法の検討

①失禁用ポリエステル繊維綿

泥状～水様便失禁の場合、非吸水性のポリエステル繊維綿を臀裂部に用いることで、透過作用により下痢便を拡散させることなくおむつやパッドへ吸収させる効果がある（図5）。

表4 撥水性スキンケア用品の例

| 商品例（販売元） | 特徴 |
|---|---|
| リモイス®バリア（アルケア） | ● 使用後にべたつかないため殿部の撥水だけでなく全身の保湿・保護用としても使いやすい |
| 3M™ キャビロン™ ポリマーコーティング クリーム（スリーエム ジャパン） | ● ノンワセリンでむれにくい<br>● 伸びがよく少量でも撥水効果が持続 |
| セキューラ®PO（スミス・アンド・ネフュー） | ● ワセリン含有 |
| ソフティ 保護オイル（花王プロフェッショナル・サービス） | ● スクワラン配合<br>● 撥水力が長時間持続 |

いずれも保清後の清潔な皮膚に塗布、または噴霧する。撥水効果により、排泄物をはじき、皮膚の浸軟を予防する効果がある。

図5 ポリエステル繊維綿の活用法

ニュースキンクリーンコットン（ベーテル・プラス）

①袋から適量を取り出す
1回の使用量は 1/2（10g）を目安に

ポリエステル繊維綿を袋から2分の1程度取り、広げる

②必要な部位に当てる

●尿失禁
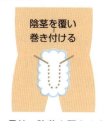
・男性：陰茎を覆うように巻き付ける
・女性：陰部を覆うように当てる

●便失禁
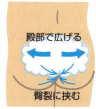
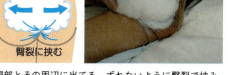
肛門部とその周辺に当てる。ずれないように臀裂で挟み、殿部から尾骨部に広げるようにする。

③尿とりパッドまたはおむつを当てる

ポリエステル繊維綿を当てた上から尿とりパッドやおむつを当てる

ニュースキンクリーンコットン（株式会社ベーテル・プラス）のカタログを参考に作成
https://batelplus.jp/wp_hp/wp-content/uploads/2021/03/NSCC_catalog_2021.03.pdf

### 図6　下痢便ドレナージチューブの使用症例

症例1：1日6回以上の泥状便失禁により、肛門周囲皮膚の浸軟をきたし、びらんを生じた。皮膚の直接鏡検でカンジダ症を認め、外用抗真菌薬開始となった。下痢便ドレナージチューブ（フレキシ シール®SIGNAL）の使用とスキンケアを合わせて実施し、1週間後には皮膚症状が改善した。

症例1：開始前

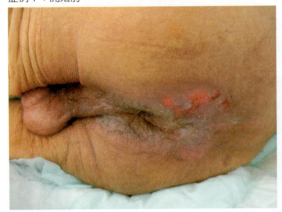

症例1：1週間後

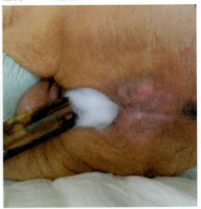

症例2：1000mL/日以上の水様便失禁により殿部広範囲にびらんを生じた。ただちに下痢便ドレナージチューブの使用を開始し、4日後にはびらん部の改善を認めた。

症例2：開始前

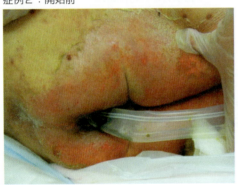

症例2：4日後

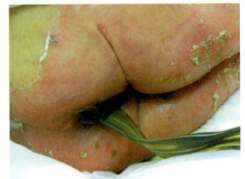

②下痢便ドレナージチューブ

　泥状〜水様便の場合は、医師の指示により肛門留置チューブで下痢便をドレナージする方法がある（図6）。適応と禁忌をふまえたうえで、医師の管理下に実施する。使用法の詳細は、「便失禁ケア用品の特徴と使い方」（p.319〜320）を参照のこと。

③肛門パウチング法

　肛門留置チューブによる管理ができない場合などは、肛門部に下痢便を回収するためのパウチを貼付する方法がある。適応および使用法の詳細は、「便失禁ケア用品の特徴と使い方」（p.316〜318）を参照されたい。

## 皮膚の状態別スキンケア

　皮膚障害が出現した場合は、前述した便の性状別スキンケアや便性コントロールが適切に行われていたか評価するとともに、皮膚障害を改善させるための介入が必要である。

　皮膚の状態に応じたケア方法について、以下に述べる。

図7 粉状皮膚保護剤（CMC系）の製品例

ストーマ用品の粉状皮膚保護剤。弱酸性パウダーのアルカリ緩衝能により、排泄物による皮膚への化学的刺激を低減させる。肛門周囲に使用する場合、撥水性保護クリームなどとの併用が望ましい。

バリケア® パウダー
（コンバテック ジャパン）

アダプトストーマパウダー
（ホリスター）

ブラバ パウダー
（コロプラスト）

## 1．皮膚障害なし（IAD-set：皮膚障害の程度 0点）

### 1）標準的スキンケアの実施

「清拭・洗浄」と「保湿」を行い、皮膚を毎日観察する（p.341「硬便～普通便の管理」参照）。

## 2．紅斑・びらんの管理（IAD-set：皮膚障害の程度 1～2点）

### 1）皮膚の保護

- 標準的スキンケアに加え、撥水効果のある皮膚保護剤や皮膚被膜剤を塗布し、排泄物の付着や皮膚の浸軟を回避する（表4）。
- ストーマ用粉状皮膚保護剤活用の検討：弱酸性の皮膚保護剤がアルカリ性の消化酵素を緩衝し、皮膚への化学的刺激を低減させる。さらに、びらん部の滲出液を吸収してパウダーがゲル化し、治癒環境を促進する（図7～8）。なお、ゲル化した粉状皮膚保護剤が周囲皮膚の湿潤を助長する可能性があるため、単独での使用は避け、撥水性皮膚保護剤または軟膏類と合わせて使用することが望ましい。

図8 びらん部に粉状皮膚保護剤を塗布した例

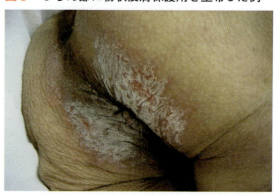

### 2）外用薬（薬剤）の使用

外用薬は、医師の指示により使用する。主に使用される外用薬を以下に述べる。

- 酸化亜鉛：収れん・防腐・撥水効果を兼ね備えており、便の接触による皮膚炎に使用されやすい外用薬の一つである。皮膚に厚めに塗布することができるので、下痢便にさらされても容易に流れ落ちず皮膚にとどまり、保護効果が持続する。1日1回程度の洗浄時以外は、排便ごとに軟膏をそのつど落とす必要はなく、汚れのみ拭き取った後に追加塗布する。洗浄する際は、皮膚を擦らないよう事前にオリーブオイルをていねいになじませてからやさしく拭き取ると除

図9　IADに対する治療的スキンケアの実際（亜鉛華軟膏と粉状皮膚保護剤の使用例）

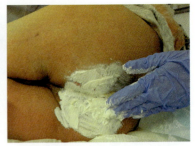

①亜鉛華軟膏とCMC系粉状皮膚保護剤を手のひらで混ぜる。事前に軟膏ボトル内で混ぜておいてもよい。　②混合した軟膏を、患部に厚めに塗布する。

去しやすい。その後に洗浄を行うとよい。
- アズレン：撥水作用と軽度の抗炎症作用があり、伸びがよい。酸化亜鉛では管理しにくいような浮腫部やデリケートな部位（陰茎・陰嚢、外陰部等）にも使用しやすい。
- ステロイド含有軟膏：皮膚の急性炎症を抑える効果がある。びらん部にはとどまりにくい。

### 3）コンサルテーション

皮膚の保護方法の検討が必要な場合は、皮膚・排泄ケア認定看護師やETナースへのコンサルテーションを行う。
- 亜鉛と粉状皮膚保護剤を混合して塗布する方法を検討する。軟膏塗布の前後に皮膚保護剤を皮膚に振りかけて使用してもよい（図9）。
- 上記の方法が困難な場合は、ハイドロコロイドドレッシング材や板状皮膚保護剤をモザイク状に患部に貼付する方法を検討する。

## 3．潰瘍の管理
### （IAD-set：皮膚障害の程度　3点）

上記の管理方法に加え、以下を行う。

### 1）鑑別診断

潰瘍が生じた場合は、類似する疾患（例：クローン病、ヘルペス等）との鑑別が必要であるため主治医へ報告し、皮膚科へのコンサルテーションを行う。

図10　殿部のカンジダ症例

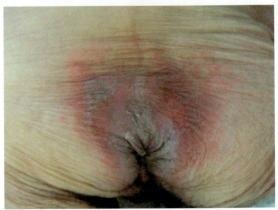

皮膚の浸軟・紅斑・膜様の鱗屑を認め、直接鏡検によりカンジダが検出された症例。外用抗真菌薬による治療を行った。真菌症感染が疑われる場合は皮膚科医による診断にもとづき、適切な治療を実施する。

## 4．皮膚カンジダ症の疑い（IAD-set：カンジダ症の疑い　1点）

### 1）真菌感染症の鑑別

おむつ着用者の陰部に発症しやすい真菌症に、白癬症とカンジダ症がある。おむつ内は高温多湿であり、特にカンジダ菌が増殖しやすい環境となっている。高齢者や免疫力が低下した患者では、さらに発症のリスクが高まる。皮膚の浸軟した部位に、紅斑・びらん・膜様の落屑・角層下膿疱・周囲の小紅斑などの症状を呈している場合はカンジダ症を疑い、医師に報告する。顕微鏡検査で鑑別診断を行い、感染が確定した場合は医師の指示により抗真菌薬を使用する（図10）。臨床症状があるにもかかわらず1回の検査で陽性反応が出な

い場合は、1週間後をめやすに再検査を行うなどの経過観察が必要である[4]。

なお、カンジダ症の皮膚に硝酸ミコナゾール含有の洗浄剤を使用することで、症状の改善や予防効果が認められたとの報告がある。発症時には外用薬治療が基本であるが、予防的には使用を考慮してもよい[1]。

## スキンケア用品

便失禁の場合、消化酵素を含む排泄物が皮膚に接触することで、化学的刺激による皮膚障害を引き起こす要因となり、下痢便では特にそのリスクが高まる[5]。ここでは、便失禁に伴う皮膚障害の予防やADLを考慮した便失禁ケア用品について紹介する。

**便失禁患者におけるスキンケアの基本は、皮膚本来のバリア機能をできるだけ損なわずに局所の清浄化を図り、排泄物の刺激から皮膚を保護することである。**脆弱な皮膚に対しても使用しやすく、皮膚保護効果のあるスキンケア用品を中心に述べる。

### 1. 清拭剤・洗浄剤

皮膚の清浄化を図る際には、皮脂膜を過度に奪いすぎずに汚れを取り除くことが望ましい。1日2回以上おむつ内の汚染があって保清ケアが必要な場合、洗浄力の強いアルカリ性の石けんでくり返し洗浄することは、皮脂を奪いすぎてしまうため避けるべきである。1日複数回の保清が必要な場合は、弱酸性で保護効果のある清拭剤・洗浄剤を活用し、皮膚のバリア機能を損なわないように保清する（表2～3）[6]。

### 2. 撥水・皮膚保護剤

清浄後の皮膚に撥水効果のある皮膚保護剤を使用することで、排泄物の接触に伴う化学的刺激を回避したり、皮膚の浸軟（ふやけ）を予防する効果がある。**失禁のある患者にこのような皮膚保護剤を使用した場合、褥瘡の発生率が低下したという報告があり**、日本褥瘡学会ガイドラインでも推奨されている[2]。洗浄・清拭を行った後の清潔な皮膚に使用する（表4）[6]。

### 3. 粉状皮膚保護剤

排泄物のアルカリ性を緩衝し、皮膚への化学的刺激を低減させる目的で、ストーマ用粉状皮膚保護剤を肛門部に使用する方法がある。粉状皮膚保護剤には主に、合成系成分からなる製品（CMC系：カルボキシメチルセルロース）と、カラヤガムが混合されている製品（カラヤ系：カラヤ含有）がある。後者では、使用時に灼熱感や痛みを感じる場合があるため、図7に前者の製品を紹介した。

粉状皮膚保護剤は水分を吸収するとゲル化する。なお、単独での使用では皮膚の湿潤を助長する可能性があるため、前述の撥水性スキンケア用品などと合わせて使用することが望ましい。

引用文献
1. 高橋秀典, 田中泉子, 長谷川美智子, 他：ミコナゾール硝酸塩含有石鹸による外陰部カンジダ症の発症抑制効果に関する検討. 日感会誌 2016；18(3)：338.
2. 日本褥瘡学会編：湿潤に関するスキンケア. 褥瘡ガイドブック, 照林社, 東京, 2015：196-198.
3. 横山千鶴, 倉本雅男, 渡辺光子：便失禁管理システムによる肛門粘膜損傷発症の現状と要因分析. 褥瘡会誌 2002；12(3)：416.
4. 常深祐一郎：おむつ部の皮膚真菌感染症. WOC Nursing 2015；3(11)：7-14.
5. 日本褥瘡学会編：湿潤に関するスキンケア. 褥瘡ガイドブック, 照林社, 東京, 2015：196-198.
6. 田中秀子監修：すぐに活かせる!創傷ケア用品の上手な選び方・使い方 第2版, 日本看護協会出版会, 東京, 2010.
7. 日本創傷・オストミー・失禁管理学会編：IAD-setに基づくIADの予防と管理 IADベストプラクティス. 照林社, 東京, 2019.

Part 5

# 障害受容と
# セクシュアリティ

# 排泄障害受容とQOL

渡邊千登世

## 障害受容とQOL

　障害受容は、リハビリテーション医学においては、長年重要なテーマとして取り上げられてきた。病や事故によって障害を受けた人の心理的な変化を、医療者はしっかりと理解する必要がある。なぜならば、障害を受けた人々が置かれている心理状態では、どのような支援が求められているのか、そしてどのような支援が可能であるかを検討しなくてはならないからである。また、障害受容がQOLの回復および向上の中核をなすものであり、医療者のかかわり方の善し悪しによって、うまく障害を受容していけるかどうかに大きく影響を及ぼすからである。

## 障害受容とは

　障害受容の定義には、さまざまなものがある。障害を受け入れていく過程に焦点が当てられたものもあれば、障害を受け入れた後の状態に焦点が当てられたものもある。上田は、障害受容におけるこの両側面に加え、価値観の転換という側面を包含して次のように定義している[1]。「障害の受容とは、あきらめでも居直りでもなく、障害に対する価値観(感)の転換であり、障害をもつことが自己の全体としての価値を低下させるものではないことの認識と体得を通じて恥の意識や劣等感を克服し積極的な生活態度に転ずることである。」この定義には、障害を受けることよって、一度は否定されてしまった自己価値に対して、価値観の転換によって、肯定的に認識された新たな自己に価値づけるという意味が含まれている。

## 障害受容の過程

　障害を受けた後の心理的な過程について示された段階理論と呼ばれるものには諸説あり、古くから日本でも紹介されてきた。障害の種類やレベルなどによる影響因子によって時間経過が異なることや、一律に同様の段階を経るとは考えにくく、現実との不適合があるとの批判もある[2]。しかし、過去の多くの研究者たちは、人が障害を受容していくまでには、時間の経過に伴い何らかの特徴的・心理的な段階や変化がある事実を明らかにしている。そのため、それぞれの段階を理解し、障害に向き合っている対象をより深く理解することに活用することは有用であろう。

　看護の分野では、障害を受け危機的状況にある患者の看護介入にさまざまなモデルを活用してきた。患者が何らかの疾病や損傷によって、生命や形態、機能の喪失や障害におびやかされ、通常の役割が果たせず、自尊心の低下などをきたしている場合には危機に陥りやすいとされている。危機

表1 危機モデル

| | 衝撃 | 防御的退行 | | 承認 | 適応 |
|---|---|---|---|---|---|
| Fink フィンク | 強烈な不安、パニック、無力状態 | 無関心、現実的逃避、否認、抑圧、願望思考 | | 無感動、怒り、抑うつ、苦悶、深い悲しみ、強い不安、再度混乱 | 不安減少、新しい価値観、自己イメージの確立 |
| | 最初の衝撃 | 現実認識 | 防御的退却 | 承認 | 適応 |
| Shontz ションツ | ショック、離人傾向 | 虚脱、強い不安、パニック、無力感 | 否認、否認願望思考、激怒、混乱 | 抑うつ、自己失墜感 | 希望、安定感、満足感 |
| | ショック | 回復への期待 | 悲嘆 | 防衛 | 適応 |
| Cohn コーン | ショック | 否認、逃避、変化に一喜一憂 | 無力感、深い悲しみ、抑うつ | 逃避・退行、回復・適応への努力 | 自信・安息、新たな価値観 |

小島操子：看護における危機理論・看護介入 改訂3版 フィンク／コーン／アグィレラ／ムース／家族の危機モデルから学ぶ．金芳堂, 京都, 2013：48. より一部引用

的状況にある患者には、早期に心理的な均衡と回復を促すよう、その時々の患者の心理状態を査定して、それに応じた適切なケアが必要である。Cohn（コーン）の危機・障害受容モデル、Shontz（ションツ）やFink（フィンク）の危機モデルなどは患者の心理状態を査定し、看護介入を計画するために活用できる（表1）。

Cohnは、機能の障害を「喪失」ととらえ、「ショック」「回復への期待」「悲嘆」「防衛」「適応」という5段階を示している。何らかの疾病や損傷によって機能障害を伴った患者は、最初は強い「ショック」として衝撃を受けるが、障害の重大さに対して自覚がなく、やがてよくなるに違いないと「回復への期待」を抱き、回復の兆候を探したり、日々の身体的な状況の変化に一喜一憂しながら生活する。そのうち、回復への望みがないことに気づき、重大さを認めることで深い悲しみとなり「悲嘆」の状態に陥る。このような心情においては、抑うつ的になったり逃避や退行的な行動をとったりと、心理的な「防衛」反応を示す。しかし、障害も自分の努力で克服できるものであると気づきはじめたときから少しずつ、回復や適応への努力が開始される。しかし、まだ障害を克服できるものと強く認識しているわけではなく、努力が報われないと心理的な防衛をくり返す場合もある。これは、回復に向けての涙ぐましい努力の時期であ

る。「適応」の段階では、障害を他者と比較し卑下するのではなく、自分の特性の一つとして認識し、新たな自己の価値観のもとに考えられるようになり、他者とも対等に交流することができるようになる。

このように、Cohnの障害受容のモデルは、障害を受けた後の過程は回復していくために必要なもので、正常な心理反応としてとらえられ、時間とともにゆるやかに回復していくと考えられている。

## 排泄障害の受容

それでは、排泄障害について考えてみよう。

人は、社会が要望する排泄に関する多くの技能を、括約筋が発達する1歳半〜2歳ごろに、トイレットトレーニングによって身につける。この時期に、尿や便などの排泄物を随意にがまんしたり、排出したりというコントロールを行い、両親や大人たちにうまくやり遂げたことを褒められることによって有能感をもつようになる。コントロールがうまくできるという成功体験によって自分を自律的な存在と知覚すると同時に、人に頼ることやコントロールがうまくできないことを恥や自己疑惑などの不快な経験として知覚することになると

いわれている。

　排泄障害は、基礎疾患やその治療に付随して生じることが多い。一度獲得され、社会的・文化的に問題なく排泄を行っていた人が、疾病や損傷によって排泄機能に障害をきたし、何らかの器具や装具、もしくは人に頼らなければならない状態になると、原疾患に対する不安や心配に加えて、排泄障害という苦痛を伴うことになる。そのショックは計り知れないものだろう。そこで、排尿障害により、自己導尿を行う必要性のある患者の受容までの経過をCohnのモデルを適合させて考えてみたい。

## 1. ショックの段階および回復への期待

　自己導尿の導入時の心理的変化について、子宮や脊髄の手術の合併症による排尿障害に対して自己導尿の必要性について説明された患者は、まず自己導尿に対する衝撃と抵抗感として、否定的な感情や驚きの言葉を示したという報告がある[3]。このように、障害を伴った直後は強いショックを受けるが、一方では、「改善するかもしれない」というように障害を打ち消し、その兆候がないかどうかを探りながらも期待を抱いている段階となる。この段階では、障害を受けた患者の訴えをよく聞き、感情を表出できるように思いやりのある態度で支援する必要がある。

## 2. 悲嘆の段階

　次の段階は、排尿障害の回復を見込めないという現実を認識して嘆き悲しみ、心理的に落ち込み苦悩する段階である。「この先も、ずっと自己導尿をしなくてはならないのですね……。続けられるか不安です」「ただでさえ、手術してつらいのに、何でこんなことまでやらなくちゃいけないの？」というように、不安を言葉にするような反応を示す段階である。しかし、悲しむことは正常な心理的反応であり、この悲嘆の作業が十分に行えていないと、この後のプロセスが促進されないといわれている。

## 3. 防衛／回復への努力の段階

　この段階では、悲嘆にくれながら、障害を少しずつ受け入れようという反応も見られてくる。自己導尿の手技がうまくいかない場合や、管を挿入することへの恐怖感などによって抑うつ的になったり、「看護師さんも手伝ってください」などと依存的になったりすることがある。これは、自分自身を守るための防衛的な反応でもあるため、見守りながら正確な情報提供を行い、手技についてくり返し指導して、手技が確実にできていることを保証しながら励ますことが大切である。

　こうした心理的な状態の波にもまれながら、これからの生活で自分自身が障害を受け入れて努力することによって、障害の克服につながっていくという認識へと変化する。

## 4. 適応

　適応の段階では、障害を受ける前とは違う価値観をもつようになる。この段階では、自分自身のなかで価値の転換が行われることによって障害を受容することができたといえる。

　例えば、「（自己導尿は）ささっとできるようになって、全然つらくないですよ。今では、もう身体の一部みたいなもんですね」というような言葉には、障害を受ける以前とは異なる価値観が形成されていることがわかる。障害を受けた自分の身体を以前と比較して卑下しているような言葉はまったく聞かれないため、障害を受け入れて適応している状態と考えられる。

# 高齢者の排泄障害受容とQOL

## 1. 高齢者の排泄障害

　高齢者の健康問題は、加齢によるさまざまな機能の変化や予備能力の低下によって健康障害の脆弱性が増加したために生じてくることが多い。排泄障害は、「転倒」「低栄養」「サルコペニア」「う

つ」と並び、高齢期に起こりやすい健康問題の一つとして、高齢期のQOLを揺るがす大きな問題である。

正常な排泄には、尿意や便意を認識して、タイミングや排泄場所を判断する大脳の働き、トイレで排泄をするために必要な運動機能（トイレに移動する、衣服の上げ下げをする、トイレに座る・立ち上がるなど）、蓄尿や排尿あるいは蓄便や排便などの排泄をつかさどる神経系の機能が必要である。これらの機能はいずれも、加齢によって低下する可能性が高い。そして一方で、医療者が、高齢者の排泄障害は加齢によるもので当たり前のものだととらえることも多いと考えられる。そのため、高齢者は排泄の自律を失い、尿失禁や便失禁などの状態になってしまうことも多い。

尿失禁は、適切な管理を行えば、症状の改善や悪化を防ぐことが可能である。しかし、失禁は個人の尊厳にかかわる問題であり、失禁があることを恥ずかしいと思う感情から、他人に相談できず適切な治療やケアを受けられないまま日常生活を送っている高齢者も少なくない。高齢者のQOLにおける失禁の影響に関する研究では、失禁を有する高齢者群はない群と比較し2倍も憂鬱さを感じており、自分自身の健康状態がよくないと評価していることが報告されている[4]。また、尿失禁を有する高齢者のQOLへの影響因子としては、活動の困難性、失禁の量、失禁の頻度、日中と夜間の排泄回数などが挙げられ、これらの因子を適切に管理していくことによって、QOLの低下を防ぐことができると考えられている[5]。

## 2．高齢者の排泄障害の受容

高齢者の排泄障害の受容の困難さとQOLについて、以下の症例を通して考えてみたい。

### 特別養護老人ホームに入居している高齢者が尿失禁で困難を経験している症例から

特別養護老人ホーム（以後、特養）に入居しているAさん（86歳、女性）は修道女であるため"祈りの時間"を最も重要と考えており、祈りの時間を中心に日課を組み立てていた。脳梗塞の既往はあるが麻痺はなく、基本的に自立した生活を送っているが、トイレではズボンの上げ下げに難渋している。尿失禁に対しては、リハビリパンツとパッドを使用している。Aさんは「2年位前から漏れるようになって、もしものことがあると困るのでパッドを使うようになりました。人が来たりして、『（トイレに）行きたい』と思うときに行けないと漏れるんです」と語った。「尿漏れが心配で、行きたくなったらすぐにトイレに行くので、『また行くの？』と言われます。1時間くらいで行きたくなるので、人に見つからないようにこっそりトイレに行きます。夜間も『呼ぶと悪いから』と気兼ねをして介護職員を呼ばないようにしている」と言う。トイレでズボンを下げているときに間に合わないときがあり、「ズボンは上げ下げできないんです。わずらわしいなと思います。スカートならよいのだけど……」と、修道女の衣装であればトイレがしやすいのだということを語った。Aさんは、施設内ではズボンで過ごさなくてはならないと考えていたので、スカートであれば、もう少しうまく排尿行動ができるということを伝えることはしておらず、要望もしなかったようである。

一方、介護職員は、Aさんには排泄について何ら問題はないと考えていた。Aさんは1人でトイレに行っているので排泄は自立しており、トイレに行くたびにさまざまな心配やわずらわしさを抱えているということに気づいていなかった。介護職員はAさんの直接の言葉を聞いて、「失禁に関して、入居者に改まって深く聞くことがなかった」と衝撃を受けた様子で、もう少し詳細に聞くべきであったと述べていた。

この症例のように、特養などの高齢者施設に入居している高齢者でも、看護師や介護者による適切な排泄のアセスメントがなされていない場合は、排泄に関する困難性を感じていることがある。つまり、高齢者の排泄障害受容やQOLには、看護師や介護者の排泄に関する認識や考え方が影響するといえる。

看護師や介護者が、「高齢者は尿漏れがあるためおむつを使用することは当然である」というような認識をもっている場合は、高齢者は尿意があるため、おむつを装着することに不満をもっていても介護をしてもらっているという負い目から、看護師や介護者の提案に服従しなくてはならないと考える傾向にある。

　また、看護師や介護者の排泄介助に対する態度も同様に、受容やQOLに影響する。尿失禁のある高齢者は昼夜を問わず頻繁に尿漏れを自覚することによって、いらだちや不甲斐なさを感じ、尿を漏らしてしまう自分に羞恥心を感じている。それに対して、尊厳を損なうような態度で介助を行うことにより、さらに羞恥心を強め、自尊感情を低下させてしまう。このような心理状態によって、使用したパッドを隠すなど、失禁の状態を他人に気づかれないようさまざまな努力を余儀なくされる。

　特養における排尿管理の実態調査[6]や尿失禁ケアに対する看護・介護職の認識の調査[7]などから、介護職員の排尿管理の基礎知識の低さや、失禁を識別し疾患としての治療の必要性の認識が低いことが示されている。また、介護職員が、個別の排泄ケアの必要性を感じているにもかかわらず、安易におむつを使用する、あるいは膀胱留置カテーテルを用いるなどの、一律の排泄ケアが実施されている現状が報告されている。これらの現状は、高齢者が排泄障害を受容していく過程を困難とし、高齢者のQOLの低下を招くことにつながる。

　高齢者の排泄障害の支援は、排泄障害に伴う高齢者の心理を理解するとともに、失禁の改善や排尿コントロールの維持を目的とした質の高いケアを提供し、受容を促し、QOLを高めることを目標に行うことが重要である。

引用文献
1. 上田敏：障害の受容-その本質と諸段階について-. 総合リハビリテーション 1980；8（7）：515-521.
2. 水島繁美：障害受容再考. リハビリテーション医学 2003；40（2）：116-120.
3. 小林裕美，大田明英：自己導尿を行う患者における導尿時から心理的変化およびそれに影響を及ぼす背景について. 看護研究 2003；36（1）：53-64.
4. Ko,Y.,Lin,S.J., Salmon,J.W.,et al.：The Impact of Urinary Incontinence on Quality of Life of the Elderly.The American Journal of Managed Care 2005；11（4）：103-111.
5. Dugan,E., Cohen,S.J.,Robinson,D.et al.：The quality of life of older adults with urinary incontinence:determining generic and condition-specific predictors. Quality of Life Research 1998；7：337-344.
6. 和田直樹，堀淳一，玉木岳，他：特別養護老人施設における排尿管理の実態調査. 泌尿器外科 2013；26（7）：1159-1163.
7. 小林たつ子，坂本雅子，寺田あゆみ：高齢者関連施設における尿失禁ケアに対する看護・介護職の認識の検討. 山梨県立看護大学短期大学部紀要 2005；11（1）：1-13.

# 排泄障害におけるセクシュアリティ

渡邊千登世

## セクシュアリティとは何か

　セクシュアリティの概念は、性別や性行動（セックス）という生物学的な側面のみならず、性自認（ジェンダーアイデンティティ）などの心理学的側面、性役割（ジェンダーロール）などの社会学的な側面を含む。さらに、セクシュアリティには、社会的や文化的、歴史的・宗教的な背景に影響を受ける信念や価値観を含め、人とのつながりや愛情、親密感、思いやりなど、人間が生きていくなかで、人間対人間の相互作用として経験され、表現されうる多くの側面を含んでいる。

　したがって、セクシュアリティは、生涯を通じての人間であることの中心的側面をなしているといっても過言ではない。それゆえ、疾患や治療に関連して性機能障害などを生じる可能性のある患者に対して、QOLの充実をめざすためには、セクシュアリティへの支援は欠かすことができないものである。

## 医療現場で患者のセクシュアリティへのかかわりを難しくしている背景

　日本の文化的な背景においては、性について他人に語ることは禁物であり、羞恥や抵抗感を伴うため、患者は医療者にセクシュアリティについての問題を相談することを躊躇する。同様に、医療者もセクシュアリティに関する問題は、きわめてプライベートな問題であるため、どのようにかかわったらよいのか、また性に対する知識やアセスメントの能力の低さ、カウンセリングの技法についての自信のなさから、積極的にかかわろうとすることが少ない。

　性の健康を実現していくためには、医療者がまず「性の権利（セクシュアル・ライツ）」についての認識を高めていく必要がある。「性の権利」とは、1999年の世界性科学学会で採択された、性に関する基本的かつ普遍的な権利である。これには、「性的自由への権利」をはじめ、「性の自己決定権、性の健全性（インテグリティ）および性的身体の安全性への権利」など11項目が示されている。これには、「科学的研究に基づく性的情報への権利：科学的・倫理的な研究により生み出され性に関する情報には、どんな妨害も受けず伝えられるべき権利」や「性の健康に関するケアへの権利：あらゆる性的な悩み・問題・障害の予防と治療を利用できる権利」なども含まれている。医療者は患者が有しているこれらの権利を侵害しないように行動し、患者の性的な健康を充実させるために、セクシュアリティに関する問題に対しても積極的に取り組む必要があると思われる。

# 排泄障害がセクシュアリティに及ぼす影響

## 1．性的な自己観への影響

尿や便といった排泄物そのものは、不潔なもの、悪臭を放つものとして普遍的に嫌悪されるものである。このような排泄物の不随意な漏れがある場合や、ストーマ造設後のように常に排泄物がストーマ袋内にある場合には、常に身体の一部が排泄物で汚れる惨めさや嫌悪感をもち、さらに不快な臭いを放ち広げてしまう自分自身に対して否定的なボディイメージを抱きがちである。このような心理的な状態においては、女性や男性としての魅力が低下してしまったという劣等感につながり、パートナーや人と接することへの自信がもてなくなることが多い。

## 2．性反応の低下

マスターズとジョンソンは、人間の性反応を充血と筋収縮およびそれらの復元という、生理的な変化として4相に分けて説明している（表1）。

排泄障害がある患者の場合、性行為中の体位やセックスにおける生理的な反応によって、排泄物の不随意な漏れを生じるのではないかと性的欲求そのものが低下したり、性行為に集中できず、性的絶頂感が得られなかったりするというようなことがある。

## 3．夫婦・パートナーとの関係性

排泄障害は、性的な自己観への影響や性反応の低下に影響を及ぼし、ひいてはそのことから、性行為を避けるあまり、夫婦やパートナーとの関係性にまで影響を及ぼすことがある。例えば、女性のオストメイトが、会陰創の違和感や避けてしま

表1　人間の性反応（各相における生理的変化）

| 相 | | 女性 | 男性 | 男女 |
|---|---|---|---|---|
| 第Ⅰ相<br>興奮期<br>excitement phase | 充血 | 腟潤滑液の流出<br>クリトリスの勃起 | ペニスの勃起 | 皮膚の性的紅潮 |
| | 筋緊張 | 腟管の拡張 | 陰嚢表皮の緊張<br>精巣の挙上 | |
| 第Ⅱ相<br>高原期<br>plateau phase | 充血 | 小陰唇・腟の発赤<br>腟壁の厚さが増す | 精巣の一層の挙上 | 伸展筋の緊張 |
| | 筋緊張 | 腟の拡張<br>子宮の挙上 | クーパー腺の分泌 | |
| | 全身 | | | 血圧・脈拍・呼吸数の増加 |
| 第Ⅲ相<br>オルガズム期<br>orgasmic phase | 筋緊張 | | エミッション<br>→射精 | 恥骨尾骨筋、骨盤底筋群のリズミカルな収縮 |
| | 全身 | | | 血圧・脈拍・呼吸数の増加 |
| 第Ⅳ相<br>消退期<br>resolution phase | 充血 | 性器の充血<br>腫張の復元 | ペニスの復元<br>その他の充血<br>腫張の消退 | |
| | 筋緊張 | | | 伸展筋緊張の復元 |
| | 全身 | 不応期はない | 不応期の存在 | 血圧・脈拍・呼吸数の復元 |

大川玲子：心身医学からみた性機能障害．臨床泌尿器科 1995；49(13)：1011-1016．より引用

うのではないかという恐れなどから、性的な欲求が低下してしまっている場合には、できれば性行為をしたくないと考えることもある。

このような場合には、性行為ができないことで夫の要求を満足させられなくて申しわけないという思いがある一方で、夫の性的欲求が負担になり困惑するなどの性行動に関連した関係性に不均衡を生じることがある。また、そのような自分のつらい身体状況を夫自身が理解してくれないというような、夫から共感が得られないというつらさを抱くことがあり、日常生活でセクシュアリティに関する問題に悩みながら過ごすということも少なくない。

### 4．他者との関係性

人は社会のなかで生活している以上、他者とのかかわりが生じてくる。このなかで、妻や夫として、また父親や母親としてなどの性役割を示す行動をとるということでは、他者との関係性においてもセクシュアリティを発揮しているということになる。このような社会のかかわりのなかでも、排泄障害がもたらす性的な自己観に影響がある場合には、他者とのかかわりを避けてしまったり、引きこもったり、というような社会的な交流を回避するようなこともある。

## 排泄障害におけるセクシュアリティの問題への介入

### 1．医療者がセクシュアリティの問題へかかわるための介入モデル

PLISSITモデルは、1976年に医療者が患者の性的な健康問題にかかわるために、アノン（Annon）によって開発されたものであり（表2）、さまざまな疾患におけるセクシュアリティに関する問題を解決するためや性的なリハビリテーションに適用され、有効性が認められている[1-3]。

表2　PLISSITモデル

| P：Permission（許可：性相談を受け付けるというメッセージを出す） |
|---|
| ・医療者が患者の性の悩み相談に応じる旨のメッセージを明確に患者に伝える |
| ・患者にとって性的側面が重要でなかったり、その時点における優先順位が低かったりした場合は、無理に性の話題を掘り起こす必要はない<br>＊治療方針の決定時には性的合併症についても検討されたか？ |
| LI：Limited Information（基本的情報の提供） |
| ・予定される治療によって起こりうる性的合併症や、それらへの対処方法について、基本的情報を患者に伝える |
| ・疾患と性に関する患者用パンフレットなどを渡す<br>＊患者の話をよく聴き、理解しようとする姿勢が医療者に求められる |
| SS：Specific Suggestions（個別的なアドバイス） |
| ・患者のセックスヒストリーに基づき、より個別的な問題に対処する |
| ・性的問題を引き起こす原因（性機能の障害、ボディイメージの変容、治療関連副作用、パートナーとの人間関係など）を特定し、それらの問題に対する対応策を患者とともに検討する<br>＊この段階に対応する医療者は、上記2段階よりも性相談に習熟している必要がある |
| IT：Intensive Therapy（集中的治療） |
| ・患者が抱える性的問題の重症化/長期化、発病前から未解決の性的問題の存在、性的虐待などのトラウマなどが認められる場合は、より専門のスタッフ（一般精神心理専門家・セックスカウンセラー）への紹介を考える |

Annon JS. The PLISSIT Model：A Proposed Conceptual Scheme for the Behavioral Treatment of Sexual Problems. J Sex Educ Ther 1976；2：1-15. より引用

PLISSITとは、主要な4つの介入レベルの頭文字を示したものである。それらは、P = Permission（許可・承認）、LI = Limited Information（基本的な情報提供）、SS = Specific Suggestion（個別的なアドバイスの提供）、IT = Intensive Therapy（集中的治療）の4つである。

### 1）P：Permission（許可：性相談を受け付けるというメッセージを出す）

第1段階であるPermission（許可・承認）は、医療者が患者の性の悩みや相談に応じる旨のメッセージを明確に伝える段階である。これを伝えることによって、医療者は患者が抱えているセクシュアリティの問題の有無やただちに介入が必要かどうかも知ることができる。患者は相談する窓口を知ることで、今後の問題解決のための足がかりを得ることができ、不安や心配を軽減できる。骨盤腔内の手術などでは排泄障害と同時に性機能障害を生じる可能性もあり、手術前から窓口の存在は伝えるべきであろう。

### 2）LI：Limited Information（基本的情報の提供）

第2段階のLimited Information（基本的な情報提供）では、性機能に関する解剖生理学的な正しい情報や予定される治療によって可能性のある性的な合併症や対処方法などの一般的な基本的情報を患者に伝える。性行為に対する患者の誤解を解消するためにも必要な段階である。疾患と性に関する患者用パンフレットなどを用いることも有用である。

### 3）SS：Specific Suggestions（個別的なアドバイス）

第3段階のSpecific Suggestions（個別的なアドバイスの提供）では、患者のセックスヒストリーに基づき、より個別的な問題について対応する。性反応のどの段階での問題かを確認することや、具体的な対策（臭いの対策・便・尿失禁の対策・適切な体位など）について選択肢を提示すること、必要に応じて専門医への受診も検討する。

第3段階では、第1、2段階よりも、性の問題に関してカウンセリングスキルやアドバイスに習熟している必要はあるが、基本的な医療者の姿勢として大切なことは、セクシュアリティに関する問題について患者自身が気づくことができ、解決する方法を見つけられるように支援することである。特に、夫婦やパートナーとの関係性については、医療者が介入することは困難であることが多い。医療者は、つい指導的にかかわったり、医療者としての価値観に基づき指示的に案を示したりしがちである。医療者が答えを与えるのでなく、患者が問題となる原因について考えることができて、具体的な行動や方法がとれるように、問題や解決策を整理できるような手伝いをするという姿勢が大切である。

### 4）IT：Intensive Therapy（集中的治療）

第4段階のIntensive Therapy（集中的治療）では、より専門的な介入である。多くは第3段階までの介入で解決できるが、患者が抱える性的な問題が重症で長期化していたり、性的問題が発病前から存在しているものであったり、性的な虐待などのトラウマがある場合には、セックスセラピストなどの専門スタッフを紹介する。

## 尿失禁外来でセクシュアリティに関する相談を受けた症例から

**腹圧性尿失禁**と診断された42歳の女性
主婦、パート勤務
46歳の夫と子ども2人（13歳、10歳）の4人暮らし

子どもを出産後、尿漏れをときどき自覚していたが、最近はそれがひどくなってきているように感じており、日常的に生理用のパッドがはなせなくなっている。特に、失禁による臭いや皮膚のかゆみが気になり、つい消極的になってしまう。そ

のせいもあってか性器に触れられたくはないと思い、セックスはできるだけしたくないと思うようになった。

　以前はセックスを楽しめていたし、夫婦にとっては大切であると思っていたが、失禁がひどくなったここ1年は、家事で疲れているからという理由で、ほとんどセックスに応じていない。確かめたことはないが、失禁があることについては話していないので、夫は本当に家事で疲れていると思っているのではないだろうか。夫はまだ若いし、性欲もあると思うので、このままではいけないような気がするのだが、どうしたらいいかわからない。

　このようなケースでは、まず何が問題となっているのかを整理していく必要がある。プライベートな話を聞くためにプライバシーを確保できる場所を選定して自由に語れるように配慮する。

　セックスの頻度と、頻度の変化、どちらから誘うことが多いかなど、性習慣などの具体的な話を聞きながら、セックスをすることで自分が一番心配に思っていることやしたくないと思う一番の原因となっていることは何かなどについて傾聴する。

### 1）腹圧性尿失禁の影響による問題

　尿失禁によってセックスを避けているということについては、基本的な情報の提供として、腹圧性尿失禁が生じている身体的変化と今後の治療や経過についての説明、骨盤底筋訓練の指導などを行う。

### 2）性行為中の不随意な尿漏れの心配について

　セックス前に排尿を済ませておくことや、1時間前くらいから水分摂取を控えておくなどの調整をしてみること、防水シーツの活用、腹圧のかかりにくいセックスの体位などいくつか工夫できる選択肢を示す。

### 3）臭いの心配について

　臭いもボディイメージの一つである。臭いが心配でセックスを躊躇している場合には、臭いが気になっても、通常は洗浄していれば問題ないことを説明する。セックス前に入浴をすることや、好きな香りのアロマオイルやお香などを活用することで対処することも可能であることを提示する。

### 4）皮膚障害の問題

　尿失禁に関連して生じている皮膚の問題なのかどうかを査定する。陰部の観察とともに、尿失禁の量に応じた吸水性の高いパッドを紹介することや清潔の保持や撥水性のクリームを紹介する。それ以外の皮膚障害が疑われた場合には、皮膚科への受診を勧める。

### 5）夫婦の関係性

　尿失禁の話をしづらいのはなぜか？　夫の不満を確認することは難しいのか？　自分が現在セックスを避けてしまう本当の理由を説明できないのはなぜか？　などについて、話を聞きながら問題の整理をしていく。

　本人が関係性に関連した問題に気づくことができ、失禁を生じている理由を夫に説明できたり、夫の協力を自ら求めたりすることで解決できる可能性を見いだすことができるように支援する。つまり、夫婦での適切なコミュニケーションがはかられ、今ある状況で最もよいセックスの方法を選択できるように援助することを心がける。

　一度での相談で解決していくことが難しければ、何度か相談を実施することが必要なこともある。

引用文献
1. Ayaz S, Kubilay G. Effectiveness of the PLISSIT model for solving the sexual problems of patients with stoma. J Clin Nurs 2009；18（1）：89-98.
2. Khakbazan Z, Daneshfar F, Behboodi M, et. al. The effectiveness of the Permission, Limited Information, Specific suggestions, Intensive Therapy（PLISSIT）model based sexual counseling on the sexual function of women with Multiple Sclerosis who are sexually active. Mult Scler Relat Disord 2016；8：113-119.
3. von Eschenbach AC, Schover LR. The role of sexual rehabilitation in the treatment of patients with cancer. Cancer 1984；54（11Suppl）：2662-2667.

# Part 6 事例でみる排泄管理

# 中枢機能障害

丹波光子、谷口珠実

## 症例提示

**患者紹介**：60歳代、男性。身長158cm、体重70kg。
**主病名**：脳梗塞。
**既往歴**：糖尿病、高血圧。
**ADL状況**：軽度左片麻痺があり、車椅子移動は看護師介助で可能。
**排尿状況**：パッド使用中。看護師の介助で交換している。

## 排尿ケアチーム依頼までの経過

　脳梗塞にて緊急入院。頸静脈血栓溶解療法（t-PA治療）終了2週間後、意識レベルは清明となった。尿測の必要がなくなったため、尿道カテーテル抜去した。頻尿と尿失禁があり排尿ケアチーム依頼となった。

## 下部尿路機能障害の症状を有する患者の抽出

　尿道カテーテル抜去後、1回残尿量は50mL以下で残尿はない。1日10回以上の尿漏れがみられている。尿失禁も認められ、下部尿路障害（排尿困難、尿失禁）であるため、排尿ケアチームの対象である。

## 経過

### 1．尿道カテーテル抜去翌日

#### 1）下部尿路機能障害の評価
①排尿自立度
- 移乗・移動：ほとんど介助（2点）
- トイレ動作：ほとんど介助（2点）
- 収尿器の使用（夜間）：ほとんど介助（2点）
- パッド交換：ほとんど介助（2点）

②下部尿路機能
- 尿意の自覚：一部なし（1点）
- 尿失禁：ほとんど失禁（2点）
- 24時間排尿回数：12回（1点）
- 平均1回排尿量：131mL以下（1点）

**①排尿自立度8点＋②下部尿路機能5点＝13点**

#### 2）排尿のアセスメント
①原因・病態
　脳梗塞によって排尿をコントロールしている大脳が障害を受けたことにより、尿意があいまいでがまんできなくなり、頻尿、尿失禁など過活動性膀胱や尿意切迫感の症状がある。
- 排尿自立：認知機能障害なし、運動機能障害あり。
  ・麻痺によりトイレまでの移動動作や排尿動作

### 表1　症例患者の排尿日誌

| 時刻 | 尿量（mL） | 尿意 | 尿漏れの量（g） | 漏れた状況 | 水分量（mL） | 残尿量（mL） |
|---|---|---|---|---|---|---|
| 起床時間：5時00分 | | | | | 就寝時間：23時00分 | |
| 5:00 | 150 | ± | 150 | ナースコール | | |
| 7:00 | 30 | ± | 30 | ナースコール | お茶200 | 50（超音波測定） |
| 8:30 | 50 | ± | 30 | | | |
| 10:00 | 80 | ± | | リハビリ | | |
| 12:00 | 120 | ± | 20 | ナースコール | | 20（超音波測定） |
| 13:00 | 50 | ± | | | お茶200 | |
| 15:30 | 120 | ± | 30 | ナースコール | | 10（超音波測定） |
| 16:00 | 30 | ± | 10 | | お茶200 | |
| 17:00 | 120 | ± | 30 | ナースコール | | 10（超音波測定） |
| 18:00 | 100 | ± | | | お茶200 | |
| 20:00 | 60 | ± | 150 | ナースコール | | 20（超音波測定） |
| 23:00 | 30 | ± | 120 | | | |
| 3:00 | | − | 200 | | | |
| 合計 | 12回<br>排尿量940mL | | 10回<br>770g | | 飲水量<br>800mL | 残尿量（超音波測定値）<br>（110mL） |

翌日の起床時間：午前6時30分

☐：1日排尿合計。

に時間がかかり、機能性尿失禁を起こしている。
- 下部尿路機能：蓄尿機能障害あり、排尿（尿排出）機能障害なし。

②今後の見通し
　排尿自立に向けた訓練と下部尿路機能回復のための行動療法、薬物療法が必要である。

### 3）包括的ケア計画
①看護計画：排尿自立
- 排泄用具の工夫：軽度片麻痺はあるが、つかむ動作は可能なため夜間尿器を使用して排尿を促す。
- トイレ環境：ベッドはトイレのそばに移動する。
- おむつ・パッド：おむつはパンツ式のものにし、着脱しやすいものを選択する。

②看護計画：下部尿路機能
- 尿失禁のケア：意識レベルが清明なことから、骨盤底筋体操が可能かどうか本人と話し、可能なら訓練を開始する。膀胱訓練で、尿意があってもがまんするようにして、膀胱に尿が溜まる訓練を行う。
- リハビリテーション：運動・機能訓練（移乗・移動動作の安定化・排泄動作に関する動作訓練）。
- 薬物療法：残尿がなく、1回排尿量も少なく頻尿があることから抗コリン薬の内服を開始した。
- 泌尿器科による検査・治療：6か月以上内服調整を行っても変化がない場合は、尿流量検査、残尿測定を行う。必要時に膀胱内圧測定を行い、膀胱の機能を評価する。

## 2. 3週間後

### 1) 経過

3週間後、リハビリ病院に転院となり、看護師見守りでトイレ歩行、車椅子に移乗できるようになった。
- 1回排尿量：200mL。
- 残尿なし。
- 尿意でトイレまで歩行が可能となった。1日3～4回の失禁があり、看護師介助で交換している。

### 2) 排尿のアセスメントと包括的ケア

①排尿自立度
- トイレ動作や移乗・移動：看護師の見守りが必要である（2点）。

②下部尿路機能
- 尿失禁：一部失禁（1点）。

①排尿自立度2点＋②下部尿路機能1点＝3点

- 転倒予防のため看護師の見守りが必要であり、引き続きリハビリを継続する。
- 1回排尿量の増加。
- 残尿なし。尿意切迫感はときどきあり、骨盤底筋訓練を開始する。

## 3. 評価

包括的ケアは必要であり、継続できるようにサマリーを記載し継続してもらうようにする。

参考文献
1. 真田弘美編：特集 排尿ケアが変わる!「排尿自立指導」の病棟での進め方. エキスパートナース 2016；32(11)：71-122.
2. 西村かおる：新 排泄ケアワークブック. 中央法規出版, 東京, 2013.
3. 後藤百万, 渡邉順子編：徹底ガイド排尿ケアQ&A 全科に必要な知識のすべて!. 総合医学社, 東京, 2006.

# 子宮頸がん術後の神経因性膀胱

丹波光子、谷口珠実

## ［ 症例提示 ］

**患者紹介**：40歳代、女性、専業主婦。夫と子どもの3人暮らし。身長151cm、体重41.2kg。
**主病名**：子宮頸がん。
**既往歴**：なし。
**ADL状況**：痛みは軽度あるが自力歩行可能。食事・寝衣交換も自力で行える。
**本人の思い**：手術前に尿が出にくくなると医師から説明があったが、自分で管を入れて尿を出すことができない。これからずっとこれが続くと思うと不安。

## ［ 排尿ケアチーム依頼までの経過 ］

　入院3か月前から不正出血を認め近医を受診した。精査の結果、子宮頸がんⅡA期で手術目的にて入院となる。入院2日後、広汎子宮全摘＋骨盤内リンパ郭清術を施行した。1週間後、尿道留置カテーテルを抜去した。尿道カテーテル抜去後に残尿が多かったため、排尿ケアチームに依頼となった。排尿ケアチームから、尿意があったらエコーで残尿測定を行い300mL以内で導尿するように説明があった。

## ［ 下部尿路機能障害の症状を有する患者の抽出 ］

　尿道カテーテル抜去後、排尿日誌から尿意があいまいで排尿後残尿測定が150mL以上認められた。尿道カテーテル抜去後に、下部尿路障害（排尿困難、残尿）があることから排尿ケアチームの対象である。

## ［ 経過 ］

### 1．尿道カテーテル抜去2日目

**1）下部尿路機能障害の評価**
①排尿自立度
● カテーテルの使用：看護師が導尿（1点）

②下部尿路機能
● 尿意の自覚：ほとんどなし（2点）
● 平均1回排尿量：46mL（2点）
● 残尿量：203mL（2点）
①排尿自立度1点＋②下部尿路機能6点＝7点

**2）排尿のアセスメント**
①原因・病態
　骨盤内術後の排尿神経損傷により神経因性膀胱となり、自力での排尿が困難となっている。

## 表1 症例患者の排尿日誌

| 時刻 | 尿量（mL） | 尿意 | 尿漏れの量 | 漏れた状況 | 水分量（mL） | 残尿量（mL） |
|---|---|---|---|---|---|---|
| 起床時間：6時02分 | | | | 就寝時間：22時15分 | | |
| 6：02 | 50 | ± | | | 水150 | 300（エコー後導尿） |
| 8：00 | 0 | ± | | | お茶200 | 120（エコー確認） |
| 10：30 | 30 | ± | | | | 280（エコー後導尿） |
| 11：46 | 0 | ± | | | | 60（エコーで確認） |
| 14：00 | 50 | ± | | | お茶200 | 250（エコー後導尿） |
| 17：00 | 0 | ± | | | | 150（エコーで確認） |
| 18：00 | 0 | ± | | | お茶200 | 300（エコー後導尿） |
| 20：00 | 30 | ± | | | お水150 | 150（エコーで確認） |
| 22：15 | 20 | ± | | | | 280（エコー後導尿） |
| 2：00 | 100 | ± | | | | 140（エコー後導尿） |
| 合計 | 回数6回 排尿量280mL | | 0回 | | 飲水量 900mL | 残尿量（導尿量） 2,030mL |

翌日の起床時間：午前5時05分

☐：1日排尿合計（280mL＋導尿2,030mL＝2,310mL）

- 排尿自立度：認知機能障害なし、運動機能障害なし。
- 下部尿路機能：蓄尿機能障害なし、尿（尿排出）機能障害あり。

②今後の見通し

神経の修復ができ、自力排尿ができるまで間欠自己導尿が必要である。

### 3）包括的ケア計画

①看護計画：間欠自己導尿
- 自己導尿の必要性についての説明：手術により排尿神経が損傷し、自力排尿が困難な状態である。尿道カテーテルの長期留置や残尿があることによって尿路感染となりやすく、膀胱に尿が溜まりすぎると腎機能が低下する可能性がある。一時的に膀胱の機能を維持するためにも、間欠自己導尿が必要であることを説明した。
- 必要物品、方法について説明と実施：パンフレットを用いて自己導尿の方法について説明した。専業主婦であり外出も買物のときのみであることから、本人と相談して再利用型のカテーテルとした。
- 排尿回数の検討：尿意がないため、排尿日誌か

ら導尿時間を「6時・10時・14時・18時・22時・2時」とし、排尿日誌の記入を継続し、排尿量＋導尿量が500mL以上の場合は導尿回数を1回増やすように説明した。また、尿量の測定が簡単な、便器に装着できる採尿容器を使用することとした。
- 注意事項：
  - カテーテル内の消毒液、陰部用の消毒綿は1日1回交換とした。
  - 成人の尿量は1日1,200〜1,500mLであり、この尿量が確保できる程度の水分摂取を促した。気温の高い日や汗をかいた日には、多めに水分を摂取するように説明した。
- 患者支援：手術後、一時的に自己導尿になることがあるが、経過とともに徐々に回復してくることもあることを説明した。

## 2．依頼から2週間後（退院）

### 1）下部尿路機能の評価
①排尿自立度
- カテーテルの使用：自己管理（0点）

②下部尿路機能
- 尿意の自覚：一部なし（1点）
- 平均1回排尿量：150mL（1点）
- 残尿量：100mL（1点）

排尿自立度1点＋下部尿路機能3点＝4点
（前回より改善した）

### 2）排尿のアセスメント
尿意が出てきており1回尿量は増加しているが、残尿量が多いため、まだ間欠自己導尿が必要である。

### 3）包括的ケア計画
①看護計画：間欠自己導尿
- 排尿回数の検討：
  - 2時の導尿量が50mL以下となったため夜間の導尿を中止した。残尿量も100mLに低下した。また、導尿量と自力排尿量が300mL

以下となり2日後に退院であることから、自己導尿の回数を1日4回（起床時・昼食後・夕食後・寝る前）に変更したが、排尿量と導尿量が500mL以上の場合は導尿回数を1回増やすように説明した。
- 残尿量が減少すれば、外来医師と相談しながらではあるが導尿回数は減らせること、寝る前の導尿を中止することを説明した。
- カテーテルの選択：導尿の回数が減少したことや本人の希望もあり、スピーディカテ®コンパクトとした（図1）。
- 注意事項：カテーテル抜去2日目と同様に、1日尿量が確保できる程度の水分摂取を促した。また、気温の高い日や汗をかいた日には多めに水分を摂取するように説明した。

## 3．評価

退院時包括的ケアの必要性あり。患者には、残尿感がある場合や尿が出にくい感じがあれば導尿する必要があることを説明した。

医療者への依頼は外来受診時尿流量測定、残尿測定を依頼した。

## 4．外来受診時（退院後初診）

外来受診時の検査では尿勢に問題なく、排尿量250mL、残尿20mLであった。2〜3日に1回、残尿感を感じて導尿で150mL程度出ている。

### 1）下部尿路機能障害の評価
①排尿自立度
- 問題なし（0点）。

②下部尿路機能
- 2〜3日に1回、150mL残尿あり（1点）。

### 図1　使用したカテーテル

スピーディカテ®コンパクト（コロプラスト）

①排尿自立度0点＋②下部尿路機能1点＝1点

## 2）排尿ケアのアセスメントと包括的ケア

　一過性に神経因性膀胱による排尿（尿排出障害）がある。

## 3）今後の見通し

　排尿状況は改善しており、引き続き残尿感があるようなら導尿するように説明した。

参考文献
1. 真田弘美編：特集 排尿ケアが変わる！「排尿自立指導」の病棟での進め方. エキスパートナース 2016；32(11)：71-122.
2. 西村かおる：新 排泄ケアワークブック. 中央法規出版, 東京, 2013.
3. 後藤百万, 渡邉順子編：徹底ガイド排尿ケアQ&A 全科に必要な知識のすべて!. 総合医学社, 東京, 2006.

# 前立腺全摘出後の尿失禁

丹波光子、谷口珠実

## [ 症例提示 ]

**患者紹介**：70歳代、男性、会社経営者。妻と2人暮らし。身長162cm、体重84kg。
**主病名**：前立腺がん。
**既往歴**：高血圧で内服治療中。
**ADL状況**：自力歩行可能、食事・寝衣交換も自力で行える。
**本人の思い**：説明は聞いていたけど、こんなに漏れては会社へ行けない。

## [ 排尿ケアチーム依頼までの経過 ]

腹腔鏡下前立腺全摘出術施行後6日目の造影検査で、吻合部の縫合不全はなく尿道留置カテーテル抜去となった。カテーテル抜去後から尿失禁が認められ、パッドを使用している。翌日、排尿ケアチーム依頼となった。

## [ 下部尿路機能障害の症状を有する患者の抽出 ]

尿道カテーテル抜去後に尿失禁が認められた。尿意があり、立位になってトイレまで歩行すると尿失禁を認めた。膀胱カテーテル抜去後の排尿回数は9回、簡易エコーで残尿量は0mLであった。尿道カテーテル抜去後に下部尿路障害（尿失禁）がみられたため、排尿ケアチームの対象である。

## [ 経過 ]

### 1．尿道カテーテル抜去翌日

**1）下部尿路機能障害の評価**
①排尿自立度
●パッド・おむつの使用：自己管理（0点）

②下部尿路機能
●尿意：一部なし（1点）
●尿失禁：ほとんど失禁（2点）
●24時間排尿回数：9回（1点）
●平均1回排尿量：158mL（1点）
①排尿自立度0点＋②下部尿路機能5点＝5点

**2）排尿のアセスメント**
①原因・病態
　前立腺全摘出術後、前立腺と尿道の近くにある尿道括約筋が損傷されたことにより尿失禁が起こっている。
●排尿自立度：認知機能障害なし、運動機能障害なし。
●下部尿路機能：蓄尿機能障害あり、排尿（尿排出）機能障害なし。

### 表1 症例患者の排尿日誌

| 起床時間：5時00分 | | | | | 就寝時間：23時00分 | | |
|---|---|---|---|---|---|---|---|
| 時刻 | 尿量（mL）| 尿意 | 尿漏れの量（g）| 漏れた状況 | | 水分量（mL）| 残尿量（mL）|
| 11：00 | | | | 尿道カテーテル抜去 | | | |
| 11：15 | 50 | ± | 80 | 車椅子から移動 | | | 0 |
| 13：00 | 50 | ± | 100 | トイレ移動時 | | お茶200 | |
| 15：30 | 100 | ± | 60 | 座位時 | | | |
| 16：00 | 30 | ± | 120 | 座位時 | | お茶200 | |
| 17：00 | 50 | ± | 50 | トイレ移動時 | | | 0 |
| 18：00 | 100 | ± | 150 | 食事 | | お茶200 | |
| 20：00 | 60 | ± | 150 | トイレ歩行 | | | |
| 23：00 | 30 | ± | 120 | | | | |
| 5：00 | 80 | − | 50 | トイレ移動時 | | | |
| 合計 | 9回 | | 9回 | | | 飲水量 600mL | 残尿量 0mL |
| | 排尿量550 | | 880g | | | | |

翌日の起床時間：午前5時00分

□：1日排尿合計。

②今後の見通し

術後6か月以内に尿失禁が改善される場合が多く、それまでの期間は尿失禁ケアが必要である。

### 3）包括的ケア計画

①看護計画：尿失禁のケア
- 生活指導：
  - 起き上がりの動作では、肘をつきながら上体を起こす。立位時にはテーブルなどに手をついて寄りかかるようにして立つなど、腹筋だけ使用しないようにし腹圧を最小にする。
  - 骨盤底筋に負担がかからないように体重をコントロールする。
  - パッドの選択：男性用尿取りパッドを紹介し、失禁量に合わせて選択するよう指導する（症例では1回量150g程度のため、ポイズン®パッドを紹介）。
  - 失禁量が多いため、コンドーム型収尿器とレッグバッグを紹介した。
- 骨盤底筋体操＊：パンフレットや模型を用いて骨盤底筋の位置、尿道括約筋の位置について、また、体操の具体的な方法を説明した。
- 患者支援：失禁は、6か月～1年で徐々に改善していくことがあることを説明する。
- 泌尿器科による検査・治療：手術後1年経過しても尿失禁の量が多い場合は、手術による治療があることを説明する。

## 4．退院時の評価

### 1）包括的排尿ケアの必要性

- 尿道カテーテル抜去後翌日の退院であり、尿失禁が続いている状態であった。退院後も継続し

＊体操の方法：肛門と睾丸を締めるように意識する。おならをがまんするように肛門を締める。締めるのが自覚できるようになり骨盤底筋が意識できるようになったら、早く締める（速筋）×5回と約5秒締め続ける（遅筋）×5回を1セットとし、1日10セットをめやすに行う。

たケアが必要である。
- 次回来院時、パッドの交換枚数などを把握してもらうよう患者・家族へ依頼した。

## 5．1か月後（退院後初回外来）

尿意は自覚できており、尿量は増加した。パッドの枚数は1日3枚程度で、尿失禁の量、回数は減少した。

### 1）下部尿路機能障害の評価
①排尿自立度
- 問題なし（0点）

②下部尿路機能
- 尿失禁：一部失禁（1点）

①排尿自立度0点＋②下部尿路機能1点＝1点

### 2）排尿のアセスメントと包括的ケア計画

術後の尿失禁は改善してきており、引き続き骨盤底筋訓練を継続する。

参考文献
1. 真田弘美編：特集 排泄ケアが変わる!「排尿自立指導」の病棟での進め方．エキスパートナース2016；32(11)：71-122.
2. 西村かおる：新 排泄ケアワークブック．中央法規出版，東京，2013.
3. 後藤百万，渡邉順子編：徹底ガイド排尿ケアQ&A 全科に必要な知識のすべて!．総合医学社，東京，2006.

# 骨折に伴う機能障害性尿失禁

丹波光子、谷口珠実

## [ 症例提示 ]

**患者紹介**：80歳代、男性。息子夫婦・孫と4人暮らし。身長152cm、体重40kg。
**主病名**：大腿骨頸部骨折。
**既往歴**：狭心症。
**ADL状況**：体動はゆっくりだが、介助で車椅子移動が可能。
**排泄状況**：パッド使用中。看護師の介助で交換している（自分で交換できない）。

## [ 排尿ケアチーム依頼までの経過 ]

大腿骨頸部骨折に対しての観血的整復固定術後1週間で尿道カテーテル抜去となったが、トイレまで間に合わずに尿が漏れるため排尿ケアチームに依頼となった。

## [ 下部尿路機能障害の症状を有する患者の抽出 ]

尿道カテーテル抜去後、尿失禁が認められた。尿意があり、トイレに間に合わず漏れる。下部尿路障害（尿失禁）があるため、排尿ケアチームの対象である。

## [ 経過 ]

### 1．尿道カテーテル抜去翌日

#### 1）下部尿路機能障害の評価
①排尿自立度
- 移乗・移動：ほとんど介助（2点）
- トイレ動作：ほとんど介助（2点）
- 収尿器の使用（夜間）：ほとんど介助（2点）
- パッドの交換：看護師が行っている（2点）

②下部尿路機能
- 尿失禁：ほとんど失禁（2点）
- 平均排尿量：110mL（1点）

①排尿自立度8点＋②下部尿路機能3点＝11点

#### 2）排尿のアセスメント
①原因・病態
　術後の痛みや体動困難により移動・移乗が遅く、体動時にトイレに間に合わず漏れているため機能性尿失禁である。
- 排尿自立度：認知機能障害なし、運動機能障害あり。
- 下部尿路機能：蓄尿機能障害あり、尿（尿排出）機能障害なし。
  ・1回排尿量は110mLであり、体動時に漏れている。腹圧性尿失禁もある。

### 表1　症例患者の排尿日誌

| 時刻 | 尿量（mL） | 尿意 | 尿漏れの量(g) | 漏れた状況、ほか | 水分量(mL) | 残尿量(mL) |
|---|---|---|---|---|---|---|
| 起床時間：5時00分 | | | | | 就寝時間：21時00分 | |
| 5：00 | | ＋ | 120 | ナースコールでトイレコール | | |
| 9：10 | 150 | ＋ | 10 | 車椅子乗車時 | お茶200 | 10（超音波測定）|
| 11：20 | 200 | ＋ | 5 | 下着を下ろしているとき | お茶200 | |
| 13：56 | 150 | ＋ | | | | |
| 15：56 | 130 | ＋ | | | お茶300 | |
| 17：00 | 150 | ＋ | | | | |
| 20：30 | 50 | ＋ | 120 | 車椅子乗車時 | お茶200 | |
| 22：45 | | ＋ | 120 | ナースコールでトイレコール | お茶100 | |
| 0：24 | 50 | ＋ | 100 | ナースコールでトイレコール | | |
| 3：38 | | ＋ | 150 | ナースコールでトイレコール | | |
| 合計 | 7回 排尿量880mL | | 7回 625g | | 飲水量 1,000mL | 残尿量 10mL |

翌日の起床時間：午前5時10分

☐：1日排尿合計。

②今後の見通し

　リハビリを進めて移動・移乗がスムーズになれば尿失禁は改善してくる。骨盤底筋訓練も必要と考える。

### 3）包括的ケア計画

①看護計画：排尿自立

- 排泄用具の工夫：排尿動作が困難なことから、夜間は自動採尿器（スカットクリーン、図1）を使用した。移動がスムーズになったら、ベッドサイドにポータブルトイレを設置する。
- トイレ環境：ベッドはトイレのそばに移動する。日中はトイレに移動しやすいように、車椅子の乗車時間を長くする。
- おむつ・パッド：おむつはパンツ式のものにし、着脱しやすいものを選択する。
- 移動・排尿意欲への支援：体動時に痛みがあるため、痛み止めの使用についての検討を医師に

図1　自動採尿器「スカットクリーン」（パラマウントベッド）

依頼する。

- リハビリテーション：運動・機能訓練（関節訓練・筋力強化・起居・移乗・移動動作の安定化・排泄動作に関する動作訓練）を行う。

## 2．1週間後

　歩行や車椅子移乗などスムーズに行えるようになり失禁量が減った。おむつは外れ、20CC用パッドのみとなり、1日2～3回自分で交換している。5日後にリハビリ病院へ転院する予定である。

### 1）下部尿路機能障害の評価
①排尿自立度
- 移動・移乗：ナースの見守りが必要（1点）
- トイレ動作：ナースの見守りが必要（1点）

②下部尿路機能
- 尿失禁：一部失禁（1点）

①排尿自立度2点＋②下部尿路機能1点＝3点

### 2）排尿ケアのアセスメントと包括的排尿ケア

　排尿ケアのアセスメントと包括的排尿ケアは継続となった。転院するリハビリ病院へ、包括的排尿ケアについてサマリーを記入し継続できるようにした。

参考文献
1. 真田弘美編：特集 排尿ケアが変わる！「排尿自立指導」の病棟での進め方，エキスパートナース 2016；32(11)：71-122.
2. 西村かおる：新 排泄ケアワークブック，中央法規出版，東京，2013.
3. 後藤百万，渡邉順子編：徹底ガイド排尿ケアQ&A 全科に必要な知識のすべて！，総合医学社，東京，2006.

# 萎縮性膀胱による頻尿

丹波光子、谷口珠実

## 症例提示

**患者紹介**：80歳代、男性。息子夫婦と3人暮らし。身長172cm、体重68kg。
**主病名**：腹部大動脈瘤、右腸骨大動脈瘤。
**既往歴**：糖尿病。
**ADL状況**：リハビリ訓練中。ゆっくりで自力歩行可能だが、立位時はふらつきがあり介助が必要である。
**排泄状況**：パッド使用中。看護師の介助で交換。夜間は尿器使用中で看護師の介助が必要である。

## 排尿ケアチーム依頼までの経過

　腹部大動脈瘤手術の経過は良好であったが、術後、仙骨部に深さ判定不能（DTI）の褥瘡が発生した。褥瘡は徐々に深くなり腱にまで達し、深さD4となった。褥瘡の汚染を予防する目的で、尿道カテーテル留置となっていた。術後1か月後に発熱し、尿混濁、尿臭がみられ、尿道カテーテルからの脇漏れが多くなり抜去となった。頻尿と尿失禁で排尿ケアチーム依頼となった。

## 下部尿路機能障害の症状を有する患者の抽出

　尿道カテーテル抜去後、頻尿、尿失禁が認められた。尿意があり、トイレに行こうとするが間に合わずに漏れる。尿道カテーテル抜去後に下部尿路障害（尿失禁・重度の頻尿）があるため排尿ケアチームの対象である。

## 経過

### 1．尿道カテーテル抜去翌日

**1）下部尿路機能障害の評価**
①排尿自立度
- 移乗・移動：一部介助（1点）
- トイレ動作：一部介助（1点）
- 収尿器の使用（夜間）：一部介助（1点）
- パッド交換：看護師が行っている（2点）

②下部尿路機能
- 尿失禁：一部失禁（1点）
- 24時間排尿回数：15回（2点）
- 1回排尿量：89mL以下（2点）

①排尿自立度5点＋②下部尿路機能5点＝10点

## 表1 症例患者の排尿日誌

| 起床時間：6時10分 | | | | | 就寝時間：21時00分 | | |
|---|---|---|---|---|---|---|---|
| 時刻 | 尿量（mL） | 尿意 | 尿漏れの量 | 漏れた状況 | 水分量（mL） | 残尿量（mL） |
| 6：10 | 50 | ＋ | | | 水150 | |
| 7：15 | 80 | ＋ | 少量 | | お茶200 | 10（超音波測定） |
| 9：10 | 30 | ＋ | | | | |
| 10：30 | 80 | ＋ | | | 牛乳200 | |
| 11：50 | 70 | ＋ | | | お茶200 | 10（超音波測定） |
| 13：00 | 50 | ＋ | | | | |
| 14：50 | 100 | ＋ | | | お茶200 | |
| 16：00 | 150 | ＋ | 少量 | | 水150 | |
| 17：30 | 80 | ＋ | | | 水100 | |
| 18：50 | 60 | ＋ | | | お茶200 | |
| 20：00 | 120 | ＋ | | | | |
| 21：30 | 50 | ＋ | | | | |
| 23：00 | 150 | ＋ | | | お茶200 | |
| 1：00 | 120 | ＋ | | | | |
| 3：30 | 150 | ＋ | | | | |
| 合計 | 15回<br>排尿量1,340 mL | | 2回 | | 飲水量<br>1,600mL | 残尿量<br>20mL |

翌日の起床時間：午前5時30分

☐：1日排尿合計。

## 2）排尿のアセスメント

　尿混濁、排尿痛があり、長期尿道カテーテル挿入により尿路感染を発症し膀胱が萎縮した。また、カテーテルの長期留置にて蓄尿機能が低下したことにより、頻尿、1回排尿量の低下が考えられる。尿路感染治癒後、頻尿が続くようなら下部尿路機能の検査が必要である。

## 3）包括的ケア計画

①看護計画：排尿自立
- 排泄用具の工夫：夜間は尿器をセッティングする。
- トイレ環境：ベッドはトイレのそばに移動する。
- おむつ・パッド：おむつはパンツ式のものにし、着脱しやすいものを選択する。
- リハビリテーション：運動・機能訓練（移乗・移動動作の安定化・歩行訓練）を行う。
- 薬物療法：一般尿検査、細菌尿検査で尿路感染があれば抗生剤を内服する。
- 泌尿器科による検査：一般尿検査、細菌尿検査、血液一般検査を行う。尿路感染が改善しても頻尿が続くようなら、膀胱機能検査を行う。

**参考文献**
1. 真田弘美編：特集 排尿ケアが変わる！「排尿自立指導」の病棟での進め方．エキスパートナース 2016；32(11)：71-122．
2. 西村かおる：新 排泄ケアワークブック．中央法規出版，東京，2013．
3. 後藤百万，渡邉順子編：徹底ガイド排尿ケアQ&A 全科に必要な知識のすべて！．総合医学社，東京，2006．

# 妊娠期・産後
# （腹圧性尿失禁）

吉田美香子

## 症例① 妊娠期

### 症例提示

**患者紹介**：30歳代、初産婦。合併症なし。
**妊娠・分娩経過**：妊娠34週、単胎妊娠。切迫早産のため妊娠28週より塩酸リトドリン内服。現時点での児の推定体重2400g、頭位。
**ADL/排泄状況**：ADL自立。妊婦健診時に、妊娠32週頃から頻尿と残尿感、尿失禁があるとの訴えあり。

### 下部尿路機能の評価

#### 1．排尿状況

- 1日排尿回数：10回（1点）。
- 平均1回排尿量：150〜200mL（1点）。
- 胎動時やくしゃみの際に尿失禁少量あり。

#### 2．エコーでの膀胱容量計測

排尿前後で膀胱内の尿量を計測したところ、尿意を訴えたときの排尿前膀胱容量は136mL、排尿後には膀胱内に残尿は認められなかった。

#### 3．排尿のアセスメント

妊娠中はプロゲステロンの作用により膀胱排尿筋の収縮が低下することから、尿排出障害の可能性が考えられた。しかし、排尿後には膀胱内に残尿は認められないことから、尿排出障害の可能性は否定された。

排尿前のエコー画像（図1）から、妊娠週数が進み、児頭により膀胱が圧迫され尿意を感じやすくなったり、胎動・腹圧時に尿失禁が生じやすくなっていると考えられた。今後、児頭の骨盤腔への下降が進むと頻尿や尿失禁の症状が悪化する可能性がある。

### 包括的ケア計画

#### 1．看護計画：頻尿・残尿感へのケア

- 頻尿は、胎児の成長に伴い膀胱が圧迫されるために起きていることであり、妊娠中はしかたがないことのため、頻尿を避けるために水分摂取を控えることはしないように指導する。
- 残尿はなくしっかり排尿できているため、尿の勢いがない・残尿感がある場合でも、腹圧をかけた排尿は避けるように指導する。

図1 症例①の排尿前エコー画像（左：横断面、右：縦断面）

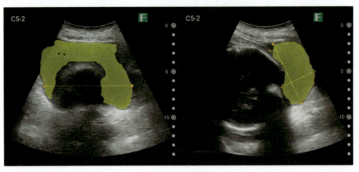

## 2．看護計画：尿失禁へのケア

- 妊娠中は発汗等の不感蒸泄も多いことから、尿失禁用のパッドを使い、会陰部を清潔に保つように指導する。
- 破水と尿失禁の区別がつかない場合は、躊躇せず医療機関に電話相談をするように指導する。

# 症例②　産後

## 症例提示

**患者紹介**：30歳代、初産婦。夫と生後3か月の乳児との3人暮らし。身長154cm、体重45kg。
**妊娠・分娩経過**：特に異常なく経過。妊娠40週で3200gの男児を経腟分娩。分娩所要時間12時間。会陰部切開あり。
**現在の状況**：母乳育児中、月経未再開。
**ADL/排泄状況**：自立しており、80mL用尿漏れパッドを1日1枚、自分で交換している。便秘により酸化マグネシウムを内服中。

## 骨盤底リハビリテーション外来受診までの経緯

妊娠30週頃より週2～3回、くしゃみをしたときに腹圧性尿失禁がみられるようになった。産後も腹圧性尿失禁が認められたため、出産した施設で相談したところ、骨盤底筋訓練の口頭指導を受けた。よくわからないまま訓練をしてみたが、腹圧性尿失禁は改善せず、パッドの使用により会陰部の掻痒感も強くなった。このまま尿失禁が続くのではないかと不安を抱えている。

## 下部尿路機能の評価

### 1．排尿状況（表1）

- 1日排尿回数：6～7回（0点）。
- 平均1回排尿量：150～350mL（1点）。
- くしゃみや児を抱える際に腹圧性尿失禁あり。

### 2．骨盤底の形態・機能

3Dエコーにより、明らかな肛門括約筋、恥骨直腸筋/恥骨尾骨筋の損傷なし。口頭指示により骨盤底筋を収縮させることはできるが、2秒保持できる程度。

## 排尿のアセスメント

妊娠中の胎児や子宮の重量負荷により骨盤底が脆弱化したところに、育児や便秘によって腹圧が高くなるような動作が加わり、腹圧性尿失禁が発生している。このまま腹圧が加わる動作を続けていると、さらに骨盤底に負荷がかかり、症状が重

表1 症例患者の排尿日誌

起床時間 7：30　就寝時間 23：30

| 回数 | 排尿時間 | 排尿量 | 尿意 | 失禁 | 日誌 |
|---|---|---|---|---|---|
| 1 | 7：30 | 250mL | ○ | | |
| 2 | 12：00 | 200mL | △ | | |
| | 14：00 | | | ◎ | くしゃみ |
| 3 | 14：20 | 150mL | △ | | |
| | 15：30 | | | | |
| 4 | 17：00 | 200mL | ○ | | |
| | 19：00 | | | | |
| 5 | 20：00 | 300mL | ○ | | |
| | 22：00 | | | ○ | 児を抱っこしたとき |
| 6 | 23：30 | 200mL | ○ | | |
| 7 | 4：30 | 230mL | | | 授乳時 |
| 合計 | 6回 | 1530mL | | | |

尿意：強い◎、ふつう○、弱い△、なし×、尿意切迫感●。尿漏れ：多量◎、少量○、微量△。
□：1日排尿合計。

症化する可能性が考えられる。

　骨盤の形態異常はなく、一度の口頭指示で骨盤底筋の収縮ができることから、骨盤底筋訓練による筋力強化による腹圧性尿失禁の改善、動作の工夫による骨盤底保護が必要である。

# 包括的ケア計画

## 1．看護計画：尿失禁のケア

### 1）生活指導：腹圧のコントロール
- 児を抱っこする際は、事前に骨盤底筋を締め、腹圧により骨盤底がさらに弛緩しないようにする。
- 排便時に努責による骨盤底への負担を軽減するために、排便時はできるだけ前傾姿勢をとり直腸肛門角を開かせ、いきまずに排便するよう指導する。また、便性を普通〜ややわらかい状態にコントロールするために水分摂取について指導する（授乳中であることから母乳となる水分量も考え、尿量1500mL/日程度確保できるように水分を摂るようにする）。

### 2）失禁症状へのセルフケア
- 産後は発汗等の不感蒸泄も多いことから、パッドは失禁量に合わせて小さなものを使い、漏れたと思ったらこまめに交換し、会陰部を清潔に保つように指導する。

## 2．看護計画：骨盤底筋訓練

- 骨盤底の解剖、尿禁制における役割を説明した後、経腹超音波画像を用いた骨盤底筋の収縮についてバイオフィードバックを行う[1]。
- 骨盤底筋の収縮機能の評価結果から、自宅での訓練メニューを患者とともに話し合いながら決定する（症例では、2秒×5回×3セット/日、仰臥位のほか座位や四つ這いなど自分がやりやすいと思う体位から開始）。
- 外的バイオフィードバックがなくても骨盤底筋を正しく動かせるようになったら、産後の母親を対象としたグループレッスンに変え、骨盤底筋訓練の継続を図る。

引用文献
1. Yoshida M, Murayama R, Hotta K, et al.Differences in motor learning of pelvic floor muscle contraction between women with and without stress urinary incontinence：Evaluation by transabdominal ultrasonography. Neurourol Urodyn 2017；36(1)：98-103.

# 骨盤臓器脱

嘉村康邦

骨盤臓器脱（pelvic organ prolapse：POP）患者では、下部尿路症状（lower urinary tract symptoms：LUTS）をきわめて高率に認める。逆に、LUTSを訴える女性では、POPの有無を常に念頭に置く必要がある。本稿では、POPに伴う典型的下部尿路症状とその管理について、事例を提示して解説する[1]。

## 症例提示

**患者紹介**：64歳、女性。3経産（経腟分娩）。
**現病歴**：出産後、軽度の腹圧性尿失禁（stress urinary incontinence：SUI）を認めたが、重症化することなく自然に改善した。55歳ごろより再びSUIを自覚し、尿失禁用パッドが必要となった。60歳ごろからSUIの頻度は減り、頻尿・夜間頻尿が増悪し、ときに切迫性尿失禁（urgency urinary incontinence：UUI）も認めるようになった。また、夕方になると尿排出困難感を自覚し、中腰で排尿すると尿が出やすくなった。64歳になり、入浴時に陰部に球状の突出物を触れるようになった。また、このころから尿排出困難がさらに増悪し、尿意を強く感じても排尿ができず、陰部に突出するものを自分の指で押し込んで排尿するようになった。さらに過活動膀胱症状も出現し、泌尿器科を受診した。

## 症例解説

本症例は、POPの進展に伴って下部尿路症状がさまざまに変化していく典型例といえる。

### 1. 出産後の腹圧性尿失禁（SUI）

経腟分娩で骨盤底の筋肉、支持組織および神経が損傷を受けると、尿道過可動（図1）や脱神経を認め、尿道括約機構が障害されSUIを生じる。通常、この尿失禁は一過性で、自然軽快することが多い。

### 2. 腹圧性尿失禁（SUI）の顕性化

本症例では55歳ごろより再びSUIが顕性化している。これは、閉経に伴いホルモン環境が変化したこと、また骨盤底支持の脆弱化が進んだことが関与する。この時期は、明らかな脱に伴う症状はまだ認められない。

### 3. 骨盤臓器脱（POP）の進展と尿排出障害の出現

60歳ごろからSUIが自然軽快しているが、これはPOPが進展したことによる。すなわち、前腟壁の下垂（膀胱瘤）が進むと、図2に示すように、尿道と膀胱底の間の角度が鋭角化し、いわゆる"kinking"を生じ尿道閉塞をきたす。また、膀胱瘤そのものが尿道を圧迫し、これも尿道閉塞に働

### 図1　尿道過可動

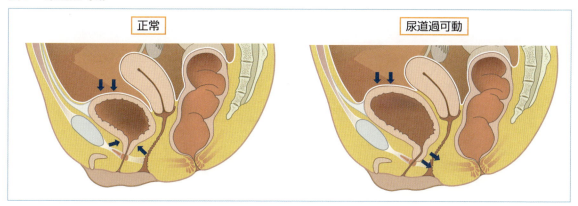

正常では膀胱頸部や尿道の支持は良好で、腹圧上昇時も動きが少ない。一方、出産後などで膀胱頸部や尿道の支持が不良となると尿道過可動、いわゆる"ぐらぐら尿道"を認め、腹圧性尿失禁を生じやすくなる。

### 図2　膀胱瘤で認める膀胱出口部のkinking

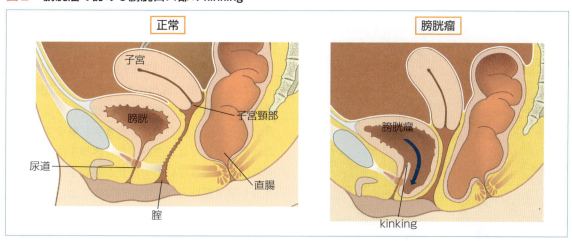

骨盤臓器脱において、特に膀胱瘤が重症化すると、膀胱出口部で図に示すようにkinking（よじれ）が生じ尿の出方が悪くなる。

く。膀胱瘤のためにSUIが生じにくくなっているのであり、SUIが治癒したのではない（これを潜在性尿失禁と呼ぶ）。POPに対してリングを挿入するとSUIが顕性化することをよく経験するが、これは脱（膀胱瘤）が還納され尿道閉塞が解除されるためである（図3）。中腰の排尿も、無意識のうちに尿道閉塞を解除しようとするためである。本症例では夕方に尿排出困難感が強くなっているが、POP患者では、就寝中は安静臥位で脱は出現せず無症状である。一方、日中は活動するに従い脱出が強くなり、夕方にかけて症状が増悪する。さらにPOPが進行し前述のkinkingが強くなると、尿閉に至ることもある。患者は仕方なく、脱を自分の指で腟内に押し戻し排尿するようになる（図4）。

## 4．過活動膀胱症状の増悪化

膀胱瘤で尿道閉塞が続くと、前立腺肥大症と同様に膀胱出口部閉塞（bladder outlet obstruction：BOO）による過活動膀胱が出現する。本例でも頻尿・夜間頻尿、尿意切迫感や切迫性尿失禁が増悪化している[2]。

### 図3　腟内装具による尿失禁の発生

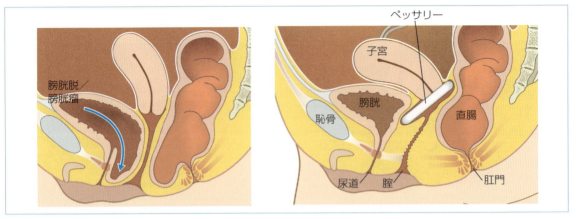

リングペッサリーを挿入すると、膀胱瘤は挙上され膀胱出口部は漏斗化しやすくなるとともに腹圧性尿失禁を生じやすくなる。

### 図4　膀胱瘤のMRI画像

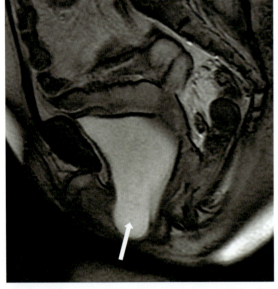

膀胱瘤が高度になると尿閉に至ることもある。この場合、突出する膀胱瘤を自分の指で押し戻し排尿する患者もみられる。

## POPに伴うLUTSの管理

　POPの進展に伴いLUTSも変化する事例を提示したが、POPの脱出が軽度でまだ尿道閉塞を認めない段階では、骨盤底筋体操を行うことで改善がみられる。ただし、骨盤底筋収縮をまったく認めない症例では、やみくもに体操を指導しても効果は期待できないので注意が必要である。脱が進行し尿道閉塞もきたす段階に入ると、骨盤底筋体操などの保存的治療は無効となる。この場合、膀胱出口部閉塞を解除すべく、腟内装具や手術療法などほかの治療法を考慮すべきである。

引用文献
1. Digesu GA, Chaliha C, Salvatore S, et al. The relationship of vaginal prolapse severity to symptoms and quality of life. BJOG 2005；112(7)：971-976.
2. de Boer TA, Salvatore S, Cardozo L, et al. Pelvic organ prolapse and overactive bladder. Neurourol Urodyn 2010；29(1)：30-39.

# 小児の先天性疾患
## ：直腸肛門奇形

廣部誠一

小児の先天性疾患のうち直腸肛門奇形は最も多い疾患で、排泄管理が大切な疾患であるので概説する。

## 直腸肛門奇形の病態

恥骨直腸筋は、特に排便機能に重要な役割を果たしており、この筋肉と直腸盲端の位置関係により高位、中間位、低位の3つに病型を大別した（図1）。高位型ほど恥骨直腸筋、外肛門括約筋の低形成を認める。

## 病型と会陰部外観

### 1．男児

肛門があるべき位置になく、その前方の会陰皮膚や陰嚢基部に細い瘻孔または黒い胎便が透見できる場合は低位型の肛門皮膚瘻（図2A）である。このような、皮膚に瘻孔がない場合は中間位、高位の可能性が高く（図2B）、尿道と瘻孔を形成していることが多い。中間位型では直腸球部尿道瘻、高位型では直腸尿道瘻（図3A）、直腸膀胱瘻（図3B）がある。

図1　直腸肛門奇形の病型

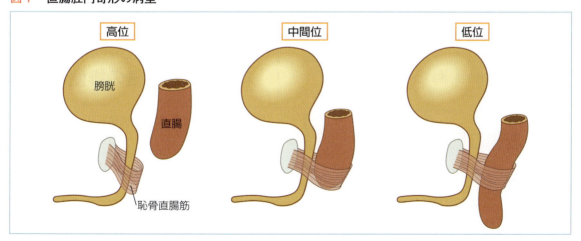

### 図2 会陰部外観

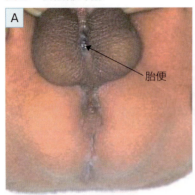

低位型肛門皮膚瘻（男児）

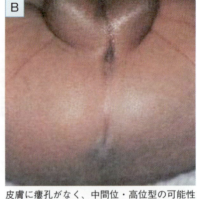

皮膚に瘻孔がなく、中間位・高位型の可能性が高い（男児）

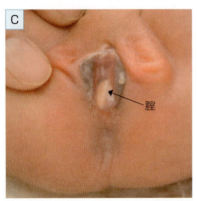

腟の背側の前庭部に瘻孔がある肛門前庭瘻（女児）

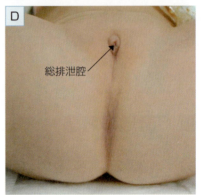

会陰部に孔が1つしかない特殊型直腸総排泄腔瘻（女児）

## 2．女児

　肛門があるべき位置になく、その前方の会陰皮膚に細い瘻孔がある場合は低位型で、特に腟の背側の前庭部に瘻孔がある肛門前庭瘻（図2C）が30％と最も多く、中間位、高位はまれである。会陰部に1つの孔しかない場合は特殊型の直腸総排泄腔瘻で10％と比較的多い（図2D～3C）。

## ［直腸肛門奇形の治療］

　低位型は、外瘻孔をブジーし浣腸で排便管理して、新生児期から乳児期早期に肛門形成術を行う。中間位、高位型では人工肛門（左横行結腸）を造設し体重増加を図り、体重が8 kg前後の時期に根治手術を行う。

　高位ほど肛門括約筋は低形成であり、手術ではその筋肉を最大限に利用する手術を目指す（図3D）。術後数か月の期間をおき、肛門拡張が十分になったら人工肛門の閉鎖を行う。

## ［人工肛門閉鎖後の排便管理］

　排便管理は、グリセリン浣腸による強制排便法を行う。

### 1．強制排便法の目的

①便を完全排泄させ、残便をなくすことで失禁が軽減する。

②決まった時間に排泄管理することで、生活習慣

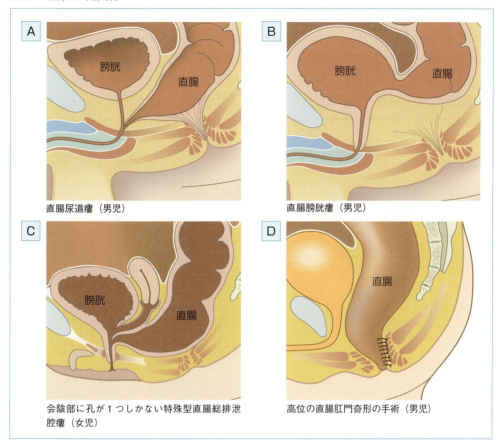

図3　鎖肛の側面像

A　直腸尿道瘻（男児）
B　直腸膀胱瘻（男児）
C　会陰部に孔が1つしかない特殊型直腸総排泄腔瘻（女児）
D　高位の直腸肛門奇形の手術（男児）

のなかで排便が組み込まれ、排泄に対する意識が高まる。

③便貯留と排泄をくり返すことで、直腸が伸展刺激されて起こる感覚を覚えて、患者なりの便意を獲得するのに有効と考えられる。この便意の獲得が良好な排便機能を得るのに非常に大切な部分だが、高位型ほど便意が出にくく、また感じる便意は正常の便意と異なり曖昧な感覚である。

## 2．具体的な排便管理方法

人工肛門の閉鎖時期は乳児期であり、正常児でも脊髄反射による意識しない排便で失禁状態である。手術をした乳児も排便機能の発達過程のまっただ中であり、発達段階に応じた排便訓練が必要である。

1日2回のグリセリン浣腸でまとまって排泄させ、その間の時間帯での漏れが少ないように管理する。量は2mL/kgがめやすである。食後の時間帯の浣腸が胃結腸反射を利用できてよい。術後初期は頻回に肛門周囲の皮膚に便汁が付着して炎症を引き起こす。よって、術直後から肛門周囲の皮膚保護のケアが必要である。これらの処置を養育者（母親など）に指導して退院する。

外来の管理では、浣腸2回以外に漏れがなくなれば浣腸を1回に減量して失禁が増えないか観察する。便意が出現し自力での排便が出現したら、浣腸の頻度を減らしたり、ビサコジル（テレミンソフト®）坐薬など刺激の弱い排便誘導法に変え、失禁が増えないか観察する。

## 排便機能の成績

　目標は、浣腸しなくても便意を感じて排便でき、失禁がない状態である。それに近づく時期は低位型では幼児期後半、中間位型では学童期後半、高位型では思春期である。高位型ほど便意の感覚が曖昧で、そのため浣腸から離脱できる時期が遅れ、思春期になり精神的成熟も加わり排便機能が改善することが多い。

　括約筋の低形成、高度仙骨奇形などにより失禁傾向が強い排便機能不良群では、二分脊椎での排便管理と同じ考えで洗腸を導入する。

# 二分脊椎

浅沼　宏、大家基嗣

## はじめに

　二分脊椎は小児期の排泄障害の原因として最も多い疾患の一つであり、その神経障害の程度により排泄障害の病態もさまざまである。

　本稿では、二分脊椎における排泄障害の病態と、3症例の事例提示をふまえてその具体的な治療・ケアについて概説する。

## 二分脊椎とは

　二分脊椎は、脊椎管を形成する椎弓の先天性な癒合不全で、本来脊椎管内にあるべき脊髄が脊椎の外に出て損傷し、下部尿路（膀胱、尿道）機能障害、直腸肛門機能障害、下肢麻痺などさまざまな神経障害をきたす[1]。特に、小児期の神経系の疾患・障害に伴う神経因性下部尿路機能障害の原因としては二分脊椎が最も多い。

　二分脊椎は、嚢胞性二分脊椎（脊髄髄膜瘤など）と潜在性二分脊椎（脊髄脂肪腫など）に分類される。嚢胞性二分脊椎は、わが国では分娩1万件あたり2～6人の発生率で、1980年以降増加傾向であることが報告されている[1]。発生のリスク要因は、ラテン系人種（アジア系人種は最も少ない）、3等親親族内の二分脊椎の存在、母親の抗てんかん薬の服用、低出生体重児などが挙げられている[1]。

　一方、妊娠前からの葉酸摂取が二分脊椎の発生予防に有用であり、食品への葉酸の強制添加は二分脊椎発生率の有意な減少を示すことが報告されている[1]。

　嚢胞性二分脊椎のうち、皮膚欠損部から脊髄が露出しているものが脊髄破裂で、髄膜に覆われた脊髄が嚢状に突出したものが脊髄髄膜瘤であり、腰～仙髄レベルに好発する（図1A）。出生時に腰仙部の体表異常が明らかで、通常、出生後24～48時間以内に修復術が行われるが、下部尿路機能障害や直腸肛門機能障害は必発である。

　一方、潜在性二分脊椎は単なる椎弓の癒合不全のみで神経障害を合併しないことも多く、腰仙部の異常もわずかな皮膚陥凹や臀裂の非対称のみのことがある（図1B）。しかしながら、脊髄が脂肪腫などに癒合・固定していると、成長著しい時期に引き伸ばされることで、脊髄係留症候群として下部尿路機能障害や直腸肛門機能障害が出現することがある。

## 二分脊椎に伴う排泄障害

　下部尿路機能障害については、一般的には仙髄より上位に障害があると、排尿筋過活動による蓄尿障害と排尿筋括約筋協調不全による排尿（尿排出）障害から膀胱内の高圧状態を呈するようになる。高圧膀胱が持続すると膀胱壁の肥厚や伸展性

図1 二分脊椎患者の腰仙部所見

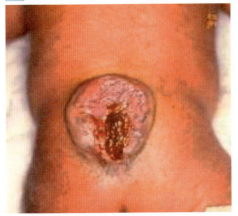

A 嚢胞性二分脊椎（脊髄髄膜瘤）

出生直後の新生児。腰仙部に髄膜に覆われた脊髄が嚢状に突出した脊髄髄膜瘤を認める。

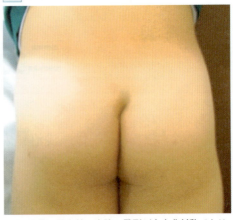

B 潜在性二分脊椎（脊髄脂肪腫）

8歳、男児。尿失禁で来院。臀裂が左右非対称であり、MRIで脊髄脂肪腫が検出された。

図2 高圧膀胱の病態

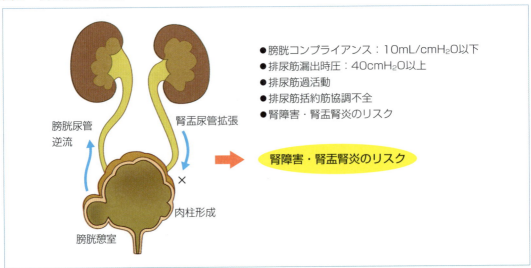

- 膀胱コンプライアンス：10mL/cmH$_2$O以下
- 排尿筋漏出時圧：40cmH$_2$O以上
- 排尿筋過活動
- 排尿筋括約筋協調不全
- 腎障害・腎盂腎炎のリスク

膀胱内の高圧状態は膀胱壁の肥厚や伸展性（コンプライアンス）の低下を招き、腎盂尿管拡張や膀胱尿管逆流が生じて腎障害や腎盂腎炎のリスクになる。

（コンプライアンス）の低下を招き、さらには腎盂尿管拡張や膀胱尿管逆流（vesicoureteral reflux：VUR）が生じて腎障害や腎盂腎炎のリスクとなる（図2）[2]。尿路にとっては最も危険な状態である。

一方、仙髄または仙髄以下の障害では、排尿反射が減弱して排尿筋収縮能の低下や無収縮から排尿障害を呈する。排尿筋の無収縮も、いずれ膀胱の過伸展から高圧膀胱をまねくことになる。括約筋収縮能は、維持されている場合と障害されてわずかな腹圧上昇でも尿失禁が生じる蓄尿障害を呈する場合がある。潜在性二分脊椎に比べ嚢胞性二分脊椎では下部尿路機能障害の頻度や程度は強いが、その病態はさまざまであり、二分脊椎の椎体

レベルとは必ずしも相関しないため、患者それぞれの病態評価が不可欠である。

学童期以降では、尿失禁の持続はQOLを大きく阻害することになるが、その病態もさまざまであり、蓄尿時の排尿筋過活動に伴う切迫性尿失禁、括約筋収縮能低下による括約筋性尿失禁、排尿筋無収縮に伴い尿貯留の限界を超えて溢れ出る溢流性尿失禁などがある（その混合もある）[2]。

直腸肛門機能障害については、神経障害から本来の便意は出現せず、外肛門括約筋の随意的な弛緩と収縮が困難となる[3]。また、仙髄より上位の障害では外肛門括約筋と肛門挙筋郡は麻痺しており、直腸肛門管と肛門周囲の皮膚知覚も障害されている。便とガスは腹圧の上昇と直腸の蠕動により不随意に出てしまう。通常は、結腸の蠕動低下により硬い便塊が左半結腸から直腸内に貯留し、腹圧がかかるたびに肛門近傍の便塊が少量ずつ漏れ出ることになる。さらに、下部尿路機能障害に対して投与されることの多い抗コリン薬は腸管蠕動を減弱させ、便秘増悪の要因となる。

## 排泄障害に対する治療・ケアの実際

二分脊椎患者における下部尿路管理の目的は、腎障害の防止、腎盂腎炎の防止、さらに学童期以降では尿禁制の獲得にある。実際には、病態の把握のために画像検査や機能検査が必要であり、超音波検査（ultrasonography：US）では膀胱の過伸展や膀胱壁の肥厚、腎盂尿管拡張について、排尿時膀胱尿道造影検査（voiding cystourethrography：VCUG）では膀胱の肉柱形成や膀胱憩室、VUR、膀胱の収縮、尿道病変について、尿流動態検査（urodynamic study：UDS）では蓄尿相と排尿相における膀胱排尿筋と尿道括約筋の機能について評価する。特に、定量的な下部尿路機能評価にはUDSが不可欠であり、蓄尿相では膀胱容量、膀胱コンプライアンス、排尿筋過活動の有無、括約筋収縮能を、排尿相では排尿筋収縮能と排尿筋括約筋協調について評価する（表1）。低コンプライアンス膀胱（10mL/cmH$_2$O以下）、排尿筋漏出時圧高値（40cmH$_2$O以上）、排尿筋過活動、排尿筋括約筋協調不全の所見は、蓄尿時または排尿時の高圧膀胱から腎障害や腎盂腎炎のリスクになる（図2）[1,2]。なお、二分脊椎はラテックスアレルギーの有病率が高いため、検査の施行には注意を要する。

脊髄髄膜瘤の修復術直後は、USで脊髄ショックに伴う膀胱過伸展や腎盂腎炎の併発を認める場合は、すみやかに清潔間欠導尿（clean intermittent catheterization：CIC）を開始する。括約筋の弛緩が担保されない状態では手圧排尿は行わない。

術後3か月程度のうちにはUSに加えVCUGとUDS（またはVCUGとUDSを合わせた透視下UDS）を行い、その病態に合わせてそれぞれの治

表1 下部尿路機能の評価項目とその障害、病態と治療・ケア

| | 評価項目とその障害 | 病態 | 治療・ケア |
|---|---|---|---|
| 蓄尿相 | 膀胱容量*/コンプライアンス**の低下 | 低容量、蓄尿時高圧膀胱 | 抗コリン薬、膀胱拡大術 |
| | 排尿筋過活動の出現 | 蓄尿時高圧膀胱、切迫性尿失禁 | 抗コリン薬、ボツリヌス毒素注入 |
| | 括約筋収縮能の低下 | 括約筋性尿失禁 | 尿失禁防止術 |
| 排尿相 | 排尿筋収縮能の低下 | 溢流性尿失禁、高圧膀胱 | 清潔間欠導尿 |
| | 排尿筋括約筋協調の不全 | 排尿時高圧膀胱 | 清潔間欠導尿 |

＊：小児の想定膀胱容量[8]（mL）＝体重（kg）×7：新生児・乳児期
　　　　　　　　　　　　　　（年齢＋2）×25：幼児期以降
＊＊：膀胱コンプライアンス（mL/cmH$_2$O）＝最大膀胱容量（mL）/最大膀胱容量時の排尿筋圧（cmH$_2$O）

療・ケアを単独または併用して行う(表1)。排尿筋収縮能低下や排尿筋括約筋協調不全ではCICを導入する(×4〜6/日)[4]。低コンプライアンス膀胱や排尿筋過活動に対しては抗コリン薬を投与する。養育者によるCICの施行が困難な場合やCICでは腎盂腎炎のコントロールが不良な場合は、膀胱皮膚瘻造設術による尿路変向も考慮する[5]。常時カテーテル留置となる膀胱瘻では尿路感染は必発であり、萎縮膀胱をまねくため行わない。

以降、3〜4か月ごとに排尿記録(導尿記録)や尿検査を、USは小児では6か月ごと、成人では1年ごとに、VCUGおよびUDSは学童期までは1年ごと、学童期以降は2年ごと程度に行い、下部尿路機能について定期的に評価する[1]。また、学童期から思春期にかけては脊髄係留症候群をきたすことがあるため脊髄MRIも考慮する。近年、わが国においても、抗コリン薬が無効あるいは使用できない排尿筋過活動に対してボツリヌス毒素膀胱壁内注入療法が行われるようになっている。CICと抗コリン薬投与で高圧膀胱が解消できない場合は、消化管利用膀胱拡大術を考慮する[5]。括約筋性尿失禁に対しては、尿失禁防止術を検討する。さらに、股関節開排制限、体幹変形、導尿時の尿道痛など、固有尿道からのCICが困難な場合やQOLの向上が見込める場合は、腹壁導尿路造設術を考慮する。

排便管理については、定期的に一度に十分な便を排出させて、可能な限り直腸内を空虚にすることで便失禁を防止することが目的となる[3]。患者の病態や年齢などに応じて、緩下薬などで便の性状を調整し、浣腸や洗腸療法などの強制排便法が必要となることが多い[6]。近年では、効率的な経肛門的洗腸療法の医療機器も開発され、適用されるようになっている。さらに、QOLの向上のために洗腸路造設術による順行性洗腸療法も考慮される。下部尿路ならびに排便管理においても、就学前後からは自己管理できるよう計画的に指導していく[6,7]。

## 症例1
## 脊髄髄膜瘤修復術後(乳児期)

7か月、男児、体重9.0kg。出生時に脊髄髄膜瘤と診断され、修復術が施行された。術後のUSでは膀胱壁の肥厚や腎盂尿管拡張は検出されず、VCUGでも膀胱の肉柱形成やVURは認めず、ほぼ残尿なく排尿可能であった(図3A)。尿路感染症の併発なく経過していたが、7か月時に行ったVCUGで膀胱壁の不整と両側の軽度VURが出現した(図3B)。UDSでは、生食水30mL注入時に排尿筋圧が50cmH$_2$Oとなり、尿道からの漏出を認めた。

低容量・高圧膀胱に伴う続発性VURの出現と診断し、腎障害と腎盂腎炎の防止のため抗コリン薬(塩酸オキシブチニン0.3mg/kg/日)の服用と、養育者による1日4回のCICを開始した。また、抗コリン薬投与に伴い便秘が増悪したため、1日1回の浣腸を始めた。

## 症例2
## 低容量・高圧膀胱(学童期)

9歳、女児。出生時に脊髄髄膜瘤の診断で修復術が施行され、母親によるCICと浣腸、6歳時からは自己導尿による排泄管理を継続してきた。尿失禁が持続し、最近、腎盂腎炎をくり返すようになり紹介受診した。緩下薬の服用と1日1回の浣腸で便失禁なく排便管理は比較的良好なものの、歩行障害と股関節開排制限のため、便座に移動しての1日6回の自己導尿に苦慮していた。

USでは膀胱壁の肥厚と両側の中等度の腎盂尿管拡張を認めた。VCUGでは膀胱頸部の開大はないが、膀胱の著明な肉柱形成と両側の高度VURを認めた(図4A)。UDSでは、排尿筋過活動はないが、膀胱内に生食水80mL注入で排尿筋圧は40cmH$_2$Oを越え、排尿筋収縮は認めなかった(図4B)。

低容量・高圧膀胱に伴う続発性VURと溢流性尿失禁と診断し、最大許容量まで抗コリン薬を服

図3　症例1：出生直後の脊髄髄膜瘤修復術後（乳児期）

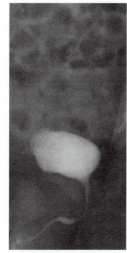
A　修復術後のVCUG
膀胱壁の不整はなく、VURも認めない。

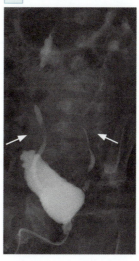
B　7か月時のVCUG
膀胱壁の不整と両側VUR（矢印）を認める。

用させ、1日8回まで自己導尿回数を増やした。しかしながら、高圧膀胱と両側VURの所見は持続したため、膀胱の低圧化と自己導尿におけるQOL向上のため、S状結腸利用膀胱拡大術（図4 C）、膀胱尿管新吻合術と虫垂を利用したMitrofanoff法導尿路造設術（図4 D）を施行した。導尿路のストーマは右下腹部に造設した。

術後検査では、両側のVURは消失し、膀胱内に生食水300mL注入時の排尿筋圧は10cmH$_2$Oに軽減した。自己導尿は容易となり、その後腎盂腎炎の併発はない。

## 症例3
## 括約筋性尿失禁（思春期）

15歳、男子。脊髄髄膜瘤に対して修復術を、水頭症に対して脳室腹腔シャント術が施行されていた。下肢変形・歩行障害がありクラッチを使用して普通中学校へ通学中。8歳時より抗コリン薬の服用と自己導尿による下部尿路管理と、母親介助のもとで洗腸による排便管理を継続していた。腎盂腎炎の併発はないものの、尿失禁が持続するため紹介受診した。

USでは膀胱壁の肥厚や腎盂尿管拡張は検出されなかった。VCUGでは、膀胱の肉柱形成やVURはないものの、膀胱内への造影剤250mLの注入で膀胱頸部は開大し尿漏出を認めた（図5 A）。UDSでは、生食水250mL注入で排尿筋圧は13cmH$_2$O、350mL注入（膀胱頸部をバルーンで閉鎖）でも排尿筋圧20cmH$_2$Oで高圧膀胱の所見は認めず、腹圧による尿漏出圧は37cmH$_2$Oであった。

膀胱容量とコンプライアンスは良好なものの、括約筋収縮能低下に伴う括約筋性尿失禁と診断した。尿失禁に対してはPippi Salle法尿道延長術（図5 B）を、排便管理の自立を目的としてMalone法洗腸路造設術（図5 C）を同時に施行し、洗腸路のストーマは臍部に造設した（図5 D）。

術後4か月以降、導尿困難なく3～4時間ごとの自己導尿で尿失禁はほとんど認めず、腎盂腎炎の併発もない。また、洗腸は自己管理が可能となり、ストーマ狭窄なく2日に1度の洗腸で便失禁も認めていない。

### 図4　症例2：低容量・高圧膀胱（学童期）

**A** VCUG

膀胱の著明な肉柱形成と両側の高度VURを認める。

**B** UDS

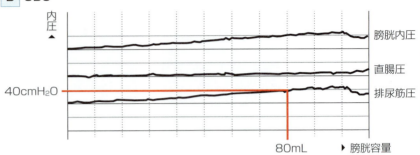

膀胱内に生食水80mL注入で排尿筋圧は40cmH$_2$Oを超える。排尿筋過活動はなく、排尿筋収縮は認められない。

**C** S状結腸利用膀胱拡大術

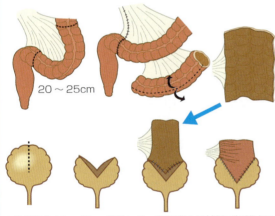

S状結腸を20～25cm遊離して、腸間膜の反対側で切開する。膀胱を十分に縦切開し、S状結腸をパッチ状に縫合する。回腸を利用して同様の膀胱拡大術も行われる。

**D** Mitrofanoff法導尿路造設術

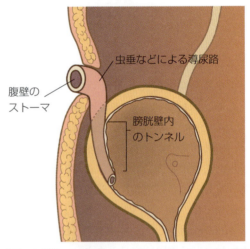

腹壁から膀胱への導尿路として虫垂を用いる。虫垂と膀胱との吻合は、虫垂が膀胱壁内を2～3cmトンネル状に貫いてから膀胱内腔に縫合する。膀胱内に尿が充満すると膀胱壁内の虫垂は圧迫されて内腔が閉鎖するため、尿が腹壁へと漏れることがない（フラップバルブ構造）。一方、腹壁のストーマからカテーテルを挿入し導尿が可能である。

## 図5　症例3：括約筋性尿失禁（思春期）

### A　VCUG

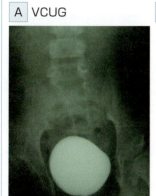

膀胱内に造影剤250mL注入で膀胱頸部は開大し、尿漏出を認める。

### B　Pippi Salle法尿道延長術

膀胱の前壁を利用して内尿道口から膀胱内へ尿道を5cm延長する。フラップバルブ構造となるため蓄尿時は尿禁制が保たれる。自排尿は困難となるためCICは必須となる。

### C　Malone法洗腸路造設術

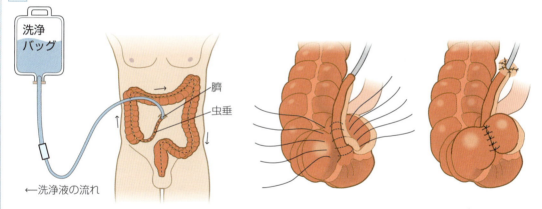

虫垂先端部を腹壁に吻合し、洗腸用カテーテルの挿入口とする。虫垂基部の盲腸の漿膜を3cm程度、虫垂を中心として縫合する。フラップバルブ構造となるため便が腹壁に漏れることはない。

### D　臍部に造設したストーマ

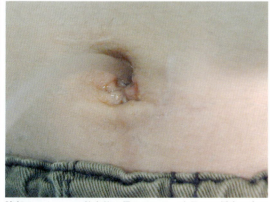

臍部のストーマは整容的に優れている。女子では将来の帝王切開時に洗腸路損傷などに注意が必要となる。

## おわりに

　二分脊椎患者は年齢層が若く、排泄障害のみならず、腎機能や生殖機能などデリケートな問題を含めたさまざまな課題をもって日々の生活を送っている。多業種、多診療科の横断的連携により生涯的なフォローが不可欠である。

引用文献
1. 日本排尿機能学会, 日本泌尿器科学会編：二分脊椎に伴う下部尿路機能障害の診療ガイドライン［2017年版］. リッチヒルメディカル, 東京, 2017.
2. 浅沼宏：下部尿路管理を要する病態・疾患とその評価. 日本小児ストーマ・排泄・創傷管理研究会学術委員会編, 小児創傷・オストミー・失禁（WOC）管理の実際 改訂版. 東京医学社, 東京, 2019：36-51.
3. 西島栄治, 高見澤滋：排便コントロールと便失禁の治療. 日本小児ストーマ・排泄・創傷管理研究会学術委員会編, 小児創傷・オストミー・失禁（WOC）管理の実際 改訂版. 東京医学社, 東京, 2019：152-161.
4. 松野大輔：清潔間欠的（自己）導尿（CI(S)C）を中心とした保存的尿路管理. 日本小児ストーマ・排泄・創傷管理研究会学術委員会編, 小児創傷・オストミー・失禁（WOC）管理の実際 改訂版. 東京医学社, 東京, 2019：52-58.
5. 杉多良文：尿路管理における手術療法と合併症. 日本小児ストーマ・排泄・創傷管理研究会学術委員会（編）小児創傷・オストミー・失禁（WOC）管理の実際 改訂版. 東京医学社, 東京, 2019：59-69.
6. 鎌田直子, 溝上祐子：強制排便法. 日本小児ストーマ・排泄・創傷管理研究会学術委員会編, 小児創傷・オストミー・失禁（WOC）管理の実際 改訂版. 東京医学社, 東京, 2019：162-172.
7. 松尾規佐：清潔間欠的自己導尿のケア. 日本小児ストーマ・排泄・創傷管理研究会学術委員会編, 小児創傷・オストミー・失禁（WOC）管理の実際 改訂版. 東京医学社, 東京, 2019：173-180.
8. Hamano S, Yamanishi T, Igarashi T, et al：Evaluation of functional bladder capacity in Japanese children. Int J Urol 1999；6(5)：226-228.

# 認知症

津畑亜紀子

## 認知症者の排泄のアセスメント[1]

### 1. Step 1：どのような場面、状況で問題が生じているのかの規則性と予兆を見いだす

認知症者がうまく言葉にできなくても、行動には何らかの意味があることが多い。行動の意味を探ることが必要である。

### 2. Step 2：誰にとっての問題かを整理する

介護者の思いと認知症者の思いのすれ違いが葛藤や緊張を生む。問題を感じているのは誰なのかを整理し、本人不在のまま解決方法を導かないよう注意が必要である。

### 3. Step 3：排泄行動と排泄機能の残存能力を評価する

排泄を行うためには一連の過程がある。「自立して排泄ができなかった」と結果に焦点を当てると「排泄に介助が必要」という大きな括りでしか評価できない。

## 認知症者の排泄ケアの具体例[1]

### 1. 事例A：トイレではない場所で排泄し、汚してしまう

老人保健施設にショートステイの予定で入所中のAさん、80歳、男性。

#### 1）入所時の状況
- 排泄する場所はトイレとは反対の廊下の突き当たりで西側の壁と決まっている。
- トイレ以外の場所で排泄をしているという自覚はない。
- 廊下の突き当たりがトイレだと認識している様子。
- トイレへ誘導しようとしても拒絶する。
- 排便は壁から離れた位置に排泄している。

#### 2）家族との面談からわかったこと
- 普段生活する居室からトイレへの移動ルートと近似している。
- 自宅は小便器と大便器の2つがあり、大便器は個室で和式トイレである。

#### 3）アセスメント
本人にとってのトイレは「廊下の突き当たり西側の壁」である。
①施設管理における衛生上の問題、②他の入所

者へ与える影響に配慮して、本人が安心して排泄できるようにする必要がある。

### 4）ケア
- 「本人にとってのトイレ」に大判の平型おむつを壁から床へ張り付け、パッドで吸収した。
- 他の入所者から丸見えとなるためパーテーションを設置した。
- スタッフが衛生面、安全面、プライバシーに配慮した交換方法や対応を共有した。

## 2. 事例B：近頃、自宅トイレを汚すことが多くなった

息子夫婦、孫と同居中のBさん、74歳、男性。

### 1）自宅での状況
- 洋式便器の足元に尿をこぼすようになった。
- トイレから出てくるとズボンの前も濡れていることがある。
- 孫はトイレに入りたがらない。
- 息子の妻はトイレの清掃やマットの洗濯が大変で負担を感じている。排尿は座ってしてほしいと思っている。
- 息子を介して座って排泄するように促したが、「座ったら出ない」と言う。
- 床が濡れていることを指摘すると、「手洗い水が少しこぼれただけだ」と言い、困った家族が相談をしてきた。

### 2）アセスメント

このケースの場合、困っているのは家族であって本人ではないことに注意が必要である。前立腺肥大などの影響を受けて尿勢が低下し、これまで利用してきたトイレの立ち位置では便槽内に尿が届かない可能性や、尿意切迫のため排尿姿勢をとる前に排尿がはじまっていることが原因となっている可能性がある。家族の困りごとをBさんに相談し、専門機関に相談することも1つの方法である。しかし、本人が問題を感じていないことから、診療を受けることを拒む場合や、仮に診療を受けても治療だけで解決できないことも予測される。

### 3）ケア
- 便器内に的のような目印や、立ち位置を示すマークをつけるなどの方法を検討する。
- 清掃や洗濯が大変だという家族の負担を考慮し、トイレマットや便座カバーが本当に必要かを検討する。
- 汚れるのはトイレの個室内だけである。トイレ内の床が汚れることは当たり前として、家族用の下駄を準備したり、平型の大判のパッドを敷いたりするなど、いくつかの方法を検討してみる。

引用文献
1. 津畑亜紀子：日常生活機能のアセスメントとケア ④排泄．日本看護協会編，認知症ケアガイドブック，照林社，東京，2016：146-149.

Part 7

# コンチネンス外来

# 尿失禁専門外来

谷口珠実

## 失禁外来の時代変遷と名称

　筆者が泌尿器科で失禁看護外来に取り組みはじめた1990年代は、泌尿器科で尿失禁を治療対象として明示している外来が少なく、治療の受け皿となる失禁専門外来も少なかった。失禁が生じた患者へ治療の情報が十分に行き届いておらず、治療を受ける機会を逃していた患者が多かった。2003年に報告された日本人の失禁患者の状況では、失禁が生じても受診に至らず、治療を受けていない患者が多数を占めていた[1]。

　特に高齢女性は、泌尿器科は男性がかかる科と考える人が多く、婦人科や内科を受診していた。当時は、医師に相談しても加齢に伴う現象ととらえられ、治療が十分に行われないことが多かった。そのようななかで、患者はおのおのの生活に支障をきたさないよう、心身ともにつらい経験のなかから自分なりに工夫を重ねた対応策をとり続けてきたため、困り果てた状態で切羽詰まった相談が相次いでいた[2]。1990年代に失禁外来を訪れた患者らは、長期にわたって失禁と向き合い、悩みを抱えて過ごしてきた。

　21世紀を迎え日本はまれにみる高齢社会となり、物質の溢れる社会のなかで、慢性疾患とともに生活や体調を整えながら過ごす時代となった。自立した状態で長寿を迎えるために、疾患の予防対策を行い、より健康な暮らしを望み、努力を続ける中高年層が増えた。若年者の失禁の問題は大きいが、たとえ高齢になっても、失禁が生活に与える影響は重大であり、社会参加や楽しみを奪い、快適な生活をおびやかすことは明らかである。最近では、医療者の間でも失禁によるQOL（生活の質）の低下が認識されたこと、また排尿障害に対する病態や治療が徐々に確立したこともあり、失禁を診断し治療を推進するための排泄障害（排尿・排便）の専門外来の設置が増えつつある。

　現在は、泌尿器科や婦人泌尿器科、消化器科外来において「失禁」を対象とした外来の開設も増加しており、インターネットでも容易に検索できるようになった。欧米では、診療科として「urogynecology（婦人泌尿器科）」があるが、日本でも泌尿器科と婦人科の双方を診療する婦人泌尿器科領域の発展とともに、皮膚・排泄ケア認定看護師による専門外来の参画が増えている。

　「失禁外来」という名称は、治療対象者がとらえやすい反面、受診に対する羞恥心や、失禁という言葉に抵抗感をもち、悩んでいる患者にとっては受診しにくい外来となるおそれもある。英国や米国においても、失禁で悩む患者が外来を受診するまでの抵抗感は同様にあるため、「continence clinic（禁制クリニック）」「pelvic floor health center（骨盤底の健康センター）」といった外来を標榜している。日本でも、患者が受診しやすい名称を検討するとよい。

　近年では、女性対象の窓口を強調するため「女

性泌尿器科外来」や「骨盤底センター」などの名称が表示されている。看護師が外来で相談を受ける体制を整える施設もあり、「コンチネンス看護外来」や「排泄看護相談」などの名称もある[3]。今後は、排泄の相談として、排尿や排便の問題を抱える本人、そして介護する家族からの相談にも対応できることが望まれるだろう。

## 失禁外来における看護師の役割

失禁外来における看護師の役割は、①患者の生活における排泄の問題と課題を整理して、適切な検査と治療が進められるよう診療の補助を担うこと、②保存療法を実施すること、③患者の生活環境を整える支援がある。そこで、問診を行うにあたり患者が話しやすい環境を整えておく。例えば、プライバシーが保たれる個室の診察室で、落ち着いて問診する、また、検査時にはカーテンなどで隠したり、外陰部の露出を避ける掛物等を使用するなど、羞恥心への配慮を行う。

### 1．医師と協働して行う診療の補助

①問診と質問票：排尿に伴う症状は、感じ方や日々の変化もあり、どのような状況で症状が生じるかを整理する。質問票の記載を助け、患者の話を聴き、必要な情報を得る。

②いままでの失禁への対処方法と、使用している排泄管理用具の把握。

③排尿日誌の記載：客観的な患者の情報を得るうえで必須であり、患者に記載方法を説明する。

④検査の補助：排尿に関する検査は羞恥心を伴いやすいため、十分配慮して実施する。膀胱鏡や外陰部の診察では下着を脱ぎ診察台に上がるため、外陰部の露出を防ぐよう配慮が必要となる。検査準備の設定をするとともに、患者に的確な説明を行うことが大切である。また、検査中に排尿する尿流動態検査では患者の緊張をほぐすとよい。失禁量を測定するパッドテストでは、患者に手順を説明して失禁量に適したパッドを選択し実施する。

### 2．患者指導・行動療法

**生活指導・行動療法の実施**：日常生活指導や行動療法（膀胱訓練、骨盤底筋訓練）を行う。

**間欠導尿の指導**：間欠導尿法の指導と、日常生活や社会生活をふまえた導尿時間の設定、カテーテル選択を行う。

**失禁用具の選択と介護指導**：留置カテーテルやおむつが多く利用されているため、生活を快適にするための排泄用具のアドバイスや、運動機能に適した収尿器（図1）、ポータブルトイレなどの用具紹介と介護方法について指導する。

図1　コンドーム型収尿器と蓄尿袋の例

コンビーン オプティマ

コンビーン セキュアー レッグバッグ
（すべてコロプラスト）

図2 リングペッサリー

Wallaceリングペッサリー（オリジオ・ジャパン）

　失禁防止の用具として、以前は膀胱頸部支持装置（イントロール）などの自己管理を行うための指導が行われていたが、現在使用可能な施設は少ない。また、排尿障害を有する骨盤臓器脱の患者が、保存療法として用いるリングペッサリー（図2）の自己着脱について指導する。

## 3．在宅療養支援と地域連携

　外来受診した患者の在宅療養生活支援として、排泄用具の工夫、介護方法の指導、地域との連携を行う。地域包括支援センターや訪問看護ステーションとの連携なども円滑に進める。

## ［失禁外来の組織的な位置づけ］

　外来を設置する施設の規模により、失禁外来の組織的な位置づけも異なると考えられる。施設の規模は、個人病院や地域の病院、特定機能病院などがあり、それぞれの施設に求められる機能は異なる。施設の設備によっても外来で実施できる内容は異なる。地域や施設の規模は異なっても、排泄で困ったときに相談できる窓口が明示され、必要に応じて専門的なかかわりが提供される外来が、多くの施設で開設できることが期待される。
　尿失禁外来は泌尿器科の一部として開設されていることが多い。男女ともに失禁を有する対象者が受診する外来である。女性泌尿器科や婦人泌尿器科などと標榜されている場合、多くは婦人科と泌尿器科が協働しているが、単独で開設されてい

表1　現在の主な診療報酬

- ●検査料
- ・残尿測定　　　　　超音波によるもの…55点
  　　　　　　　　　導尿…………………45点
- ・尿水力学的検査　1．膀胱内圧測定…260点
  　　　　　　　　　2．尿動圧測定……260点
  　　　　　　　　　3．尿流測定………205点
  　　　　　　　　　4．括約筋筋電図…310点
- ・筋電図検査……………………………300点
- ・尿失禁定量テスト（パッドテスト）……100点
  　　　　　　　　　　　　　　　（月に1回）
- ●指導
- ・在宅自己導尿指導管理料……………1800点
- ・特殊カテーテル加算
  　1．間欠導尿用ディスポーザブルカテーテル
  　　イ．親水性コーティングを有するもの…960点
  　　ロ．イ以外のもの………………600点
  　2．間欠バルーンカテーテル…………600点

ることもある。これらの外来で看護師が一部を担うのか、新たに失禁看護外来として独自の機能をめざすかは各施設で検討する。外来看護を実施しても単独での診療報酬は得られていないこともあり（表1）、診療報酬を得られる導尿指導やパッドテスト、尿流動態検査、筋電計を用いたバイオフィードバック療法（図3）などの実施に限り行う施設もある。また、骨盤底筋訓練の指導を自費診療として実施している施設もある。今後、診療報酬が得られれば、外来での必要な看護介入を行う推進力となるだろう。

## ［医師の指示と予約時間］

　外来での看護の実施に関しては、行動療法や導尿の指導などは医師の依頼を受けて行う。看護外来は予約制で行うことが望ましく、初回指導時には、問診と説明・指導で約1時間を要し、2回目以降の指導では約30分を要している。

図3 バイオフィードバック療法（筋電図）

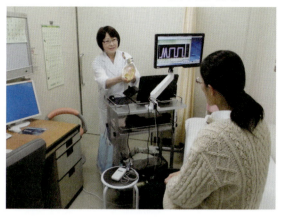

表2 必要とされる物品

- 検査機器（尿流測定器、超音波検査機、残尿測定機器、尿流動態検査機器）
- 質問票や問診票：症状や状態、QOL質問票
- 排尿日誌
- パッドテスト用パッド、検査説明用紙、パッド類の計測器
- 骨盤底筋訓練の指導用パンフレット
- 骨盤底筋訓練のバイオフィードバック用機器（筋電図、腟圧計、超音波検査機など）
- 自己導尿の指導用物品（指導用パンフレット、カテーテル類の見本）
- 生活指導用のパンフレット
- パッド類の選択・購入先リスト、収尿器類のカタログや購入先リスト
- 骨盤臓器脱用保存治療用具のカタログ類

## 失禁外来開設に必要な物品の一例

泌尿器科として機器類を設置する物品と、失禁看護外来を行う介入や指導の際に必要な物品の準備をしておく。表2にその一例を挙げる。

## 失禁看護外来の周知

失禁外来や失禁看護外来を開設する際には、地域住民に対する啓発活動や受診・治療に対する情報提供を行うとよい。対象となる患者向けの広報と合わせて、院内の医療関係者や地域連携に向けて周知徹底を図る。また、外来には、院内と地域の橋渡しを行う役割がある。失禁や排尿障害、頻尿などの症状は、下部尿路機能の障害のみではなく、脳血管障害や認知障害、運動機能障害を伴う慢性疾患、利尿作用のある服薬などとも関連して発症しているため、多職種とのチーム医療体制を整えてかかわることが望ましい。外来では、他領域との医師や看護師とも協同して治療やケアにあたるため、施設内や地域との連携が、今後の重要な課題になる。

## 排泄ケアを専門とする看護師の育成

排泄ケアを専門とする看護師が日本で周知されはじめたのは、英国でコンチネンスアドバイザーから学び、日本コンチネンス協会（代表・西村かおる氏）が設立されたころからである。コンチネンス協会では1990年から「排泄ケア専門員養成セミナー」を実施し、コンチネンスの知識を広める教育を続けている。その後、1995年に日本看護協会が認定看護師制度として皮膚・排泄ケア認定看護師養成課程を設置し、課程修了と認定試験を経て認定看護師を育成しはじめた。

それ以外にも、2004年から日本泌尿器科学会・日本排尿機能学会・日本老年泌尿器科学会が共同して「排尿機能検査士制度」をつくり、教育の機会を設けている。日本創傷・オストミー・失禁管理学会でも、2013年から「下部尿路症状の排尿ケア講習会」を行い、専門知識と技術を学ぶ機会を設けている。

海外でも、各国の制度や教育背景によりさまざまな教育課程を経た排泄の専門家が活躍している。例えば、英国でのコンチネンスアドバイザーは、地域や施設、高齢者や女性、小児、検査（尿

流動態検査）などさらに専門性をもって活躍していた[4]。日本においても、排泄看護の専門性が細分化されて、それぞれの領域の専門性が高められていくと思われる。**今後、排泄にかかわる看護師は、患者や地域療養者と介護する家族に対して、どのような役割を担えるかを明らかにする必要があるだろう。**実践を積み重ねることで、看護の効果を明らかにすること、さらに看護の効果を評価することで、医療を受ける患者や地域療養者とその介護者らにとって、どのようなメリットがあるかを示していく必要があると思われる。

## 外来排尿自立指導料

2020年4月より、排尿自立支援加算を入院中に算定し、退院後の継続が必要であることが記された場合に、外来でも継続して包括的排尿ケアを実施し、算定することができる。

施設基準として排尿ケアチーム設置などの条件が必要となるため、詳細は、手引き書[5]または本書のPart 2「排尿自立支援加算・外来排尿自立指導料の概要」(p.214～220)を参照いただきたい。

引用文献
1. 本間之夫, 他:排尿に関する疫学的研究. 排尿機能学会誌 2003;14(2);266-277.
2. 排泄を考える会:「排泄学」ことはじめ. 医学書院, 東京, 2003.
3. 谷口珠実:尿失禁専門外来. 田中秀子, 溝上祐上監修, 失禁ケアガイダンス, 日本看護協会出版会, 東京, 2007:381-388.
4. 谷口珠実, 萩原綾子:イギリスから学ぶコンチネンスアドバイザーの役割. ウロ・ナーシング 2003:8(8):700-704.
5. 日本創傷・オストミー・失禁管理学会編:「排尿自立支援加算」「外来排尿自立指導料」に関する手引き. 照林社, 東京, 2020.

# 排便障害専門外来

積美保子

## 検査、診断、治療、排泄ケアを一貫して行える体制

　排便は、健康な生活を維持するためには欠かせない日常的な営みである。しかし、一度、排便の不調、特に便失禁が発生すると、患者にとって身体的・精神的な負担となり、QOLを損なう大きな要因となる。便失禁を訴える患者は、下着の汚染や臭いのために日常生活が制限されている場合がある。しかし、患者自身に羞恥心があることや、どの診療科に相談すればよいかわからないため、治療できないものとあきらめて、医療機関を受診することが少ないことが考えられる。医療者側も、排泄障害のマネジメントに取り組んでいる医療者が少なく、専門外来が数少ない現状がある。
　筆者の所属する施設では、1996年より大腸肛門病センターにおいて各種直腸肛門機能検査を行っていたが、2000年より皮膚・排泄ケア認定看護師（以下WOCナース）が診療に参加するようになり、2001年より医師、WOCナース、臨床検査技師、放射線技師のチーム医療で直腸肛門機能の諸検査、診断、治療、排泄ケアを行える体制を整えた。排便障害を主訴に受診する患者のなかには、器質的異常を認めないが精神的問題を抱える患者が少なくなく、2012年よりリエゾン精神看護専門看護師が診療に参加するようになった。本稿では、当院で現在行われている排便障害専門外来での診断、治療の取り組み方とWOCナースの排便障害ケアの実際について述べる。

## 排便障害専門外来の受診者の内訳 （図1～2）

　受診患者の多くは、他の医療機関からの紹介だけでなく、新聞や書籍、テレビ、インターネットなどの情報を基に受診する場合もある。また、マスメディアで排便障害がテーマとして取り上げられると、それを視聴した後に医療機関を受診する傾向もある。受診者は女性のほうが多い傾向にある。また、便失禁症状だけでなく、排便困難、その他多彩な症状で受診している。年齢層では、70歳以上の高齢者が多いが、30歳代から40歳代での受診者も少なくない。

## 排便障害専門外来受診時の流れ

　当施設では、排便障害の外来診療は、患者のプライバシーに配慮した環境を確保して、時間をかけて行っており、完全予約制である。一般外来を受診時の医師の判断によって便失禁や排便障害を主訴とする患者に対し、排便機能検査を含めた排便障害専門外来の受診の予約を行っている。患者が肛門機能検査を希望して受診の予約を行うこともある。まず、初診時の外来医師の判断によって排便機能検査を含めた排便障害外来の受診日を予

図1　排便障害外来のべ受診者数の動向

図2　症状別の受信者の推移

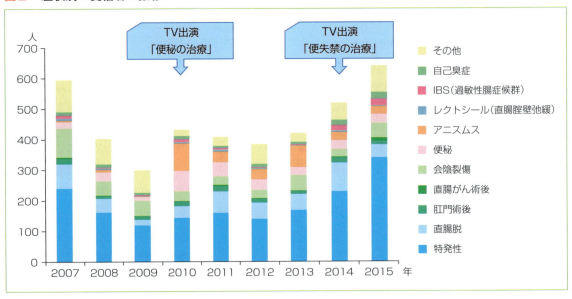

約する。この際に、感染症検査や事前準備の説明を済ませておく。

　排便障害外来の当日は、WOCナースがプライバシーの確保された環境で問診表を基に30分程度の時間をかけて、詳細な**病歴聴取**を行う。

　次に、外来の側にある検査室に移動し、医師と臨床検査技師が**排便機能検査**を行う。検査の前に、WOCナースが必要な情報を臨床検査技師に申し送る。排便造影検査は、放射線科の透視室にて行う。排便造影検査は医師と放射線技師が行う。検査終了後は、医師により、問診の内容と検査結果の所見を基に個々の患者の問題をとらえて説明を行い、**治療方針を決定**する。必要に応じて医師が薬剤の処方を行う。その後、必要に応じて、WOCナースが**食事指導、排泄習慣の指導、生活指導、スキンケア方法、失禁ケア用品の取り扱い**

等の**看護相談**を行っている。また、医師の指示により、骨盤底筋訓練の指導やバイオフィードバック療法などの**行動療法**についてもWOCNが担当している。

これらの診療内容を、専門外来日の外来終了後の夕方にスタッフ全員でカンファレンスを行い、個々の患者の問診の内容、検査結果、治療方針、ケア方針について確認や検討を行っている。それぞれの職種の立場から意見交換を行うことで、今後の治療やケア方針、外来運営に生かしている。

## 詳細な病歴聴取

患者のプライバシーに配慮して個別相談を行っている。病歴聴取の時間は30分程度とっており、患者の訴えを詳しく聴くように心がけている。まず、受診するに至った主訴、通常の排便習慣、失禁や排便困難などの排便障害の程度と日常生活への影響、既往歴などの情報収集を行う。当施設では53項目から構成されている詳細な内容の質問表を使用している。問診表の内容については他稿を参照のこと(「問診の進め方」p.228参照)。この情報から、現状を把握しアセスメントを行い、問題点を把握することが重要である。この時点で、ある程度の失禁のタイプや問題となっていることが把握でき、直腸肛門機能の諸検査にも生かされる。

通常の一般診療のなかでは、問診に費やす時間が限られ、排便障害に関する生活状況や日常生活への影響度などの詳細な病歴聴取を、十分に時間をかけて行うことが困難である。しかし、排泄障害は日常生活に影響されていることも多いため、日常生活や家族背景などの社会的背景、その人の置かれている環境要因からも、排泄障害に関連する要因が浮き彫りになることも少なくない。だからこそ、まず、十分に時間をかけて詳細に患者の訴えを聞くことが重要であると考えており、患者の訴える症状を理解することや訴えを否定しない姿勢を心がけている。当施設では、事前に問診票を渡して自宅で記載後、機能検査の当日に持参し

てもらい、その内容を確認しながら情報収集を行っている。筆者が情報収集するうえで心がけていることは、主訴については、何に困っているのか、どのような症状なのかが漠然としていることも多いので、できるだけ訴えについて特定の情報を引き出すように努力して聞くようにしている。訴えが食事や環境要因に関連しているのか、訴えが悪化したり軽減する要素があるのかということなどである。また、患者が何に困っていて、今まではどのように対処してきたのか、それとも患者がその主訴に対してそれほど気にしていないのかなど具体的に確認している。

## 直腸肛門機能の諸検査の介助のポイント

当外来では、直腸肛門機能の諸検査は医師と検査方法のトレーニングを受けた臨床検査技師が検査を担当し、WOCナースは検査の介助を行っている。主な検査内容は、肛門内圧検査、直腸感覚検査、直腸コンプライアンス検査、肛門管超音波検査、陰部神経伝達速度、排便造影検査である。排便造影検査については、医師と放射線技師が担当している。どの検査も、肛門や陰部を露出する必要があるため、羞恥心が強い検査となる。そこで、検査予約の際と、当日検査に案内する前などに、看護師が事前説明を行っている。具体的には、検査の目的や意義、検査内容を検査風景の写真付きのリーフレットを用いて説明し、患者に了承を得るとともに緊張を解きほぐすようにしている。直腸肛門機能の諸検査の内容は、「肛門内圧検査、肛門管エコー検査、排便造影検査、大腸・小腸通過時間検査」(p.257〜262)を参照されたい。

## 検査の事前準備

検査は直腸肛門内を直接触れる検査であり、血液や体液に触れる部位であるので、感染予防のために梅毒や肝炎、HIV等の感染症の検査をする必

要がある。患者の承諾を得て事前に済ませておく。検査は個室で行い、プライバシーの保護に努める。左側臥位で、足を軽く前に抱え込む体位を取る。肛門のみが露出するように穴あきシーツをかけて極力肌の露出を控える。肛門直腸内に便塊があると正確な数値の検査ができないため、患者には事前にレシカルボン®坐薬1〜2個を挿入して排便を済ませ、直腸内を空虚にしてもらう。患者の多くは、レシカルボン®坐薬は下剤と同じで、坐薬の作用で下痢となり失禁するのではないかと不安に思っている。そのため炭酸ガスが発生することによって直腸を刺激するものであることを伝え、下痢となって失禁を誘発するような心配はないことを説明するようにしている。

て直腸を刺激し得られる直腸肛門反射や、少量ずつバルーン内に水を注入していき、便意を感じる最小容量(最小便意発現量)や注入を続けていくうちに便意をがまんできなくなる容量(最大耐容量)を測定する検査である。検査データはモニター上に映し出される。通常なら排便は座位で行っているものだが、検査は臥床したスタイルで行う。そのため、ガスをしたくなるような感覚や便意を感じる感覚が普段とは異なった感じでとらえられるため、患者はいつ合図すればよいのかわからず極限までがまんしてしまいがちである。そのため、普段感じている感覚に近ければ合図するように声をかけておく必要がある。

## 直腸肛門内圧検査

　肛門内圧検査は、マイクロチップトランスデューサーを肛門管に当て、自動引き抜き装置を使用し、センサーを引き抜きながら肛門内圧を計測する検査で、得られたデータはコンピュータで解析する。

　肛門内圧検査は全例に行っているが、他は問診によって必要とした場合に医師が選択している。検査の保険点数は直腸肛門機能検査を1項目行った場合が800点、2項目以上行った場合は1,200点算定できる。

　2013年4月から2014年3月までに受診した患者のうち、便失禁を訴えて直腸肛門機能検査を受けた患者347例の肛門内圧平均値は、肛門管最大静止圧(MRP)が34.4±20.8mmHg、最大随意収縮圧(MSP)が109±72.3mmHgであった。

## 直腸感覚検査

　肛門内圧検査に続いて直腸感覚検査を行う。直腸感覚検査は、カテーテルの先端にバルーンをつけたチューブを直腸内に挿入し、バルーンを使っ

## 肛門管超音波検査

　肛門管超音波検査は、直腸肛門内に超音波のプローブを挿入して行う検査である。肛門管超音波はラジアル型プローブを使用しており、最近は3D機能をかねそなえたタイプの超音波装置を使用している。示指大の太さのプローブを直腸肛門内に直接挿入するので、肛門腫瘍や裂肛、肛門狭窄など肛門に器質的問題がある場合は疼痛を訴える患者もいるので、指診にて確認した後にプローブを挿入する。患者には体の力をできるだけ抜いてリラックスしてもらうように説明する。

　プローブの内部で超音波端子が回転しプローブを中心に同心円を描くことで、肛門管周囲の解剖学的構造を肛門管に垂直な面として描出する。肛門管内のプローブを出し入れすることで、肛門管上部から肛門縁までを検索できる。検査データは3D画像やビデオモニターにも映し出せる。プリントアウトできるので、検査後の患者への説明にも有用である。

　当施設では、2013年4月から2014年3月までに受診した便失禁患者のうち224例に肛門管超音波検査を施行している。結果は、内外括約筋の断裂が18％、括約筋の菲薄化、不明瞭が10％であった。異常がない症例は81％であった。

## 排便造影検査

　排便造影は、直腸内容を排出する状態をX線撮影することにより、直腸や肛門、骨盤底の動きや変化を視覚的に評価できる検査である。しかし、この検査は透視台の前に設置されたポータブル便座に座り、一連の排便動作（排便をがまんしたり、いきんだりすること）をX線撮影しながら行うため、患者は羞恥心を伴い抵抗感を感じやすい。検査は個室で施行し、患者のプライバシーを保持するように努める。

　当施設では、小腸瘤を判定するために、排便造影を行う2時間前にバリウムを120mLと水120mLを服用し、直腸と小腸の造影が同時に行えるように準備を行い、撮影を行っている。このバリウムに対しても、下剤が含まれて下痢をして失禁するのではないかと心配して、事前に服用できない患者もいる。バリウムは下剤ではなく、小腸の撮影が同時に行えるようにするためであることを説明し、**下痢となって失禁を誘発するような心配はないことを説明し、患者に安心してもらう配慮が必要である**。

## 陰部神経伝達速度測定

　肛門括約筋そのものに問題がない場合には、各種神経障害の疑いを考慮する。そこで、このような場合に陰部神経伝達時間を測定することにより、陰部神経障害の程度が把握できる。当施設では、セントマークス電極を使用している。手袋を装着した後、示指に電極を装着し、肛門内にゆっくり挿入する。陰部神経を電気刺激して外肛門括約筋への伝達速度を測定する。**患者には、電気刺激時に多少刺激を感じる程度であることを伝え、不安のないように配慮する**。

＊

　一連の検査終了後は、医師より患者に検査結果の説明を行っている。総合的な評価として診療終了後に医療チームでカンファレンスを行い、治療方針の検討を行っている。当施設では、医師だけでなくパラメディカルを含めたチームで便失禁に取り組んでおり、各領域から患者の排泄困難や失禁症状について十分に評価を行ったうえで、多彩な治療方法の中から適切なものを患者に提示できるよう努力している。

## 薬物・食物繊維・サプリメントの使用状況

　便性状が軟便の便失禁患者には、薬物または食物繊維の投与を行っている。使用薬剤では便を固形化させるポリカルボフィルカルシウムや整腸薬を使用している。食物繊維ではオオバコ製剤を多く使用している。また、便の性状によっては止痢剤を併用することもある。便秘の改善のために刺激性下剤を多用している例には、塩類下剤に変更したり、排便用促進坐薬を併用している。

　2014年4月から2015年3月の当施設受診者の治療の内訳で、薬物の使用は65％、服薬や食事指導は43％に行っていた。肛門内圧値が正常範囲内であっても、便失禁の訴えがある患者では、問診で下剤の服用方法や食事摂取内容、排便習慣に問題があることが明らかになっている。高齢者に比較的多く、服薬や食事などの排便習慣の指導にてスムーズに失禁症状の軽快が認められた。有形便にまとめられれば、残便なく排泄されるので、失禁症状が改善されていた。

　**食物繊維のサプリメントの活用については、日常摂取している食事に追加するようにし、サプリメントに頼りきりにならないようにする**。食事を含めて、食物繊維の1日摂取量のめやすは15～20gである。排便性状に応じて食物繊維の種類や摂取量をアドバイスしている。排便性状が有形化し、まとめてすっきりと排便できるようになることを目標にしている。排便障害の症例や、消化器疾患、腸に狭窄がある場合は、医師に相談する。

## 失禁関連皮膚炎（IAD）の予防

失禁関連皮膚炎（incontinence-associated dermatitis：IAD）を予防するためには、適切な**予防的スキンケア**が必要である。予防的スキンケアでは、皮膚障害の要因を除去することが基本となる。

まず、機械的刺激を避ける。排便後に拭き取りにくいような場合には、清拭剤などを使用し、押さえ拭きを心がける。最近では、シャワートイレを浣腸のように使用していたり、排泄のたびに何度も洗浄することで皮膚障害を惹起している患者もいる。この場合、洗浄回数は1日2回までとし、水圧は弱めで、肛門の表面の皮膚だけを洗うように指導している。また、弱酸性の泡状洗浄剤を使用し、過度に摩擦しないで洗浄するようアドバイスしている。

次に、皮膚の浸軟予防を行う。失禁を心配するあまり必要以上におむつやパッドを重ねて使用したり、排泄物の汚染が加わると、高温多湿状態となり接触する皮膚の浸軟が起こる。また、気軽に使用できるトイレットペーパーを失禁部分に常時当てていると、ペーパーが湿ったまま皮膚に付着し続けるので、皮膚が浸軟し皮膚障害の原因となる。

便失禁のケア用品として、便臭吸着ポリマーを使用した軽度の失禁用パッドや、挿入型肛門用失禁装具（ペリスティーン®アナルプラグ）などの紹介によって外出の機会が増えたなど、QOLが大きく改善した患者もみられた。

2014年4月から2015年3月の当施設受診者のうち、挿入型肛門用失禁装具を使用したのは4%であった。

また、化学的刺激による皮膚障害を予防することも必要となる。排泄物自体が皮膚に付着することによる皮膚障害の予防も必要だが、早く治るようにと自己判断でさまざまな薬を使用して、皮膚障害を悪化させている場合もある。清潔にすることを意識して消毒液を使用している場合もある。患者が自己判断で薬や消毒液を使用しないように確認したり、正しいスキンケア方法の指導も必要である。また、排泄物が接触する部分の皮膚には撥水作用のある皮膚被膜剤を使用し、皮膚表面の保護を行う。2014年4月～2015年3月の当施設受診者のうち、スキンケア指導を必要とした患者は24%であった。

## 骨盤底筋訓練・バイオフィードバック療法の指導

バイオフィードバック療法とは、目に見えない生体の反応を、科学技術を使って光や音などの形式に変換して視覚的に認識し、生体にフィードバックすることである。自動的に調整されている生理的機能は、バイオフィードバックを使用することにより随意的に自己コントロールすることができる。

当施設では、切迫性失禁を訴える患者や、括約筋収縮の持続が困難な症例に対してバイオフィードバック療法を行っている。WOCナースによる予約制で1回30分、月に1回のペースで行っている。終了のめやすは、正確なトレーニングが自己で継続できること、失禁の症状が軽快することとしている。セッションごとに、排便記録を活用した便性状のコントロールや、食事指導をきめ細かくアドバイスすることも重要と考えている。

2014年4月から2015年3月の当施設受診者のうち、便失禁症状でバイオフィードバック療法を施行したのは32例（4%）であった。便失禁が消失したのは18例（56%）、減少したのは3例（10%）、継続中は7例（22%）で変化なく、中断したものは4例（12%）であった。

## 手術治療

第3度または第4度会陰裂傷に代表される分娩外傷で、肛門管超音波にて外括約筋の断裂が明らかであり、便性状のコントロールやバイオフィー

ドバック療法を行っても切迫性便失禁症状が改善されない症例では、**括約筋形成術**を行っている。直腸脱の症例で、排便時の努責だけでなく、日常生活でも直腸脱がある場合は、**腹腔鏡下直腸固定術**を施行している。

2014年4月から2015年3月の当施設受診者の治療の内訳は、外科的治療は16％であった。保存的治療によって便失禁症状が改善せず、患者が希望する場合には**仙骨神経刺激療法**を施行している。

## 当施設の排便障害専門外来におけるWOCナースの役割

排便障害治療において、WOCナースは以下の役割を担っている。

① 病歴聴取：受診するに至った主訴、通常の排便習慣、失禁や排便困難などの排便障害の程度と日常生活への影響、既往症などの聴取、アセスメントを行う。
② 排便コントロールの指導：食事指導、食物繊維やビフィズス菌サプリメント、特定保健用食品の紹介および服薬指導により、便性状を有形に整えるアドバイスを行う。
③ 排泄姿勢・排便習慣の指導：排便時に適切な姿勢の指導、排便方法の指導を行う。
④ スキンケア指導：失禁用品の選択アドバイス、スキンケア用品の紹介、使用方法やケアの指導を行う。
⑤ 骨盤底筋訓練指導、バイオフィードバック療法の指導を行う。
⑥ 精神的支援：傾聴、非公式なカウンセリング、リエゾン精神看護専門看護師との連携を図る。

排便障害には生活習慣も大きく影響するため、症状の改善には時間を要する場合もある。患者自身が正しい排泄習慣を理解し、自己コントロールができるまで、継続的なフォローが必要である。外来受診の際には、日常生活に及ぼす影響等の相談に応じ、患者個々のQOLの改善につながるケアの提供が必要と考える。

## 専門外来の増加に期待

当施設では、医師やWOCナースだけでなく多職種を含めた医療チームで、排便障害診療に対して取り組んでいる。それぞれの立場から、検査や治療、ケア方法を実践・評価して次につなげることができるように日々模索し、患者の排泄状態の十分な評価を行ったうえで、治療やケア方法のなかから適切なものを患者に提示できるように努力を続けている。

今後、さらに高齢化が進むにつれ、排泄障害に悩む人の数はますます増加することが予測される。私たち医療者は排泄の悩みを抱える人々に適切な評価や治療、排泄ケアのアドバイスを行う必要があり、直腸肛門機能検査が行えて、専門的治療ができる専門外来がいっそう増えることが望まれる。

文献
1. 日本ストーマ・排泄リハビリテーション学会編：ストーマ・排泄リハビリテーション学用語集 第3版, 金原出版, 東京, 2015.
2. 積美保子：排便障害外来の現状—皮膚・排泄ケア（WOC）認定看護師の立場から—. 日本ストーマ・排泄リハビリテーション学会誌 2007；23（3）：126-136.
3. 西村かおる：排便ケアブック. 学研メディカル秀潤社, 東京, 2009：75.
4. 山名哲郎編著：読んだら変わる排便障害患者さんへのアプローチ 便秘・下痢・便失禁のアセスメントとケア. メディカ出版, 大阪, 2007.
5. 前田耕太郎編：ナーシングケアQ＆A 徹底ガイド 排便ケアQ＆A. 総合医学社, 東京, 2006.
6. Rao SSC. Current and emerging treatment options for fecal incontinence. CLINICAL REVIEW. J Clin Gastroenterol 2014；48（9）：752-764.
7. Bliss DZ, Norton C. Conservative Management of Fecal Incontinence. Am J Nurs 2010；110（9）：30-38.
8. Bliss DZ et al. Assessment and Conservative Management of Faecal Incontinence and Quality of Life in Adults. ICI 5th edition, 2013：1445-1485.
9. 田中秀子, 溝上祐子監修：失禁ケアガイダンス. 日本看護協会出版会, 東京, 2007.
10. 一般社団法人日本がん看護学会監修：病態・治療をふまえたがん患者の排便ケア. 医学書院, 東京, 2016：154-160.
11. 高尾良彦：排便機能障害の客観的評価と治療. 臨牀看護 1999；25（14）：2168-2171.
12. 松本昌久, 前田耕太郎：直腸肛門内圧検査. 臨牀看護 1999；25（14）：2176-2179.
13. 高尾良彦, 穴澤貞夫, 山崎洋次：デフィコグラフィーによる排便機能評価の実際. 臨牀看護 1999；25（14）：2180-2186.
14. 山名哲郎, 岩垂純一：直腸肛門超音波検査. 臨牀看護 1999；25（14）：2187-2190.
15. 中島久幸, 小杉光世, 坂下泰雄：筋電図検査. 臨牀看護 1999；25（14）：2191-2194.
16. 黒水丈次：グラフィックセミナー 排便機能の客観的評価法とバイオフィードバック療法. 臨牀看護 1999；25（14）：
17. 山名哲郎：肛門科専門外来にみる排便機能検査法. 看護技術 2000；46（11）：1140-1151.
18. 山名哲郎, 岩垂純一：便失禁患者の病態と直腸肛門機能検査. 消化器科 2000；31（4）：351-358.
19. 山名哲郎, 岩垂純一：直腸肛門疾患における各種画像診断. 外科治療 2000；83（2）：146-152.
20. J. ニコラス, R. グラス, 寺本龍生, 武藤徹一郎監訳：大腸肛門病学. シュプリンガー・フェアラーク, 東京, 1987：37-40.
21. Wilkins EG. Constipation in elderly. Postgrad Med J 1968；44（515）：728-732.

# 索引

## 和文

### あ

|  |  |
|---|---|
| アセスメント（排尿） | 96 |
| アセスメント（排便） | 228 |
| アセチルコリン | 10, 198, 202 |
| アドレナリン作動性神経 | 198 |
| アミトリプチリン | 52, 202 |
| アレルギー性接触皮膚炎 | 323 |
| アンモニア | 323 |

### い

|  |  |
|---|---|
| 胃結腸反射 | 285 |
| 意思決定支援 | 94 |
| 異臭症 | 75 |
| 萎縮性膀胱 | 377 |
| 溢流性尿失禁 | 16, 100, 248 |
| 移動動作 | 121, 124, 148 |
| 遺尿症 | 202 |
| 遺糞症 | 80 |
| イミダフェナシン | 11, 199 |
| イミプラミン | 202 |
| 医療用筋電計システム | 280 |
| イレウス | 77 |
| 陰唇 | 116 |
| 飲水量 | 102 |
| インテグリティ | 357 |
| インドール | 169, 286 |
| 陰部神経 | 10 |
| 陰部神経終末運動潜時測定検査 | 260 |
| 陰部神経伝達時間 | 409 |

### う

|  |  |
|---|---|
| ウイルス性腸炎 | 272 |
| ウェットワイプ | 331, 341 |
| ウラピジル | 200 |
| ウロダイナミクス検査 | 138 |
| 運動機能障害 | 121 |
| 運動亢進性下痢 | 263, 265 |
| 運動耐容能力 | 123 |
| 運動麻痺 | 121 |

### え

|  |  |
|---|---|
| 栄養障害 | 270 |
| 会陰下降 | 261 |
| 会陰裂傷 | 89, 410 |
| エコー | 250, 282 |
| エストロゲン感受性臓器 | 8 |
| エモリエント | 332 |
| 塩化ベルベリン | 310 |
| 炎症性腸疾患 | 75, 84, 264 |
| 塩類下剤 | 269, 309 |

### お

|  |  |
|---|---|
| オオバコ製剤 | 409 |
| オキシブチニン塩酸塩 | 11, 198 |
| オストメイト | 88, 358 |
| オヌフ核 | 10 |
| オピオイド受容体 | 310 |
| 音響陰影 | 251 |

### か

|  |  |
|---|---|
| ガーゼ | 332 |
| 外陰部 | 116 |
| 外肛門括約筋 | 68, 246, 249, 277 |
| 外傷性肛門括約筋不全 | 88, 314 |
| 咳嗽反射 | 248 |
| 改訂長谷川式簡易知能評価スケール | 63, 130 |
| 外尿道括約筋 | 7, 139 |
| 外尿道括約筋筋電図 | 143 |
| 潰瘍性大腸炎 | 264 |
| 外来排尿自立指導料 | 214, 219, 221 |
| カウンセリング | 159, 357 |
| 化学的刺激 | 244, 330, 335, 340 |
| 過活動膀胱 | 3, 7, 16, 31, 40, 100, 133, 158, 197, 206 |
| 過活動膀胱症状質問票 | 109 |
| 過活動膀胱症状スコア | 33 |
| 角層下膿疱 | 348 |
| 臥床状態 | 270 |
| ガス | 235, 286 |
| 画像検査 | 217 |
| 画像推定法 | 136 |
| 過知覚膀胱症状 | 48 |
| 括約筋形成術 | 314, 411 |
| 括約筋欠損 | 248 |
| 括約筋障害 | 91 |
| 括約筋性尿失禁 | 393 |
| 括約筋断裂 | 260 |
| 括約筋マッピング | 260 |
| ガバペンチン | 53 |
| 過敏性腸症候群 | 71, 74, 75, 78, 85, 265, 310 |
| 下腹神経 | 9 |
| 下部尿管結石 | 32 |
| 下部尿路機能 | 197 |
| 下部尿路機能検査 | 217 |
| 下部尿路機能障害 | 14 |
| 下部尿路機能評価 | 221 |
| 下部尿路症状 | 2, 14, 132, 197, 382 |
| 下部尿路閉塞性疾患 | 16 |
| カラヤガム | 349 |
| カルシウム拮抗薬 | 83 |
| カルシトニン遺伝子関連ペプチド | 11 |
| カルボキシメチルセルロース | 349 |
| 加齢性変化 | 197 |
| 感覚鈍麻 | 270 |
| 緩下作用 | 309 |
| 環境調整 | 216 |
| 環境要因 | 124, 407 |

|  |  |
|---|---|
| 間欠式バルーンカテーテル | 190 |
| 間欠自己導尿 | 185 |
| 間欠自己導尿（小児） | 191 |
| カンジダ症 | 338, 348 |
| 間質性膀胱炎 | 32, 34, 48 |
| 間質性膀胱炎・膀胱痛症候群 | 48 |
| 干渉低周波療法 | 210 |
| 関節拘縮 | 121, 123 |
| 感染性下痢 | 263, 264 |
| 感染性腸炎 | 272, 275 |
| 灌注排便法 | 290, 300 |
| 漢方薬 | 201 |
| 寒冷刺激 | 273 |

### き

|  |  |
|---|---|
| 奇異性恥骨直腸筋収縮 | 261 |
| 機械のイレウス | 77 |
| 機械の刺激 | 322, 330, 331, 340 |
| 機械の閉塞 | 198 |
| 危機・障害受容モデル | 353 |
| 危機の状況 | 352 |
| 基剤 | 334 |
| 器質性便秘 | 71 |
| 器質の閉塞 | 79 |
| 起床後初回排尿 | 56 |
| 機能障害性尿失禁 | 60, 374 |
| 機能性尿失禁 | 16 |
| 機能性便排出障害 | 81, 237 |
| 機能性便秘 | 71 |
| 機能的イレウス | 77 |
| 機能の肛門管長 | 258 |
| 機能の自立度評価尺度 | 121 |
| 機能の閉塞 | 198 |
| 偽膜性腸炎 | 273, 275 |
| 逆流防止機構 | 292 |
| 逆行性洗腸 | 89, 288, 300 |
| 吸収能 | 263 |
| 吸収パッド付きドレッシング材 | 293 |
| 求心性神経 | 9 |
| 吸水性ポリマー | 316 |
| 急性下痢症 | 74, 84, 310 |
| 吸着薬 | 310 |
| 強制排尿法 | 288, 386 |
| 強迫性障害 | 75 |
| 胸部排尿中枢 | 12 |
| 挙筋緊張度 | 248 |
| 巨大結腸 | 260 |
| 巨大直腸 | 260 |
| 起立性結腸反射 | 285 |
| キング健康質問票 | 113 |
| 菌交代現象 | 310 |
| 禁制 | 107 |
| 禁制クリニック | 400 |
| 筋線維 | 7 |
| 筋層間神経叢 | 309 |
| 筋単位 | 210 |
| 筋電図検査 | 260 |
| 筋電図測定 | 119, 165 |

## く

- グアーガム ………………… 267, 274
- くしゃみ …………………………… 100
- グリセリン浣腸 …………………… 288
- グルタミン酸 ……………………… 11
- クレンブテロール塩酸塩 ………… 201
- クローン病 ………………… 264, 348
- クロス ……………………………… 332
- クロライドチャネル ……………… 267
- クロルマジノン酢酸エステル …… 201

## け

- 経会陰的超音波 ………………… 119
- 経肛門的洗腸療法 …… 297, 300, 392
- 経肛門的直腸間膜切除術 ………… 89
- 経肛門用プローブ ………………… 166
- 形質細胞浸潤 ……………………… 48
- 経腟メッシュ手術 ………… 44, 206
- 経腟用プローブ …………………… 166
- 経腸栄養剤 ………………………… 264
- 経尿道的前立腺切除術 …………… 205
- 経尿道的バイポーラー前立腺核出術 ‥ 205
- 経尿道的ホルミウムレーザー
  前立腺核出術 ……………… 205
- 経皮水分蒸散量 …………………… 322
- 経皮的（後）脛骨神経刺激法 …… 210
- けいれん性イレウス ……………… 77
- けいれん性便秘 …………………… 74
- 下剤 ………………………………… 270
- 血液浸透圧 ………………… 264, 274
- 血管作動性腸管ペプチド ………… 11
- 結腸全摘術 ………………………… 262
- 結腸無力症 ………………… 262, 313
- 血便 ………………………………… 248
- 下痢 ………………… 68, 74, 77, 84, 263
- 下痢便 ……………………………… 316
- 下痢便ドレナージチューブ … 319, 346
- 見当識障害 ………………………… 126

## こ

- 抗アンドロゲン薬 ………………… 201
- 抗うつ薬 …………………………… 202
- 高エコー域 ………………………… 251
- 高温多湿環境 ……………………… 330
- 後外縦走筋 ………………………… 9
- 効果評価 …………………………… 225
- 交感神経 …………………………… 7
- 抗菌薬 ……………………… 270, 276, 310
- 抗コリン薬 ……… 11, 64, 83, 198, 270
- 後根神経節 ………………………… 9
- 高コンプライアンス膀胱 ………… 188
- 哄笑失禁 …………………………… 15
- 合成黄体ホルモン薬 ……………… 201
- 高繊維食 …………………………… 265
- 後腟壁形成術 ……………………… 312
- 高張液 ……………………………… 274
- 後天性直腸肛門疾患 ……………… 89
- 行動療法（排便） ………… 284, 407
- 行動療法（排尿） ………… 156, 401
- 抗パーキンソン病薬 ……………… 83
- 紅斑 ………………… 322, 347, 348
- 硬便 ………………………………… 341
- 抗ムスカリン薬 …………………… 198
- 肛門括約筋 ………………………… 248
- 肛門括約筋機能低下 ……… 88, 288
- 肛門括約筋不全 …………………… 237
- 肛門管感覚検査 …………………… 260
- 肛門管最大静止圧 ………………… 258
- 肛門管随意収縮圧測定 …………… 258
- 肛門管静止圧測定 ………………… 257
- 肛門管超音波検査 ……… 244, 258, 408
- 肛門管内圧 ………………………… 257
- 肛門管内圧カテーテル …………… 260
- 肛門管粘膜電流感覚閾値検査 …… 260
- 肛門挙筋 …………………………… 68
- 肛門挙筋症候群 …………………… 71
- 肛門挙筋板 ………………………… 40
- 肛門指診 …………………………… 278
- 肛門周囲触診 ……………………… 246
- 肛門周囲皮膚炎 …………………… 244
- 肛門縦走筋 ………………………… 40
- 肛門ストッパー …………………… 290
- 肛門前庭瘻 ………………………… 386
- 肛門直腸奇形 ……………………… 288
- 肛門痛 ……………………………… 248
- 肛門内圧検査 ……………………… 257
- 肛門内圧マイクロトランスデューサー ‥ 280
- 肛門パウチング法 ………… 316, 346
- 肛門反射 …………………………… 245
- 肛門皮膚瘻 ………………………… 385
- 肛門部視診 ………………………… 244
- 肛門用プラグ ……………………… 316
- 肛門留置チューブ ………………… 346
- 肛門裂傷 …………………………… 319
- 絞扼性イレウス …………………… 77
- 高齢者 …………… 158, 168, 270, 354
- 高齢者総合的機能評価 …………… 63
- コーンストッパー ………………… 290
- 呼気中水素濃度測定法 …………… 262
- 国際前立腺症状スコア …………… 110
- 牛車腎気丸 ………………………… 201
- 姑息的手術 ………………………… 206
- 骨折 ………………………………… 374
- 骨盤神経 …………………………… 9
- 骨盤臓器脱 ………… 32, 40, 206, 382
- 骨盤底筋協調障害 ………………… 74
- 骨盤底筋群 ……… 7, 161, 249, 261, 277
- 骨盤底筋群の評価 ………………… 115
- 骨盤底筋訓練（排尿）
  ………………… 44, 156, 161, 401
- 骨盤底筋訓練（排便） …… 277, 407
- 骨盤底筋評価 ……………………… 119
- 骨盤底電気刺激装置 ……………… 209
- 骨盤部圧迫感 ……………………… 40
- 粉状皮膚保護剤 …………… 316, 347
- コハク酸ソリフェナシン …… 11, 199
- コリンエステラーゼ阻害薬 ……… 201
- コリン作動性クリーゼ …………… 202
- コリン作動性神経 ………………… 10
- 混合性尿失禁 ………… 2, 15, 16, 34
- コンタミネーション ……………… 136
- 根治的前立腺摘除術 ……………… 15
- コンドーム型収尿器 ……… 338, 401
- コントロールユニット …… 297, 300
- コンプライアンス ………………… 390

## さ

- サイアザイド系利尿薬 …………… 57
- 細菌性下痢 ………………………… 310
- 細菌性腸炎 …………… 74, 270, 272, 274
- 細菌尿 ……………………………… 169
- 細菌繁殖 …………………………… 245
- 最小便意発現量 …………………… 408
- 砕石位 ……………………… 118, 119
- 細切吸引機 ………………………… 205
- 最大随意収縮圧 …………………… 258
- 最大耐容量 ………………………… 408
- 最大尿意 …………………………… 140
- 最大尿流量 ………………………… 137
- 最大膀胱容量 ……………………… 142
- 在宅経肛門的自己洗腸指導管理料 ‥ 297
- 在宅自己導尿指導管理料 … 186, 219
- 在宅療養支援 ……………………… 402
- 採尿容器 …………………………… 104
- 再発性尿路感染症 ………………… 32
- 細胞間脂質 ………………………… 329
- 再利用型カテーテル ……… 185, 188
- 鎖肛 ………………………………… 89
- 殺菌薬 ……………………………… 310
- サブスタンスP …………………… 11
- サルコペニア ……………………… 354
- 残尿感 …………… 15, 100, 102, 198, 202
- 残尿測定 ………… 115, 132, 134, 219, 221
- 残尿測定・導尿スケール ………… 181
- 残尿測定検査 ……………………… 16
- 残尿測定法 ………………………… 136
- 残尿量 ……………………… 102, 216
- サンプリング機能 ………………… 235
- 残便感 ……………………… 68, 237

## し

- ジェンダーアイデンティティ …… 357
- ジェンダーロール ………………… 357
- 痔核 ………………… 89, 245, 248
- 自覚刺激行動療法 ………………… 160
- 自家膀胱拡大術 …………………… 30
- 弛緩性便秘 ………………………… 73
- 弛緩性便秘症 ……………………… 313
- 磁気刺激療法 ……… 35, 209, 211
- 子宮頸がん術後 …………………… 367
- 子宮内膜症 ………………………… 33
- 刺激性下剤 ……… 240, 267, 268, 309
- 自己監視法 ………………………… 157
- 自己管理 …………………………… 156

| | | |
|---|---|---|
| 自己管理状態 …………………… 97 | 小腸通過時間検査 …………… 262 | ステロイド含有軟膏 ………… 348 |
| 自己管理能力 ………………… 192 | 情動的努力 …………………… 101 | ストーマ造設 ………………… 92 |
| 自己効力感 …………………… 166 | 上皮機能変容薬 ……………… 309 | ストレステスト ………… 115,118 |
| 自己臭症 …………………… 75,286 | 上部尿路障害 ………………… 24 | |
| 支持基底面 …………………… 122 | 食事指導 ……………………… 406 | **せ** |
| 支持組織 ……………………… 161 | 褥瘡 …………………………… 323 | 生活環境 ……………………… 99 |
| 止瀉薬 ………………………… 310 | 植物製剤 ……………………… 201 | 生活指導 ………… 157,401,406 |
| 次硝酸ビスマス ……………… 310 | 食物繊維 … 242,267,271,274,409 | 生活習慣 ……………… 96,156,266 |
| ジスチグミン ………………… 201 | 初発尿意 ……………………… 140 | 生菌製剤 ……………………… 310 |
| 自然滴下 ……………………… 273 | 自律運動能 …………………… 68 | 清潔間欠自己導尿 …………… 191 |
| 自然排尿量 …………………… 188 | 自律神経 ……………………… 10 | 清潔間欠導尿 ………… 25,185,391 |
| 自然排便 ……………………… 267 | 自律神経過緊張反射症状 …… 307 | 清潔間欠導尿（小児）………… 191 |
| 持続性尿失禁 ………………… 15 | 自律神経支配 ………………… 7 | 清潔観念 ……………………… 192 |
| 自尊心 ………… 74,148,168,352 | 自律神経反射 ………………… 299 | 清拭 ……………………… 326,331,341 |
| 次炭酸ビスマス ……………… 310 | 止痢薬 ………………………… 265 | 清拭剤 ……………………… 331,341,410 |
| 失禁関連皮膚炎（排尿）… 322,330 | 痔瘻 …………………………… 89 | 精神的ケア …………………… 286 |
| 失禁関連皮膚炎（排便） | シロドシン …………………… 200 | 精神的症状 …………………… 75 |
| ………………… 322,340,410 | 心因性頻尿 ………… 33,158,159 | 整腸薬 ……………… 265,310,409 |
| 失禁ケア用品 ………………… 406 | 腎盂尿管拡張 ………………… 390 | 脊髄係留症候群 ………… 22,389,392 |
| 湿潤環境 ……………………… 338 | 腎機能障害 …………………… 24 | 脊髄脂肪腫 …………………… 389 |
| シッツマーク検査 …………… 313 | 真菌感染症 …………………… 348 | 脊髄ショック ………………… 25 |
| 質問票（排尿）………………… 106 | 神経因性過活動膀胱 ………… 197 | 脊髄髄膜瘤 …………………… 389 |
| 質問票（排便）…………… 228,243 | 神経因性下部尿路機能障害 … 18,32,60 | 脊髄髄膜瘤修復手術 ………… 392 |
| 支配神経 ……………………… 91 | 神経因性排便障害 …………… 299 | 脊髄損傷 ……………………… 298 |
| ジヒドロテストステロン …… 201 | 神経因性膀胱 …………… 182,367 | セクシュアリティ ………… 99,357 |
| ジフェニール系 ……………… 309 | 神経原性肛門括約筋不全 …… 89 | 接触式前立腺蒸散術 ………… 205 |
| ジプロフロキサシン ………… 310 | 神経性OAB …………………… 32 | 切迫性尿失禁 |
| 脂肪吸引障害 ………………… 276 | 神経性頻尿 …………………… 202 | … 2,15,16,60,100,158,209,382 |
| シムス位 ……………………… 244 | 神経変調法 …………………… 209 | 切迫性便失禁 ……… 72,74,235,248 |
| ジメチコン …………………… 341 | 人工括約筋留置術 …………… 314 | セラミド ………………… 329,332 |
| シメチジン …………………… 53 | 人工肛門 ……………………… 386 | セルフケア ………………… 156,285 |
| シャンピニオンエキス ……… 286 | 人工肛門用装具 ……………… 316 | セルフコントロール ……… 156,284 |
| 習慣化訓練 …………………… 160 | 人工尿道括約筋埋込術 ……… 207 | セルフモニタリング ……… 103,157 |
| 習慣化排尿 …………………… 159 | 真性腹圧性尿失禁 …………… 140 | セルロース ………………… 267,274 |
| 習慣化排尿誘導 ……………… 154 | 身体所見 ……………………… 244 | 前外縦走筋 …………………… 9 |
| 収縮圧測定 …………………… 165 | 身体調整能力 ………………… 115 | 仙骨子宮靱帯 ………………… 40 |
| 収縮力評価指標 ……………… 119 | シンチグラム ………………… 262 | 仙骨神経刺激療法（排尿）… 35,207 |
| 重心移動 ……………………… 122 | 針電極 ………………………… 260 | 仙骨神経刺激療法（排便） |
| 羞恥心 …………………… 115,168 | 伸展受容器 …………………… 7 | …………… 76,88,92,314,411 |
| 収尿器 ………………………… 216 | 浸透圧性下剤 … 267,269,309,264 | 仙骨神経電気刺激療法 …… 209,213 |
| 終末滴下 ……………………… 15 | 浸透圧性下痢 ………………… 263 | 仙骨腟固定術 ………………… 44 |
| 宿便性下痢 …………………… 272 | 浸軟（排尿）……………… 322,330 | 仙骨部痛 ……………………… 40 |
| 手指振戦 ……………………… 201 | 浸軟（排便）… 245,322,330,410 | 潜在性二分脊椎 ……………… 389 |
| 手術療法（排尿）……………… 205 | | 潜在性尿失禁 ………………… 383 |
| 手術療法（排便）……………… 312 | **す** | 洗浄 ……………………… 326,331,341 |
| 酒石酸トルテロジン ……… 11,199 | 随意収縮 ……………………… 248 | 洗浄剤 ……………………… 332,341 |
| 術中虹彩緊張低下症候群 …… 200 | 随意排尿 ……………………… 25 | 仙髄後根神経節 ……………… 9 |
| 主要下部尿路症状質問票 …… 107 | 遂行機能障害 ………………… 126 | 仙髄排尿中枢 ………………… 12 |
| 潤滑剤 ………………………… 295 | 膵酵素 ………………………… 276 | 選択的セロトニン再取り込み阻害薬 … 85 |
| 順行性洗腸 ……………… 292,392 | 水腎症 ………………………… 16 | 選択的セロトニンレセプター拮抗薬 … 310 |
| 昇圧帯 ………………………… 258 | 水分蒸発 ……………………… 330 | 洗腸液注入部品 ……………… 290 |
| 障害受容 ……………………… 352 | 水分摂取 ……………………… 264 | 洗腸液排出スリーブ ………… 290 |
| 消化管利用膀胱拡大術 ……… 392 | 水分量 ………………………… 266 | 洗腸間隔 ……………………… 300 |
| 消化酵素 ……………………… 323 | 水溶性食物繊維 …… 264,267,274 | 洗腸用具 ……………………… 290 |
| 症候性尿路感染 ……………… 24 | 水様便 …………………… 74,84,344 | 洗腸療法 ……………………… 288 |
| 小紅斑 ………………………… 348 | スキンケア（排尿）…………… 329 | 洗腸路造設術 ………………… 392 |
| 硝酸ミコナゾール …………… 349 | スキンケア（排便）……… 340,406 | 先天性直腸肛門疾患 ………… 89 |
| 床上排泄 ……………………… 153 | スケジュール排尿 …………… 160 | 蠕動運動 …………………… 263,267 |

| | | |
|---|---|---|
| セントマークス電極 | 260 | |
| センノシド | 309 | |
| せん妄 | 272 | |
| 前立腺がん | 32 | |
| 前立腺全摘出後 | 371 | |
| 前立腺特異抗原 | 201 | |
| 前立腺肥大症 | 32, 198, 200 | |

## そ

| | |
|---|---|
| 創感染 | 312 |
| 早期排尿自立支援 | 168 |
| 総抗コリン負荷 | 35 |
| 挿入型肛門失禁装具 | 410 |
| 疎水性ポリマー | 316 |
| ソルビトール | 276 |

## た

| | |
|---|---|
| 体液性因子 | 68 |
| 代謝障害 | 273 |
| 体性神経 | 10 |
| 耐性乳糖菌 | 310 |
| 大腿薄筋置換術 | 314 |
| 大腸菌 | 331 |
| 大腸憩室炎 | 33 |
| 大腸水分輸送異常 | 310 |
| 大腸穿孔 | 298 |
| 大腸通過時間検査 | 262 |
| 大腸通過正常型便秘 | 71, 74 |
| 大腸通過遅延型便秘 | 71, 73, 270, 271, 313 |
| 大腸内視鏡検査 | 299 |
| 大腸閉塞スコア | 79 |
| 大腸輸送能亢進 | 310 |
| 大殿筋置換術 | 314 |
| 大脳ショック | 25 |
| タキサン | 83 |
| ダグラス窩膿瘍 | 248 |
| 多系統萎縮症 | 22, 33 |
| 多孔性ポリウレタン | 316 |
| タダラフィル | 200 |
| 脱水 | 263, 268 |
| 多尿 | 33 |
| タムスロシン塩酸塩 | 200 |
| 短鎖脂肪酸 | 268, 274 |
| 炭酸ガス | 408 |
| 胆汁 | 264 |
| 胆汁酸 | 276 |
| タンニン酸アルブミン | 310 |
| タンパク質分解酵素 | 323 |
| タンパク漏出性胃腸症 | 85 |
| ダンピング症状 | 273 |

## ち

| | |
|---|---|
| 地域連携 | 402 |
| チーム医療 | 221 |
| 知覚受容体 | 247 |
| 知覚神経 | 9 |
| 知覚神経支配 | 247 |
| 知覚線維 | 9 |
| 蓄尿 | 7, 116 |
| 蓄尿機能 | 197 |
| 蓄尿機能促進薬 | 11 |
| 蓄尿障害 | 60, 216 |
| 蓄尿症状 | 2, 14, 197 |
| 恥骨上膀胱瘻カテーテル留置 | 25 |
| 恥骨直腸筋 | 249, 385 |
| 恥骨直腸筋症候群 | 71 |
| 恥骨尿道靱帯 | 40 |
| 恥骨尾骨筋 | 161, 277 |
| 腟断端脱 | 206 |
| 腟内圧測定器 | 277 |
| 腟閉鎖術 | 66 |
| 腟膨隆 | 42 |
| 中周波電流 | 210 |
| 虫垂瘻 | 293 |
| 中枢機能障害 | 364 |
| 注腸造影検査 | 291 |
| 中毒性巨大結腸症 | 83 |
| 中部尿道スリング手術 | 207 |
| 超音波検査 | 391 |
| 超音波残尿測定器 | 105 |
| 超音波診断装置 | 250 |
| 超音波測定 | 165 |
| 超音波補助下排尿誘導法 | 155 |
| 腸管運動 | 71 |
| 腸管運動異常 | 91 |
| 腸管粘膜 | 268 |
| 腸管抑制薬 | 310 |
| 腸管利用膀胱拡大術 | 30 |
| 腸蠕動亢進 | 91 |
| 腸内異常発酵 | 310 |
| 腸内細菌 | 169, 268, 331 |
| 腸内細菌叢 | 268, 270, 271, 275, 286 |
| 腸内腐敗産物 | 286 |
| 腸内フローラ | 273 |
| 腸粘膜タンパク | 310 |
| 腸閉塞 | 77 |
| 直腸カテーテル | 297, 300 |
| 直腸感覚閾値 | 259 |
| 直腸感覚検査 | 408 |
| 直腸がん肛門温存手術 | 89 |
| 直腸がん術後 | 315 |
| 直腸球部尿道瘻 | 385 |
| 直腸肛門角 | 70, 261, 267 |
| 直腸肛門奇形 | 385 |
| 直腸肛門機能検査 | 277 |
| 直腸肛門内圧検査 | 244 |
| 直腸肛門反射 | 70 |
| 直腸肛門抑制反射検査 | 260 |
| 直腸コンプライアンス | 80, 260 |
| 直腸最大耐容量 | 259 |
| 直腸指診 | 244, 248, 312 |
| 直腸重積 | 71, 89, 261 |
| 直腸腫瘍 | 89 |
| 直腸性便秘 | 74, 261 |
| 直腸総排泄腔瘻 | 386 |
| 直腸脱 | 71, 89, 245 |
| 直腸知覚低下 | 79 |
| 直腸腟瘻 | 312 |
| 直腸尿道瘻 | 385 |
| 直腸バルーン | 260 |
| 直腸病変 | 77 |
| 直腸糞便塞栓 | 248, 251, 272 |
| 直腸便貯留 | 252 |
| 直腸膀胱瘻 | 385 |
| 直腸瘤 | 71, 89, 261, 312 |

## つ・て

| | |
|---|---|
| 使い捨て型カテーテル | 185, 188 |
| 手洗い尿失禁 | 100 |
| 低圧膀胱 | 188 |
| 低位前方切除後症候群 | 5, 72, 75, 90, 298 |
| 低活動膀胱 | 201 |
| 低コンプライアンス膀胱 | 24, 143 |
| 定時トイレ誘導 | 160 |
| 定時排尿 | 159 |
| 定時排尿誘導 | 154 |
| 定時誘導 | 154 |
| 停滞時間 | 271 |
| 低ナトリウム血症 | 202, 205 |
| 低容量・高圧膀胱 | 392 |
| 低用量デスモプレシン | 57 |
| 摘便 | 272 |
| デスモプレシン酢酸塩水和物 | 202 |
| デュタステリド | 201 |
| 電解質異常 | 264, 273 |
| 電解質バランス | 264 |
| 電気刺激療法 | 35, 209 |
| 天然ケイ酸アルミニウム | 310 |

## と

| | |
|---|---|
| トイレットトレーニング | 353 |
| トイレ動作 | 216 |
| 導尿実施表 | 192 |
| 導尿指導 | 402 |
| 導尿法 | 136 |
| 導尿量 | 188 |
| 糖類下剤 | 269 |
| 特発性OAB | 32 |
| 特発性排尿筋低活動 | 32 |
| 特発性便失禁 | 88, 315 |
| 特発性便秘 | 71 |
| 怒責 | 117 |
| ドライスキン | 330, 332 |
| トラマドール | 53 |
| トリプトファン | 169 |
| ドレッシング材 | 295 |

## な

| | |
|---|---|
| 内圧尿流測定 | 144 |
| 内因性括約筋不全 | 15, 140 |
| 内外括約筋間直腸切除術 | 89 |
| 内縦走筋 | 9 |

| 内臓脂肪蓄積 | 13 |
|---|---|
| ナフトピジル | 200 |
| 軟膏 | 334, 347 |
| 難消化性デキストリン | 267, 274 |
| 難治性重症便秘症 | 260 |
| 難治性特発性OAB | 35 |
| 難治性便秘 | 309 |
| 難治性便秘症 | 312 |
| 軟便 | 344 |
| 軟便用吸収パッド | 316 |

## に

| 臭い | 117, 286 |
|---|---|
| 二次性(続発性)夜間多尿 | 54 |
| 二次性便秘症 | 81 |
| 日常生活動作 | 168 |
| 二分脊椎 | 288, 389 |
| ニューキノロン系抗菌薬 | 310 |
| 乳糖不耐症 | 234, 276 |
| 乳糖分解酵素 | 310 |
| ニューロカイニンA | 11 |
| ニューロペプチドY | 11 |
| 尿意亢進 | 48 |
| 尿意切迫 | 133 |
| 尿意切迫感 | 2, 14, 16, 31, 99, 102 |
| 尿意の自覚 | 216 |
| 尿管結石 | 169 |
| 尿検査 | 115 |
| 尿失禁 | 3, 14, 216 |
| 尿失禁QOL質問票 | 112 |
| 尿失禁の影響に関する質問票 | 111 |
| 尿失禁分類 | 15 |
| 尿勢低下 | 15, 100 |
| 尿線散乱 | 15 |
| 尿線途絶 | 15 |
| 尿線分割 | 15 |
| 尿道過可動 | 15, 32, 118, 140, 163, 382 |
| 尿道括約筋 | 9, 161 |
| 尿道括約筋切除術 | 208 |
| 尿道括約筋不全 | 24, 32 |
| 尿道カテーテル抜去 | 176 |
| 尿道カテーテル留置管理 | 168 |
| 尿道カテーテル留置関連尿路感染症 | 169 |
| 尿道カテーテル留置日数 | 176 |
| 尿道結石 | 33 |
| 尿道ステント留置術 | 206 |
| 尿道抵抗 | 137, 138 |
| 尿道内圧測定 | 144 |
| 尿道閉塞 | 382 |
| 尿取りパッド | 338 |
| 尿排出障害 | 60, 134, 216 |
| 尿閉 | 169, 198 |
| 尿流測定 | 115 |
| 尿流動態検査 | 16, 132, 138, 217, 391, 402 |
| 尿流動態性腹圧性尿失禁 | 140 |
| 尿量測定 | 137 |

| 尿路合併症 | 24 |
|---|---|
| 尿路感染症 | 16, 169, 331 |
| 尿路管理法 | 25 |
| 尿路閉鎖 | 8 |
| 尿路変向術 | 208 |
| 尿路マイクロバイオーム | 32 |
| 妊娠期 | 379 |
| 認知機能障害 | 123, 126 |
| 認知機能低下 | 182 |
| 認知症 | 60, 126, 168, 397 |

## ね

| 粘液付着 | 234 |
|---|---|
| 粘膜下トンネル | 292 |
| 粘膜障害性下痢 | 263, 264 |
| 粘膜損傷 | 319 |
| 粘膜脱 | 245 |

## の

| 脳下垂体ホルモン剤 | 202 |
|---|---|
| 脳幹部橋排尿中枢 | 12 |
| 脳血管疾患 | 126 |
| 脳血管性認知症 | 33 |
| 脳室腹腔シャント術 | 393 |
| 嚢胞性二分脊椎 | 389 |
| ノモグラム | 138 |
| ノルアドレナリン | 10, 199, 200 |

## は

| バイオフィードバック(排尿) | 164 |
|---|---|
| バイオフィードバック(排便) | 92, 280 |
| バイオフィードバックトレーニング機器 | 280 |
| バイオフィードバック療法(排尿) | 119, 402 |
| バイオフィードバック療法(排便) | 277, 407, 410 |
| 肺高血圧症 | 200 |
| 排泄管理法 | 289 |
| 排泄ケア用品 | 148 |
| 排泄コントロール | 285 |
| 排泄姿勢 | 123 |
| 排泄習慣 | 97, 239, 285 |
| 排泄動作 | 97, 115 |
| 排泄用具 | 148, 216, 401 |
| 排尿回数 | 102 |
| 排尿括約筋協調不全 | 208 |
| 排尿関連患者背景シート | 179 |
| 排尿機能 | 197 |
| 排尿機能検査 | 132 |
| 排尿機能障害 | 7, 329 |
| 排尿記録 | 103 |
| 排尿筋圧 | 139 |
| 排尿筋過活動 | 16, 24, 32, 139, 142 |
| 排尿筋収縮不全 | 16 |
| 排尿筋収縮力 | 138 |
| 排尿筋無収縮 | 25 |
| 排尿筋ループ | 9 |

| 排尿ケアチーム | 214, 221 |
|---|---|
| 排尿ケアマニュアル | 216 |
| 排尿行動自立 | 177 |
| 排尿後症状 | 2, 15, 197 |
| 排尿後尿滴下 | 15 |
| 排尿困難 | 100, 201 |
| 排尿自覚刺激療法 | 154 |
| 排尿時間 | 137 |
| 排尿時間延長 | 137 |
| 排尿時刻記録 | 102 |
| 排尿時膀胱尿道造影検査 | 391 |
| 排尿習慣化訓練 | 154, 156 |
| 排尿障害 | 2, 60 |
| 排尿症状 | 2, 15 |
| 排尿状態 | 97 |
| 排尿自立 | 148 |
| 排尿自立支援 | 177 |
| 排尿自立支援加算 | 214, 221 |
| 排尿自立指導料 | 76 |
| 排尿自立度 | 216 |
| 排尿筋括約筋協調不全 | 144 |
| 排尿促進法 | 159, 160 |
| 排尿遅延 | 15, 100 |
| 排尿動作 | 121 |
| 排尿動作支援 | 148 |
| 排尿動作評価 | 121 |
| 排尿日誌 | 34, 54, 102, 157, 180, 219, 221 |
| 排尿誘導 | 103, 148, 159 |
| 排尿誘導プログラム | 154 |
| 排尿量 | 102, 137 |
| 排便回数 | 266 |
| 排便回数減少型便秘 | 71 |
| 排便間隔 | 270 |
| 排便感覚 | 288 |
| 排便機能検査 | 257, 406 |
| 排便機能障害 | 68, 76, 257, 340 |
| 排便協調障害 | 81 |
| 排便亢進 | 310 |
| 排便行動指導 | 284 |
| 排便コントロール | 271 |
| 排便困難 | 68, 237 |
| 排便困難型便秘 | 71 |
| 排便姿勢 | 267 |
| 排便習慣 | 266, 267 |
| 排便周期 | 285 |
| 排便障害 | 4, 40 |
| 排便造影検査 | 260, 312, 409 |
| 排便チャート | 240 |
| 排便調節機構 | 69 |
| 排便動作 | 121 |
| 排便日誌 | 284, 300 |
| 排便用促進坐薬 | 409 |
| ハウストラ | 251 |
| 白質型多発脳梗塞 | 33 |
| 白質病変 | 60 |
| 白癬症 | 348 |
| 八味地黄丸 | 201 |

| | | |
|---|---|---|
| 発汗量 ………………… 268 | 副甲状腺機能低下症 ………… 85 | 膀胱鏡下A型ボツリヌス |
| 撥水効果 ………………… 335 | 腹部エコー …………… 250 | 　毒素膀胱壁内注入療法 …… 35 |
| 馬尾神経 ………………… 247 | 腹部膨満 ………………… 237 | 膀胱鏡検査 ……………… 51 |
| バリア機能 ………… 329,340 | 腹壁導尿路造術術 ……… 25,392 | 膀胱訓練 …………… 158,401 |
| バリウムペースト ……… 312 | 腹膜炎 …………………… 248 | 膀胱結石 ………………… 32 |
| 反射弓 …………………… 247 | 普通便 …………………… 341 | 膀胱血流 ………………… 198 |
| 反射性収縮 ……………… 117 | 不溶性食物繊維 ……… 267,274 | 膀胱コンプライアンス … 185 |
| 反射性大腸 ……………… 307 | 不溶性ペクチン ………… 267 | 膀胱収縮力指数 ………… 146 |
| ハンナ型間質性膀胱炎 …… 48 | フラボキサート塩酸塩 …… 202 | 膀胱腫瘍 ………………… 32 |
| ハンナ型間質性膀胱炎手術(経尿道) ‥ 52 | ブリストル便性状スケール | 膀胱水圧拡張術 …………… 52 |
| ハンナ病変 ……………… 51 | 　　　　 234,240,267,270 | 膀胱知覚 ………… 10,139,197 |
| | プレガバリン …………… 53 | 膀胱蓄尿障害 ……………… 54 |
| **ひ** | フロセミド ……………… 83 | 膀胱直腸障害 …………… 292 |
| 非アルコール性皮膚被膜剤 | プロテアーゼ …………… 323 | 膀胱痛 …………………… 48 |
| 　　　　　　　　 335,337 | プロテアソーム阻害薬 …… 83 | 膀胱出口部閉塞 … 32,40,198,383 |
| ヒアルロン酸 ………… 331,336 | プロトンポンプ阻害薬 …… 85 | 膀胱内圧 …………… 137,185 |
| 微温湯 ………………… 291,295 | プロバイオティクス …… 286 | 膀胱内圧測定 ……… 115,139 |
| 皮下組織 ………………… 322 | プロピベリン塩酸塩 …… 11,199 | 膀胱内注入療法 …………… 52 |
| 光選択的前立腺蒸散術 … 66,205 | 分泌性下痢 ……………… 263 | 膀胱尿管逆流 …………… 390 |
| 非感染性下痢 …………… 263 | 分娩外傷 ………… 89,314,410 | 膀胱尿管新吻合術 ……… 393 |
| 非吸収性繊維 …………… 338 | | 膀胱排尿筋 …………… 9,143 |
| ピコスルファートナトリウム ‥ 309 | **へ** | 膀胱排尿筋収縮 ………… 137 |
| 尾骨直腸筋 ………………… 91 | 平滑筋 …………………… 7 | 膀胱不快感 ……………… 48 |
| 腓骨尾骨筋 ……………… 40 | 平均1回排尿量 ………… 216 | 膀胱容量 ………… 103,139,185 |
| ビサコジル …………… 309,387 | 平均尿流量 ……………… 137 | 膀胱留置カテーテル …… 338 |
| 非刺激性下剤 ……… 267,268 | 閉塞性イレウス ………… 77 | 放散痛 …………………… 40 |
| 皮疹 ……………………… 322 | 閉塞性大腸がん ………… 79 | 放射性同位元素 ………… 262 |
| 非神経因性過活動膀胱 …… 197 | 壁内神経叢 ……………… 68 | 放射線性膀胱炎 ………… 32 |
| 非ステロイド抗炎症薬 …… 85 | ペクチン ………………… 274 | 膨張性下剤 ……………… 267 |
| ビスマス系収れん薬 …… 310 | ペッサリー療法 ………… 44 | 防腐薬 …………………… 310 |
| ビデオウロダイナミクス … 146 | ベッド上生活日数 ……… 176 | ポータブルトイレ …… 148,401 |
| ヒドロキシジン ………… 53 | ヘルスアセスメント(排尿) … 115 | 歩行障害 ………………… 33 |
| 皮膚障害 ………………… 340 | ヘルスアセスメント(排便) … 244 | 歩行能力低下 …………… 176 |
| 皮膚被膜剤 ………… 344,347 | 便意促迫 ………………… 235 | 保湿 ………………… 326,332 |
| 皮膚表在性真菌感染症 …… 323 | 便意発現最小量 ………… 259 | 保湿剤 ……………… 332,341 |
| 皮膚保護剤 …… 316,336,344,347 | 便失禁 … 4,40,68,74,77,87,314 | 補助療法 ………………… 157 |
| 皮膚用剥離剤 …………… 316 | 便失禁管理システム …… 319 | ホスホジエステラーゼ5阻害薬 |
| ビベグロン ……………… 200 | 便失禁ケアシステム …… 319 | 　　　　　　　　　 66,200 |
| 非メッシュ手術 ………… 44 | 便失禁ケア用品 ………… 316 | 保清 ……………………… 341 |
| ヒルシュプルング病 | 便失禁重症度評価 ……… 238 | 発赤 ……………………… 116 |
| 　　　　　 81,89,260,288 | 便失禁用装具 …………… 316 | ボツリヌス毒素膀胱壁内注入療法 |
| ビンカアルカロイド ……… 83 | 便臭吸着ポリマー ……… 410 | 　　　　　　　　　 206,392 |
| 頻度・尿量記録 ………… 102 | 便重量 …………………… 266 | ポリエステル繊維綿 ‥ 319,338,344 |
| 頻尿 … 2,48,48,60,169,202,377 | 便性状 …………………… 252 | ポリカルボフィル ……… 92 |
| 頻便 ……………………… 68 | 便貯留 ……………… 69,250 | ポリカルボフィルカルシウム |
| | 便排出 …………………… 87 | 　　　　　　　　 309,310,409 |
| **ふ** | 便排出障害型便秘 … 74,260,313 | |
| フェソテロジンフマル酸塩 … 11,199 | 便排出調節 ……………… 69 | **ま** |
| フォーリーカテーテル … 295 | 便秘 … 4,68,73,78,198,266,312 | マグネシウム製剤 ……… 276 |
| 腹圧下尿漏出圧 ………… 140 | 便秘型過敏性腸症候群 …… 71 | 摩擦 ……………………… 330 |
| 腹圧上昇 ………………… 163 | 便秘重症度スコア ……… 238 | 麻痺性イレウス ………… 77 |
| 腹圧性尿失禁 | | 慢性偽性腸閉塞症 …… 262,313 |
| ‥ 2,7,15,32,100,201,207,209,379,382 | **ほ** | 慢性下痢 ………………… 263 |
| 腹圧排尿 …………… 15,99 | 包括医療制度 …………… 94 | 慢性下痢症 ………… 75,84,310 |
| 腹腔鏡下手術 …………… 89 | 包括的排尿ケア ………… 216 | 慢性前立腺炎 …………… 202 |
| 腹腔鏡下仙骨腟固定術 … 44,206 | 膀胱萎縮 ………………… 169 | 慢性疼痛 ………………… 124 |
| 腹腔鏡下直腸固定術 …… 411 | 膀胱拡大術 …… 30,35,207,292 | 慢性尿閉 ……………… 16,61 |
| 副交感神経 ……………… 7 | 膀胱機能検査 …………… 197 | 慢性膀胱炎 ……………… 202 |

## み・む

|  |  |
|---|---|
| ミネラルオイル | 332 |
| ミラベグロン | 199 |
| 未了感 | 237 |
| 霧視 | 198 |
| 無臭性ガス | 286 |
| ムスカリン受容体 | 11, 198 |
| 紫色尿バッグ症候群 | 169 |

## め・も

|  |  |
|---|---|
| メタボリック症候群 | 12, 32, 197 |
| メチルカプタン | 286 |
| メッシュ露出 | 312 |
| 盲腸壁フラップ | 293 |
| 盲腸瘻 | 293 |
| モチリン | 68 |
| モルセレータ | 205 |
| 問診（排尿） | 96 |
| 問診（排便） | 228 |
| 問題解決の努力 | 101 |
| 問題行動 | 284 |

## や

|  |  |
|---|---|
| 夜間多尿 | 54, 202 |
| 夜間多尿指数 | 56, 202 |
| 夜間多尿症候群 | 54 |
| 夜間排尿回数 | 202 |
| 夜間頻尿 | 2, 14, 54, 202 |
| 薬剤性下痢症 | 84 |
| 薬物療法（排尿） | 197 |
| 薬物療法（排便） | 309 |
| 薬用泡サニーナ | 331 |
| 薬用抗菌石けん | 332 |
| 夜尿症 | 202 |

## ゆ・よ

|  |  |
|---|---|
| 有害物資 | 329 |
| 誘発テスト | 142 |
| 輸液ポンプ | 274 |
| 養護教諭 | 192 |
| 予防的間欠導尿 | 191 |

## ら

|  |  |
|---|---|
| ライフイベント | 266 |
| 落屑 | 348 |
| ラクターゼ | 234, 275 |
| ラクツロース | 262 |
| ラテックスアレルギー | 391 |
| ラモセトロン | 92, 310 |

## り

|  |  |
|---|---|
| 理学的検査 | 244 |
| リグニン | 267, 274 |
| リザーバー機能 | 75 |
| リナクロチド | 309 |
| 利尿薬 | 270 |
| リハビリテーション医学 | 352 |
| リフィーディング・シンドローム | 273 |

|  |  |
|---|---|
| 硫化系ガス | 286 |
| 硫化水素 | 286 |
| 流量クランプ | 290 |
| 流量調節 | 290 |
| リンクナース | 222 |
| リングペッサリー | 402 |
| 臨床心理士 | 192 |

## る・れ

|  |  |
|---|---|
| ループス腸炎 | 85 |
| ループ利尿薬 | 57 |
| ルビプロストン | 309 |
| 裂肛 | 89 |
| 連合縦走筋 | 68, 91 |

## ろ

|  |  |
|---|---|
| 漏出性便失禁 | 72, 74, 234 |
| ローション | 334 |
| ロールクランプ | 290, 295 |
| ロペラミド塩酸塩 | 92, 310 |
| ロボット支援下手術 | 89 |
| ロボット支援仙骨腟固定術 | 206 |

## わ

|  |  |
|---|---|
| ワセリン | 319 |

## 数字

|  |  |
|---|---|
| 0.1％次亜塩素酸ナトリウム | 264, 272 |
| 24時間排尿回数 | 216 |
| 24時間排尿量 | 56 |
| 24時間パッドテスト | 116 |
| 5th International Consultation on Incontinence | 315 |
| 5α還元酵素阻害薬 | 66, 201 |
| 5-ヒドロキシメチルトルテロジン | 199 |
| 60分間パッドテスト | 116, 117 |

## 欧文

### A

|  |  |
|---|---|
| α1アドレナリン受容体遮断薬 | 200 |
| α1遮断薬 | 66 |
| α1受容体 | 200 |
| ADL (activity of daily living) | 127, 168 |
| ALPP (abdominal leak point pressure) | 140 |
| Annon（アノン） | 359 |
| anterior TVM | 206 |
| ATP (adenosine triphosphate) | 11 |

### B

|  |  |
|---|---|
| β2アドレナリン受容体作動薬 | 199, 201 |
| β3受容体作動薬 | 64 |
| BCI (Bladder Contractility Index) | 146 |
| Bonneyテスト | 119 |
| BOO (bladder outlet obstruction) | 383 |

### C

|  |  |
|---|---|
| CAUTI (catheter-associated urinary tract infection) | 169 |
| CCFIS (Cleveland Clinic Florida Fecal Incontinence Score) | 91 |
| CGRP (calcitonin gene-related peptide) | 11 |
| CIC (clean intermittent catheterization) | 185, 191, 391 |
| CISC (clean intermittent self catheterization) | 191 |
| CISCチェックリスト | 194 |
| CLSS (Core Lower urinary tract Symptom Score) | 107 |
| CMG (cystometrography) | 139 |
| Cohn（コーン） | 353 |
| CROSS (Colorectal Obstruction Scoring System) | 79 |
| CRT (chemo radiotherapy) | 91 |
| CSS (Constipation Scoring System) | 238 |
| CUR (chronic urinary retention) | 61 |
| CVP (contact laser vaporization of the prostate) | 205 |
| C線維 | 10 |

### D/E/F

|  |  |
|---|---|
| DHIC (detrusor hyperreflexia with impaired contractile function) | 146 |
| DO (detrusor overactivity) | 16, 142 |
| DPC | 94 |
| DSD (detrusor sphincter dyssynergia) | 144 |
| EMG (electoromyography) | 260 |
| EORTC QLQ-CR 38 (EORTC Colorectal Cancer-Specific Quality of Life Questionnaire) | 5 |
| FIM (Functional Independence Measure) | 121 |
| Fink（フィンク） | 353 |

### H

|  |  |
|---|---|
| HDS-R (Revised version of Hasegawa's Dementia Scale) | 130 |
| HIC (Hunner type IC) | 48 |
| HIV | 407 |
| HoLEP (holmium laser enucleation of prostate) | 205 |
| HPZ (high pressure zone) | 258 |

## I

IAD (incontinence-associated dermatitis) ··· 322, 330, 340, 410
IAD-set ·············· 324, 341
IAD-setケアアルゴリズム ········ 326
IADL ················ 127
IBD (inflammatory bowel disease) 84
IBS (irritable bowel syndrome)
················ 78, 85
IC/BPS (interstitial cystitis/bladder pain syndrome) ········ 48
ICIQ-SF (International Consultation on Incontinence Questionnaire-Short Form) 日本語版 ·············· 108
ICS (International Continence Society) ············· 2, 14
IIQ (Incontinence Impact Questionnaire) ········· 111
IN-OUT バランス ·········· 102, 158

IPSS (International Prostate Symptom Score) ············ 110
IPSS QOLスコア ············· 211
I-QOL (Incontinence Quality of Life Instrument) ········· 112
ISD (intrinsic sphincter deficiency)
················ 15, 140
ISR (intersphincteric resection) ·· 89

## K/L

KHQ (King's Health Questionnaire) 113
kinking ················ 382
LARS (low anterior resection syndrome) ········· 5, 75, 90
LARS score ············ 5, 91
LSC (laparoscopic sacrocolpopexy)
··················· 206
LUTD (lower urinary tract dysfunction) ············· 14
LUTS (lower urinary tract symptom)
········ 2, 14, 132, 197, 382

## M

MACE (Malone's antegrade continence enema) ············ 292
Malone法洗腸路造設術 ·········· 393
Mini-Mental State Examination (MMSE) ··············· 63
Mitrofanoff法導尿路造設術 ······ 393
MMSE (Mini-Mental State Examination) ········· 128
MoCA-J (Montreal Cognitive Assessment 日本語版) ········ 63
MRP (maximum resting pressure) 258
MSP (maximum squeeze pressure) 258
MUP (motor unit potential) ······ 260

## N

NLUTD (neurogenic lower urinary tract dysfunction) ········ 18, 60
NM スケール ············· 131
NO (nitric oxide) ············ 11
NPY ················· 11
NSAIDs ·············· 85
N式老年者用精神状態尺度 ·· 63, 131
N-メチル-D-アスパラギン酸受容体拮抗薬 ················ 83

## O

OAB (overactive bladder)
··············· 16, 31, 197
OAB syndrome ············· 31
OAB-dry ·············· 197
OAB-wet ·············· 16, 197
OABSS (Overactive bladder syndrome score) ··········· 33, 109
Oxford scale ·········· 120, 249

## P

PAC-QOL (Patient Assessment of Constipation Quality of Life questionnaire) ·············· 4
PFME (pelvic floor muscle exercise) 277
Pippi Salle法尿道延長術 ········· 393
PLISSIT モデル ·············· 359
PNTML (pudendal nerve terminal motor latency) ············ 260
POP (pelvic organ prolapse) ··· 40, 382
POP-Q (pelvic organ prolapse quantification system) ········ 43
posterior TVM ············ 206
PSA (prostate-specific antigen) ··· 01
PTNS (percutaneous tibial nerve stimulation) ············ 210
PUBS (purple urine bag syndrome) 169
PVP (photoselective vaporization of the prostate) ············ 205
PVR (post-void residual) ······· 132

## Q

Qave (average urinary flow rate)
··················· 137
Qmax (maximum urinary flow rate)
··················· 137
QOL ············ 3, 99, 106, 352
QOL評価票 ············· 106
Qチップテスト ············ 118

## R

RI法 ················· 262
Rome Ⅳ診断基準 ··············· 73, 78
RSC (robot-assisted sacrocolpopexy)
··················· 206
RTH製剤 ············· 275

## S

Shontz (ションツ) ············ 353
Sitzmarks®検査 ············ 313
SNM (sacral nueromodulation)
········ 76, 88, 92, 207, 314
SNS (sacral nerve stimulation) ··· 209, 213
SSRI ················ 85
SUI (stress urinary incontinence) ·· 382
sUTI (symptomatic urinary tract infection) ············· 24
S状結腸 ·············· 288
S状結腸利用膀胱拡大術 ·········· 393

## T

TAI (trans-anal irrigation) ········ 297
TaTME (transanal total mesorectal excision) ··············· 89
TENS (transcutaneous electro neuro stimulation) ············· 210
TEWL (transepidermal water loss) ·· 322
tTOT (Trans-Obturator Tape) ·· 207
total TVM ·············· 206
TUEB (transurethral enucleation with bipolar) ············· 205
TURis (TUR in saline) ········ 205
TUR-P (trans-urethral resection of the prostate) ············· 205
TUR症候群 ·············· 205
TVM (transvaginal mesh) ····· 44
TVT (Tension-free Vaginal Tape) · 207
type Ⅰ (slow twitch fiber) ········· 7
type Ⅱ (fast twitch fiber) ········· 7

## U

UDS (urodynamic study) ········ 391
UFM (uroflowmetry) ········ 137
US (ultrasonography) ·········· 391
UTI (urinary tract infection) ······ 169
UUI (urgency urinary incontinence)
··················· 382

## V/W/X

VCUG (voiding cystourethrography)
··················· 391
VIP (vasoactive intestinal polypeptide)
··················· 11
VUR (vesicoureteral reflux) ····· 390
Wexner score ·········· 91, 238
whirl sign ·············· 77
X線不透過マーカー ············ 262

# 新版　排泄ケアガイドブック

| | | | |
|---|---|---|---|
| 2017年2月5日 | 第1版第1刷発行 | 編　集 | 一般社団法人 日本創傷・オストミー・失禁管理学会 |
| 2021年12月25日 | 第2版第1刷発行 | | |
| 2024年2月10日 | 第2版第2刷発行 | 発行者 | 有賀　洋文 |
| | | 発行所 | 株式会社　照林社 |
| | | | 〒112-0002 |
| | | | 東京都文京区小石川2丁目3-23 |
| | | | 電話　03-3815-4921（編集） |
| | | | 　　　03-5689-7377（営業） |
| | | | https://www.shorinsha.co.jp/ |
| | | 印刷所 | 共同印刷株式会社 |

- 本書に掲載された著作物（記事・写真・イラスト等）の翻訳・複写・転載・データベースへの取り込み、および送信に関する許諾権は、照林社が保有します。
- 本書の無断複写は、著作権法上の例外を除き禁じられています。本書を複写される場合は、事前に許諾を受けてください。また、本書をスキャンしてPDF化するなどの電子化は、私的使用に限り著作権法上認められていますが、代行業者等の第三者による電子データ化および書籍化は、いかなる場合も認められていません。
- 万一、落丁・乱丁などの不良品がございましたら、「制作部」あてにお送りください。送料小社負担にて良品とお取り替えいたします（制作部☎0120-87-1174）。

検印省略（定価はカバーに表示してあります）
ISBN978-4-7965-2533-6
©日本創傷・オストミー・失禁管理学会/2021/Printed in Japan